시험에 더 강해지는

보카 클리어

수능편

학습자의 마음을 읽는 동아영어콘텐츠연구팀

동아영어콘텐츠연구팀은 동아출판의 영어 개발 연구원, 현장 선생님,
그리고 전문 원고 집필자들이 공동 연구를 통해 최적의 콘텐츠를 개발하는 연구 조직입니다.

원고 개발에 참여하신 분들

김효신, 차민경

기획에 도움을 주신 분들

고미선, 김민성, 김태승, 김효성, 이민하, 이지혜, 이현아, 이재호, 임기애, 장성훈, 조나현, 조은혜, 한지원

시험에 더 강해지는 **보카클리어**

수능편

지은이 동아영어콘텐츠연구팀
발행일 2021년 10월 20일
인쇄일 2024년 3월 20일
펴낸곳 동아출판㈜
펴낸이 이욱상
등록번호 제300-1951-4호(1951. 9. 19)
개발총괄 장옥희
개발 이유미, 서현전, 백소영
영문교열 Patrick Ferraro
표지 디자인 목진성, 권구철
내지 디자인 DOTS
대표번호 1644-0600
주소 서울시 영등포구 은행로 30 (우 07242)

시험에 더 강해지는

보카 클리어

수능편

STRUCTURES & FEATURES

단어와 예문을 바로 들을 수 있는 QR 코드

〈영단어〉〈영단어+뜻〉
〈영단어+뜻+예문〉
3가지의 음원이 제공됩니다.

시험에 더 강해지는 어휘

표제어뿐만 아니라 내신 · 수능에 나오는 유의어, 반의어, 관련 숙어 등 확장 어휘까지 학습할 수 있도록 별도 코너로 구성하였습니다.

수능/모평/학평 기출 예문

수능, 모평, 학평의 기출 지문에서 발췌한 예문으로 실전에 대비할 수 있도록 하였습니다.

수능 표현

수능에 출제되었거나 출제가 예상되는 연어(collocation)를 정리하여 수능 독해에 직결될 수 있도록 하였습니다.

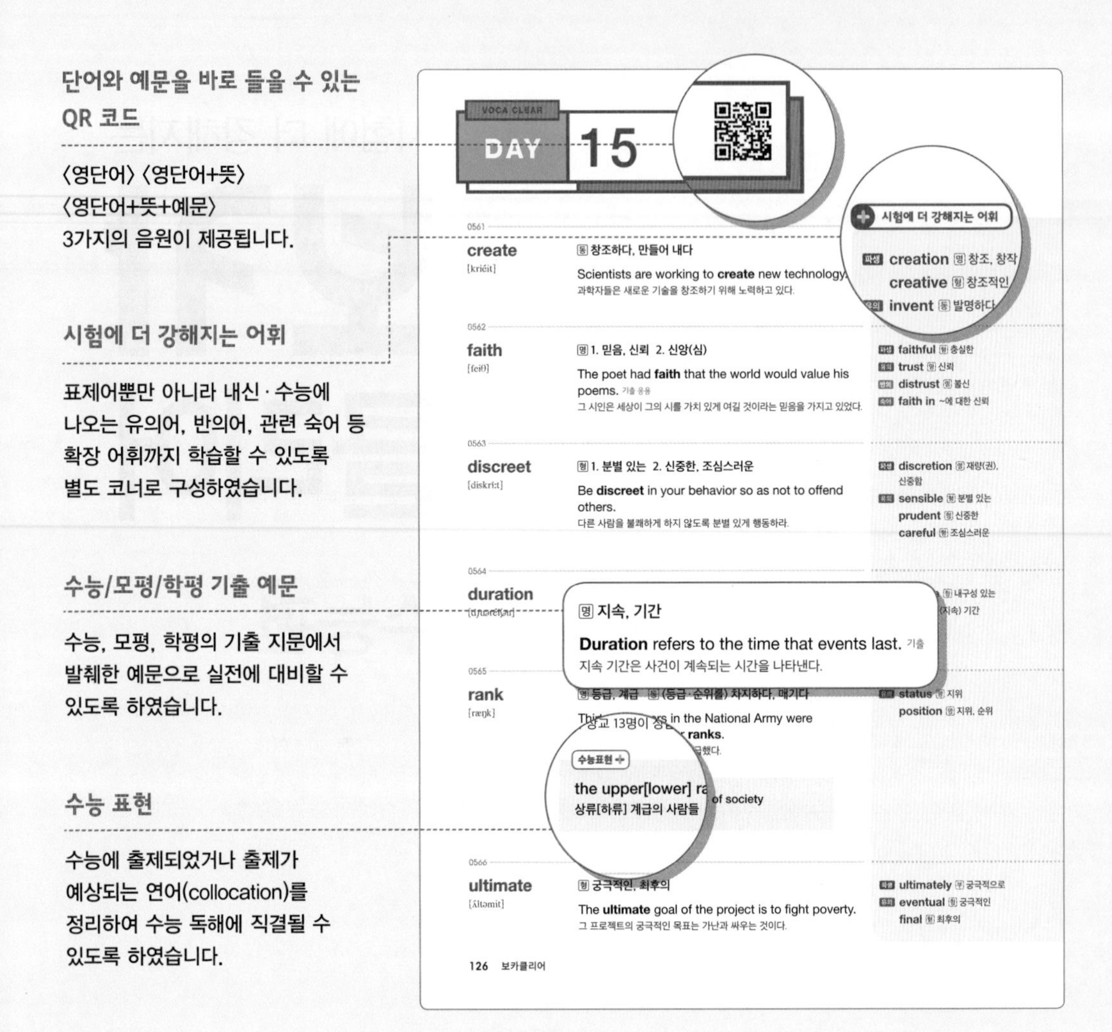

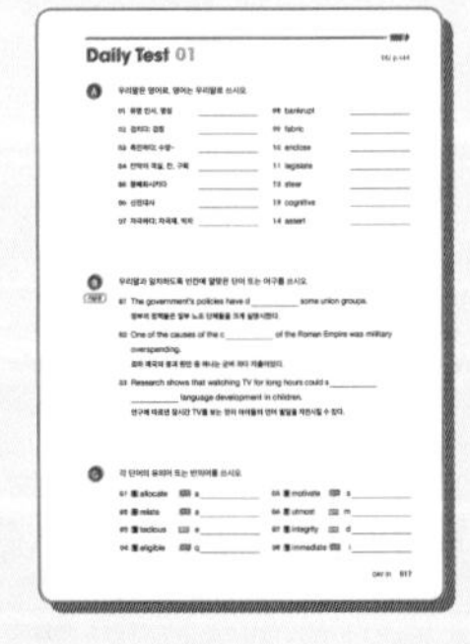

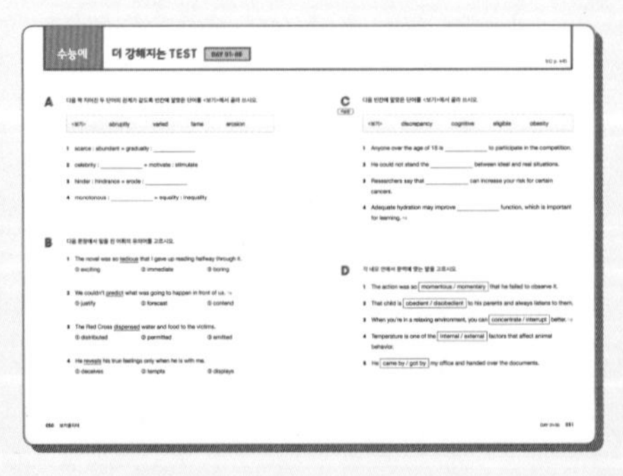

외운 단어를 반복 테스트

Day가 끝날 때마다 제시되는 **Daily Test**를 통해 표제어뿐만 아니라 유의어 · 반의어까지 점검해 볼 수 있습니다.

5일마다 제공되는 **수능에 더 강해지는 Test**를 통해 누적 단어들을 복습하고 수능도 대비할 수 있습니다.

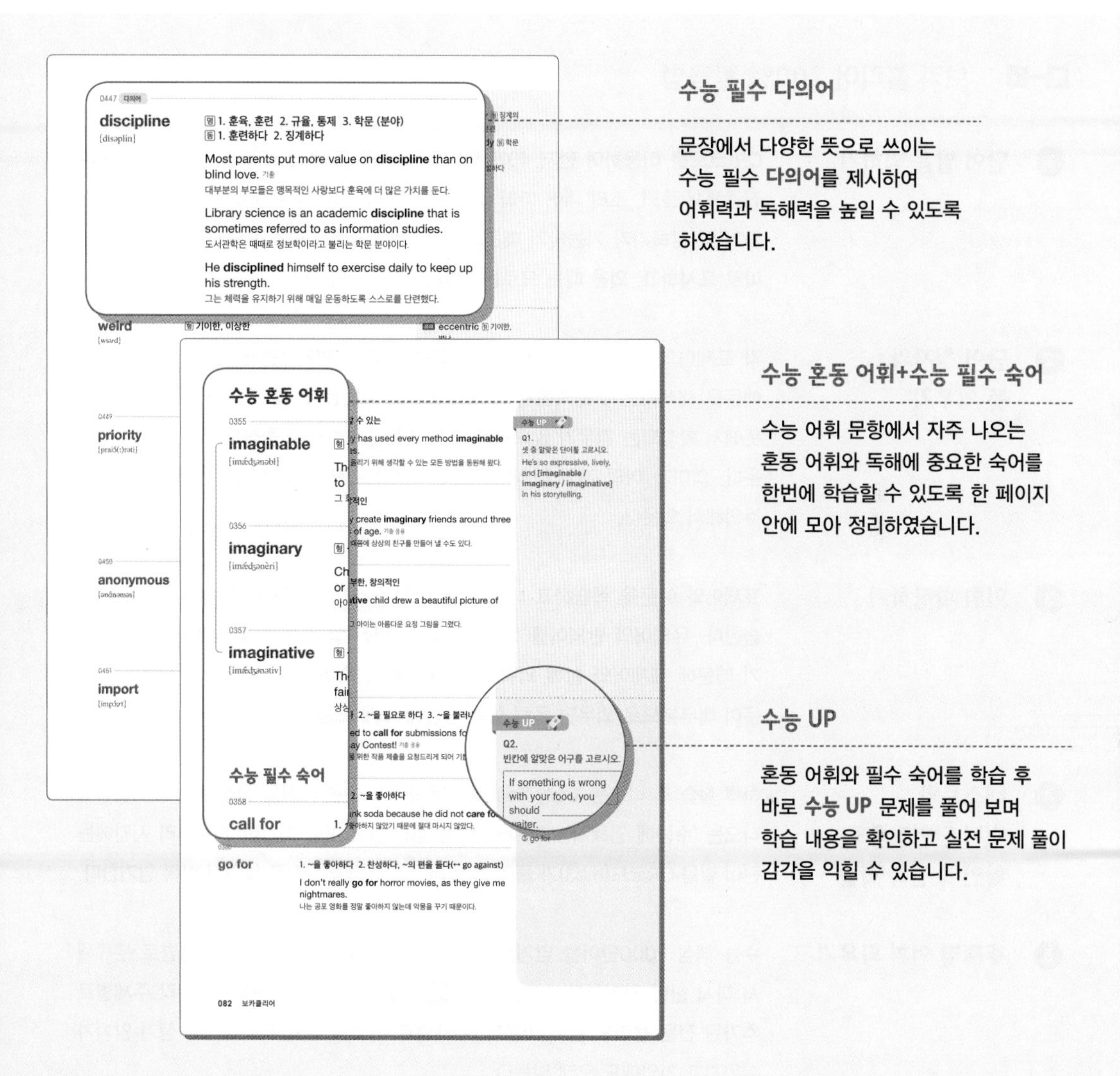

수능 필수 다의어

문장에서 다양한 뜻으로 쓰이는 수능 필수 다의어를 제시하여 어휘력과 독해력을 높일 수 있도록 하였습니다.

수능 혼동 어휘+수능 필수 숙어

수능 어휘 문항에서 자주 나오는 혼동 어휘와 독해에 중요한 숙어를 한번에 학습할 수 있도록 한 페이지 안에 모아 정리하였습니다.

수능 UP

혼동 어휘와 필수 숙어를 학습 후 바로 수능 UP 문제를 풀어 보며 학습 내용을 확인하고 실전 문제 풀이 감각을 익힐 수 있습니다.

학습 편의를 위한 미니 단어장과 모바일 어플!

미니 단어장

휴대하기 편한 미니 단어장으로 어디서든 편하게 공부한 단어를 복습해 보세요.

모바일 어플 '암기고래'

'암기고래' 앱을 설치해서 단어 발음도 익히고 단어 퀴즈도 풀어 보세요.

'암기고래' 앱 > 일반 모드 입장하기 > 영어 > 동아출판 > 보카클리어

HOW TO STUDY

보카 클리어 200% 활용법

❶ 단어 발음 익히기

QR 코드를 이용하여 먼저 40개 단어의 발음을 듣는다. 소리와 철자를 비교하며 집중해서 듣되, 소리 내어 따라 읽는 것이 좋다. 단어를 제대로 발음할 수 있어야 듣기 및 말하기가 가능하기 때문이다. 50개 단어를 다 듣고 나서 모르는 단어는 따로 표시하고, 외울 때는 모르는 단어 중심으로 외운다.

❷ 단어 철자와 뜻 외우기

각 표제어의 철자(spelling)와 뜻을 외운다. 이때 먼저 1번 뜻 중심으로 외우고, 예문을 해석하면서 문맥에서 단어의 쓰임을 확인한다. 뜻이 여러 개인 경우 1번 뜻에서 확장되는 경우가 많으므로 나머지 뜻은 1번 뜻을 중심으로 이해하면서 외운다. 의미가 여러 개인 다의어와 혼동 어휘는 별도로 표시되어 있으므로 좀 더 주의해서 외운다.

❸ 어휘 확장하기

표제어와 예문을 학습하고 나서 각 단어의 파생어 · 유의어 · 반의어 · 숙어를 학습한다. 유의어와 반의어를 이용한 문제는 내신 및 수능 어휘 문항에 자주 나오기 때문에 표제어와 함께 외워두는 것이 좋다. 숙어의 경우 독해와 직결되는 구문이 대부분으로 외우면 독해 실력 향상에 크게 도움이 된다.

❹ 테스트와 미니 단어장으로 확인 & 반복 학습

하루 학습 후 나오는 'Daily Test'를 이용해서 학습한 어휘를 점검해 보고, 5일마다 나오는 '수능에 강해지는 Test'로 반복 점검한다. 이동 시간이나 자투리 시간에는 단어 발음 QR코드(mp3)가 들어 있는 미니 단어장을 수시로 보면서 반복 암기한다.

❺ 주제별 어휘 외우기

수능 핵심 2000단어를 암기한 후 가능한 단어들은 수능 지문 주제별로 분류해서 다시 한번 암기한다. (→ p. 432 특별부록 수능 지문 주제별 어휘) 이때 각 주제별로 추가된 전문 용어도 함께 외운다. 주제별로 어휘를 암기하면 맥락이 생겨 암기가 쉬워지고 기억에도 오래 남는다.

이 책에 사용된 약호·기호

명 명사 동 동사 형 형용사 부 부사 전 전치사 접 접속사

파생 파생어 유의 뜻이 비슷한 말 반의 뜻이 반대되는 말

숙어 표제어와 관련된 구문이나 표현 복수 명사의 복수형

◻-◻ 수능 어휘 문항 따라잡기

❶ 정반대 뜻을 가진 단어를 이용한 문제

정반대 뜻을 가진 어휘 중에 문맥에 적합한 것을 고르는 유형으로, 단어를 외울 때 반의어를 함께 외워두면 크게 도움이 된다.

Absolute (C) complexity/simplicity, in most cases, remained an ideal rather than a reality, and in the early twentieth century complex architectural decorations continued to be used in many private and public buildings. 학평 기출

풀이 글의 말미에 20세기 초반에 여전히 '복잡한(complex)' 건축 장식이 사용되었다는 것으로 보아 절대적인 '단순성(simplicity)'이 이상이었음을 알 수 있다.

❷ 철자나 발음이 비슷한 단어를 이용한 문제

철자나 발음이 비슷한 어휘 중에 문맥상 적절한 것을 고르는 유형으로, 헷갈리기 쉬운 혼동 어휘를 철저하게 정리해둘 필요가 있다.

The sense of hearing gives us a remarkable connection with the invisible, underlying order of things. Through our ears we gain access to vibration, which (C) underlies / undermines everything around. 수능 기출

풀이 문맥상 진동(vibration)은 우리 주변의 모든 것의 '기저에 있는(underlies)' 소리로 보는 것이 적절하다. undermine은 '손상시키다'라는 뜻으로 underlie와 혼동하기 쉬운 단어이다.

❸ 문맥에 적합한 어휘를 고르는 문제

글을 논리적으로 이해한 후 문맥상 쓰임이 어색한 단어를 고르는 문제로, 주로 반의어가 오답으로 제시되며 혼동어가 출제될 가능성도 있다.

The pattern only changed when someone ⑤ lacked the courage to report what was actually measured instead of what was expected. 수능 기출

풀이 어떤 패턴이 지속되어 왔고, 그 패턴이 바뀌려면 실측 자료를 보고할 용기가 '있는[충분한]' 사람이 있어야 하는 것이 논리상 적절하므로 lacked는 오답이다.

STUDY PLANNER

2000단어 50일 완성 플래너입니다. Day 별 학습 여부를 체크하면서 2회독에 도전해 보세요.

	DAY	1회독	2회독
5일	DAY 01	☐	☐
	DAY 02	☐	☐
	DAY 03	☐	☐
	DAY 04	☐	☐
	DAY 05	☐	☐
10일	DAY 06	☐	☐
	DAY 07	☐	☐
	DAY 08	☐	☐
	DAY 09	☐	☐
	DAY 10	☐	☐
15일	DAY 11	☐	☐
	DAY 12	☐	☐
	DAY 13	☐	☐
	DAY 14	☐	☐
	DAY 15	☐	☐
20일	DAY 16	☐	☐
	DAY 17	☐	☐
	DAY 18	☐	☐
	DAY 19	☐	☐
	DAY 20	☐	☐
25일	DAY 21	☐	☐
	DAY 22	☐	☐
	DAY 23	☐	☐
	DAY 24	☐	☐
	DAY 25	☐	☐

	DAY	1회독	2회독
30일	DAY 26	☐	☐
	DAY 27	☐	☐
	DAY 28	☐	☐
	DAY 29	☐	☐
	DAY 30	☐	☐
35일	DAY 31	☐	☐
	DAY 32	☐	☐
	DAY 33	☐	☐
	DAY 34	☐	☐
	DAY 35	☐	☐
40일	DAY 36	☐	☐
	DAY 37	☐	☐
	DAY 38	☐	☐
	DAY 39	☐	☐
	DAY 40	☐	☐
45일	DAY 41	☐	☐
	DAY 42	☐	☐
	DAY 43	☐	☐
	DAY 44	☐	☐
	DAY 45	☐	☐
50일	DAY 46	☐	☐
	DAY 47	☐	☐
	DAY 48	☐	☐
	DAY 49	☐	☐
	DAY 50	☐	☐

CONTENTS

수능 핵심
2000단어
50일 완성

VOCA CLEAR

DAY

1-50

VOCA CLEAR

DAY 01

시험에 더 강해지는 어휘

0001

eligible

[élidʒəbl]

형 적격의, 자격이 있는

Citizens over the age of 18 are **eligible** to vote.
18세 이상의 시민은 투표할 자격이 있다.

파생 **eligibility** 명 적임, 적격
유의 **qualified** 형 자격 있는
반의 **ineligible** 형 부적격의
숙어 **eligible for[to-v]** ~의[할] 자격이 있는

0002

allocate

[ǽləkèit]

동 할당[배분]하다

Negotiations are bounded in terms of the amount of time **allocated** to them. 기출 응용
협상은 그것에 할당된 시간의 양이라는 측면에서 제한되어 있다.

수능표현 +
allocated area 할당 지역

파생 **allocation** 명 할당(량)
유의 **assign** 동 할당하다
distribute 동 배분하다

0003

celebrity

[səlébrəti]

명 1. 유명 인사 2. 명성

Now the mathematician was a true **celebrity**; his name was in the newspapers all the time. 기출 응용
이제 그 수학자는 진정한 유명 인사로, 그의 이름이 언제나 신문에 나왔다.

수능표현 +
political celebrity 정치계 유명 인사

유의 **fame** 명 명성
반의 **public** 명 일반인

0004

motivate

[móutəvèit]

동 동기를 부여하다, 자극하다

Competition will **motivate** you to focus more on your tasks. 기출 응용
경쟁은 여러분이 자신의 과업에 더 집중하도록 동기를 부여할 것이다.

파생 **motive** 명 동기
motivation 명 동기 부여, 자극
유의 **stimulate** 동 자극하다

0005

bankrupt

[bǽŋkrʌpt]

형 파산한, 지불 능력이 없는

The company was unable to pay its debts and went **bankrupt**.
그 회사는 부채를 갚지 못하고 파산했다.

파생 **bankruptcy** 명 파산
유의 **broke** 형 파산한
숙어 **go bankrupt** 파산하다

0006

enclose
[inklóuz]

동 1. 동봉하다 2. 둘러싸다

Enclosed are copies of my receipts and guarantees concerning this purchase.
이 구매와 관련된 영수증 사본과 보증서를 동봉합니다.

파생 **enclosed** 형 동봉된, 에워싸인
유의 **include** 동 포함하다
surround 동 둘러싸다
숙어 **be enclosed with** ~로 둘러싸이다

0007

legislate
[lédʒislèit]

동 입법하다, 법률을 제정하다

The government made an effort to **legislate** the new health care law.
정부는 새로운 의료법을 제정하기 위해 노력했다.

파생 **legislation** 명 입법
legislature 명 입법부
legislator 명 국회의원

0008 다의어

post
[poust]

동 1. 올리다, 게시하다 2. (우편물을) 발송하다
명 1. 우편 2. 직책, 자리 3. 기둥, 말뚝

All winning entries will be **posted** on the official website. 기출
모든 수상작은 공식 웹사이트에 게시될 것이다.

Make sure you didn't leave anything out before **posting** the contract.
그 계약서를 발송하기 전에 빼먹은 것이 없는지 확인해라.

Please send me the document by **post**.
서류를 우편으로 보내 주세요.

파생 **postage** 명 우편 요금
postal 형 우편의
유의 **mail** 명 우편(물)

0009

compartment
[kəmpɑ́ːrtmənt]

명 1. (기차의) 칸막이 객실 2. 칸, 구획

He walked through the train, from **compartment** to **compartment**.
그는 객실에서 객실로 기차의 안을 걸어 다녔다.

수능표현 +
smoking compartment 흡연실

파생 **compartmentalize** 동 구분[분류]하다
유의 **section** 명 부분, 구획

0010

tedious
[tíːdiəs]

형 지루한, 싫증 나는

Spreading a thin coat of paint on the wall was a slow, **tedious** process. 기출 응용
벽에 페인트를 얇게 칠하는 것은 느리고 지루한 과정이었다.

유의 **boring** 형 지루한
monotonous 형 단조로운
반의 **exciting** 형 흥미진진한

0011

scholar
[skɑ́lər]

명 1. 학자 2. 장학생

How could something written by a crowd replace the work of the world's top **scholars**? 기출
어떻게 일반 대중이 작성한 것이 세계 최고 학자들의 저작물을 대체할 수 있단 말인가?

파생 scholastic 형 학업의
유의 intellectual 명 지식인

0012

immediate
[imíːdiət]

형 1. 즉각적인 2. 당면한 3. 직접적인

I want **immediate** action to solve this urgent problem. 기출
나는 이 긴급한 문제를 해결할 수 있는 즉각적인 조치를 원한다.

파생 immediately 부 즉시
유의 instant 형 즉각적인
숙어 take immediate action 즉각적인 조치를 취하다

0013

integrity
[intégrəti]

명 1. 정직, 성실, 고결, 청렴 2. 온전함, 본래의 모습

Donation admissions erode the **integrity** of the college.
기여 입학제는 대학의 고결함을 해친다.

유의 honesty 명 정직
반의 dishonesty 명 부정직

0014

dismay
[disméi]

명 1. 경악 2. 실망
동 1. 경악하게 만들다 2. 크게 실망시키다

He could not hide his **dismay** at the destruction of the entire city.
그는 도시 전체가 파괴된 것에 경악을 감추지 못했다.

파생 dismayed 형 낭패한
유의 alarm 명 놀람, 충격
disappointment 명 실망
숙어 to one's dismay 놀랍게도
in dismay 실망하여

0015

relate
[riléit]

동 관련이 있다, 관련짓다

When you read your textbooks, try to **relate** information to your own life. 기출
교과서를 읽을 때 정보를 자신의 삶과 관련지으려고 노력하라.

수능표현 +
personal relationship 대인 관계

파생 relation 명 관련(성)
relationship 명 관계
relative 형 상대적인
유의 associate 동 연관 짓다
숙어 relate A to B A를 B에 관련짓다

0016

physician
[fizíʃən]

명 (내과) 의사

Be sure to tell the **physicians** what medicine you are taking.
어떤 약을 복용하고 있는지 의사에게 반드시 알려 주세요.

0017

increase
[inkríːs]

동 증가하다[시키다] 명 [ínkriːs] 증가, 인상

Diabetes during pregnancy has **increased** in the past several years.
임신 중의 당뇨병은 지난 몇 년 동안 증가해 왔다.

파생 **increasingly** 부 점점 더
반의 **decrease** 명 동 감소(하다)
숙어 **increase from A to B** A에서 B로 증가하다
increase in ~에 있어서의 증가

0018

entertain
[èntərtéin]

동 1. 즐겁게 하다 2. 대접하다

How easy it was to **entertain** this contented baby!
이 만족해하는 아기를 즐겁게 하는 것은 어찌나 쉬웠는지! 기출

파생 **entertainment** 명 오락, 접대
entertaining 형 재미있는
유의 **amuse** 동 즐겁게 하다

0019

metabolism
[mətǽbəlìzəm]

명 신진대사, 대사

Calorie restrictions can cause your **metabolism** to slow down.
칼로리를 제한하는 것은 여러분의 신진대사를 늦출 수 있다.

파생 **metabolic** 형 신진대사의

0020

utmost
[ʌ́tmòust]

형 최고의, 극도의 명 최대한도

I expect to have the **utmost** cooperation. 기출
나는 최대한의 협조를 기대한다.

유의 **extreme** 형 극도의
maximum 명 형 최대(의)
반의 **least** 명 형 최소(의)
minimum 명 최소한도
숙어 **to the utmost** 극도로

0021

foster
[fɔ́(ː)stər]

동 1. 촉진하다, 육성하다 2. 위탁 양육하다
형 양(養)~, 수양~

Coaches should help **foster** a positive athletic atmosphere for players. 기출
코치는 선수들을 위해 긍정적인 운동 분위기를 촉진하도록 도와야 한다.

수능표현 +

foster parent 수양 부모
foster child 수양 자녀

유의 **encourage** 동 장려하다
promote 동 촉진하다

0022

spur
[spəːr]

동 1. 자극하다, 원동력이 되다 2. 박차를 가하다
명 1. 자극제, 원동력 2. 박차

Negative emotions such as anger can **spur** people to take action.
분노와 같은 부정적인 감정은 사람들이 행동을 취하도록 자극할 수 있다.

유의 **stimulate** 동 자극하다
stimulus 명 자극제

0023

fabric
[fǽbrik]

명 1. 직물, 천 2. (사회·조직 등의) 구조, 조직

Fabrics made of Egyptian cotton are softer than any other cotton in the world. 기출
이집트 목화로 만들어진 직물은 세계의 어떤 면보다 더 부드럽다.

수능표현 +
social fabric 사회 구조

파생 **fabricate** 동 만들다, 제작하다
유의 **textile** 명 직물, 옷감
framework 명 틀, 구조
structure 명 구조

0024

collapse
[kəlǽps]

동 1. 붕괴되다, 무너지다 2. (사람이) 쓰러지다 3. 좌절되다, 실패하다
명 1. 붕괴 2. 실패

The roof of the building **collapsed**, possibly due to the weight of the snow on it.
그 건물의 지붕이 무너졌는데, 아마도 그 위에 쌓인 눈의 무게 때문이었을 것이다.

유의 **fall down** 무너지다, 쓰러지다
failure 명 실패

0025

pregnant
[prégnənt]

형 임신한

She is **pregnant** and the baby is due in September.
그녀는 임신 중인데 아이는 9월에 태어날 예정이다.

파생 **pregnancy** 명 임신
유의 **expecting** 형 임신한

0026

overlap
[oùvərlǽp]

동 겹치다, 중복되다 명 [oúvərlæ̀p] 겹침, 중복

His conclusions often **overlap** with those produced by other theoretical approaches.
그의 결론은 다른 이론적 접근에 의해 제시된 결론과 종종 중복된다.

파생 **overlapping** 형 중복된
숙어 **overlap with** ~와 겹치다

0027

vaccine
[væksíːn]

명 (예방) 백신

Vaccines against the virus are undergoing clinical trials.
그 바이러스에 대한 백신은 임상 시험 중이다.

파생 **vaccinate** 동 백신을 접종하다

0028

upright
[ʌ́pràit]

형 1. 똑바로 선, 수직의 2. 올바른, 정직한

The flames in the poster resemble three **upright** tongues. 기출 응용
포스터에 있는 불꽃은 똑바로 선 세 개의 혀를 닮았다.

유의 **straight** 형 곧은, 똑바른
vertical 형 수직의
반의 **horizontal** 형 수평의

0029

steer
[stiər]

동 1. 조종하다, 몰다 2. (~ 쪽으로) 이끌다

The driver **steered** his car slowly into the empty parking space.
운전자는 빈 주차 공간으로 천천히 차를 몰았다.

수능표현 +

steering wheel (자동차의) 핸들, (배의) 타륜

유의 **drive** 동 몰다
lead 동 이끌다
숙어 **steer clear of** ~에 가까이 가지 않다

0030

devastate
[dévəstèit]

동 1. 황폐화시키다 2. 망연자실하게 하다

The quake **devastated** 24,000 square miles of wilderness. 기출
그 지진은 2만4천 평방 마일의 황무지를 황폐화시켰다.

파생 **devastation** 명 황폐
devastating 형 파괴적인
유의 **destroy** 동 파괴하다
ruin 동 폐허로 만들다

0031

cognitive
[kɑ́:gnətiv]

형 인식의, 인지의

Rich knowledge is needed to engage in **cognitive** activities like thinking. 기출
사고와 같은 인지적 활동을 하기 위해서는 풍부한 지식이 필요하다.

수능표현 +

cognitive development 인지 발달
cognitive science 인지 과학

파생 **cognition** 명 인식, 인지

0032

secure
[sikjúər]

형 안전한 동 (힘들게) 얻어 내다, 확보하다

The firefighters helped the child escape to a **secure** location.
소방관들은 아이가 안전한 장소로 대피하도록 도왔다.

파생 **security** 명 보안, 경비
유의 **safe** 형 안전한
obtain 동 얻다, 획득하다
반의 **insecure** 형 불안한

0033

trait
[treit]

명 특성, 특징

There are personality **traits** commonly associated with entrepreneurs. 기출
일반적으로 기업가들과 관련된 성격적 특성들이 있다.

유의 **characteristic** 명 특성
feature 명 특징

0034

beverage
[bévəridʒ]

명 (물이 아닌) 음료, 마실 것

Some snacks and **beverages** will be provided to all passengers.
약간의 스낵과 음료가 모든 승객에게 제공될 것이다.

유의 **drink** 명 음료, 마실 것

수능 혼동 어휘

0035

interpret
[intə́ːrprit]

동 1. 해석하다 2. 설명하다 3. 통역하다

We imagine how we might look to other people, and we **interpret** their responses to us. 기출
우리는 다른 사람들에게 우리가 어떻게 보일 수 있을지를 상상하고, 우리에 대한 그들의 반응을 해석한다.

0036

interrupt
[ìntərʌ́pt]

동 1. 방해하다 2. 중단시키다

He tried to explain how the accident happened, but his mother kept **interrupting** him.
그는 어떻게 사고가 일어났는지 설명하려고 했지만, 그의 어머니가 계속 그를 방해했다.

수능 UP

Q1.
둘 중 알맞은 단어를 고르시오.
Different life experiences mean that we **[interpret / interrupt]** situations differently.

0037

assert
[əsə́ːrt]

동 주장하다, 단언하다

Environmentalists **asserted** that small acts of individuals can affect the climate.
환경론자들은 개인의 사소한 행동들이 기후에 영향을 미칠 수 있다고 주장했다.

0038

asset
[ǽset]

명 자산, 재산

A large number of educated people are an **asset** to the country.
교육을 받은 많은 사람들은 그 나라의 자산이다.

Q2.
둘 중 알맞은 단어를 고르시오.
He continued to **[assert / asset]** that he had not stolen the money.

수능 필수 숙어

0039

set back

저지[방해]하다, 지연시키다

The cold weather and heavy snow have **set back** construction by several weeks.
추운 날씨와 폭설로 인해 공사가 몇 주 지연되었다.

0040

set forth

출발하다

The campers **set forth** on their journey into the wilderness.
야영객들은 황야로 여행을 떠났다.

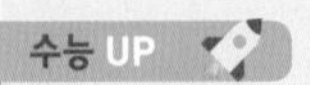

Q3.
빈칸에 알맞은 어구를 고르시오.

If anything happens to the team, the project will be __________ at least six months.

① set back
② set forth

Daily Test 01

정답 p.444

A 우리말은 영어로, 영어는 우리말로 쓰시오.

01 유명 인사, 명성 ______________

02 겹치다; 겹침 ______________

03 촉진하다; 수양~ ______________

04 칸막이 객실, 칸, 구획 ______________

05 황폐화시키다 ______________

06 신진대사 ______________

07 자극하다; 자극제, 박차 ______________

08 bankrupt ______________

09 fabric ______________

10 enclose ______________

11 legislate ______________

12 steer ______________

13 cognitive ______________

14 assert ______________

B 우리말과 일치하도록 빈칸에 알맞은 단어 또는 어구를 쓰시오.

서술형

01 The government's policies have d__________ some union groups.
정부의 정책들은 일부 노조 단체들을 크게 실망시켰다.

02 One of the causes of the c__________ of the Roman Empire was military overspending.
로마 제국의 붕괴 원인 중 하나는 군비 과다 지출이었다.

03 Research shows that watching TV for long hours could s__________ __________ language development in children.
연구에 따르면 장시간 TV를 보는 것이 아이들의 언어 발달을 지연시킬 수 있다.

C 각 단어의 유의어 또는 반의어를 쓰시오.

01 동 allocate 유의 a______________

02 동 relate 유의 a______________

03 형 tedious 반의 e______________

04 형 eligible 유의 q______________

05 동 motivate 유의 s______________

06 명 utmost 반의 m______________

07 명 integrity 반의 d______________

08 형 immediate 유의 i______________

VOCA CLEAR

DAY 02

0041

contend
[kənténd]

동 1. 주장하다 2. 다투다

I **contend** that education should be available to all.
나는 교육이 모두에게 이용 가능해야 한다고 주장한다.

시험에 더 강해지는 어휘

파생 **contention** 명 논쟁, 주장
유의 **assert** 동 주장하다
compete 동 겨루다, 다투다
숙어 **contend with** ~와 다투다

0042 다의어

dull
[dʌl]

형 1. (칼날이) 무딘 2. 둔한 3. 둔탁한 4. 단조로운, 지루한

He tried to cut wood with a **dull** axe. 기출 응용
그는 무딘 도끼로 나무를 자르려고 애를 썼다.

She was listening to the **dull** tick-tock of the clock.
그녀는 시계의 둔탁한 똑딱거리는 소리를 듣고 있었다. 기출

The professor was slammed on a student review website for giving **dull** lectures.
그 교수는 지루한 강의를 하는 것으로 학생 후기 사이트에서 혹평을 받았다.

파생 **dullness** 명 둔함, 지루함
유의 **blunt** 형 무딘
boring 형 따분한
반의 **sharp** 형 날카로운
exciting 형 흥미진진한
lively 형 기운찬

0043

hinder
[híndər]

동 방해[저해]하다, 막다

A popular notion with regard to creativity is that constraints **hinder** our creativity. 기출
창의성에 관한 일반적인 한 견해는 제한이 우리의 창의성을 방해한다는 것이다.

파생 **hindrance** 명 방해
유의 **obstruct** 동 방해하다, 막다
반의 **facilitate** 동 촉진하다
숙어 **hinder A from v-ing** A가 ~하는 것을 방해하다

0044

antibiotic
[æ̀ntibaiátik]

명 항생제, 항생물질 형 항생(물질)의

Antibiotics are known to be effective mainly against bacteria.
항생제는 주로 박테리아에 효과가 있는 것으로 알려져 있다.

수능표현+

antibiotic resistance 항생제 내성

0045

gigantic
[dʒaigǽntik]

형 거대한, 굉장히 큰

The **gigantic** stone heads are known as moai.
그 거대한 돌로 된 머리는 모아이라고 알려져 있다.

파생 **giant** 명 거인
유의 **enormous** 형 거대한
huge 형 거대한
반의 **tiny** 형 매우 작은

0046

thorough
[θə́:rou]

형 철저한, 빈틈없는

He urged the police to conduct a **thorough** investigation.
그는 경찰에 철저한 수사를 행해줄 것을 촉구했다.

수능표현 +
thorough examination 철저한 조사

파생 **thoroughly** 부 철저하게
유의 **exhaustive** 형 철저한
careful 형 꼼꼼한
반의 **cursory** 형 대충 하는, 피상적인

0047

prey
[prei]

명 1. 먹이, 사냥감 2. 희생자 동 잡아먹다

Some spiders catch their **prey** without a web.
어떤 거미들은 거미줄 없이 먹이를 잡는다.

유의 **game** 명 사냥감
victim 명 희생자
반의 **predator** 명 포식자

0048

reveal
[rivíːl]

동 1. 밝히다, 폭로하다 2. 나타내다, 드러내다

Valuable historical artifacts can **reveal** much about the past. 기출
가치 있는 역사적 유물은 과거에 대해 많은 것을 드러낼 수 있다.

파생 **revelation** 명 폭로
유의 **disclose** 동 폭로하다
unveil 동 밝히다
display 동 드러내다

0049

justify
[dʒʌ́stəfài]

동 1. 정당화하다 2. 정당성[타당함]을 증명하다

He tried to **justify** the recent changes in company policy.
그는 회사 정책의 최근 변화를 정당화하려고 노력했다.

수능표현 +
justify one's actions 자신의 행동을 정당화하다

파생 **justification** 명 정당화
justifiable 형 정당한
유의 **defend** 동 옹호하다

0050

incident
[ínsidənt]

명 (특히 불쾌한) 사건

The police plan to investigate the **incident** that happened in town last night.
경찰은 어젯밤 마을에서 발생한 사건을 조사할 계획이다.

파생 **incidental** 형 부수적인
유의 **event** 명 사건

0051

ornament
[ɔ́:rnəmənt]

명 장식(품), 장신구 동 장식하다

Jewelry refers to personal **ornaments**, such as necklaces or rings.
보석류는 목걸이 또는 반지 등 개인 장신구를 말한다.

파생 **ornamental** 형 장식용의
유의 **accessory** 명 장신구
decorate 동 장식하다

0052

constant
[kάnstənt]

형 1. 끊임없는, 계속되는 2. 일정한, 변함없는

My buddy and his wife were in **constant** conflict over the housework. 기출 응용
나의 동료와 그의 아내는 집안일에 대해 끊임없이 갈등을 일으켰다.

파생 **constantly** 부 끊임없이
유의 **continuous** 형 끊임없는
steady 형 꾸준한
반의 **changing** 형 변화하는
occasional 형 가끔의, 때때로의

0053

erode
[iróud]

동 1. 부식시키다, 침식시키다 2. 약화시키다

The cave has been **eroded** by the waves for thousands of years.
그 동굴은 수천 년 동안 파도에 침식되어 왔다.

파생 **erosion** 명 부식, 침식
유의 **wear away** 닳다
corrode 동 부식시키다, 침식하다

0054

nuisance
[njúːsəns]

명 성가신 사람[것], 골칫거리

Illegally parked scooters are always seen as a **nuisance** to the public.
불법 주차된 스쿠터는 사람들에게 항상 성가신 것으로 여겨진다.

유의 **trouble** 명 문제, 골칫거리
irritation 명 짜증나게 함

0055

equivalent
[ikwívələnt]

형 동등한, 상당하는 명 상응하는 것, 등가물

One kilometer is **equivalent** to 1,000 meters.
1킬로미터는 1,000미터와 동등하다.

파생 **equivalence** 명 등가, 등량
equal 형 같은, 평등한
유의 **counterpart** 명 대응물
숙어 **equivalent to** ~와 동등한
equivalent of ~에 상당하는

0056

crawl
[krɔːl]

동 기어가다, 서행하다 명 기어가기, 서행

Babies learn to sit up, then **crawl**, and finally walk.
아기들은 앉고 나서 기어 다니고 마침내 걷는 법을 배운다. 기출

유의 **creep** 동 기다

0057

patent
[pǽtənt]

명 특허(권) 동 특허를 받다

The researchers recently received a **patent** for bioactive glasses and metals.
연구진은 최근 생체 활성 유리 및 금속에 대한 특허를 받았다.

수능표현 +
patent right 특허권
apply for a patent 특허를 출원하다

파생 **patented** 형 창안된, 시작된
유의 **copyright** 명 저작권

0058

induce
[indjúːs]

동 1. 유도하다, 설득하다 2. 유발하다

Cleaning up our yard **induced** our neighbors to do the same.
우리의 마당을 청소한 것이 우리 이웃들이 동일한 일을 하도록 유도했다.

파생 inducement 명 유인책
유의 persuade 동 설득하다
반의 dissuade 동 만류하다
숙어 induce A to-v
A가 ~하게 유도하다

0059

mourn
[mɔːrn]

동 슬퍼하다, 애도하다

The actress postponed her wedding to **mourn** the death of her friend.
여배우는 친구의 죽음을 애도하기 위해 자신의 결혼식을 연기했다.

파생 mourning 명 애도
유의 lament 동 애도하다
grieve 동 몹시 슬퍼하다
반의 rejoice 동 크게 기뻐하다

0060

roam
[roum]

동 돌아다니다, 배회[방랑]하다

The animal has a better chance to survive **roaming** free than at a shelter. 기출
그 동물은 보호소에서보다 자유롭게 돌아다니며 살아 남을 가능성이 더 높다.

파생 roaming 형 떠도는
유의 wander 동 돌아다니다
rove 동 방랑하다

0061

criterion
[kraitíriən]

명 기준, 표준, 척도

Creativity is one of the **criteria** the projects will be judged on.
창의성은 과제들을 평가할 기준들 중 하나이다.

복수 criteria
유의 standard 명 기준
norm 명 표준

0062

social
[sóuʃəl]

형 사회의, 사회적인

Highly **social** animals such as parrots seem to be adversely affected when kept alone. 기출 응용
앵무새와 같이 사회적인 동물들은 혼자 있을 때 나쁜 영향을 받는 것처럼 보인다.

수능표현 +

social security 사회 보장 제도
social media 소셜 미디어
social welfare 사회 복지

파생 societal 형 사회의
society 명 사회
socialize 동 사회화시키다

0063

timber
[tímbər]

명 목재, 재목

Forests have been a source of building **timber** and firewood. 기출 응용
숲은 건축용 목재와 장작의 원천이 되어 왔다.

유의 lumber 명 재목

0064

artifact
[ɑ́ːrtəfæ̀kt]

명 1. 인공물, 공예품 2. (인공) 유물

The wooden **artifact** they bought was overpriced.
그들이 구입한 나무 공예품은 가격이 너무 비쌌다.

유의 relic 명 유물

0065

prevent
[privént]

동 1. 막다, 방해하다 2. 예방하다

Heavy exercise in the evening **prevents** you from falling into a deep sleep. 기출 응용
저녁에 심한 운동을 하는 것은 여러분이 숙면을 취하는 것을 방해한다.

파생 prevention 명 예방, 방지
preventive 형 예방을 위한
유의 stop 동 막다
반의 encourage 동 장려하다
숙어 prevent A from v-ing
A가 ~하는 것을 막다

0066

worship
[wə́ːrʃip]

동 숭배하다, 예배하다 명 숭배, 예배

My parents **worshiped** medical doctors as if they were exceptional beings. 기출
우리 부모님은 의사들을 마치 특출난 존재인 것처럼 숭배했다.

수능표현 +

ancestor worship 조상 숭배
hero worship 영웅 숭배

유의 adore 동 숭배하다, 흠모하다
adoration 명 경배, 흠모
반의 despise 동 멸시하다

0067 다의어

serve
[səːrv]

동 1. 음식을 내다, 식사 시중을 들다 2. 봉사하다, 섬기다 3. 근무[복무]하다 4. 서브를 넣다

The owner **served** Phillip his drink after greeting him. 기출 응용
주인은 Phillip에게 인사 후 음료를 제공했다.

The local bookstore continues to **serve** the community.
그 지역 서점은 지속적으로 지역 사회에 봉사하고 있다.

Jeff has been appointed to **serve** as vice president.
Jeff는 부통령으로 일하도록 임명되었다.

파생 server 명 서빙하는 사람
service 명 서비스, 봉사
serving 명 1인분
숙어 serve as ~의 역할을 하다

0068

draft
[dræft]

명 1. 원고, 초안 2. 징병
동 1. 초안을 작성하다 2. 징집하다

I knew that the first **draft** wouldn't be perfect. 기출
나는 초안이 완벽하지 않을 거라는 걸 알았다.

수능표현 +

rough draft 초고

유의 outline 명 초안, 윤곽
동 윤곽을 그리다
enlist 동 징집하다

0069

deceive
[disíːv]

동 속이다, 기만하다

She warned him not to be **deceived** by appearances.
그녀는 그에게 겉모습에 속지 말라고 경고했다.

파생 **deceit** 명 속임수, 기만
deceptive 형 기만적인
유의 **cheat** 동 속이다
숙어 **deceive A into v-ing** A를 속여서 ~하게 만들다

0070

statistic
[stətístik]

명 1. 통계 (자료) 2. ((-s)) 통계학

These **statistics** show the crime rate in the city.
이 통계는 도시의 범죄율을 보여 준다.

파생 **statistical** 형 통계(학)상의

0071

bundle
[bʌ́ndl]

명 묶음, 다발, 꾸러미

Her mother gave her a **bundle** of lilies and roses and a big hug. 기출
그녀의 어머니는 그녀에게 백합과 장미 한 다발을 주면서, 꼭 안아 주었다.

유의 **bunch** 명 다발, 묶음
숙어 **a bundle of** 한 다발의

0072

antique
[æntíːk]

형 1. 골동품의, 고미술의 2. 옛날의, 오래된 명 골동품

Priceless **antique** furniture was destroyed in the fire.
대단히 귀중한 골동품 가구가 화재로 소실되었다.

파생 **antiquity** 명 고대, 아주 오래됨

0073

primitive
[prímitiv]

형 원시 사회의, 원시적인 명 원시인

Supernaturalistic theories existed in **primitive** societies. 기출 응용
원시 사회에는 초자연주의적 이론이 존재했다.

수능표현 +
primitive man 원시인
primitive instinct 원시적 본능

유의 **primeval** 형 원시 시대의
반의 **modern** 형 근대[현대]의
contemporary 형 현대의, 당대의

0074

retail
[ríːteil]

명 소매 형 소매상의 동 소매로 팔다

The **retail** shop sells the same outfit that I bought online for a lower price.
그 소매점은 내가 온라인으로 구입했던 것과 똑같은 옷을 더 저렴한 가격에 판매하고 있다.

수능표현 +
retail price 소매가
retail outlet 소매점

파생 **retailer** 명 소매인[상]
반의 **wholesale** 형 도매의
숙어 **at retail** 소매로

수능 혼동 어휘

0075

momentary
[móuməntèri]

형 **순간적인, 잠깐[찰나]의**

Junk food may give you a **momentary** feeling of pleasure.
정크 푸드는 순간적인 쾌감을 줄지도 모른다.

0076

momentous
[mouméntəs]

형 **중대한**

The fall of Rome was a **momentous** event in history.
고대 로마의 몰락은 역사상 중대한 사건이었다.

0077

emit
[imít]

동 **내(뿜)다, 발산하다, 방출하다**

Living things **emit** carbon dioxide when they breathe. 기출
생물은 숨을 쉴 때 이산화탄소를 내뿜는다.

0078

omit
[oumít]

동 **빠뜨리다, 생략하다**

Don't **omit** a question just because you can't come up with a perfect answer.
단지 완벽한 답을 생각해 낼 수 없다고 해서 문제를 빠뜨리지 말라.

수능 UP

Q1.
둘 중 알맞은 단어를 고르시오.
There was a **[momentary / momentous]** hesitation before she replied.

Q2.
둘 중 알맞은 단어를 고르시오.
Her attorneys said other evidence was **[emitted / omitted]** from the report.

수능 필수 숙어

0079

hold up

1. 지연시키다 2. 버티다, 지탱하다

Delivery is being **held up** due to the road conditions.
도로 사정으로 인해 배송이 지연되고 있다.

0080

hold back

1. 저지하다 2. (감정을) 누르다[참다]

Nothing can **hold** you **back** from achieving success in your life.
그 무엇도 여러분이 인생의 성공을 이루는 것을 막을 수 없다.

수능 UP 

Q3.
빈칸에 알맞은 어구를 고르시오.

Please be on time, because we will not ________ the meeting for latecomers.

① hold up
② hold back

Daily Test 02

정답 p.444

A 우리말은 영어로, 영어는 우리말로 쓰시오.

01 정당화하다 ____________
02 철저한, 빈틈없는 ____________
03 장신구; 장식하다 ____________
04 부식시키다, 약화시키다 ____________
05 원고, 초안, 징병 ____________
06 기어가다, 서행하다 ____________
07 인공물, (인공) 유물 ____________
08 antibiotic ____________
09 contend ____________
10 patent ____________
11 criterion ____________
12 momentous ____________
13 primitive ____________
14 nuisance ____________

B 우리말과 일치하도록 빈칸에 알맞은 단어 또는 어구를 쓰시오.

서술형

01 The volcanic eruption on Krakatoa had an explosive power e__________ to 20,000 tons of TNT.
크라카타우의 화산 분출은 2만 톤의 TNT에 상당하는 폭발력을 가졌다.

02 She was able to h__________ __________ her tears, forcing herself to smile.
그녀는 억지로 웃으면서, 눈물을 참을 수 있었다.

03 You shouldn't o__________ any details, no matter how trivial they may seem.
아무리 사소해 보일지라도 어떠한 세부 사항도 생략해서는 안 된다.

C 각 단어의 유의어 또는 반의어를 쓰시오.

01 형 dull 반의 s__________
02 동 roam 유의 w__________
03 명 prey 반의 p__________
04 동 hinder 유의 o__________
05 형 gigantic 반의 t__________
06 동 mourn 반의 r__________
07 동 deceive 유의 c__________
08 동 worship 유의 a__________

VOCA CLEAR

DAY 03

시험에 더 강해지는 어휘

0081

bulletin

[búlitən]

명 1. 고시, 공고 2. 뉴스 단신, 속보

The city authorities will issue an official **bulletin** this afternoon.
시 당국은 오늘 오후 고시를 내보낼 것이다.

수능표현 +

bulletin board 게시판(= noticeboard)

유의 **announcement** 명 고시, 공고

0082

injure

[índʒər]

동 1. 부상을 입히다 2. 손상시키다

Mr. Drew was seriously **injured** in a car accident in Alabama. 기출 응용
Drew 씨는 Alabama에서 일어난 차 사고에서 심각하게 다쳤다.

파생 **injury** 명 상처
유의 **wound** 동 부상을 입히다
damage 동 손상을 주다

0083

prior

[práiər]

형 1. 사전의, 앞의 2. 우선하는

Prior to the cooking lessons, you need to wash your hands.
요리 수업에 앞서 여러분은 손을 씻어야 한다.

수능표현 +

prior notice 사전 통보
prior warning 사전 경고

파생 **priority** 명 우선 (사항)
유의 **previous** 형 이전의
반의 **subsequent** 형 차후의
숙어 **prior to** ~에 앞서

0084

cue

[kjuː]

명 신호, 단서 동 (시작) 신호를 주다

Nonverbal **cues** are good indicators of a speaker's intent. 기출 응용
비언어적 신호는 화자의 의도를 나타내는 좋은 지표이다.

유의 **sign** 명 신호
signal 명 동 신호(를 보내다)
숙어 **on cue** 때맞추어

0085

haunt

[hɔːnt]

동 1. 계속 떠오르다, 머리에서 떠나지 않다
2. (유령 등이) 출몰하다

Pictures of poor African children **haunted** me for days.
가난한 아프리카 아이들의 사진이 며칠 동안 계속 머리에서 떠나지 않았다.

유의 **obsess** 동 사로잡다

0086

anticipate
[æntísəpèit]

동 1. 예상하다 2. 기대하다

In 2040, 65 million electric cars are **anticipated** to be sold globally. 기출
2040년에는 전 세계적으로 6천5백만 대의 전기 자동차가 판매될 것으로 예상된다.

파생 **anticipation** 명 예상, 기대
유의 **expect** 동 기대하다
predict 동 예측하다

0087

council
[káunsəl]

명 1. (지방 자치 단체의) 의회 2. 위원회, 협의회

She wrote letters to the city **council** requesting that the local wetlands be preserved.
그녀는 지역 습지가 보존되어야 한다고 요청하는 편지를 시 의회에 썼다.

수능표현 +
student council 학생회

유의 **committee** 명 위원회

0088

monotonous
[mənɑ́tənəs]

형 단조로운, 지루한

Children, especially picky eaters, can end up with a **monotonous** diet.
아이들, 특히 편식가들은 결국 단조로운 식사를 할 수도 있다.

유의 **tedious** 형 지루한
repetitious 형 반복되는
반의 **varied** 형 다채로운, 다양한
exciting 형 흥미진진한

0089

spread
[spred]

동 1. 펴다, 펼치다 2. 퍼지다 명 확산, 전파

Only a small number of cultural elements **spread** from one culture to another. 기출
적은 수의 문화적 요소만이 한 문화에서 다른 문화로 퍼진다.

유의 **stretch** 동 펴다
숙어 **spread out** 퍼지다

0090

noble
[nóubl]

형 1. 고결한, 숭고한 2. 귀족의 명 귀족

We believe donating blood to save people is a **noble** act.
우리는 사람들을 구하기 위해 헌혈을 하는 것은 고귀한 행위라고 믿는다.

수능표현 +
noblesse oblige 노블리스 오블리제
(사회 고위층에게 요구되는 도덕적 의무)

파생 **nobleness** 명 고결, 고귀
nobility 명 귀족, 고귀함
유의 **virtuous** 형 고결한
aristocracy 명 귀족

0091

peasant
[pézənt]

명 농부, 소작농

The typical **peasant** in traditional China ate rice for breakfast. 기출
전통적인 중국의 전형적인 농민들은 아침으로 밥을 먹었다.

유의 **farmer** 명 농부
반의 **landowner** 명 지주

0092 다의어

dispense
[dispéns]

동 1. 분배하다, 나누어 주다 2. 조제하다 3. (의무를) 면하다

The volunteers worked to **dispense** food and clothing to the poor.
자원봉사자들은 가난한 사람들에게 음식과 옷을 나누어 주기 위해 일했다.

Only pharmacists have the right to **dispense** medicine in Korea.
한국에서는 약사만이 약을 조제할 권리가 있다.

Olympic medal winners are **dispensed** from military service in Korea.
한국에서는 올림픽 메달 수상자들은 군 복무를 면제받는다.

유의 **distribute** 동 분배하다
반의 **collect** 동 모으다
숙어 **dispense with** ~을 없애다

0093

architecture
[ɑ́ːrkitèktʃər]

명 1. 건축(술), 건축학 2. 건축 양식

His interest in **architecture** expanded to town planning.
건축에 대한 그의 관심은 도시 계획으로 확대되었다.

수능표현 +
classic[modern] architecture 고전[현대] 건축 양식

파생 **architect** 명 건축가
architectural 형 건축학의

0094

landfill
[lǽndfìl]

명 쓰레기 매립지

Burying solid waste in **landfills** was the most commonly used technique. 기출
매립지에 고체 폐기물을 묻는 것은 가장 흔히 사용되는 기법이었다.

0095

contradict
[kɑ̀ːntrədíkt]

동 1. 모순되다 2. 반박하다, 부정하다, 반대하다

One tends to ignore the relevance of what **contradicts** one's belief. 기출
사람들은 자신의 신념에 모순되는 것의 타당성을 무시하는 경향이 있다.

파생 **contradiction** 명 모순, 반박
contradictory 형 모순되는
유의 **negate** 동 부정하다
deny 동 부인하다
숙어 **contradict oneself** 모순된 말을 하다

0096

temporal
[témpərəl]

형 1. 시간의 2. 세속적인, 현세의

We will focus on the **temporal** dimension of the process.
우리는 그 과정의 시간적 차원에 초점을 맞출 것이다.

유의 **time-related** 형 시간과 관련된

0097

profit

[práfit]

명 수익, 이익 동 이익을 얻다[주다]

Profits from the event will help fund new research to fight heart disease. 기출
행사의 수익은 심장병을 퇴치하기 위한 새로운 연구에 자금을 지원하는 데 도움이 될 것이다.

파생 **profitable** 형 수익성이 있는, 유익한
유의 **earnings** 명 소득, 수익
return 명 수입, 수익(률)
반의 **loss** 명 손실
숙어 **make a profit** 수익을 내다

0098

remove

[rimúːv]

동 1. 제거하다, 없애다 2. (옷 등을) 벗다

Fish pens are placed in sites where there is good water flow to **remove** fish waste. 기출
어류 폐기물을 제거하기에 물의 흐름이 좋은 장소에 양식 가두리를 놓는다.

파생 **removal** 명 제거
remover 명 제거제
유의 **eliminate** 동 제거하다
get rid of ~을 제거하다

0099

equality

[ikwáləti]

명 평등, 균등

We need social norms that promote **equality** among groups. 기출 응용
우리는 집단 사이에 평등을 촉진하는 사회적 규범이 필요하다.

수능표현 +

social equality 사회적 평등
equality of opportunity 기회 균등

파생 **equal** 형 동일한, 평등한
유의 **fairness** 명 공평함
반의 **inequality** 명 불평등
disparity 명 격차, 차이

0100

vivid

[vívid]

형 생생한, 선명한

The artists helped him capture some of his most **vivid** and iconic imagery. 기출
그 예술가들은 그가 자신의 가장 생생하고 상징적인 이미지를 포착하는 데 도움을 주었다.

파생 **vividness** 명 생생함
vividly 부 생생하게
유의 **bright** 형 선명한
반의 **vague** 형 모호한
dull 형 흐릿한

0101

furnish

[fə́ːrniʃ]

동 1. (가구 등을) 갖추다 2. 제공[공급]하다

The room is **furnished** with tables and chairs.
그 방에는 탁자와 의자가 갖추어져 있다.

파생 **furnished** 형 가구가 비치된
유의 **equip** 동 갖추어 주다
supply 동 공급하다
숙어 **furnish A with B** A에게 B를 공급하다

0102

spark

[spɑːrk]

동 1. 불꽃을 일으키다 2. 촉발하다 명 불꽃

The machines do not have batteries, so there is no danger of **sparking**.
그 기계들에는 배터리가 없어서 불꽃이 일어날 위험이 없다.

유의 **trigger** 동 촉발하다

0103

explicit
[iksplísit]

형 1. 뚜렷한, 명백한 2. 노골적인

We agree **explicit** instruction benefits students. 기출
우리는 명시적인 가르침이 학생들에게 유익하다는 것에 동의한다.

유의 obvious 형 명백한
반의 implicit 형 암시된, 내포된

0104

grant
[grænt]

동 1. 주다, 수여하다 2. 승인[허락]하다 3. 인정하다
명 1. 허가, 인가 2. 보조금

The winner of the award will be **granted** a full scholarship for next semester.
이 상의 수상자에게는 다음 학기 전액 장학금이 수여될 것입니다.

숙어 grant A to B
B에게 A를 수여하다
granting that
설사 ~라 하더라도
take ~ for granted
~을 당연시하다

0105

range
[reindʒ]

명 범위, 폭 동 (범위가 ~에) 이르다

Organisms have evolved to have an enormous **range** of sizes. 기출
유기체는 넓은 범위의[다양한] 크기를 가지도록 진화했다.

유의 area 명 범위

0106

stain
[stein]

명 1. 얼룩, 자국 2. 오점 동 얼룩지게 하다

Clothes with oil **stains** cannot be accepted as donations.
기름때가 묻은 옷은 기증품으로 받아들여질 수 없다.

파생 stainless 형 얼룩이 없는, 깨끗한
유의 mark 명 흔적, 자국, 상처
spot 명 얼룩 동 더럽히다

0107

admit
[ədmít]

동 1. 인정[시인]하다 2. 입장[입학]을 허가하다

When you don't know something, **admit** it as quickly as possible and ask a question. 기출
여러분이 무언가를 알지 못한다면, 가능한 한 빨리 이를 인정하고 질문을 하라.

파생 admission 명 인정, 입장
유의 acknowledge 동 인정하다
반의 deny 동 부인하다

0108

deserve
[dizə́ːrv]

동 받을 만하다, 자격이 있다

This issue affects everyone in town, so it **deserves** immediate attention. 기출 응용
이 문제는 마을의 모든 이에게 영향을 미치므로, 즉각적인 관심을 받을 만하다.

파생 deserving 형 받을 만한
유의 be worthy of
~을 받을 만하다

0109

cynical
[sínikəl]

형 1. 냉소적인 2. 비관[부정]적인

He has the **cynical** view that the world is too troubled to change.
그는 세상이 너무 문제가 많아서 바꿀 수 없다는 냉소적인 견해를 가지고 있다.

유의 **pessimistic** 형 비관적인
skeptical 형 회의적인
반의 **optimistic** 형 낙관적인

0110

obesity
[oubíːsəti]

명 비만, 비대

Individuals who struggle with **obesity** tend to eat in response to emotions. 기출
비만과 씨름하는 사람들은 감정에 반응하여 먹는 경향이 있다.

수능표현 +
childhood obesity 소아 비만

파생 **obese** 형 비만인
유의 **overweight** 명 비만, 과체중

0111

ensure
[inʃúər]

동 확실하게 하다, 보장하다

The renovation will **ensure** that the children of our community have a safe place to play. 기출
보수공사는 우리 지역의 아이들이 안전하게 놀 수 있는 장소를 보장해 줄 것이다.

유의 **assure** 동 보장하다
guarantee 동 보장하다

0112

slave
[sleiv]

명 노예

Equiano was sold by local **slave** traders and shipped to Virginia. 기출 응용
Equiano는 현지 노예상에 의해 팔려 버지니아로 보내졌다.

수능표현 +
slave trade 노예 매매
slave labor 노예 노동

파생 **slavery** 명 노예(제)
enslave 동 노예로 만들다

0113

debate
[dibéit]

명 토론, 논의 동 토론하다, 논의하다

Debates cause disagreements to evolve, often for the better. 기출
토론은 의견 차이를 보통 더 나은 방향으로 전개시킨다.

유의 **discussion** 명 토론
argument 명 논의, 논쟁
숙어 **debate over[on/about]** ~에 대한 토론

0114

spontaneous
[spantéiniəs]

형 1. 자발적인 2. 즉흥적인

A **spontaneous** offer to help can make a difference in someone's life.
도움을 자발적으로 제안하는 것은 누군가의 삶에 변화를 가져올 수 있다.

파생 **spontaneously** 부 자발적으로, 즉흥적으로
유의 **impromptu** 형 즉흥적인

수능 혼동 어휘

0115

attribute
[ətríbjuːt]

동 ~의 탓[덕분]으로 돌리다 명 [ǽtrəbjùːt] 속성, 자질

Not all residents **attribute** environmental damage to tourism. 기출
모든 주민들이 환경 파괴를 관광 산업의 탓으로 돌리는 것은 아니다.

0116

contribute
[kəntríbjuːt]

동 1. 기여[공헌]하다 2. 기부하다

The new information **contributes** to promoting a completely different perspective of the problem.
새로운 정보는 그 문제의 완전히 다른 관점을 증진하는 데 기여한다.

0117

distribute
[distríbju(ː)t]

동 1. 나누어 주다, 분배하다 2. 분포시키다

We will **distribute** the food to our neighbors on Christmas Eve. 기출
우리는 크리스마스이브에 이웃들에게 음식을 나눠 줄 것이다.

수능 UP

Q1.
셋 중 알맞은 단어를 고르시오.
Modern technology can be used to instantly **[attribute / contribute / distribute]** information to thousands of people.

수능 필수 숙어

0118

abide by

따르다, 준수하다

The damage was caused by the client's failure to **abide by** the contract.
그 피해는 의뢰인이 계약을 지키지 않아 발생되었다.

0119

come by

1. 잠깐 들르다 2. 얻다, 획득하다

Progress is hard to **come by** in the city's fight against poverty.
가난에 맞선 도시의 투쟁에 있어 발전을 얻기는 쉽지 않다.

0120

get by

1. 지나가다, 통과하다 2. 용케 해내다

We **got by** the traffic jam and started driving at full speed again.
우리는 차가 막히는 구간을 지나 다시 전속력으로 운전하기 시작했다.

수능 UP

Q2.
빈칸에 알맞은 어구를 고르시오.

Please ________ for an evening of beautiful music.

① abide by
② come by
③ get by

Daily Test 03

정답 p.444

A 우리말은 영어로, 영어는 우리말로 쓰시오.

01 고시, 공고, 뉴스 단신 ______________

02 얼룩; 얼룩지게 하다 ______________

03 예상하다, 기대하다 ______________

04 의회, 위원회 ______________

05 비만, 비대 ______________

06 시간의, 세속적인 ______________

07 평등, 균등 ______________

08 spark ______________

09 monotonous ______________

10 deserve ______________

11 cue ______________

12 landfill ______________

13 debate ______________

14 attribute ______________

B 우리말과 일치하도록 빈칸에 알맞은 단어 또는 어구를 쓰시오.

서술형

01 The images of these hopeless people h____________ him, filling him with outrage.
이 절망적인 사람들의 이미지가 그의 머리에서 떠나지 않아 그를 분노로 가득 채웠다.

02 Much of the s____________ of fake news occurs through irresponsible sharing.
가짜 뉴스 확산의 많은 부분은 무책임한 공유를 통해 일어난다. 기출

03 All the workers at the construction site should a____________ ____________ the safety rules.
건설 현장에 있는 모든 노동자들은 안전에 관한 규칙을 준수해야 한다.

C 각 단어의 유의어 또는 반의어를 쓰시오.

01 형 prior 반의 s______________

02 동 dispense 유의 d______________

03 명 profit 반의 l______________

04 동 ensure 유의 a______________

05 형 cynical 반의 o______________

06 동 admit 유의 a______________

07 형 explicit 반의 i______________

08 형 vivid 반의 d______________

VOCA CLEAR

DAY 04

시험에 더 강해지는 어휘

0121

accuse
[əkjúːz]

동 1. 고발[고소/기소]하다, 혐의를 제기하다 2. 비난하다

The lawyer was **accused** of manipulating evidence to win the case.
그 변호사는 소송에서 이기기 위해 증거를 조작했다는 혐의를 받았다.

파생 **accusation** 명 고발, 비난, 혐의
유의 **charge** 동 기소하다, 비난하다
숙어 **accuse A of B** A를 B로 고발[비난]하다

0122

ratio
[réiʃou]

명 비율, 비

If there is one teacher to fifty students, the teacher/student **ratio** is one to fifty. 기출
학생 50명당 교사가 1명일 경우, 교사/학생 비율은 1대 50이다.

유의 **proportion** 명 비율
rate 명 비율

0123 다의어

firm
[fəːrm]

형 단단한, 확고한 명 회사

I prefer a **firm** mattress to a soft one because of my back pain.
나는 허리 통증 때문에 푹신한 매트리스보다 단단한 매트리스를 선호한다.

He passed the bar exam and then established a law **firm** in 2010.
그는 사법 시험에 합격했고 그러고 나서 2010년에 법률 사무소를 설립했다.

파생 **firmly** 부 단호히, 확고히
유의 **solid** 형 단단한
steadfast 형 확고한
company 명 회사
반의 **soft** 형 부드러운
unstable 형 불안정한

0124

tempt
[tem*pt*]

동 1. 유혹하다, 부추기다 2. 유도[설득]하다

Parents may be **tempted** to hand a child a screen and walk away. 기출
부모는 아이에게 화면을 건네주고 떠나고 싶은 유혹을 느낄지도 모른다.

파생 **temptation** 명 유혹
유의 **allure** 동 유혹하다
attract 동 마음을 끌다

0125

enforce
[infɔ́ːrs]

동 1. 집행하다, 시행하다 2. 강요하다

The police have a duty to **enforce** the law.
경찰은 법을 집행할 의무가 있다.

파생 **enforcement** 명 집행, 강제
유의 **implement** 동 시행하다
compel 동 강요하다

0126

elaborate
[ilǽbərət]

형 정교한, 공들인
동 [ilǽbərèit] 1. 정교하게 만들다 2. 상술하다

The furniture stands out for its **elaborate** design.
그 가구는 정교한 디자인이 돋보인다.

수능표현 +

elaborate design[decoration] 정교한 디자인[장식]

파생 **elaboration** 명 정교함, 공들임, 상술
elaborative 형 정교한, 공들인
유의 **exquisite** 형 정교한
laborious 형 공들인
숙어 **elaborate on**
~에 대해 상술하다

0127

penalty
[pénəlti]

명 1. 처벌, 벌금 2. 벌칙 3. 불이익

You can try out new things because you can make mistakes without **penalty**. 기출 응용
실수를 해도 처벌을 받지 않을 수 있기 때문에 여러분은 새로운 것을 시도할 수 있다.

수능표현 +

death penalty 사형(= capital punishment)

파생 **penalize** 동 처벌하다
유의 **punishment** 명 처벌
fine 명 벌금
숙어 **penalty for**
~에 대한 처벌

0128

classify
[klǽsifài]

동 분류하다, 구분하다

The scientists try to **classify** the new insect species they find.
과학자들은 그들이 발견한 새 곤충 종을 분류하려고 한다.

파생 **classification** 명 분류
유의 **categorize** 동 분류하다
sort out 분류하다

0129

mortgage
[mɔ́:rgidʒ]

명 (담보) 대출 동 저당 잡히다

I paid off my 30-year **mortgage** in two years.
나는 30년짜리 담보 대출을 2년 만에 갚았다.

숙어 **take out[pay off] a mortgage**
담보 대출을 받다[갚다]

0130

predict
[pridíkt]

동 예측[예언]하다

Companies are competing with one another to **predict** consumers' tastes. 기출 응용
회사들은 소비자의 취향을 예측하고자 서로 경쟁하고 있다.

파생 **prediction** 명 예측
predictability
명 예측 가능성
유의 **forecast** 동 예측하다
foretell 동 예언하다

0131

dwindle
[dwíndl]

동 (점점) 줄어들다

The fund has **dwindled** from more than $1 billion to nearly zero.
그 기금은 10억 달러 이상에서 거의 0으로 줄어들었다.

유의 **diminish** 동 감소하다
decrease 동 감소하다
반의 **increase** 동 늘어나다

0132

graze
[greiz]

동 1. 풀을 뜯다 2. 방목하다

Sheep can **graze** on steep and rocky areas, and eat rough grass.
양은 가파르고 바위가 많은 지역에서 풀을 뜯을 수 있고, 거친 풀을 먹을 수 있다.

유의 **browse** 동 풀을 뜯다

0133

curse
[kəːrs]

명 지주, 욕설 동 저주하다, 욕하다

Swan Lake tells a story about a princess put under a **curse**.
'백조의 호수'는 저주에 걸린 공주에 대한 이야기를 담고 있다.

파생 **cursed** 형 저주받은
유의 **swear word** 명 욕설
swear 동 욕하다
반의 **blessing** 명 축복

0134

domestic
[dəméstik]

형 1. 국내의 2. 가정의 3. (동물이) 길들여진

Developing countries have limited **domestic** savings with which to invest in growth. 기출
개발 도상국은 성장에 투자하기에 제한된 국내 저축을 가지고 있다.

수능표현 +

domestic animal 가축
domestic economy 가정 경제, 국내 경제

파생 **domesticate** 동 길들이다, 재배하다
유의 **home** 형 가정의, 국내의
household 형 가정의
반의 **foreign** 형 외국의

0135

prone
[proun]

형 경향이 있는, 하기 쉬운

Maintaining customer lists on paper is ineffective and **prone** to error.
서류상에 고객 목록을 유지하는 것은 비효율적이고 오류가 발생하기 쉽다.

유의 **inclined** 형 경향이 있는
liable 형 하기 쉬운
숙어 **prone to-v** ~하기 쉬운

0136

inspect
[inspékt]

동 1. 점검[검사]하다 2. 사찰하다

Doctors must consider five different factors when they **inspect** babies. 기출
의사는 아기들을 검사할 때 다섯 가지 서로 다른 요인을 고려해야 한다.

파생 **inspection** 명 점검, 검사
inspector 명 조사관
유의 **examine** 동 검사하다
investigate 동 조사하다

0137

rescue
[réskjuː]

동 구조하다 명 구조

Helicopters are used to **rescue** and transport people who get injured in the mountains.
헬리콥터는 산에서 다친 사람들을 구조하고 수송하는 데 사용된다.

유의 **save** 동 구하다
반의 **abandon** 동 버리다

0138

ecosystem
[ékousìstəm]

명 생태계

If the trees had been removed from the forest, the **ecosystem** would be out of balance. 기출 응용
나무들이 숲에서 제거되었다면 그 생태계는 균형을 잃게 될 것이다.

수능표현 +

marine ecosystem 해양 생태계
destroy[disturb] an ecosystem
생태계를 파괴하다[교란시키다]

0139

concentrate
[kάnsəntrèit]

동 1. 집중하다 2. 농축시키다

Children need to be able to **concentrate** on the task at hand. 기출
아이들은 당면 과제에 집중할 수 있어야 한다.

파생 **concentration** 명 집중
유의 **focus** 동 집중하다
condense 동 농축시키다
숙어 **concentrate on** ~에 집중하다

0140

obedient
[oubíːdiənt]

형 순종적인, 복종하는

The **obedient** child followed the teacher's instructions.
그 순종적인 아이는 선생님의 지시를 따랐다.

파생 **obey** 동 복종하다
obedience 명 복종
유의 **compliant** 형 순응하는
반의 **disobedient** 형 반항하는

0141

obstacle
[άbstəkl]

명 장애물, 방해물

These sensors help our autonomous cars avoid any **obstacles** on the road in real-time.
이 센서들은 우리 자율 주행차가 도로 위의 어떤 장애물도 실시간으로 피할 수 있도록 도와준다.

유의 **hindrance** 명 방해, 장애물
barrier 명 장벽, 장애물

0142

float
[flout]

동 뜨다, 띄우다, 떠다니다 명 부유물

Do you know why oil **floats** on top of water? 기출 응용
여러분은 기름이 왜 물 위에 뜨는지 아는가?

파생 **floating** 형 떠 있는, 유동적인
유의 **drift** 동 표류하다
반의 **sink** 동 가라앉다

0143

wholesale
[hóulsèil]

형 1. 도매의 2. 대량의

The **wholesale** price is lower than the retail price.
도매 가격이 소매 가격보다 낮다.

파생 **wholesaler** 명 도매업자
반의 **retail** 형 소매(상)의

0144

entity
[éntəti]

명 실재(물), 독립체

Information has become a recognized **entity** to be measured, evaluated and priced. 기출
정보는 측정되고, 평가되고, 값이 매겨지는 인정받는 실재가 되었다.

유의 **being** 명 존재
thing 명 실재물

0145

subtract
[səbtrǽkt]

동 1. 빼다 2. 공제하다

When you **subtract** two from ten, you get eight.
10에서 2를 빼면 8이 된다.

파생 **subtraction** 명 빼기, 공제
유의 **deduct** 동 공제하다
반의 **add** 동 더하다, 추가하다

0146

limb
[lim]

명 1. 팔다리, 사지 2. 큰 나뭇가지

The man gently rolled up his left trouser leg, revealing an artificial **limb**. 기출 응용
그 남자는 조용히 자신의 왼쪽 바짓단을 걷어 올려 의족을 드러냈다.

수능표현 +
phantom limb pain 환지통
(팔다리 절단 후에도 팔다리가 있는 듯이 느껴지는 통증)

파생 **limbless** 형 팔다리가 없는
유의 **branch** 명 나뭇가지
숙어 **go out on a limb** 위험을 무릅쓰다

0147

aggressive
[əgrésiv]

형 1. 공격적인 2. 적극적인

The **aggressive** dog tried to attack people nearby.
그 공격적인 개는 근처의 사람들을 공격하려고 했다.

파생 **aggression** 명 공격(성)
유의 **offensive** 형 공격적인
hostile 형 적대적인
반의 **friendly** 형 우호적인
passive 형 수동적인

0148

vary
[vέ(:)əri]

동 1. 다르다, 달라지다 2. 바꾸다

Human heart rates normally **vary** from 60 to 100 beats per minute. 기출
인간의 심장 박동수는 보통 분당 60에서 100회까지 다르다.

파생 **variety** 명 다양성
variation 명 변화, 차이
various 형 다양한
유의 **change** 동 변하다, 달라지다

0149

cell
[sel]

명 1. 세포 2. (수도원·교도소의) 작은 방 3. 전지

Cells are the fundamental building blocks of life.
세포는 생명체의 기본 구성 요소이다.

파생 **cellulous** 형 세포로 된
cellular 형 세포의

0150

subsidy
[sʌ́bsidi]

명 보조금, 장려금

The government will increase the **subsidies** for electric cars.
정부는 전기차에 대한 보조금을 늘릴 예정이다.

수능표현 +

state subsidies 국가 보조금
agricultural subsidies 농업 보조금

파생 **subsidize** 동 보조금을 주다
유의 **grant** 명 보조금

0151 다의어

deposit
[dipázit]

명 1. 예금(액) 2. 보증금[착수금] 3. 퇴적물
동 1. 예금하다 2. 놓다, 두다 3. 퇴적시키다

I didn't hesitate to sign up and pay the non-refundable **deposit** for the program. 기출
나는 주저하지 않고 등록했고 그 프로그램에 환불되지 않는 보증금을 지불했다.

When a **deposit** of mud dries out, it shrinks a bit.
진흙의 퇴적물이 마르면 조금 줄어든다.

If you **deposit** $1,000 into a savings account at your local bank, it is a low-risk investment. 기출 응용
여러분이 지역 은행의 예금 계좌에 1,000달러를 예금한다면, 그것은 위험성이 낮은 투자이다.

파생 **depository** 명 보관소
유의 **down payment** 착수금
sediment 명 퇴적물
반의 **withdraw** 동 인출하다

0152

spill
[spil]

동 1. 엎지르다, 흘리다 2. 엎질러지다 명 엎지름, 흘림

What happens when a glass of milk **spills**? 기출
우유 한 컵이 엎질러지면 무슨 일이 생기는가?

숙어 **spill out** (그릇에서) 흘리다, 쏟아져 나오다, 털어 놓다

0153

insight
[ínsàit]

명 1. 통찰(력) 2. 이해, 간파

Children sometimes have brilliant **insight** on complicated issues.
아이들은 때때로 복잡한 문제에 놀라운 통찰력을 가지고 있다.

파생 **insightful** 형 통찰력 있는
유의 **understanding** 명 이해

0154

solemn
[sáləm]

형 엄숙한, 근엄한

The church is a place for prayer, so please respect the **solemn** atmosphere.
교회는 기도를 위한 곳이므로 엄숙한 분위기를 지켜주세요.

유의 **grave** 형 엄숙한
serious 형 심각한, 진지한
반의 **cheerful** 형 쾌활한

수능 혼동 어휘

0155

various [vɛ́(:)əriəs]

형 다양한, 여러 가지의

You can buy **various** fresh products from seven other provinces. 기출 응용
여러분은 다른 일곱 개 지방에서 온 다양한 신선 제품을 살 수 있다.

0156

variable [vériəbl]

형 가변적인, 변동이 심한 명 변수

Spring temperatures are **variable** with a trend towards warmer weather.
봄 기온은 따뜻해지는 날씨 추세에 따라 가변적이다.

0157

considerable [kənsídərəbl]

형 상당한, 꽤 많은

A community with **considerable** species richness shows greater biodiversity.
종 풍부도가 상당한 군집은 더 높은 생물 다양성을 보인다.

0158

considerate [kənsídərit]

형 사려 깊은, 배려하는

A **considerate** word or two would go so far toward relieving the hurt. 기출
사려 깊은 한두 마디의 말은 상처를 덜어 주는 데까지 도움이 될 것이다.

수능 UP

Q1.
둘 중 알맞은 단어를 고르시오.
Many homeowners ask their bank to convert their home loan from a **[various / variable]** interest rate to a fixed rate.

Q2.
둘 중 알맞은 단어를 고르시오.
India's harsh weather causes **[considerable / considerate]** damage to vehicle paint.

수능 필수 숙어

0159

drop in (drop by)

(~에) 들르다

Please **drop in** on your way to the office sometime.
사무실 가는 길에 언젠가 들러 주세요.

0160

drop out

1. 중퇴하다 2. 빠지다, 손을 떼다

Ricky decided to **drop out** of school to become a baseball player. 기출 응용
Ricky는 야구 선수가 되기 위해 학교를 중퇴하기로 결심했다.

Q3.
빈칸에 알맞은 어구를 고르시오.

When she happened to __________, she would spend hours chatting away.

① drop in
② drop out

Daily Test 04

정답 p.445

A 우리말은 영어로, 영어는 우리말로 쓰시오.

01 유혹하다, 부추기다 ____________

02 정교한; 정교하게 만들다 ____________

03 분류하다, 구분하다 ____________

04 도매의, 대량의 ____________

05 풀을 뜯다, 방목하다 ____________

06 실재(물), 독립체 ____________

07 공격적인, 적극적인 ____________

08 inspect ____________

09 ecosystem ____________

10 obstacle ____________

11 domestic ____________

12 subsidy ____________

13 limb ____________

14 insight ____________

B 우리말과 일치하도록 빈칸에 알맞은 단어 또는 어구를 쓰시오.

서술형

01 In school zones, the speed limit must be strictly e ____________.

어린이 보호 구역에서는 속도 제한이 엄격하게 시행되어야 한다.

02 I handled the bowl of soup carefully to keep from s ____________ it on myself.

나는 수프 그릇을 나에게 쏟지 않도록 조심스럽게 다루었다.

03 He d ____________ ____________ ____________ high school to help support the family. 기출

그는 가족을 부양하는 데 도움을 주기 위해 고등학교를 중퇴했다.

C 각 단어의 유의어 또는 반의어를 쓰시오.

01 명 curse 반의 b ____________

02 형 prone 유의 l ____________

03 동 dwindle 반의 i ____________

04 동 subtract 반의 a ____________

05 동 accuse 유의 c ____________

06 동 classify 유의 c ____________

07 동 float 반의 s ____________

03 동 rescue 반의 a ____________

VOCA CLEAR

DAY 05

시험에 더 강해지는 어휘

0161

confess
[kənfés]

동 1. 자백[고백]하다 2. 인정하다

He later **confessed** that he was having trouble completing his tasks. 기출
그는 나중에 자신의 과제를 완수하는 데 어려움을 겪고 있다고 고백했다.

파생 confession 명 자백, 고백
유의 admit 동 인정하다
반의 deny 동 부인[부정]하다

0162

warehouse
[wέərhaùs]

명 창고

Please store all of the equipment in the **warehouse**.
모든 장비를 창고에 보관하세요.

유의 storehouse 명 창고

0163

bribe
[braib]

명 뇌물 동 뇌물을 주다, 매수하다

Big **bribes** were paid to the manager to win a contract.
계약을 따내기 위해 운영자에게 거액의 뇌물이 지급되었다.

파생 bribery 명 뇌물 수수

0164

pioneer
[pàiəníər]

명 개척자, 선구자 동 개척하다

We feel honored to introduce a **pioneer** in the field of microsurgery.
현미경을 이용한 수술 분야의 선구자를 소개하게 되어 영광입니다.

수능표현 +
pioneer period 개척 시대

유의 pathfinder 명 개척자
숙어 pioneer in ~의 선구자

0165

abundant
[əbʌ́ndənt]

형 풍부한, 많은

Humans are now the most **abundant** mammal on the planet. 기출
인간은 이제 지구에서 가장 많은 포유류이다.

파생 abundance 명 풍부
abound 동 풍부하다
유의 plentiful 형 풍부한
반의 scarce 형 부족한, 적은

0166

reject
[ridʒékt]

동 거절[거부]하다

Adams submitted some cartoons, but he was quickly **rejected**. 기출
Adams는 몇 편의 만화를 제출했지만 그는 바로 거절당했다.

파생 rejection 명 거절, 거부
유의 refuse 동 거절하다
반의 accept 동 수락하다

0167 다의어

article
[á:rtikl]

명 1. 글, 기사 2. 물품 3. (조약·계약 등의) 조항

According to an **article** in the *Times*, the drug could have side effects.
Times의 기사에 따르면 그 약은 부작용이 있을 수 있다.

The store around the corner sells small household **articles**.
모퉁이에 있는 가게는 작은 가정용품을 판다.

This is in accordance with **Article** 30 of the employment regulations.
이것은 취업 규정 제30조에 따른 것이다.

유의 **item** 명 물품, 품목
clause 명 조항

0168

hollow
[hálou]

형 1. 속이 빈, 텅빈 2. 공허한 3. 오목한, 움푹 팬

Chimpanzees use leaves to move water from **hollow** tree trunks to their mouths. 기출 응용
침팬지는 속이 빈 나무둥치에서 자신의 입으로 물을 옮기기 위해 나뭇잎을 사용한다.

파생 **hollowness** 명 속이 빔
유의 **empty** 형 공허한

0169

rub
[rʌb]

동 문지르다, 비비다 명 문지르기, 비비기

The man tried to make fire by **rubbing** two sticks of wood together. 기출 응용
그 남자는 두 개의 나무 막대기를 서로 문질러서 불을 피우려고 했다.

숙어 **rub against**
~에 대고 문지르다
rub A with B
A를 B로 문지르다

0170

soar
[sɔːr]

동 1. 치솟다, 급등하다 2. 날아오르다

The stock price **soared** by more than 150% over the past year.
주가는 지난 한 해 동안 150퍼센트 넘게 치솟았다.

유의 **skyrocket** 동 급등하다
rise 동 상승하다, 오르다
반의 **plunge** 동 급락하다

0171

literature
[lítərətʃùər]

명 1. 문학 2. 문헌

Fiction is more popular than any other genre of **literature**. 기출 응용
소설은 다른 어떤 문학 장르보다 더 인기가 있다.

수능표현+

classical literature 고전 문학
modern literature 현대 문학

파생 **literary** 형 문학의

0172

portable
[pɔ́ːrtəbl]

형 휴대용의, 들고 다닐 수 있는 명 휴대용 기기

Ironing can be done on a small, **portable**, foldable table. 기출 응용
다리미질은 소형 휴대용 접이식 테이블 위에서도 행해질 수 있다.

파생 **portability** 명 휴대성
유의 **mobile** 형 이동식의

0173

session
[séʃən]

명 1. 시간, 기간 2. 회기 3. (대학의) 학기

There will be a book signing **session** for 30 minutes. 기출
30분 동안 책 사인회가 있을 예정이다.

수능표현 +

plenary session 본회의, 총회
summer session (대학의) 하계 강좌

유의 **term** 명 기간, 학기
숙어 **in session** 개회[개정] 중인

0174

gradually
[grǽdʒuəli]

부 점차, 서서히

Children **gradually** become more and more comfortable taking baths alone over time. 기출 응용
아이들은 시간이 지나면서 점차 혼자 목욕하는 것에 편안해진다.

파생 **gradual** 형 점진적인
반의 **abruptly** 부 갑자기

0175

unique
[juːníːk]

형 1. 유일한 2. 특별한, 독특한

Everyone's DNA is **unique**, except in cases of identical twins.
일란성 쌍둥이의 경우를 제외하고, 모든 사람의 DNA는 유일무이하다.

파생 **uniqueness** 명 유일함, 독특성
유의 **distinct** 형 별개의, 독특한
반의 **common** 형 일반적인
ordinary 형 평범한

0176

span
[spæn]

명 1. (지속) 기간 2. 폭, 너비 3. 범위 동 ~에 걸치다[미치다]

Our recently extended life **span** is not due to genetics or natural selection. 기출
우리의 최근 늘어난 수명은 유전적 특징 또는 자연 선택 때문이 아니다.

유의 **duration** 명 (지속) 기간
period 명 기간
extent 명 범위

0177

defy
[difái]

동 반항하다, 저항하다

The protesters wanted to **defy** the ban and walk to the square.
시위자들은 금지령에 반항하여 광장으로 걸어가고 싶어 했다.

파생 **defiance** 명 반항, 저항
defiant 형 반항하는
유의 **go against** ~에 저항하다
반의 **obey** 동 복종하다

0178

attorney
[ətə́ːrni]

명 1. 변호사 2. (법적) 대리인

This case requires **attorneys** with experience.
이 사건은 경험이 있는 변호사가 필요하다.

유의 lawyer 명 변호사

0179

scarce
[skɛərs]

형 부족한, 드문

Land is always a **scarce** resource in urban development. 기출
토지는 항상 도시 개발에서 부족한 자원이다.

파생 scarcity 명 부족, 결핍
유의 insufficient 형 부족한
rare 형 드문
반의 abundant 형 풍부한

0180

permit
[pərmít]

동 허락하다, 허용하다 명 [pə́ːrmit] 허가(증)

Restaurants will be **permitted** to open until 11 p.m. under the new rules.
새로운 규정에 따라 식당들은 11시까지 영업이 허용될 것이다.

수능표현 +
work permit 취업 허가증
parking permit 주차증

파생 permission 명 허락
permissive 형 관대한
유의 license 명 허가(증)

0181

implement
[ímpləmènt]

동 이행[실행]하다 명 [ímpləmənt] 도구, 기구

We will **implement** these changes after the holiday break. 기출
우리는 이러한 변경 사항을 휴일 이후에 실행할 것이다.

파생 implementation 명 이행, 실행
유의 carry out 수행하다
tool 명 기구, 도구

0182

crime
[kraim]

명 범죄, 범행

With improved security, it is getting harder for criminals to commit **crimes**.
보안이 개선되면서 범죄자들이 범죄를 저지르기가 점점 어려워지고 있다.

수능표현 +
crime rate 범죄율
crime scene 범죄 현장

파생 criminal 형 범죄의 명 범죄자
유의 offense 명 범죄
숙어 commit a crime 범죄를 저지르다

0183

embrace
[imbréis]

동 1. 껴안다 2. 받아들이다 명 포옹

When they met for the first time in ten years, they **embraced** each other.
그들이 10년 만에 처음 만났을 때 서로를 껴안았다.

유의 hug 동 껴안다
accept 동 받아들이다

0184

oral
[ɔ́(:)rəl]

형 1. 구두[구술]의 2. 입의

Both **oral** and written skills are assessed in this language test.
이번 어학 시험에서는 구술과 작문 둘 다 평가된다.

수능표현 +

oral history 구전 역사

파생 orally 부 구두로
유의 spoken 형 구두의
verbal 형 말로 나타낸
반의 written 형 글로 표현된

0185

magnitude
[mǽgnətjùːd]

명 1. (엄청난) 규모, 중요도 2. 지진 규모 3. 별의 광도

We respond to the expected **magnitude** of an event, but not to its likelihood. 기출
우리는 어떤 사건의 예상되는 크기에 반응하는 것이지, 그것의 가능성에 반응하는 것이 아니다.

유의 significance 명 중요(성)

0186

tease
[tiːz]

동 1. 놀리다 2. (짓궂게) 괴롭히다

Travis used to **tease** Andrew for being overweight for his size. 기출 응용
Travis는 Andrew를 몸집에 비해 몸무게가 많이 나간다고 놀리곤 했다.

유의 mock 동 놀리다
provoke 동 약올리다

0187 다의어

coordinate
[kouɔ́ːrdənèit]

동 1. 조직화[편성]하다 2. 조정하다 3. 조화를 이루다
형 [kouɔ́ːrdənət] 대등한, 동등한 명 [kouɔ́ːrdənət] 좌표

Human resources managers often **coordinate** the work of a team of specialists.
인사부 관리자들은 종종 전문가들로 구성된 팀의 업무를 조직화한다.

Although he looked young, he was an officer **coordinate** in rank with me.
그는 젊어 보였지만, 나와 계급이 대등한 장교였다.

In the (x, y) **coordinate** plane, at what point do the two lines intersect?
(x, y) 좌표면의 어느 지점에서 두 개의 선이 교차하는가?

파생 coordination 명 조정, 조화
coordinator 명 조정자
유의 organize 동 조직하다
harmonize 동 조화를 이루다
숙어 coordinate with ~와 맞추다

0188

discrepancy
[diskrépənsi]

명 차이, 불일치, 모순

There is a price **discrepancy** between online and offline stores.
온라인과 오프라인 매장 사이에 가격 차이가 있다.

유의 difference 명 차이
inconsistency 명 불일치, 모순
반의 correspondence 명 일치
숙어 discrepancy between A and B A와 B 사이의 차이

0189

encounter
[inkáuntər]

동 1. 우연히 만나다, 마주치다 2. 직면하다 명 (뜻밖의) 만남

Most animals innately avoid objects they have not previously **encountered.** 기출
대부분의 동물들은 선천적으로 이전에 마주치지 않은 대상을 피한다.

유의 **come across** 우연히 만나다
face 동 직면하다

0190

publicity
[pʌblísəti]

명 1. (매스컴의) 관심, 주목 2. 광고, 홍보

The case has received enormous **publicity** in the media.
그 사건은 언론에서 큰 주목을 받았다.

파생 **publicize** 동 알리다, 광고[홍보]하다
public 형 공공의
유의 **attention** 명 주목
advertisement 명 광고

0191

complain
[kəmpléin]

동 불평하다, 항의하다

The family **complained** about the noise to the city government.
그 가족은 소음에 대해 시 당국에 항의했다.

파생 **complaint** 명 불평
유의 **grumble** 동 투덜대다
반의 **praise** 동 칭찬하다
compliment 동 칭찬하다
숙어 **complain to A about[of] B** A에게 B에 대해 불평하다

0192

external
[ikstə́ːrnəl]

형 1. 외부의, 밖의 2. 대외적인, 외국의

Internal body temperature can be affected by the **external** temperature.
내부 체온은 외부 온도에 의해 영향을 받을 수 있다.

수능표현 +
external factor 외적 요소
external use 외용(약물을 먹거나 주사하지 아니하고 몸의 외부에 쓰는 것)

유의 **outside** 형 외부의, 밖의
반의 **internal** 형 내부의

0193

vigorous
[vígərəs]

형 1. 활발한, 격렬한 2. 원기 왕성한

If you are extremely joyful, your response is usually **vigorous.** 기출
만약 여러분이 매우 즐거우면, 여러분의 반응은 대개 격력하다.

파생 **vigor** 명 활력, 정력
유의 **energetic** 형 활동적인
반의 **lethargic** 형 활발하지 못한

0194

quest
[kwest]

명 탐구, 탐색 동 탐구하다, 탐색하다

The great scientists are driven by an inner **quest** to understand the universe. 기출
위대한 과학자들은 우주를 이해하려는 내적인 탐구에 이끌린다.

유의 **search** 명 동 탐색(하다)
숙어 **quest for** ~에 대한 탐구[탐색]

수능 혼동 어휘

0195

assume [əsjú:m]

동 1. 가정하다, 추정하다 2. (책임·역할을) 맡다

Because dogs are good at using their noses, we **assume** that they can smell anything, anytime. 기출 응용
개가 후각을 잘 사용하기 때문에 우리는 그것들이 어느 때건 뭐든지 냄새를 맡을 수 있다고 가정한다.

0196

consume [kənsjú:m]

동 1. 소비하다 2. 다 써 버리다 3. 먹다, 마시다

Today we **consume** 26 times more stuff than we did 60 years ago. 기출
오늘날 우리는 60년 전보다 26배 더 많은 물건을 소비한다.

수능 UP

Q1.
둘 중 알맞은 단어를 고르시오.
The fast-fashion industry **[assumes / consumes]** huge amounts of resources and emits large quantities of greenhouse gases.

0197

principal [prínsəpəl]

형 주요한, 제일의 명 (단체의) 장, 교장

The **principal** value of fair trade lies in righting the market's historic injustice. 기출
공정 무역의 주요한 가치는 시장의 역사적 불공정을 바로잡는 것에 있다.

0198

principle [prínsəpl]

명 1. 원리, 원칙 2. 주의, 신념

Most people pause to reflect on their own moral **principles.** 기출
대부분의 사람들은 자기 자신의 도덕적 원칙에 대해 잠시 멈추어 성찰한다.

Q2.
둘 중 알맞은 단어를 고르시오.
There is a basic **[principal / principle]** of supply and demand in the market.

수능 필수 숙어

0199

rule out

배제하다, 제외시키다

We cannot **rule out** the possibility that the fire started in the bedroom.
우리는 화재가 침실에서 시작되었을 가능성을 배제할 수 없다.

0200

sort out

1. 분류하다, 정리하다 2. 해결하다

Sort out any toys that you no longer play with and take them to a charity.
더 이상 가지고 놀지 않는 장난감을 선별하여 자선 단체에 가져가라.

수능 UP 

Q3.
빈칸에 알맞은 어구를 고르시오.

The coach did not ________ the possibility of a last-minute cancellation of the game.

① rule out
② sort out

Daily Test 05

정답 p.445

A 우리말은 영어로, 영어는 우리말로 쓰시오.

01 자백하다, 인정하다 ________________

02 속이 빈, 공허한, 오목한 ________________

03 기간, 회기, 학기 ________________

04 변호사, (법적) 대리인 ________________

05 문지르다, 비비다 ________________

06 (엄청난) 규모, 중요도 ________________

07 차이, 불일치, 모순 ________________

08 bribe ________________

09 implement ________________

10 principal ________________

11 permit ________________

12 tease ________________

13 publicity ________________

14 literature ________________

B 우리말과 일치하도록 빈칸에 알맞은 단어 또는 어구를 쓰시오.

서술형

01 The river seemed to welcome and e____________ her. 기출
그 강은 그녀를 환영하면서 껴안고 있는 것 같았다.

02 Her principal job is to c____________ all the missions on board the ship.
그녀의 주된 일은 선박 내에서의 모든 임무를 조정하는 것이다.

03 The authorities did not r____________ ____________ the possibility of further terrorist attacks.
당국은 추가 테러 공격 가능성을 배제하지 않았다.

C 각 단어의 유의어 또는 반의어를 쓰시오.

01 형 abundant 유의 p________________

02 동 soar 반의 p________________

03 형 scarce 반의 a________________

04 형 vigorous 유의 e________________

05 동 reject 반의 a________________

06 명 quest 유의 s________________

07 부 gradually 반의 a________________

08 동 defy 반의 o________________

수능에 더 강해지는 TEST DAY 01-05

A 다음 짝 지어진 두 단어의 관계가 같도록 빈칸에 알맞은 단어를 <보기>에서 골라 쓰시오.

<보기>	abruptly	varied	fame	erosion

1 scarce : abundant = gradually : ______________

2 celebrity : ______________ = motivate : stimulate

3 hinder : hindrance = erode : ______________

4 monotonous : ______________ = equality : inequality

B 다음 문장에서 밑줄 친 어휘의 유의어를 고르시오.

1 The novel was so tedious that I gave up reading halfway through it.
① exciting ② immediate ③ boring

2 We couldn't predict what was going to happen in front of us. 기출
① justify ② forecast ③ contend

3 The Red Cross dispensed water and food to the victims.
① distributed ② permitted ③ emitted

4 He reveals his true feelings only when he is with me.
① deceives ② tempts ③ displays

정답 p. 445

다음 빈칸에 알맞은 단어를 <보기>에서 골라 쓰시오.

<보기>	discrepancy	cognitive	eligible	obesity

1 Anyone over the age of 18 is ____________ to participate in the competition.

2 He could not stand the ____________ between ideal and real situations.

3 Researchers say that ____________ can increase your risk for certain cancers.

4 Adequate hydration may improve ____________ function, which is important for learning. 기출

D

각 네모 안에서 문맥에 맞는 말을 고르시오.

1 The action was so [momentous / momentary] that he failed to observe it.

2 That child is [obedient / disobedient] to his parents and always listens to them.

3 When you're in a relaxing environment, you can [concentrate / interrupt] better. 기출

4 Temperature is one of the [internal / external] factors that affect animal behavior.

5 He [came by / got by] my office and handed over the documents.

VOCA CLEAR

DAY 06

0201

confidential
[kɑ̀nfidénʃəl]

형 비밀[기밀]의

In most companies the employee evaluation reports are strictly **confidential.**
대부분의 회사에서 인사 평가 보고서는 엄격한 기밀에 속한다.

시험에 더 강해지는 어휘

- 파생 **confidentiality** 명 비밀 유지
- 유의 **secret** 형 비밀의
  off-the-record 형 기밀의, 비공개의
- 반의 **public** 형 공개된

0202

hazard
[hǽzərd]

명 위험 (요소) 동 위태롭게 하다

The lack of sidewalks causes a very clear safety **hazard.** 기출
인도 부족은 매우 명백한 안전 위험을 야기한다.

수능표현 +

fire hazard 화재 위험 요소
health hazard 건강상의 위험 요소
hazard lights (차량의) 비상등

- 파생 **hazardous** 형 위험한
- 유의 **danger** 명 위험
  endanger 동 위험에 빠뜨리다
- 숙어 **a hazard to** ~에 유해한 것

0203

adjust
[ədʒʌ́st]

동 1. 조정하다, 맞추다 2. 적응하다

Adjust the volume level by moving the joystick left or right.
조이스틱을 좌우로 움직여 음량을 조절하시오.

- 파생 **adjustment** 명 조정, 적응
- 유의 **adapt** 동 적응하다
- 숙어 **adjust to** ~에 적응하다
  be adjusted for ~에 맞게 조정되다

0204

exceed
[iksíːd]

동 넘다, 초과하다

The size of your image file cannot **exceed** 100 megabytes. 기출
이미지 파일의 크기는 100메가바이트를 넘을 수 없다.

- 파생 **excess** 명 과도, 초과량
  excessive 형 과도한
- 유의 **surpass** 동 능가하다
- 숙어 **exceed in** ~에서 능가하다

0205

necessity
[nəsésəti]

명 1. 필수, 필요(성) 2. 필수품

The goal of World Water Day is to raise awareness about the **necessity** of safe water.
세계 물의 날의 목표는 안전한 물의 필요성에 대한 인식을 높이는 것이다.

- 파생 **necessary** 형 필요한
- 유의 **need** 명 필요

0206

inborn
[ínbɔ́ːrn]

형 선천적인, 타고난

Hearing is an **inborn** ability, but listening is a learned skill.
청각은 타고난 능력이지만 귀 기울여 듣는 것은 학습된 기술이다.

유의 **innate** 형 선천적인
inherent 형 타고난
반의 **acquired** 형 습득한

0207

crave
[kreiv]

동 갈망[열망]하다

Do you **crave** the recognition of being the parent of a star athlete? 기출
여러분은 스타 운동선수의 부모라는 인정을 갈망하는가?

파생 **craving** 명 갈망[열망]
유의 **desire** 동 몹시 바라다
long for 열망하다
yearn for 동경하다

0208

barter
[báːrtər]

명 물물 교환 동 물물 교환하다

A **barter** system was developed to get goods that one didn't have.
없는 물건을 얻기 위해 물물 교환 시스템이 개발되었다.

숙어 **by barter** 물물 교환으로
barter A for B
A를 B와 물물 교환하다

0209

discard
[diskáːrd]

동 버리다, 폐기하다

The ideas may later be **discarded** as the current demands of society change. 기출 응용
그 생각들은 사회에 대한 현재의 요구들이 바뀌면서 나중에 버려질 수도 있다.

유의 **abandon** 동 버리다
dispose of ~을 버리다
반의 **keep** 동 보유하다

0210

pressure
[préʃər]

명 압박, 압력 동 압력을 가하다, 강요하다

People are driven crazy by the constant **pressure**.
사람들은 끊임없는 압박에 미쳐 간다. 기출 응용

수능표현 +

blood pressure 혈압
peer pressure 또래 압력
(또래 집단으로부터 가해지는 사회적 압력)

파생 **press** 동 누르다
유의 **force** 명 힘 동 강제로 들어가다, 밀어넣다
숙어 **pressure A into B**
A를 B하도록 압박하다

0211

auditory
[ɔ́ːditɔ̀ːri]

형 청각의, 귀의

Auditory problems can lead to poor school performance.
청각 문제는 학업 수행 저하로 이어질 수 있다.

유의 **hearing** 형 청각의

0212

penetrate
[pénitrèit]

동 1. 관통하다 2. 침투하다 3. 간파하다

Trees have a few small roots that **penetrate** to great depths. 기출
나무는 아주 깊이 침투하는 몇 개의 작은 뿌리를 가지고 있다.

파생 **penetration** 명 관통, 침투
유의 **pierce** 동 관통하다
permeate 동 침투하다

0213

monetary
[mánitèri]

형 1. 통화의, 화폐의 2. 금전의

The **monetary** crisis in the Great Depression caused the money supply to drop.
대공황의 통화 위기는 통화 공급량의 감소를 야기했다.

수능표현 +

monetary policy 통화 정책
monetary value 화폐 가치

유의 **financial** 형 금전상의

0214 다의어

vessel
[vésəl]

명 1. 선박 2. 혈관 3. 그릇, 용기

He used a deep-sea **vessel** to study marine creatures. 기출 응용
그는 해양 생물을 연구하기 위해 심해 선박을 이용했다.

The nose lining is delicate and contains many blood **vessels**.
코 내벽은 섬세하고 많은 혈관을 포함하고 있다.

Empty **vessels** make the most sound.
빈 그릇이 제일 큰 소리를 낸다.

유의 **ship** 명 배
container 명 그릇

0215

resent
[rizént]

동 분하게 여기다, 분개하다

The boy **resented** the fact that he was treated like a troublemaker in his class.
소년은 자신이 반에서 말썽꾸러기 취급을 받았다는 사실에 분개했다.

파생 **resentment** 명 분개, 분함
resentful 형 분개하는
숙어 **in resentment** 분개하여

0216

permanent
[pə́ːrmənənt]

형 영원한, 영구적인

Smoking can cause **permanent** damage to your lungs.
흡연은 폐에 영구적인 손상을 줄 수 있다.

파생 **permanence** 명 영구성
유의 **eternal** 형 영원한, 불변의
반의 **temporary** 형 일시적인

0217

interval
[íntərvəl]

명 1. 간격, 사이 2. (연극·공연의 중간) 휴식 시간

The recommended **interval** between the first and second dose of the vaccine is 21 days.
백신 1차 접종과 2차 접종 사이의 권장 간격은 21일이다.

유의 **distance** 명 간격, 거리
intermission 명 휴식 시간, 막간
interlude 명 사이, 막간

0218

controversy
[kɑ́ntrəvə̀ːrsi]

명 논란, 논쟁

There is **controversy** surrounding the notion of general intelligence. 기출
일반 지능의 개념을 둘러싼 논란이 있다.

수능표현 +
political controversy 정치적 논쟁
beyond controversy 논쟁의 여지 없이

파생 **controversial** 형 논란이 많은
유의 **argument** 명 논의, 논쟁
dispute 명 논란, 논쟁
숙어 **controversy over** ~에 대한 논란

0219

scan
[skæn]

동 자세히 살피다, 훑어보다 명 면밀한 검사, 훑어보기

She took out a newspaper and rapidly **scanned** the front page.
그녀는 신문을 꺼내 1면을 빠르게 훑어보았다.

파생 **scanner** 명 판독[진단] 장치
유의 **scrutinize** 동 세심히 살피다

0220

ubiquitous
[juːbíkwətəs]

형 어디에나 있는, 아주 흔한

Trouble and surprises are **ubiquitous**. 기출 응용
문제와 놀라운 일은 어디에나 있다.

유의 **omnipresent** 형 어디에나 있는
universal 형 보편적인
반의 **rare** 형 드문

0221

thrive
[θraiv]

동 번창[번영]하다, 잘 자라다

Some businesses **thrive**, but others fail to reach their potential.
어떤 사업들은 번창하지만, 다른 사업들은 잠재력에 도달하지 못한다.

파생 **thriving** 형 번창하는
유의 **flourish** 동 번창하다
prosper 동 번영하다
반의 **decline** 동 쇠퇴하다
숙어 **thrive on** ~을 잘 해내다

0222

asthma
[ǽzmə]

명 천식

Patients with **asthma** tend to have a family history of the disease.
천식을 앓는 환자들은 그 질환의 가족력이 있는 경향이 있다.

0223

facilitate
[fəsílitèit]

동 1. 용이하게 하다 2. 촉진하다

Dividing students into small groups usually helps **facilitate** discussion.
학생들을 소그룹으로 나누는 것은 일반적으로 토론을 용이하게 한다.

파생 facilitation 명 용이, 촉진
facilitator 명 촉진자, 조력자
유의 promote 동 촉진하다
반의 hinder 동 방해하다

0224

capture
[kǽptʃər]

동 1. 붙잡다, 포획하다 2. 포착하다 3. (관심 등을) 사로잡다

I was scared that the kidnappers would **capture** me and take me back to that awful place.
납치범들이 날 붙잡아 그 끔찍한 장소로 다시 데려갈까 봐 두려웠다.

유의 catch 동 붙잡다
반의 release 동 놓아주다

0225

disorder
[disɔ́ːrdər]

명 1. 무질서, 혼란 2. (신체) 장애

The room was in a state of **disorder**, and his suitcase was missing.
그 방은 무질서한 상태였고, 그의 여행 가방은 없어졌다.

수능표현 +

eating disorder 식이 장애
mental disorder 정신 장애[정신병]

유의 chaos 명 무질서, 혼란
disturbance 명 소란, 소동
illness 명 병

0226

outset
[áutsèt]

명 착수, 시작

At the **outset**, you can't tell which ideas will succeed. 기출
처음에는 어떤 아이디어가 성공할지 알 수 없다.

유의 start 명 시작
beginning 명 시작
반의 end 명 끝
conclusion 명 종결
숙어 at the outset 처음에

0227

refuse
[rifjúːz]

동 거절하다, 거부하다

I tried everything to get her interested in the writing class, but she **refused** to write anything. 기출 응용
나는 그녀가 작문 시간에 흥미를 갖도록 모든 것을 시도했지만, 그녀는 어떤 것도 쓰는 것을 거부했다.

파생 refusal 명 거절, 거부
유의 decline 동 거절하다
reject 동 거부하다

0228

subconscious
[sʌ̀bkɑ́nʃəs]

형 잠재의식의 명 잠재의식

A lot of human behavior comes from the **subconscious** mind.
많은 인간의 행동은 잠재의식적인 마음에서 나온다.

반의 conscious 형 의식하고 있는

0229

endure

[indjúər]

동 1. 참다, 견디다 2. 지속되다, 오래가다

The rough times must be **endured** and taken as they come, but they are not constant. 기출
힘든 시간은 반드시 견뎌 내고 오는 대로 받아들여야 하지만, 그것은 지속적이지 않다.

파생 **endurance** 명 인내
endurable 형 참을 수 있는
유의 **bear** 동 참다
last 동 지속되다

0230

regime

[reiʒí:m]

명 1. 정권 2. 제도, 체제

College students started to speak out against the military **regime**.
대학생들은 군사 정권에 반대한다는 목소리를 내기 시작했다.

수능표현+
corrupt regime 부패 정권

유의 **government** 명 정권, 정부

0231

tend

[tend]

동 경향이 있다, 하기 쉽다

Minorities **tend** not to have much power or status.
소수 민족은 권력이나 지위가 별로 없는 경향이 있다. 기출

파생 **tendency** 명 경향, 추세
유의 **incline** 동 경향이 있다
숙어 **tend to-v** ~하는 경향이 있다

0232

shield

[ʃi:ld]

명 방패 동 1. 보호하다 2. 가리다, 은폐하다

The warriors were armed with spears and **shields**.
전사들은 창과 방패로 무장을 했다.

유의 **defend** 동 방어하다
protect 동 보호하다

0233

scrutiny

[skrú:təni]

명 정밀 조사, 철저한 검토

Anything that goes on your skin deserves extra **scrutiny**.
피부에 닿는 것은 무엇이든 추가적으로 정밀 조사를 받아야 한다.

파생 **scrutinize** 동 면밀히 조사하다[살피다]
유의 **inspection** 명 정밀 조사
examination 명 조사

0234

decent

[dí:sənt]

형 1. 품위 있는, 예의 바른 2. 적당한, 괜찮은

Learning contributes to the process of becoming a **decent** human being. 기출
배움은 품위 있는 인간이 되는 과정에 기여한다.

수능표현+
decent salary 상당한 급여

파생 **decency** 명 품위, 예절
유의 **proper** 형 적당한
respectable 형 점잖은
반의 **indecent** 형 점잖지 못한

수능 혼동 어휘

0235

overlook

[òuvərlúk]

동 1. 간과하다 2. 눈감아 주다 3. 내려다보다

Unfortunately, other options were ignored or **overlooked.** 기출

불행하게도, 다른 선택들은 무시되거나 간과되었다.

0236

oversee

[òuvərsíː]

통 감독하다, 감시하다

The new manager is **overseeing** the entire project.

새 매니저가 프로젝트 전체를 감독하고 있다.

0237

crucial

[krúːʃəl]

형 중대[중요]한, 결정적인

Recycling is **crucial** in keeping our community clean and vibrant. 기출 응용

재활용은 우리 지역 사회를 깨끗하고 활기차게 유지하는 데 있어 중요하다.

0238

cruel

[krú(ː)əl]

형 잔혹한, 잔인한

When you see Picasso's *Guernica*, you may realize how **cruel** war is.

Picasso의 'Guernica'를 보면 여러분은 전쟁이 얼마나 잔인한지 알 수 있다.

수능 UP

Q1.

둘 중 알맞은 단어를 고르시오.

He held a meeting to set up a committee to **[overlook / oversee]** the admission process.

Q2.

둘 중 알맞은 단어를 고르시오.

We encourage you to weigh all the factors carefully before making this **[crucial / cruel]** decision.

수능 필수 숙어

0239

result from

~이 원인이다, ~에서 기인하다

Wisdom and patience can **result from** the gradual buildup of life experiences. 기출 응용

지혜와 인내는 삶의 경험이 차츰 쌓이는 데서 비롯될 수 있다.

0240

result in

(결과적으로) ~을 낳다[야기하다]

A greater power gap can **result in** decreased communication. 기출

권력 격차가 클수록 의사소통이 줄어드는 결과를 낳을 수 있다.

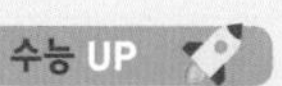

Q3.

빈칸에 알맞은 어구를 고르시오.

Your effort will __________ positive change that will be noticed in the work environment.

① result from

② result in

Daily Test 06

정답 p.446

A 우리말은 영어로, 영어는 우리말로 쓰시오.

01 선천적인, 타고난 ____________

02 갈망[열망]하다 ____________

03 물물 교환(하다) ____________

04 관통하다, 침투하다 ____________

05 분하게 여기다 ____________

06 선박, 혈관, 그릇 ____________

07 통화의, 화폐의, 금전의 ____________

08 thrive ____________

09 controversy ____________

10 ubiquitous ____________

11 outset ____________

12 subconscious ____________

13 regime ____________

14 scrutiny ____________

B 우리말과 일치하도록 빈칸에 알맞은 단어 또는 어구를 쓰시오.

서술형

01 A c____________ report to President Johnson was leaked to the press.
Johnson 대통령의 기밀 보고서가 언론에 유출되었다.

02 He was diagnosed with a ____________ processing disorder.
그는 청각 처리 장애 진단을 받았다.

03 Exposure to mold could r____________ ____________ long-term health issues.
곰팡이에 노출되면 장기적인 건강 문제를 야기할 수 있다.

C 각 단어의 유의어 또는 반의어를 쓰시오.

01 동 hazard 유의 e____________

02 동 exceed 유의 s____________

03 동 discard 유의 a____________

04 동 capture 반의 r____________

05 동 facilitate 유의 p____________

06 형 permanent 반의 t____________

07 형 decent 반의 i____________

08 동 endure 유의 b____________

VOCA CLEAR

DAY 07

시험에 더 강해지는 어휘

0241

fragment

[frǽgmənt]

명 파편, 조각 동 부수다[부서지다]

These L-like **fragments** are combined into a rectangle. 기출

이 L자 모양의 조각들은 직사각형으로 합쳐진다.

파생 fragmentation 명 분열, 파쇄
fragmented 형 분열된
유의 piece 명 조각
shatter 동 산산이 부수다

0242

boost

[buːst]

동 1. 신장시키다 2. 북돋우다
명 1. 활력, (신장시키는) 힘 2. 격려, 부양책

Reading is a good habit because it **boosts** your confidence. 기출 응용

독서는 여러분의 자신감을 신장시키기 때문에 좋은 습관이다.

파생 booster 명 촉진제
유의 enhance 동 (질·능력 등을) 높이다

0243

average

[ǽvəridʒ]

형 1. 평균의 2. 보통의, 일반적인 명 평균

The **average** height of an American woman is 5 feet 3 inches.

미국 여성의 평균 키는 5피트 3인치이다.

유의 mean 형 평균의, 보통의
normal 형 보통의
반의 unusual 형 보통이 아닌
숙어 on average 평균적으로

0244

pesticide

[péstisàid]

명 농약, 살충제

Pesticides are used to protect crops against pests.

농약은 해충으로부터 농작물을 보호하기 위해 사용된다.

유의 insecticide 명 살충제

0245

qualify

[kwɑ́ləfài]

동 자격을 얻다[주다], 적임으로 하다

His diploma in education will **qualify** him as an expert in this area.

그의 교육학 학위는 그에게 이 분야의 전문가 자격을 줄 것이다.

파생 qualification 명 자격(증)
qualified 형 자격이 있는
유의 certify 동 증명서를 주다
반의 disqualify 동 실격시키다

0246

integrate

[íntəgrèit]

동 통합시키다[되다]

The operator is called upon to find, **integrate**, and process the information. 기출

기기 조작자는 정보를 찾고, 통합하고, 처리하도록 요청받는다.

파생 integration 명 통합
유의 unify 동 통합[통일]시키다
반의 segregate 동 분리하다

0247

auditorium
[ɔ̀:ditɔ́:riəm]

명 1. 강당 2. 객석

Students were gathered in the **auditorium** for the graduation ceremony.
학생들이 졸업식을 위해 강당에 모였다.

유의 **hall** 명 강당

0248

exile
[égzail]

명 망명, 추방, 유배 동 추방하다

Napoleon was sent into **exile** on the island of Elba.
나폴레옹은 Elba 섬으로 유배되었다.

수능표현 +

political exile 정치적 망명

파생 **exiled** 형 추방당한
유의 **banish** 동 추방하다
expel 동 추방하다
deport 동 국외로 추방하다
반의 **admit** 동 입장을 허가하다

0249

substantial
[səbstǽnʃəl]

형 1. 상당한, 많은 2. 실질적인

Substantial changes may be expected in ocean ecosystems over the next 100 years. 기출
향후 100년에 걸쳐 해양 생태계에 상당한 변화가 예상될 수 있다.

수능표현 +

substantial advantage 실질적인 이점

파생 **substantiality** 명 실질성
substance 명 물질
유의 **considerable** 형 상당한
반의 **insubstantial** 형 적은, 실체가 없는

0250 다의어

measure
[méʒər]

동 1. 측정하다, 재다 2. 판단[평가]하다
명 1. 조치, 대책 2. 척도, 기준

It is possible to **measure** how far away from us each galaxy is. 기출
각 은하계가 우리에게서 얼마나 멀리 떨어져 있는지 측정하는 것이 가능하다.

We need to take effective **measures** to solve this situation.
우리는 이 상황을 해결하기 위한 효과적인 조치를 취할 필요가 있다.

Is GDP a good **measure** of the economic well-being of the people?
GDP는 사람들의 경제적 복지를 측정하는 좋은 척도인가?

파생 **measurement** 명 측정
유의 **gauge** 동 측정하다
scale 명 척도
standard 명 기준

0251

verdict
[və́:rdikt]

명 1. (배심원단의) 평결 2. 판정, 의견

The woman broke down in tears when the guilty **verdict** was announced.
유죄 평결이 발표되자 그 여성은 울음을 터뜨렸다.

유의 **decision** 명 평결
judgment 명 판단

0252

transaction
[trænsǽkʃən]

명 1. 거래, 매매 2. (업무) 처리

Using the computerized records, they could track every **transaction** in the store. 기출 응용
전산화된 기록을 사용하여 그들은 상점의 모든 거래를 추적할 수 있었다.

파생 transact 동 거래하다
유의 deal 명 거래
bargain 명 거래

0253

establish
[istǽbliʃ]

동 1. 설립하다 2. 수립[확립]하다

In Brazil, a musician **established** music centers in formerly dangerous neighborhoods. 기출
브라질에서, 한 음악가가 이전에 위험했던 지역에 음악 센터를 설립했다.

파생 establishment 명 설립
유의 found 동 설립하다
set up 세우다

0254

spectrum
[spéktrəm]

명 1. 범위, 영역 2. (빛의) 스펙트럼

His **spectrum** of interests in history is quite broad.
역사에 대한 그의 관심 범위는 꽤 넓다.

복수 spectra
파생 spectral 형 스펙트럼의
유의 range 명 범위

0255

prudent
[prú:dənt]

형 신중한, 조심성 있는

He made a **prudent** decision to avoid an unnecessary loss of earnings.
그는 불필요한 소득 손실을 피하기 위해 신중한 결정을 내렸다.

파생 prudential 형 신중한
유의 cautious 형 신중한
반의 imprudent 형 경솔한

0256

assign
[əsáin]

동 1. (일·책임을) 맡기다, 할당하다 2. (사람을) 배치하다

Work that required physical strength was **assigned** mostly to men.
육체적 힘을 필요로 하는 일은 주로 남성에게 할당되었다.

수능표현 +
assign a role[mission] 역할[임무]을 할당하다

파생 assignment 명 과제, 할당
유의 allocate 동 할당하다

0257

designate
[dézignèit]

동 1. 지정하다 2. 지명하다

Her house has been **designated** as a National Historic Landmark. 기출
그녀의 집은 국립 역사 기념물로 지정되었다.

수능표현 +
designated area[time] 지정된 구역[시간]

파생 designation 명 지정, 지명
designated 형 지정된
유의 appoint 동 지명하다
숙어 designate A as B
A를 B로 지정하다[지명하다]

0258

cultivate
[kʌ́ltəvèit]

동 1. 경작하다 2. (작물을) 재배하다
3. (소양 등을) 기르다, 함양하다

You should **cultivate** the soil, plant the seed, take care of it, and water it. 기출 응용
여러분은 토양을 경작하고, 씨앗을 심고, 돌보고, 물을 주어야 한다.

수능표현 +

cultivate manners 예의범절을 기르다
cultivate a culture 교양을 기르다

파생 **cultivation** 명 경작, 재배, 함양
cultivated 형 세련된, 교양 있는
유의 **farm** 동 경작하다
foster 동 기르다, 육성하다

0259

indifferent
[indífərənt]

형 무관심한

Although most people seem **indifferent** to politics, many have showed up to vote.
대부분의 사람들이 정치에 관심이 없는 것처럼 보이지만, 많은 이가 투표를 하기 위해 나타났다.

파생 **indifference** 명 무관심
유의 **unconcerned** 형 관심을 가지지 않는
숙어 **indifferent to** ~에 무관심한

0260

conclude
[kənklúːd]

동 결론을 내리다, 끝내다

The doctor **concluded** that he might never regain the full use of his right arm.
의사는 그가 오른팔의 완전한 사용을 결코 회복하지 못할지도 모른다고 결론을 내렸다.

파생 **conclusion** 명 결론
conclusive 형 결정적인
유의 **decide** 동 결정을 내리다
end 동 끝내다

0261 다의어

occasion
[əkéiʒən]

명 1. (특정한) 때, 경우, 기회 2. 행사 3. 원인, 이유

He used his trip to Spain as an **occasion** to practice his Spanish.
그는 스페인 여행을 스페인어를 연습하는 기회로 삼았다.

John took Randy to special **occasions** like dances.
John은 무도회와 같은 특별한 행사에 Randy를 데려갔다. 기출

The conflict between management and employees was the **occasion** of the strike.
경영진과 직원들 간의 갈등이 파업의 원인이 되었다.

파생 **occasional** 형 가끔의
occasionally 부 가끔
숙어 **on occasion** 가끔

0262

joint
[dʒɔint]

형 공동의, 합동의 명 관절, 연결 부위

The act of communicating is always a **joint**, creative effort. 기출
의사소통 행위는 늘 공동의 창조적인 노력이다.

파생 **join** 동 합쳐지다, 연결하다
유의 **common** 형 공동의
communal 형 공동의

0263

surrender
[səréndər]

동 1. 항복[굴복]하다 2. 내주다, 포기하다
명 1. 항복[굴복] 2. 양도

Germany **surrendered** before Japan was defeated in World War II.
독일은 제2차 세계 대전에서 일본이 패전하기 전에 항복했다.

수능표현 +
unconditional surrender 무조건 항복

유의 submit 동 굴복하다
relinquish 동 내주다
submission 명 항복

0264

critic
[krítik]

명 비평가

The **critics** loved the performance, but the public did not.
비평가들은 그 공연을 좋아했지만 대중들은 좋아하지 않았다.

파생 critical 형 비판적인
criticize 동 비평하다, 비난하다
유의 reviewer 명 비평가

0265

appoint
[əpɔ́int]

동 1. 임명하다, 지명하다 2. (시간·장소 등을) 정하다

Later in his life, he was **appointed** the U.S. ambassador to the Republic of Seychelles. 기출
생애 후반에 그는 세이셸 공화국에 미국 대사로 임명되었다.

파생 appointment 명 임명, 지명, 약속
유의 designate 동 지명하다
nominate 동 지명하다
decide on ~로 정하다

0266

metaphor
[métəfɔ̀ːr]

명 은유, 비유

The **metaphor** compared crime to a virus invading the city. 기출 응용
그 비유는 범죄를 그 도시에 침입한 바이러스에 비유했다.

파생 metaphorical 형 은유[비유]의
유의 symbol 명 상징
analogy 명 비유

0267

eminent
[émənənt]

형 1. 저명한 2. 탁월한, 걸출한

In 1879, the **eminent** scientist Albert Einstein was born in Ulm, Germany.
저명한 과학자인 Albert Einstein은 1879년에 독일 울름에서 태어났다.

파생 eminence 명 명성
eminently 부 대단히, 매우
유의 famous 형 유명한
prominent 형 유명한

0268

reside
[rizáid]

동 거주하다, 살다

Few people **reside** in the countryside in the area.
그 지역의 시골에는 사람들이 거의 살지 않는다.

수능표현 +
residential area 거주 지역

파생 resident 명 거주민
residence 명 거주지
유의 inhabit 동 거주하다
dwell 동 거주하다, 살다

0269

counterattack

[kàuntərətǽk]

명 역습, 반격 동 역습하다, 반격하다

They made a **counterattack** and were able to drive the enemy off.
그들은 반격을 가했고 적을 쫓아낼 수 있었다.

0270

stance

[stæns]

명 1. 입장, 태도 2. (스포츠 경기에서) 자세

When reading this book, you can learn about the author's **stance** toward life.
이 책을 읽을 때, 여러분은 삶에 대한 저자의 태도에 대해 배울 수 있다.

수능표현 +

neutral stance 중립적 입장

유의 position 명 입장
viewpoint 명 입장, 관점, 견해

0271

wicked

[wíkid]

형 1. 사악한, 못된 2. 짓궂은, 장난기 있는

In the fairy tale, the **wicked** witch curses the princess.
그 동화에서, 사악한 마녀는 공주를 저주한다.

파생 wickedness 명 사악
유의 evil 형 사악한
malicious 형 악의적인
반의 good 형 선한

0272

undergraduate

[ʌ̀ndərgrǽdʒuit]

명 대학생, 학부생

For most science **undergraduates**, university is an adventure in itself. 기출
대부분의 과학 전공 학부생들에게 대학은 그 자체로 모험이다.

0273

dim

[dim]

형 어둑한, 흐릿한 동 어둑하게 하다, 흐릿해지다

The **dim** lighting in the café made it hard to read the menu.
카페의 어두운 조명으로 인해 메뉴판을 읽기가 힘들었다.

파생 dimness 명 어둑함, 흐릿함
유의 faint 형 흐릿한
darken 동 어둡게 하다
반의 bright 형 밝은
brighten 동 밝아지다

0274

reward

[riwɔ́:rd]

명 보상, 사례금 동 보상하다

NC Bank is offering a $5,000 **reward** for information about the robbery.
NC 은행은 강도에 대한 정보에 대해 5천 달러의 사례금을 제공할 예정이다.

유의 prize 명 상금, 포상

수능 혼동 어휘

0275

appliance
[əpláiəns]

명 (가정용) 기기, 가전제품

To digitize your home, you must first make sure that all your **appliances** are interconnectable.
집을 디지털화하려면 먼저 모든 가전제품이 상호 연결 가능한지 확인해야 한다.

0276

application
[æ̀pləkéiʃən]

명 1. 적용, 응용 2. 지원, 신청 3. 응용 프로그램

This case illustrates the **application** of new technology to the fashion industry.
이 사례는 패션 산업에 새로운 기술을 적용하는 것을 보여 준다.

0277

ethnic
[éθnik]

형 민족의, 종족의

Some people say **ethnic** diversity has a positive impact on the country's culture.
어떤 사람들은 인종적 다양성이 그 나라의 문화에 긍정적인 영향을 준다고 말한다.

0278

ethic
[éθik]

명 윤리

A strong work **ethic** will keep your career moving upward.
강력한 업무 윤리는 여러분의 경력을 계속 상승시킬 것이다.

수능 UP

Q1.
둘 중 알맞은 단어를 고르시오.
If you're buying an electrical **[appliance / application]**, the best way to judge its energy efficiency is by reading the label.

Q2.
둘 중 알맞은 단어를 고르시오.
Local **[ethnic / ethic]** conflicts grew increasingly violent.

수능 필수 숙어

0279

break up

1. 파하다, 해산하다 2. 중단하다

The conference lasted for 90 minutes and **broke up** at 4 p.m.
회의는 90분간 지속되었고 오후 4시에 끝났다.

0280

bring up

1. 양육하다 2. 꺼내다, 불러일으키다

She **brought up** her three children on her own.
그녀는 혼자서 세 명의 아이를 키웠다.

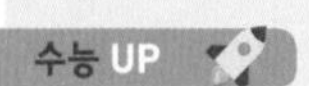

Q3.
빈칸에 알맞은 어구를 고르시오.

I was born and ________ in a small village near London.

① broken up
② brought up

Daily Test 07

정답 p.446

A 우리말은 영어로, 영어는 우리말로 쓰시오.

01 농약, 살충제 __________

02 저명한, 탁월한 __________

03 (배심원단의) 평결, 판정 __________

04 거래, 매매, (업무) 처리 __________

05 평균의, 보통의; 평균 __________

06 측정하다; 조치, 척도 __________

07 지정하다, 지명하다 __________

08 conclude __________

09 substantial __________

10 joint __________

11 cultivate __________

12 stance __________

13 dim __________

14 application __________

B 우리말과 일치하도록 빈칸에 알맞은 단어 또는 어구를 쓰시오.

서술형

01 My wife and I often argue about how to b__________ __________ our children.
아내와 나는 아이들을 양육하는 방법에 관해 자주 언쟁을 한다.

02 The military actions resulted in the s__________ of the country.
그 군사 작전은 그 나라의 항복을 초래했다.

03 The Nuer are one of the largest e__________ groups in South Sudan. 기출
누에르족은 남수단에서 가장 큰 민족 집단 중 하나이다.

C 각 단어의 유의어 또는 반의어를 쓰시오.

01 동 fragment 유의 s__________

02 동 integrate 반의 s__________

03 동 assign 유의 a__________

04 동 reside 유의 i__________

05 형 prudent 반의 i__________

06 동 exile 반의 a__________

07 형 indifferent 유의 u__________

08 동 establish 유의 f__________

0281

cease [siːs]

동 그만두다, 중지하다

The employees accepted management's offer and have agreed to **cease** their strike.
직원들은 경영진의 제안을 받아들였고 파업을 중단하기로 합의했다.

0282

revise [riváiz]

동 1. 수정하다, 변경하다 2. (책 등을) 개정하다

They collected more data and **revised** the theories.
그들은 더 많은 데이터를 모아 이론을 수정했다. 기출

0283

artery [ɑ́ːrtəri]

명 1. 동맥 2. 주요 도로

High blood pressure can damage the **arteries**.
고혈압은 동맥을 손상시킬 수 있다.

0284

frantic [frǽntik]

형 광분한, 제정신이 아닌

I noticed a woman talking loudly into her cell phone, looking **frantic**. 기출 응용
나는 몹시 광분한 듯 보이는 한 여성이 큰 목소리로 휴대 전화에 대고 말하는 것을 보았다.

0285

pause [pɔːz]

명 멈춤, 중지 동 잠시 멈추다, 정지시키다

There are **pauses** and delays in everyday conversation.
일상 대화에는 멈춤과 지연이 있다.

0286

breakdown [bréikdàun]

명 1. 고장, 파손 2. 붕괴, 몰락 3. (신경) 쇠약

Through routine inspections, unexpected **breakdowns** of your car can be prevented.
일상적인 점검을 통해 자동차의 예기치 않은 고장을 방지할 수 있다.

수능표현 +

mental breakdown 정신 쇠약

시험에 더 강해지는 어휘

- 0281 유의 **discontinue** 동 그만두다 / **stop** 동 중단하다
- 0282 파생 **revision** 명 수정, 개정 / 유의 **amend** 동 수정[개정]하다
- 0283 유의 **main route** (도로·철도의) 간선 / **trunk road** 간선 도로
- 0284 유의 **distraught** 형 제정신이 아닌 / 반의 **calm** 형 차분한
- 0285 유의 **halt** 명 멈춤 동 멈추다 / 반의 **continue** 동 계속하다 / 숙어 **take a pause** 숨을 돌리다
- 0286 유의 **malfunction** 명 고장 / **collapse** 명 붕괴, 쇠약 / **failure** 명 고장, 쇠약

0287

stature
[stǽtʃər]

명 1. 지명도, 위상 2. (사람의) 키

Not only has the festival grown in scale, it has also grown in **stature**.
그 축제는 규모가 커졌을 뿐만 아니라 위상도 높아졌다.

유의 **status** 명 위상
height 명 높음, (사람의) 키

0288

intact
[intǽkt]

형 손상되지 않은, 온전한

Scientists found the **intact** bones of an ice age mammoth in a Siberian lake.
과학자들은 시베리아의 호수에서 빙하기 매머드의 손상되지 않은 뼈를 발견했다.

유의 **undamaged** 형 손상되지 않은
sound 형 온전한
반의 **damaged** 형 손상된

0289

prevail
[privéil]

동 1. 만연하다, 널리 퍼지다 2. 이기다, 우세하다

People started to believe it, and the rumor **prevailed**.
사람들은 그것을 믿기 시작했고 그 소문이 널리 퍼졌다.

파생 **prevalence** 명 유행
prevalent 형 널리 퍼진
유의 **become widespread** 널리 퍼지다
triumph 동 이기다

0290 다의어

feature
[fíːtʃər]

명 1. 특징, 특색, 특성 2. 이목구비 3. 특집 기사
동 1. 특징으로 삼다 2. (배우를) 주연시키다 3. 특종으로 다루다

The shopping mall **featured** a wooden boardwalk that was built along the shore. 기출 응용
그 쇼핑몰은 호숫가를 따라 만들어진 나무판자로 된 산책로를 특징으로 삼았다.

The latest edition of the newspaper contains a special **feature** on animal rights.
최신판 신문에는 동물의 권리에 관한 특집 기사가 실려 있다.

She has been **featured** in two science fiction films.
그녀는 두 편의 공상 과학 영화에 주연으로 출연했다.

유의 **characteristic** 명 특성
aspect 명 양상, 외관
article 명 기사
star 동 주연을 하다

0291

bid
[bid]

동 1. (경매에서) 값을 부르다 2. 입찰하다
명 입찰

She had to **bid** up the price of the painting beyond what she had intended to spend.
그녀는 지불하려고 의도했던 것 이상으로 그 그림의 가격을 높여 입찰해야 했다.

파생 **bidding** 명 입찰
bidder 명 입찰자
숙어 **bid for** ~에 입찰하다

0292

gymnastics
[dʒimnǽstiks]

명 체조

Bart Conner started his **gymnastics** career at the age of ten. 기출 응용
Bart Conner는 10살 때 그의 체조 경력을 시작했다.

파생 **gymnast** 명 체조 선수
gymnastic 형 체조의

0293

digest
[didʒést]

동 1. 소화하다 2. (완전히) 이해하다 명 [dáidʒest] 요약(문)

The more you chew your food, the easier it is to **digest**.
음식을 더 많이 씹을수록, 소화하기가 더 쉬워진다.

파생 **digestion** 명 소화
digestive 형 소화의
유의 **ingest** 동 섭취하다
summary 명 요약, 개요

0294

companion
[kəmpǽnjən]

명 동반자, 동행, 친구

Beyond being man's best friend, dogs are humans' oldest **companions**.
인간의 가장 친한 친구임을 넘어서, 개는 인간의 가장 오래된 동반자이다.

유의 **company** 명 동료, 동반
friend 명 친구

0295

sovereign
[sɑ́vərin]

형 주권을 가진, 자주의 명 군주, 국왕

One of the qualifications a **sovereign** state should have is a government.
주권 국가가 가져야 하는 자격 중 하나는 정부이다.

수능표현 +
sovereign power 통치권

파생 **sovereignty** 명 주권
유의 **independent** 형 자주의
autonomous 형 자주적인
monarch 명 군주

0296 다의어

conduct
[kəndʌ́kt]

동 1. 수행하다 2. 지휘하다 3. (열·전기를) 전도하다
명 [kɑ́ndʌkt] 행위, 수행

It is not really possible to **conduct** some forms of controlled experiments on human beings. 기출
인간을 대상으로 어떤 형태의 통제된 실험을 수행하는 것은 실제로 가능하지 않다.

Metals such as silver and steel **conduct** electricity well, while wood doesn't.
은이나 강철과 같은 금속들은 전기를 잘 전도하는 반면, 나무는 그렇지 않다.

There was no criminal **conduct** in the death of the man.
그 남자의 죽음에서 범죄 행위는 없었다.

파생 **conductor** 명 지휘자, 전도체
conductive 형 전도하는
유의 **carry out** 수행하다
behavior 명 행위, 행동

0297

resign
[rizáin]

동 사직[사임]하다, 사퇴하다

The coach was forced to **resign** because of the team's poor performance.
그 코치는 팀의 경기력 부진을 이유로 사퇴하도록 강요받았다.

파생 **resignation** 명 사직(서)
유의 **quit** 동 그만두다
step down 사임하다

0298

dimension
[diménʃən]

명 1. 치수, 크기, 규모 2. 차원

Measure the **dimensions** of the table to see if it is the right size for your kitchen.
테이블의 크기를 측정하여 당신의 부엌에 알맞은 크기인지 확인하시오.

수능표현 +
fourth dimension 4차원

파생 **dimensional** 형 치수의, 차원의
유의 **extent** 명 크기, 넓이
aspect 명 양상, 외관

0299

candid
[kǽndid]

형 솔직한, 정직한, 있는 그대로의

The nonverbal message lets the partner know one's **candid** reaction indirectly. 기출 응용
비언어적인 메시지는 상대방에게 자신의 솔직한 반응을 간접적으로 알린다.

수능표현 +
candid friend 거리낌 없는 친구
candid talk 솔직한 대화

파생 **candor** 명 솔직, 정직
유의 **frank** 형 솔직한
honest 형 정직한
반의 **insincere** 형 진실되지 못한

0300

stun
[stʌn]

동 1. 크게 놀라게 하다 2. 기절시키다

The popular movie star **stunned** the world by announcing his retirement.
그 인기 절정의 영화배우는 은퇴를 선언함으로써 세계를 깜짝 놀라게 했다.

파생 **stunned** 형 크게 놀란
stunning 형 굉장한, 깜짝 놀랄 만한
유의 **astound** 동 몹시 놀라게 하다

0301

wealth
[welθ]

명 부, 부유함, 재산

Material **wealth** does not necessarily lead to emotional wealth. 기출
물질적 부유함이 반드시 감정적인 부유함으로 이어지지는 않는다.

파생 **wealthy** 형 부유한
유의 **fortune** 명 부, 재산
affluence 명 부, 부유
반의 **poverty** 명 가난
숙어 **a wealth of** 풍부한

0302

aesthetic
[esθétik]

형 1. 심미적인, 미의 2. 미학의 명 ((-s)) 미학

The **aesthetic** quality of the image is extremely important to the overall quality of a film. 기출 응용
이미지의 미적 질은 영화의 전반적인 질에 매우 중요하다.

파생 **aesthetically** 부 심미적으로

0303

transmit
[trænsmít]

동 1. 전송[송신]하다, 전달하다 2. 전염시키다

Teachers play the function of **transmitting** knowledge. 기출
교사는 지식을 전달하는 역할을 한다.

파생 transmission 명 전송, 전달, 전염
유의 convey 동 전달하다
transfer 동 옮기다

0304

labor
[léibər]

명 1. 노동, 근로 2. 수고 3. 분만, 진통 동 노동하다, 애쓰다

The wealthy in society did all they could to avoid **labor**. 기출
사회의 부유한 사람들은 노동을 피하기 위해 할 수 있는 모든 것을 했다.

수능표현 +
division of labor 분업
manual labor 육체 노동

파생 laborious 형 힘든
숙어 in labor 진통 중인

0305

yearn
[jəːrn]

동 갈망하다, 동경하다

Cheryl **yearned** to share her talents with more than just her family. 기출 응용
Cheryl은 그녀의 가족뿐만 아니라 더 많은 사람들과 그녀의 재능을 공유하기를 갈망했다.

파생 yearning 명 갈망, 동경
유의 long for ~을 갈망하다
desire 동 원하다, 욕망하다
숙어 yearn for ~을 갈망하다

0306

neglect
[niglékt]

동 무시하다, 소홀히 하다 명 무시, 태만

The lazy doctor **neglected** his duty to care for his patients.
그 게으른 의사는 그의 환자들을 돌보는 의무를 소홀히 했다.

파생 negligence 명 무관심, 부주의
negligent 형 태만한
유의 ignore 동 무시하다
disregard 동 무시하다

0307

vacant
[véikənt]

형 1. 비어 있는 2. 공석의

Although the subway was packed with people, the seats for the elderly remained **vacant**.
지하철은 사람들로 꽉 차 있었지만, 노약자석은 비어 있었다.

파생 vacancy 명 결원, 공석
유의 unoccupied 형 비어 있는
empty 형 빈
반의 occupied 형 사용 중인

0308

species
[spíːʃiːz]

명 (생물 분류상의) 종(種)

The populations of many **species** are declining rapidly due to pollution. 기출
많은 종의 개체수가 오염으로 인해 빠르게 감소하고 있다.

0309

instruction
[instrʌ́kʃən]

명 1. 교육, 가르침 2. 지시, 명령 3. 설명(서)

Participants of the program can receive flight **instruction** from trained pilots. 기출 응용
프로그램 참가자는 숙달된 조종사로부터 비행 교육을 받을 수 있다.

파생 **instruct** 동 가르치다, 지시하다
instructive 형 유익한
유의 **command** 명 명령
direction 명 설명

0310

investigate
[invéstəgèit]

동 1. 조사하다, 연구하다 2. 수사하다

They are **investigating** different methods of using AI in public education.
그들은 공교육에서 인공 지능을 사용하는 여러 가지의 방법을 연구 중이다.

파생 **investigation** 명 수사, 조사
유의 **examine** 동 조사하다

0311

trustworthy
[trʌ́stwə̀ːrði]

형 신뢰할 만한, 믿을 만한

Not all information on the Internet is **trustworthy**.
인터넷에 있는 모든 정보가 신뢰할 수 있는 것은 아니다.

파생 **trust** 명 신뢰 동 믿다
유의 **reliable** 형 믿을 수 있는
반의 **untrustworthy** 형 신뢰할 수 없는

0312

survival
[sərváivəl]

명 생존

Researchers say that hunting and the loss of habitat threaten the rhino's **survival**.
연구자들은 사냥과 서식지 감소가 코뿔소의 생존을 위협하고 있다고 주장한다.

수능표현 +
the survival of the fittest 적자 생존

파생 **survive** 동 살다, 살아남다
survivor 명 생존자

0313

warn
[wɔːrn]

동 경고하다, 주의를 주다

The government **warns** that smoking is harmful and may cause cancer. 기출 응용
정부는 흡연이 해롭고 암을 유발할 수도 있다고 경고한다.

파생 **warning** 명 경고, 주의
유의 **caution** 동 경고하다, 주의를 주다
숙어 **warn A of[against] B** B에 대해서 A에게 경고하다

0314

equipment
[ikwípmənt]

명 장비, 용품, 설비

We will rent you all the **equipment** you will ever need for climbing. 기출
우리는 등산에 필요한 모든 장비를 여러분에게 대여해 줄 것이다.

파생 **equip** 동 장비를 갖추다
유의 **gear** 명 장비, 기어

수능 혼동 어휘

0315

spacious
[spéiʃəs]

형 넓은, 널찍한

The room was **spacious** enough for all the guests.
그 방은 모든 손님이 들어갈 만큼 널찍했다.

0316

spatial
[spéiʃəl]

형 공간의, 공간적인

The Neanderthals, who didn't travel as far, never gained a **spatial** skill set. 기출
네안데르탈인은 멀리 여행하지 않았고 공간 기술을 전혀 습득하지 못했다.

0317

literal
[lítərəl]

형 문자 그대로의

The **literal** meaning of the word "original" is related to the origin or beginning.
'독창적인'이라는 단어의 문자 그대로의 뜻은 기원이나 시작과 관련이 있다.

0318

literary
[lítərèri]

형 문학의, 문학적인

Let's analyze the **literary** expressions in this poem.
이 시의 문학적 표현을 분석해 보자.

수능 UP

Q1.
둘 중 알맞은 단어를 고르시오.
Our hotel offers **[spacious / spatial]** and comfortable hotel rooms with every imaginable comfort.

Q2.
둘 중 알맞은 단어를 고르시오.
She came from a **[literal / literary]** background as both her parents were authors.

수능 필수 숙어

0319

pick up

1. 줍다 2. 태우다, 태우러 가다

They saw her bend down and **pick up** one of the sea creatures. 기출 응용
그들은 그녀가 허리를 굽혀 바다 생물들 중 하나를 주우려는 것을 보았다.

0320

pick out

1. 고르다, 집어내다 2. 알아내다, 분간하다

The clerk helped me **pick out** what I wanted to buy.
그 점원은 내가 사고 싶은 것을 고르도록 도움을 줬다.

Q3.
빈칸에 알맞은 어구를 고르시오.

He went to the school in the afternoon to ________ his children as usual.

① pick up
② pick out

Daily Test 08

정답 p.446

A 우리말은 영어로, 영어는 우리말로 쓰시오.

01 그만두다, 중지하다 ______________

02 고장, 파손, 붕괴, 몰락 ______________

03 지명도, 위상, 키 ______________

04 체조 ______________

05 동맥, 주요 도로 ______________

06 비어 있는, 공석의 ______________

07 치수, 크기, 규모, 차원 ______________

08 stun ______________

09 aesthetic ______________

10 yearn ______________

11 resign ______________

12 species ______________

13 trustworthy ______________

14 literal ______________

B 우리말과 일치하도록 빈칸에 알맞은 단어 또는 어구를 쓰시오.

서술형

01 Many people who listened to the speaker r____________ their opinion about the new tax law.

연사의 말을 들은 많은 사람들이 새로운 조세 법안에 대한 자신들의 의견을 수정했다.

02 The electronic passport will have advanced security f____________ to prevent forgery.

전자 여권은 위조를 방지하기 위한 첨단 보안 특징들을 갖추게 될 것이다.

03 The customer asked the clerk to help her p____________ ____________ clothes for the party.

손님은 점원에게 파티를 위한 옷을 고르는 것을 도와달라고 부탁했다.

C 각 단어의 유의어 또는 반의어를 쓰시오.

01 형 frantic 반의 c______________

02 동 pause 반의 c______________

03 형 intact 반의 d______________

04 명 wealth 반의 p______________

05 형 candid 유의 f______________

06 동 transmit 유의 c______________

07 동 investigate 유의 e______________

08 동 neglect 유의 i______________

VOCA CLEAR

DAY 09

시험에 더 강해지는 어휘

0321

majestic
[mədʒéstik]

형 위엄 있는, 장엄한

We aim to share our experience of the **majestic** Victoria Falls. 기출 응용
우리는 장엄한 빅토리아 폭포에 대한 우리의 경험을 나누고자 한다.

파생 **majesty** 명 장엄함
유의 **grand** 형 웅장한
magnificent 형 장엄한

0322

immerse
[imə́ːrs]

동 1. 몰두[몰입]시키다, 빠져들게 하다 2. 담그다, 적시다

The film **immersed** the audience in a dreamlike experience.
그 영화는 관객들을 몽환적인 경험에 빠져들게 했다.

수능표현 +
immersive course 몰입형 교육 과정
immersion suit 잠수복

파생 **immersion** 명 몰두, 담금
유의 **engross** 동 몰두시키다
submerge 동 물에 잠기게 하다
숙어 **immerse A in B**
A를 B에 몰두하게 만들다

0323

hypothesis
[haipɑ́θisis]

명 1. 가설 2. 추정, 추측

Scientists can include any evidence or **hypothesis** that supports their claim. 기출
과학자들은 그들의 주장을 뒷받침하는 증거나 가설은 어떤 것이든 포함시킬 수 있다.

복수 **hypotheses**
파생 **hypothesize** 동 가설을 세우다
hypothetical 형 가설의
유의 **theory** 명 이론, 학설

0324

eject
[i(ː)dʒékt]

동 1. 쫓아내다 2. (기계에서) 튀어나오게 하다 3. 내뿜다

They **ejected** the drunk people from the stadium.
그들은 술에 취한 사람들을 경기장에서 쫓아냈다.

파생 **ejection** 명 퇴거, 분출
유의 **expel** 동 내쫓다
반의 **let in** 들어오게 하다

0325

superficial
[sùːpərfíʃəl]

형 1. 표면적인, 피상적인 2. 깊이 없는, 얄팍한

The board members wasted time discussing **superficial** matters.
이사회 구성원들은 피상적인 문제를 논의하는 데 시간을 낭비했다.

수능표현 +
superficial knowledge 피상적인 지식

유의 **surface** 형 표면의, 피상적인
shallow 형 피상적인, 얄팍한

0326

progress

[prəgrés]

동 1. 전진[진행]하다 2. 발전[진보]하다
명 [prágres] 1. 전진[진행], 진척 2. 발전[진보]

His disease **progressed** more quickly than expected.
그의 질병은 예상보다 더 빨리 진행되었다.

파생 **progressive** 형 점진적인, 진보적인
유의 **develop** 동 발전하다
advance 명 전진, 진보
반의 **regress** 동 물러나다
숙어 **in progress** 진행 중인

0327

bless

[bles]

동 1. 축복하다, 은총을 베풀다 2. 감사하다

Even though we are **blessed**, we tend to focus on what we don't have.
우리는 축복받았음에도 우리가 갖지 못한 것에 초점을 맞추는 경향이 있다.

파생 **blessing** 명 축복

0328 다의어

seal

[siːl]

동 1. 봉인하다 2. (밀)봉하다
명 1. 직인, 도장 2. 바다표범, 물개

The important document was rolled, tied up, and **sealed** with the writer's **seal**.
중요한 문서는 둥글게 말아서 묶고 쓴 사람의 직인으로 봉인되었다.

Emma folded the letter twice and **sealed** it within an envelope. 기출
Emma는 편지를 두 번 접어 봉투 안에 그것을 넣고 봉했다.

Polar bears are too slow to catch a **seal** in open water.
북극곰은 너무 느려서 얼지 않은 바다에서는 물개를 잡을 수 없다.

숙어 **seal A in B**
A를 B에 넣고 봉하다

0329

inevitable

[inévitəbl]

형 피할 수 없는, 필연적인

Because our theater is facing financial difficulties, an increase in ticket prices is **inevitable**. 기출 응용
우리 극장은 재정적인 어려움에 직면해 있어서 티켓 가격의 인상이 불가피하다.

파생 **inevitably** 부 필연적으로
유의 **unavoidable** 형 불가피한
necessary 형 필수적인, 불가피한
반의 **avoidable** 형 피할 수 있는

0330

fossil

[fásl]

명 화석

Many dinosaur **fossils** have been found in the deserts of North America.
많은 공룡 화석들이 북미의 사막에서 발견되어 왔다.

수능표현 +
fossil fuel 화석 연료

파생 **fossilize** 동 화석화하다

0331

reservoir
[rézərvwɑ̀ːr]

명 1. 저수지 2. 저장소[통] 3. 비축, 보고

The government built a huge **reservoir** to hold water.
정부는 물을 담을 거대한 저수지를 만들었다.

수능표현 +

reservoir of knowledge 지식의 보고

유의 tank 명 저장소[통]
repository 명 저장소

0332

broadcast
[brɔ́ːdkæ̀st]

동 방송[방영]하다 명 방송

The funeral of the ceremony for the late king was **broadcast** live on all TV channels.
고인이 된 왕의 장례식은 모든 TV 채널에서 생방송으로 중계되었다.

수능표현 +

broadcasting station 방송국

유의 transmit 동 방송하다
숙어 be broadcast live
생방송으로 중계되다

0333

circular
[sə́ːrkjələr]

형 1. 원형의 2. 순환하는 명 회보, 회람장

Circular seating arrangements typically activated people's need to belong. 기출
원형 좌석 배치는 일반적으로 사람들의 소속 욕구를 활성화했다.

파생 circulate 동 순환하다
circulation 명 순환

0334

scope
[skoup]

명 1. 범위, 영역 2. 여지, 기회

A huge effort is needed to assess the **scope** of potential losses from the disaster. 기출 응용
재난으로 인한 잠재적 손실의 범위를 평가하려면 엄청난 노력이 필요하다.

유의 range 명 범위
possibility 명 기회, 여지

0335

aisle
[ail]

명 통로, 복도

Dairy products are in **aisle** 3, on the left.
유제품은 왼쪽 3번 통로에 있다.

유의 passageway 명 통로, 복도
gangway 명 (좌석 사이에 난) 통로

0336

discern
[disə́ːrn]

동 1. 알아차리다, 포착하다 2. 식별[분간]하다

The average human eye can **discern** around one million different colors.
평균적인 인간의 눈은 약 백만 가지의 다른 색을 식별할 수 있다.

파생 discerning 형 안목이 있는
유의 perceive 동 알아차리다
identify 동 알아보다, 식별하다

0337

pessimistic
[pèsəmístik]

형 비관적인, 염세적인

I entered the contest, but I was **pessimistic** about my chances of winning.
나는 그 대회에 참가했지만, 우승 가능성에 대해서는 비관적이었다.

파생 **pessimism** 명 비관(주의)
유의 **negative** 형 부정적인
skeptical 형 회의적인
반의 **optimistic** 형 낙관적인

0338

troop
[tru:p]

명 1. 병력, 군대 2. 무리

The United Nations sent **troops** into the country to end the war.
UN은 전쟁을 종식시키기 위해 그 나라로 군대를 파견했다.

유의 **soldiers** 명 병사들
group 명 무리

0339

restrain
[ristréin]

동 억제하다, 억누르다, 저지하다

He tried to **restrain** his emotion while watching sad movies.
그는 슬픈 영화를 보면서 감정을 억누르려고 노력했다.

파생 **restraint** 명 자제, 억제
유의 **control** 동 억제하다
반의 **encourage** 동 장려하다
숙어 **restrain A from v-ing**
A가 ~하는 것을 제지하다

0340

status
[stéitəs]

명 1. 지위, 신분 2. 상태

In order to maintain his **status** in his community, he must behave politely. 기출 응용
지역 사회에서 자신의 지위를 유지하려면 그는 예의바르게 행동해야 한다.

수능표현 +

social status 사회적 지위
status quo ((라틴어)) 현재의 상황

유의 **position** 명 직위, 자리
rank 명 지위, 계급
state 명 상태

0341

outgrow
[àutgróu]

동 1. (자라서) ~보다 더 커지다 2. (성장하여) ~에서 벗어나다

Any tulip that **outgrows** the others in a field will get cut down. 기출 응용
들판에서 다른 튤립보다 더 많이 자라는 튤립은 모두 베일 것이다.

수능표현 +

outgrow one's clothes 너무 자라서 옷이 작아지다

유의 **grow out of**
~보다 커지다

0342

graduate
[grǽdʒuèit]

동 졸업하다 명 [grǽdʒuət] 1. 졸업생, 학사 2. 대학원생

Charles **graduated** from Oxford University with a degree in modern history.
Charles는 현대사 학위를 받으며 옥스퍼드 대학을 졸업했다.

파생 **graduation** 명 졸업(식)
숙어 **graduate from**
~을 졸업하다

0343

adhere
[ædhíər]

동 1. 들러붙다, 부착하다 2. 고수하다, 집착하다

It is not at all rare for investigators to **adhere** to their broken hypotheses. 기출
수사관이 잘못된 가설에 집착하는 것은 전혀 드문 일이 아니다.

파생 **adhesion** 명 접착(력)
adhesive 명 접착제 형 들러붙는
유의 **attach** 동 부착하다
숙어 **adhere to** ~에 들러붙다, ~을 고수하다

0344 다의어

trial
[tráiəl]

명 1. 실험, 시험 2. 재판

Researchers are testing vaccines in clinical **trials**.
연구원들은 백신을 임상 실험에서 테스트하고 있다.

He will stand **trial** on kidnapping charges next week.
그는 다음 주에 납치 혐의로 재판을 받을 것이다.

수능표현 +
trial and error 시행착오

파생 **try** 동 노력하다, 시도하다
유의 **experiment** 명 실험
case 명 재판

0345

venture
[véntʃər]

동 (위험을 무릅쓰고) 하다[가다] 명 모험(적 사업)

You have to **venture** beyond the boundaries of your current experience. 기출
여러분은 현재 경험의 한계를 뛰어넘어 모험을 해야 한다.

유의 **dare** 동 ~할 엄두를 내다
숙어 **venture into** ~을 감행하다

0346

deceitful
[disí:tfəl]

형 기만적인, 속이는

The public lost their trust in the politician due to his **deceitful** behavior.
그 정치인의 기만적인 행동으로 대중은 그에 대한 신뢰를 잃었다.

파생 **deceive** 동 속이다, 기만하다
deceit 명 속임수, 사기
유의 **dishonest** 형 부정직한

0347

compose
[kəmpóuz]

동 1. 구성하다 2. 작곡하다, 작문하다

In Greece, citizen juries were **composed** of hundreds of Athenians. 기출
그리스에서 시민 배심원들은 수백 명의 아테네인들로 구성되었다.

파생 **composer** 명 작곡가
composition 명 구성, 작곡, 작문
유의 **make up** 구성하다
숙어 **be composed of** ~로 구성되다

0348

equator
[ikwéitər]

명 적도

The climate around the **equator** is typically hot and humid.
적도 주변의 기후는 전형적으로 덥고 습하다.

파생 **equatorial** 형 적도의

0349

ancient
[éinʃənt]

형 1. 고대의 2. 아주 오래된

People in **ancient** Greece used animal skin to write on. 기출
고대 그리스 사람들은 글을 쓰기 위해 동물의 가죽을 이용했다.

수능표현 +

ancient artifact 고대 공예품, 유물
ancient civilization 고대 문명

유의 **archaic** 형 고대의, 구식의
old-fashioned 형 구식의
반의 **modern** 형 현대적인
up to date 최신식의

0350

priest
[pri:st]

명 성직자, 신부

The **priest** prayed for the peace of the town.
그 성직자는 마을의 평화를 위해 기도했다.

유의 **clergyman** 명 남자 성직자
father 명 신부

0351

replace
[ripléis]

동 1. 대체하다 2. 교체하다

Robots will soon **replace** human workers in manufacturing.
제조업에서 로봇은 곧 인간 노동자를 대체할 것이다.

파생 **replacement** 명 대체, 교체
유의 **substitute** 동 대체하다
숙어 **replace A with B** A를 B로 치환하다

0352

individual
[ìndəvídʒuəl]

명 개인 형 개인의, 각각의

An **individual** must learn behavior that is specified in the culture as being correct or best. 기출
개인은 그 문화에서 올바르거나 최선이라고 명시된 행동을 배워야 한다.

파생 **individualize** 동 개별화하다
유의 **separate** 형 별개의
반의 **collective** 형 집합적인

0353

unanimous
[ju:nǽnəməs]

형 만장일치의

The teachers and parents provided **unanimous** support for the school program.
교사들과 학부모들은 학교 프로그램을 만장일치로 지지했다.

파생 **unanimously** 부 만장일치로
유의 **undisputed** 형 모두가 인정하는

0354

caution
[kɔ́:ʃən]

명 1. 조심 2. 경고, 주의 동 경고하다, 주의시키다

The real problem is that they mistake his **caution** for weakness.
진짜 문제는 그들이 그의 조심성을 나약함으로 오해한다는 것이다.

파생 **cautious** 형 조심스러운
유의 **care** 명 조심, 주의
warning 명 경고
warn 동 경고하다

수능 혼동 어휘

0355

imaginable
[imǽdʒənəbl]

형 상상[생각]할 수 있는

The company has used every method **imaginable** to boost sales.
그 회사는 매출을 올리기 위해 생각할 수 있는 모든 방법을 동원해 왔다.

0356

imaginary
[imǽdʒənèri]

형 상상의, 가상적인

Children may create **imaginary** friends around three or four years of age. 기출 응용
아이들은 서너 살 때쯤에 상상의 친구를 만들어 낼 수도 있다.

0357

imaginative
[imǽdʒənətiv]

형 상상력이 풍부한, 창의적인

The **imaginative** child drew a beautiful picture of fairies.
상상력이 풍부한 그 아이는 아름다운 요정 그림을 그렸다.

수능 UP

Q1.
셋 중 알맞은 단어를 고르시오.
He's so expressive, lively, and **[imaginable / imaginary / imaginative]** in his storytelling.

수능 필수 숙어

0358

call for

1. ~을 요구하다 2. ~을 필요로 하다 3. ~을 불러내다

We are excited to **call for** submissions for the National Essay Contest! 기출 응용
전국 에세이 대회를 위한 작품 제출을 요청드리게 되어 기쁩니다!

0359

care for

1. ~을 돌보다 2. ~을 좋아하다

He never drank soda because he did not **care for** it.
그는 탄산음료를 좋아하지 않았기 때문에 절대 마시지 않았다.

0360

go for

1. ~을 좋아하다 2. 찬성하다, ~의 편을 들다(↔ go against)

I don't really **go for** horror movies, as they give me nightmares.
나는 공포 영화를 정말 좋아하지 않는데 악몽을 꾸기 때문이다.

Q2.
빈칸에 알맞은 어구를 고르시오.

If something is wrong with your food, you should ____________ the waiter.

① call for
② care for
③ go for

Daily Test 09

정답 p.447

A 우리말은 영어로, 영어는 우리말로 쓰시오.

01 위엄 있는, 장엄한 ____________

02 가설, 추정, 추측 ____________

03 만장일치의 ____________

04 봉인하다; 직인, 물개 ____________

05 범위, 영역, 여지, 기회 ____________

06 비관적인, 염세적인 ____________

07 원형의, 순환하는 ____________

08 status ____________

09 troop ____________

10 deceitful ____________

11 trial ____________

12 replace ____________

13 superficial ____________

14 inevitable ____________

B 우리말과 일치하도록 빈칸에 알맞은 단어 또는 어구를 쓰시오.

서술형

01 The hospital needs many nurses to c__________ __________ its growing patients.
그 병원은 증가하는 환자를 돌보기 위한 간호사가 많이 필요하다.

02 Man is distinguished from other animals by his i__________ gifts.
인간은 상상력이 풍부한 재능으로 다른 동물과 구별된다.

03 I was unable to d__________ what the offer could possibly be, let alone whether it was of any value.
나는 그 제안이 가치가 있는지 여부는 고사하고 그것이 무엇을 할 수 있는지 알아차릴 수 없었다.

C 각 단어의 유의어 또는 반의어를 쓰시오.

01 동 eject 유의 e__________

02 명 progress 유의 a__________

03 형 individual 반의 c__________

04 동 adhere 유의 a__________

05 동 immerse 유의 e__________

06 동 restrain 반의 e__________

07 동 venture 유의 d__________

08 형 ancient 반의 m__________

VOCA CLEAR

DAY 10

시험에 더 강해지는 어휘

0361

undertake
[ʌ̀ndərtéik]

동 1. 맡다, 착수하다 2. 약속[동의]하다

In small workshops, one person would usually **undertake** all the tasks. 기출 응용
소규모 작업장에서는 일반적으로 한 사람이 모든 작업을 맡을 것이다.

유의 **assume** 동 맡다
agree 동 동의하다

0362

hydrogen
[háidrədʒən]

명 수소

Sugars are made of carbon, **hydrogen** and oxygen atoms. 기출 응용
설탕은 탄소, 수소, 산소 원자로 구성되어 있다.

0363

preliminary
[prilímənèri]

형 예비의, 임시의 명 예선, 사전 준비

The lawyer was excluded from **preliminary** talks during his last negotiation. 기출 응용
그 변호사는 지난 협상 때 예비 변론에서 제외됐다.

유의 **preparatory** 형 예비의
initial 형 예비의

0364

dilute
[dilúːt]

동 1. 희석하다 2. 약화시키다 형 희석된

Dilute the paint with water to make it easier to apply.
물감을 물로 희석하여 바르기 쉽게 하라.

유의 **water down** 희석하다
weaken 동 약화시키다
반의 **condense** 동 농축시키다

0365

thrifty
[θrífti]

형 검소한, 알뜰한, 절약하는

The **thrifty** shopper spent only a very small amount of money.
그 알뜰한 쇼핑객은 아주 적은 액수의 돈만 썼다.

파생 **thrift** 명 절약, 검약
유의 **frugal** 형 절약하는
economical 형 경제적인, 알뜰한

0366

bypass
[báipæ̀s]

명 우회 도로 동 우회하다

We took the **bypass** to avoid city traffic.
우리는 도시의 교통 체증을 피하기 위해 우회 도로를 이용했다.

유의 **detour** 명 우회 도로
circumvent 동 우회하다

0367

determine
[ditə́ːrmin]

동 결정하다, 결심하다

What you do becomes your habits, and your habits **determine** your destiny. 기출
여러분이 하는 일은 여러분의 습관이 되고, 여러분의 습관이 여러분의 운명을 결정한다.

파생 **determined** 형 단단히 결심한
유의 **decide** 동 결심하다
resolve 동 다짐하다
숙어 **be determined to-v** ~하기로 결심하다

0368 다의어

passage
[pǽsidʒ]

명 1. 통로, 복도 2. 구절, 악절 3. (인체 내의) 도관, 기도

A short **passage** leads to the main hall.
짧은 통로가 대강당으로 이어진다.

Read the following **passage** carefully and answer the questions.
다음 구절을 잘 읽고 질문에 답하시오.

The substance kills viruses in the nasal **passages**.
그 물질은 비강에 있는 바이러스를 죽인다.

수능표현 +
rite of passage 통과 의례

파생 **pass** 동 지나가다
유의 **corridor** 명 복도
hallway 명 복도

0369

nourish
[nə́ːriʃ]

동 1. 영양분을 공급하다
2. (감정·생각 등을) 키우다, 육성하다

Rice alone will not **nourish** these children.
쌀만으로는 이 아이들에게 영양분을 공급하지 못할 것이다.

파생 **nourishment** 명 영양(분)
nourishing 형 영양이 되는
유의 **feed** 동 먹이다, 먹이를 주다
nurture 동 기르다

0370

eager
[íːgər]

형 열망하는, 열성적인

After taking a lot of pictures, I was **eager** to upload the photos to my blog. 기출
많은 사진을 찍고 난 후, 나는 내 블로그에 사진을 올리고 싶었다.

유의 **keen** 형 열망하는
enthusiastic 형 열렬한
반의 **unenthusiastic** 형 열성이 없는
indifferent 형 무관심한
숙어 **be eager to-v** 간절히 ~하고 싶어 하다

0371

mandate
[mǽndeit]

명 권한, 명령, 지시 동 1. 명령하다 2. 권한을 주다

The opposing party should respect the **mandate** given by the voters.
야당은 유권자가 부여한 권한을 존중해야 한다.

파생 **mandatory** 형 법에 정해진, 의무적인
유의 **command** 명 동 명령(하다)

0372

endanger
[indéindʒər]

동 위험에 빠뜨리다, 위태롭게 하다

Water pollution could **endanger** fish and wildlife.
수질 오염은 물고기와 야생 생물을 위험에 빠뜨릴 수 있다.

수능표현+

endangered species 멸종 위기종

파생 endangered 형 멸종 위기에 처한
유의 threaten 동 위협하다
반의 protect 동 보호하다
save 동 구하다

0373

vulnerable
[vʌ́lnərəbl]

형 1. 취약한, 연약한 2. ~하기[받기] 쉬운

Our sense of smell is particularly **vulnerable** to outside influence. 기출
우리의 후각은 외부의 영향에 특히 취약하다.

유의 sensitive 형 예민한
susceptible 형 민감한
반의 invulnerable 형 안전한

0374

isolate
[áisəlèit]

동 1. 고립시키다, 격리하다 2. 분리하다

Anyone who has been in contact with the virus needs to be **isolated**.
바이러스와 접촉한 사람은 누구나 격리될 필요가 있다.

파생 isolation 명 고립, 격리
isolated 형 외딴, 고립된
유의 quarantine 명 동 격리(하다)
separate 동 분리하다

0375

dormitory
[dɔ́:rmitɔ̀:ri]

명 기숙사

Most of the international students live in **dormitories**.
대부분의 유학생들은 기숙사에 산다.

0376

transfer
[trænsfə́:r]

동 옮기다, 환승하다 명 [trǽnsfə:r] 이동, 환승

He **transferred** to another university because his family moved. 기출 응용
그는 가족이 이사를 해서 다른 대학으로 옮겼다.

파생 transferable 형 이동[양도/전이] 가능한
유의 move 동 이동시키다
transport 동 수송하다
숙어 transfer to ~로 옮기다

0377

fellow
[félou]

명 1. 동료, 친구 2. 녀석 형 동료의

He stood out among his **fellow** actors.
그는 동료 배우들 사이에서 두각을 나타냈다.

수능표현+

fellow students 동료 학생들

파생 fellowship 명 유대감, 동료애
유의 colleague 명 동료
peer 명 또래, 동료

0378

infrastructure
[ínfrəstrʌ̀ktʃər]

명 사회 기반 시설

Basic public **infrastructure** such as sidewalks should be a right for all residents. 기출
인도와 같은 기본 공공 사회 기반 시설은 모든 거주자들의 권리가 되어야 한다.

0379

carve
[kɑːrv]

동 1. 조각하다 2. 새기다

Andean people **carved** wood to make representations of their ancestors.
안데스인들은 그들의 조상을 묘사하기 위해 나무를 조각했다.

유의 **sculpt** 동 조각하다
engrave 동 새기다
숙어 **carve out** 자르다

0380

generic
[dʒənérik]

형 1. 일반적인, 포괄적인, 총칭의 2. 회사 이름이 붙지 않은

"Beverage" is a **generic** term for any sort of drink.
'beverage'는 모든 종류의 음료의 총칭이다.

수능표현 +
generic drug 상표명이 없는 약

파생 **general** 형 일반적인
유의 **comprehensive** 형 포괄적인
반의 **specific** 형 구체적인

0381

erupt
[irʌ́pt]

동 1. 분출하다 2. (감정을) 터뜨리다

He says it's possible the community anger will **erupt** into violence.
그는 지역 사회의 분노가 폭력으로 분출할 가능성이 있다고 말한다.

파생 **eruption** 명 폭발, 분출
유의 **burst out** 분출하다, 터뜨리다

0382

succession
[səkséʃən]

명 1. 연속, 계속 2. 계승, 승계

She won the championship for the third year in **succession**.
그녀는 3년 연속 선수권 대회에서 우승했다.

파생 **successor** 명 계승자
successive 형 계속되는
숙어 **in succession** 잇따라

0383

rent
[rent]

동 임대하다, 빌리다 명 집세, 임대료

The house kept so well that we **rent** out the space for photoshoots.
집이 잘 관리되어 우리는 사진 촬영을 위해 그 공간을 빌렸다.

파생 **rental** 명 사용료, 임대[료]
유의 **lease** 동 임대[임차]하다 명 임대차 계약

0384

swell
[swel]

동 1. 붓다, 부풀다 2. 증가[팽창]하다 명 1. 큰 물결 2. 용기

Giving your fish too much food can cause its belly to **swell**.
너무 많은 먹이를 주면 물고기의 배가 부풀어 오를 수 있다.

파생 swollen 형 부어오른
유의 balloon 동 부풀다
expand 동 팽창하다

0385

anthropology
[æ̀nθrəpɑ́lədʒi]

명 인류학

He proposed theories that have had significant effects on **anthropology**. 기출
그는 인류학에 의미 있는 영향을 준 이론을 제안했다.

파생 anthropologist 명 인류학자

0386

corrupt
[kərʌ́pt]

형 부패[타락]한 동 부패[타락]시키다

The **corrupt** officials accepted bribes from developers.
부패한 공무원들은 개발업자들로부터 뇌물을 받았다.

파생 corruption 명 부패, 변질
유의 dishonest 형 불성실한
immoral 형 부도덕한
반의 honest 형 정직한

0387

addict
[ədíkt]

동 중독시키다 명 [ǽdikt] 중독자

They have programs for people who are **addicted** to online games.
그들은 온라인 게임에 중독된 사람들을 위한 프로그램을 가지고 있다.

수능표현 +
addictive drug 습관성 약물

파생 addiction 명 중독
addictive 형 중독성이 있는
숙어 be addicted to
~에 중독되다

0388

sturdy
[stə́ːrdi]

형 1. 튼튼한, 견고한 2. 단호한, 확고한

We make our tables from **sturdy** and durable wood such as oak.
우리는 오크나무와 같이 튼튼하고 내구성이 좋은 나무로 테이블을 만든다.

유의 robust 형 튼튼한, 견고한
solid 형 견고한

0389

recipient
[risípiənt]

명 수취인, 수령인

The delivery status will be shared with the **recipient** of the package.
배송 현황은 소포 수취인과 공유될 것이다.

파생 receive 동 받다
유의 addressee 명 수신인
반의 sender 명 발송[발신]인

0390

license
[láisəns]

명 면허(증), 인가(증) 동 허가하다

People are required to have a driver's **license** in order to operate a car.
사람들은 자동차를 운전하기 위해 운전면허증을 소지하도록 요구받는다.

수능표현+

license plate number 차량 번호

파생 **licensed** 형 허가를 받은
유의 **permit** 동 허가하다
반의 **forbid** 동 금지하다

0391 다의어

keen
[ki:n]

형 1. 열망하는, 열정적인 2. 강한, 깊은 3. 예리한, 날카로운

Teenagers are **keen** to try new things out of curiosity.
십 대들은 호기심으로 새로운 것을 시도하는 데 열정적이다.

She had a **keen** interest in African culture and heritage.
그녀는 아프리카 문화와 유산에 깊은 관심을 가지고 있었다.

The company has **keen** insights into the latest trends in the market.
그 회사는 최신 시장 동향에 대한 예리한 통찰력을 가지고 있다.

유의 **eager** 형 열망하는
enthusiastic 형 열광적인
acute 형 예리한
숙어 **be keen to-v** ~하기를 간절히 원하다

0392

fascinate
[fǽsənèit]

동 매혹하다, 마음을 사로잡다

I was **fascinated** by the beautiful leaves and flowers of the mangroves. 기출
나는 맹그로브의 아름다운 잎과 꽃에 매혹되었다.

파생 **fascinated** 형 매료[매혹]된
fascinating 형 매력적인
유의 **captivate** 동 매혹하다
숙어 **be fascinated by** ~에 매혹되다

0393

blend
[blend]

동 1. 섞(이)다, 혼합하다 2. 어울리다 명 혼합(물)

Blend the butter with the sugar and beat the mixture until it is light and creamy.
버터와 설탕을 섞어 그 혼합물을 가볍고 크림같이 될 때까지 휘저어라.

파생 **blender** 명 믹서
유의 **mix** 동 섞이다, 혼합하다
mixture 명 혼합(물)
숙어 **blend with** 섞이다

0394

reputation
[rèputéiʃən]

명 평판, 명성

Later, Edison regained his **reputation** as a great inventor. 기출
후에 에디슨은 위대한 발명가로서의 자신의 명성을 되찾았다.

유의 **fame** 명 명성
standing 명 평판

수능 혼동 어휘

0395

expel
[ikspél]

동 1. 쫓아내다, 퇴출하다 2. 배출[방출]하다

The soldiers **expelled** the journalists from the area.
군사들은 그 지역에서 기자들을 쫓아냈다.

0396

compel
[kəmpél]

동 강요[강제]하다, ~하게 만들다

The mayor was **compelled** to change his plan to expand the budget.
그 시장은 어쩔 수 없이 예산을 확대하려는 계획을 변경해야만 했다.

Q1.
둘 중 알맞은 단어를 고르시오.
Jackson got **[expelled / compelled]** from school due to a slew of missed classes.

0397

attach
[ətǽtʃ]

동 1. 붙이다, 첨부하다 2. 애착을 갖게 하다 3. 연관되다, 소속시키다

Click the paperclip icon if you want to **attach** a file to the email.
파일을 이메일에 첨부하려면 종이 클립 아이콘을 클릭하세요.

0398

detach
[ditǽtʃ]

동 떼어 내다, 분리하다

Please **detach** the fur from the jacket before washing it.
세탁하기 전에 재킷에서 모피를 분리하세요.

Q2.
둘 중 알맞은 단어를 고르시오.
Please **[attach / detach]** any proposals or required forms in Microsoft Word or PDF format.

수능 필수 숙어

0399

come across (run across)

우연히 마주치다[발견하다]

Let's say that you **come across** a huge beast and you manage to kill it. 기출 응용
거대한 짐승을 우연히 만나 그 짐승을 가까스로 죽인다고 가정해 보자.

0400

come about

발생하다, 일어나다

Many writing difficulties **come about** because people think writing is a talent. 기출 응용
사람들이 글쓰기를 재능이라고 생각하기 때문에 글쓰기의 어려움이 많이 발생한다.

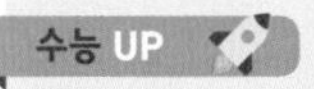

Q3.
빈칸에 알맞은 어구를 고르시오.

Big changes to our lifestyle are likely to ______ ______ soon.

① come across
② come about

Daily Test 10

정답 p.447

A 우리말은 영어로, 영어는 우리말로 쓰시오.

01 중독시키다; 중독자 ______________
02 예비의, 임시의; 예선 ______________
03 우회 도로; 우회하다 ______________
04 통로, 구절, 기도 ______________
05 영양분을 공급하다 ______________
06 옮기다, 환승하다 ______________
07 사회 기반 시설 ______________
08 erupt ______________
09 anthropology ______________
10 corrupt ______________
11 undertake ______________
12 eager ______________
13 fascinate ______________
14 reputation ______________

B 우리말과 일치하도록 빈칸에 알맞은 단어 또는 어구를 쓰시오.

서술형

01 The cloud databases may be v__________ to computer viruses and cyberattacks.
클라우드 데이터베이스는 컴퓨터 바이러스와 사이버 공격에 취약할 수 있다.

02 While cleaning my room, I c__________ __________ my old diary in my desk.
방을 청소하던 중 책상 속에서 옛날 일기장을 발견했다.

03 The principal decided to e__________ the troublemaking student from school.
교장은 말썽을 일으키는 학생을 학교에서 퇴학시키기로 결정했다.

C 각 단어의 유의어 또는 반의어를 쓰시오.

01 동 dilute 반의 c______________
02 형 thrifty 유의 f______________
03 동 carve 유의 e______________
04 동 endanger 반의 p______________
05 형 generic 반의 s______________
06 동 license 반의 f______________
07 동 blend 유의 m______________
08 형 sturdy 유의 s______________

수능에 더 강해지는 TEST DAY 06-10

A

다음 짝 지어진 두 단어의 관계가 같도록 빈칸에 알맞은 단어를 <보기>에서 골라 쓰시오.

<보기>	keep	expand	candor	occasional

1 preliminary : preparatory = swell : ______________

2 discard : ______________ = ubiquitous : rare

3 necessity : necessary = occasion : ______________

4 candid : ______________ = majestic : majesty

B

다음 문장에서 밑줄 친 어휘의 유의어를 고르시오.

1 They tried to cope with their inevitable nervousness in the competition. 기출 응용

① unavoidable ② monetary ③ spacious

2 The seat next to him was vacant, so she sat there.

① indifferent ② decent ③ unoccupied

3 The book is comprised of several short stories by eminent writers.

① subconscious ② dim ③ prominent

4 These plants thrive when given consistent moisture.

① capture ② flourish ③ transfer

정답 p. 447

C

서술형

다음 빈칸에 알맞은 단어를 <보기>에서 골라 쓰시오. (필요시 형태를 바꿀 것)

<보기>	aesthetic	compel	penetrate	vulnerable

1 The heavy rain ______________ us to stay indoors yesterday.

2 Internal conflict makes the company ______________ to outside threats. 기출 응용

3 Fine particles in polluted air can ______________ deep into the lungs.

4 The art critic evaluates the ______________ value of a work of art.

D

각 네모 안에서 문맥에 맞는 말을 고르시오.

1 To book a place, download an [application / appliance] form from our website and return it to us by email. 기출

2 She helped immigrants develop their language skills and [integrate / segregate] with the local community.

3 Existing on a dietary staple of energy bars may leave you short on the fiber and vitamins that are [cruel / crucial] for health. 기출

4 Some people move away from cities in an attempt to [care for / call for] sick parents.

5 Out of all the [imaginable / imaginative] methods that have been tried, there is only one that is effective.

VOCA CLEAR

DAY 11

시험에 더 강해지는 어휘

0401

advocate [ǽdvəkeit]

동 지지하다, 옹호하다
명 [ǽdvəkət] 1. 지지자, 옹호자 2. 변호사

He **advocated** women's voting rights and gender equality.
그는 여성의 투표권과 양성 평등을 옹호했다.

유의 supporter 명 지지자
defender 명 옹호자

0402

fatal [féitəl]

형 치명적인

The mistake was a **fatal** one, and it was all over. 기출
그 실수는 치명적이었고, 모든 것이 끝났다.

수능표현

fatal disease[illness] 불치의 병

파생 fatality 명 사망자, 치사율
유의 deadly 형 치명적인
mortal 형 치명적인

0403

rage [reidʒ]

명 분노, 격노 동 몹시 화를 내다

He exploded with **rage** at his friend. 기출
그는 친구에게 버럭 화를 냈다.

파생 enrage 동 격분하게 만들다
유의 fury 명 분노, 격노
wrath 명 격노
반의 calmness 명 고요, 평온

0404

breed [bri:d]

동 1. 새끼를 낳다, 번식하다 2. 사육[재배]하다 명 품종

The tiny animal **breeds** quickly, and it eats the same food many young fish eat. 기출 응용
이 작은 동물은 빨리 번식하며 많은 어린 물고기들이 먹는 것과 같은 먹이를 먹는다.

유의 reproduce 동 번식하다

0405

vegetation [vèdʒətéiʃən]

명 초목, 식물

A long-term buildup of soil could support **vegetation**. 기출 응용
장기간에 걸친 토양의 축적이 초목을 지탱할 수 있었다.

파생 vegetable 명 채소, 야채

0406

commend [kəménd]

동 1. 칭찬하다 2. 추천하다

The photos were highly **commended** by the judges.
그 사진들은 심사위원들로부터 극찬을 받았다.

유의 praise 동 칭찬하다
recommend 동 추천하다

0407

estate
[istéit]

명 1. 재산 2. (큰 규모의) 부지, 사유지

The rest of her **estate** was left to her son.
그녀의 나머지 재산은 아들에게 남겨졌다.

수능표현 +

real estate 부동산

유의 **property** 명 재산, 자산
wealth 명 재산
possessions 명 소유물

0408

intimate
[íntəmət]

형 1. 친밀한, 친한 2. 밀접한

Some couples choose to invite only **intimate** friends and family to their wedding.
어떤 커플들은 그들의 결혼식에 친한 친구와 가족만 초대하기를 원한다.

파생 **intimacy** 명 친밀함
intimately 부 친밀히
유의 **close** 형 친밀한, 밀접한
반의 **distant** 형 먼, 거리를 두는

0409 다의어

object
[ɑ́bdʒikt]

명 1. 물건, 물체 2. 대상 3. 목적, 목표
동 [əbdʒékt] 반대하다

We have been taught to represent distant **objects** as smaller. 기출
우리는 먼 물체를 더 작게 표현하도록 배워 왔다.

The **object** of the game is to score more points than your opponents.
게임의 목적은 상대방보다 더 많은 점수를 얻는 것이다.

Local people **objected** to the new development plan that would attract more tourists. 기출
지역 주민들은 더 많은 관광객을 유치할 새로운 개발 계획에 반대했다.

파생 **objection** 명 반대
objective 명 목적, 목표
형 객관적인
유의 **oppose** 동 반대하다
숙어 **object to** ~에 반대하다

0410

descend
[disénd]

동 1. 내려오다, 하강하다 2. 유래하다

In water, the pressure rises swiftly as you **descend**.
물속에서, 압력은 여러분이 하강할 때 빠르게 상승한다. 기출 응용

파생 **descendant** 명 자손
유의 **go down** 내려가다
originate 동 유래하다
반의 **ascend** 동 오르다

0411

coherent
[kouhíərənt]

형 일관성 있는, 논리 정연한

Put the pieces of the task together to form a **coherent** whole. 기출 응용
작업의 일부를 합쳐서 일관성 있는 전체를 형성하라.

파생 **coherence** 명 일관성
유의 **consistent** 형 일관된
반의 **incoherent** 형 일관성 없는

0412

prosper
[práspər]

동 번영하다, 번창하다

Countries that possess the highest-quality information are likely to **prosper** economically. 기출
최고 수준의 정보를 보유한 국가들은 경제적으로 번영할 가능성이 높다.

파생 **prosperity** 명 번영, 번창
prosperous 형 번영한, 번창한
유의 **flourish** 동 번창하다
thrive 동 번창하다

0413

sacred
[séikrid]

형 1. 성스러운, 종교적인 2. 신성시되는

These trees grow on **sacred** land and are considered to have the powers to heal.
이 나무들은 신성한 땅에서 자라며 치유의 힘이 있다고 여겨진다.

유의 **holy** 형 신성한
반의 **secular** 형 세속적인

0414

authority
[əθɔ́:rəti]

명 1. 권한, 권력, 권위(자) 2. (정부) 당국

His voice was so full of **authority** it made me stand up straight like a tin soldier. 기출
그의 목소리는 너무나도 권위로 가득 차 있어서 그것은 나로 하여금 양철 병정처럼 똑바로 서 있게 했다.

수능표현 +
municipal authorities 시 당국

파생 **authorize** 동 인가하다, 권한을 부여하다
authorization 명 허가, 인가

0415

introvert
[íntrəvə̀:rt]

명 내성[내향]적인 사람

An **introvert** may prefer online communication to in-person communication. 기출 응용
내성적인 사람은 직접 대면하는 의사소통보다 온라인으로 하는 의사소통을 더 좋아할 수 있다.

파생 **introverted** 형 내성[내향]적인
반의 **extrovert** 명 외향적인 사람

0416

transcribe
[trænskráib]

동 1. 베끼다 2. 고쳐 쓰다, 편곡하다

He tried to **transcribe** the interview word for word.
그는 그 인터뷰를 한 마디 한 마디 정확히 기록하려고 노력했다.

파생 **transcript** 명 기록한 것, 사본
유의 **copy** 동 베끼다, 복사하다
rewrite 동 다시[고쳐] 쓰다

0417

geography
[dʒiágrəfi]

명 지리(학), 지형

The **geography** of the land changed a lot after the earthquake.
그 땅의 지형은 지진 후에 많이 바뀌었다.

파생 **geographical** 형 지리적인

0418

regulate
[régjəlèit]

동 1. 조절하다 2. 규제하다

Parents try to **regulate** their own strong emotions.
부모들은 자신들의 강한 감정을 조절하려고 노력한다.

파생 **regulation** 명 규제
유의 **adjust** 동 조절하다
control 동 통제하다

0419

parallel
[pǽrəlèl]

형 1. 평행의 2. 유사한[상응하는] 명 1. 평행선 2. 유사, 상응
동 1. 평행을 이루다 2. 유사하다

In the experiment, two toy cars were running on **parallel** tracks. 기출
실험에서, 두 개의 장난감 자동차가 평행한 트랙 위를 달리고 있었다.

유의 **equivalent** 형 상응하는
숙어 **parallel with[to]** ~와 평행한

0420

dignity
[dígnəti]

명 1. 위엄, 품위 2. 존엄성

The judge was a man of **dignity** and integrity.
그 판사는 품위 있고 진실한 사람이었다.

수능표현 +
death with dignity 존엄사(mercy killing)

파생 **dignify** 동 위엄[품위] 있어 보이게 하다
반의 **dishonor** 명 불명예
숙어 **keep one's dignity** 품위를 지키다

0421

manifest
[mǽnəfèst]

동 분명히 나타내다, 드러내다 형 명백한, 분명한

Eating disorders are illnesses that **manifest** as abnormal eating habits.
섭식 장애는 비정상적인 식습관으로 드러나는 질병이다.

파생 **manifestation** 명 징후, 나타남
유의 **show** 동 보여 주다
obvious 형 명백한

0422

outline
[áutlàin]

명 개요, 윤곽 동 개요를 서술하다, 윤곽을 나타내다

When writing an essay, begin by creating an **outline**.
에세이를 쓸 때, 개요를 만드는 것부터 시작하라.

유의 **overview** 명 개요
summary 명 요약
sketch 동 개요를 말하다[쓰다]

0423

suppress
[səprés]

동 1. 억누르다, 억제하다 2. 억압하다, 진압하다

If we ignore or **suppress** signs of bad health, they will become more extreme. 기출 응용
나쁜 건강의 징후를 무시하거나 억제하면 더 극심해질 것이다.

파생 **suppression** 명 억제, 진압
유의 **repress** 동 억누르다, 진압하다

0424

naive
[nɑːíːv]

형 1. 순진한, 천진난만한 2. 경험이 없는

He is **naive** enough to believe in Santa Claus.
그는 산타클로스의 존재를 믿을 정도로 순진하다.

유의 **innocent** 형 순진한
inexperienced 형 경험이 없는
반의 **worldly** 형 세상 경험이 많은

0425 다의어

account
[əkáunt]

명 1. 계좌, 계정 2. 설명 3. 이유, 근거 4. (회계) 장부
동 1. 설명하다 2. (비율을) 차지하다

He opened a bank **account** so that he could receive his paycheck.
그는 월급을 받을 수 있도록 은행 계좌를 개설했다.

Naguib Mahfouz's *Cairo Trilogy* gives a realistic **account** of life in Cairo. 기출 응용
Naguib Mahfouz의 'Cairo Trilogy'는 Cairo에서의 삶에 대한 현실적인 설명을 제공한다.

The brain **accounts** for only two percent of typical body weight. 기출 응용
뇌는 보통 체중의 2퍼센트만을 차지한다.

파생 **accountant** 명 회계원[사]
숙어 **take A into account** A를 고려하다
on account of ~ 때문에
account for ~을 설명하다, (부분을) 차지하다

0426

panic
[pǽnik]

명 (갑작스러운) 공포, 공황 상태
동 공황 상태에 빠지다[빠지게 하다]

Those who detected the earthquake ran away from the scene in a **panic**.
지진을 감지한 사람들은 공포에 떨면서 현장에서 도망쳤다.

파생 **panicked** 형 당황스러운
유의 **terrify** 동 겁나게 하다
반의 **calm** 동 진정시키다

0427

diverse
[daivə́ːrs]

형 다양한, 가지각색의

Tango musicians are trying to attract a more **diverse** audience from varying backgrounds. 기출 응용
탱고 음악가들은 다양한 배경에서 더 다양한 관객들을 끌어들이기 위해 노력하고 있다.

파생 **diversify** 동 다양[다각]화하다
diversity 명 다양성
유의 **various** 형 가지각색의
varied 형 여러 가지의
반의 **uniform** 형 획일적인

0428

recite
[risáit]

동 암송하다, 낭독하다

The students will **recite** poems to the rest of the class.
학생들은 나머지 반 아이들에게 시를 낭송할 것이다.

파생 **recitation** 명 암송, 낭독
recital 명 발표회, 연주회

0429

harvest
[hɑ́ːrvist]

동 수확하다 명 수확(물), 추수

The main food crop was the wild mongongo nut, millions of which were **harvested** every year. 기출
주요 식량 작물은 야생 mongongo 견과류였는데, 매년 수백만 개가 수확되었다.

유의 **reap** 동 수확하다
crop 명 수확물
반의 **sow** 동 파종하다

0430

coincidence
[kouínsidəns]

명 1. 우연의 일치 2. 동시 발생 3. (의견의) 일치

The fact that my friend and I got the same grade was a pure **coincidence**.
내 친구와 내가 같은 점수를 받았다는 사실은 순전히 우연이었다.

파생 **coincide** 동 동시에 일어나다
coincidental 형 우연의 일치인

0431

wage
[weidʒ]

명 임금, 급료

The poor people worked on farms for low **wages**.
가난한 사람들은 낮은 임금을 받고 농장에서 일했다. 기출 응용

수능표현 +
minimum wage 최저 임금

유의 **pay** 명 급료, 보수
salary 명 월급

0432

abrupt
[əbrʌ́pt]

형 1. 갑작스러운, 뜻밖의 2. 퉁명스러운, 무뚝뚝한

The **abrupt** ending of the film made the audience uncomfortable.
영화의 갑작스러운 결말은 관객을 불편하게 만들었다.

파생 **abruptly** 부 갑작스럽게
유의 **sudden** 형 갑작스러운
unexpected 형 뜻밖의

0433

collide
[kəláid]

동 충돌하다, 부딪치다

Billiard balls rolling around the table **collide** and affect each other's movements. 기출 응용
테이블을 굴러다니는 당구공들은 충돌해 서로의 움직임에 영향을 준다.

파생 **collision** 명 충돌
유의 **crash** 동 충돌하다
숙어 **collide with**
(의견 등으로) ~와 충돌하다

0434

strain
[strein]

명 1. 긴장, 부담 2. 팽팽함, 잡아당기는 힘 3. 접질림
동 1. 긴장시키다 2. 삐다, 접질리다

The war put a **strain** on food supplies.
전쟁은 식량 공급에 부담을 주었다.

유의 **tension** 명 긴장
sprain 명 접질림

수능 혼동 어휘

0435

absorb
[əbsɔ́ːrb]

동 1. 흡수하다, 빨아들이다 2. 몰두하게 하다

We're all told at school that white reflects sunlight and black **absorbs** it. 기출
우리는 모두 학교에서 하얀색은 햇빛을 반사하고 검은색은 그것을 흡수한다고 듣는다.

0436

absurd
[əbsə́ːrd]

형 터무니없는, 불합리한

It is **absurd** to believe that the earth is flat and not round.
지구가 둥글지 않고 평평하다고 믿는 것은 터무니없다.

수능 UP

Q1.
둘 중 알맞은 단어를 고르시오.
The law contains somewhat **[absorb / absurd]** requirements that make no sense.

0437

conscious
[kánʃəs]

형 1. 의식하는, 자각하는 2. 의식이 있는

Much of what we do each day is automatic, requiring little **conscious** awareness. 기출
우리가 매일 하는 일의 많은 부분은 자동적이고, 의식적인 인식을 거의 필요로 하지 않는다.

0438

conscience
[kánʃəns]

명 양심

Zach's **conscience** whispered that true victory comes from fair competition. 기출
Zach의 양심은 진정한 승리는 공정한 경쟁으로부터 나온다고 속삭였다.

Q2.
둘 중 알맞은 단어를 고르시오.
Patients who are not **[conscious / conscience]** during the procedure may not feel the heat.

수능 필수 숙어

0439

hand down

물려주다, 전해 주다

The secret recipe was **handed down** from her great-grandmother.
그 요리 비법은 그녀의 증조 할머니로부터 전해졌다.

0440

hold down

참다, 억제하다

The government made various policies to **hold down** prices.
정부는 물가를 억제하기 위한 다양한 정책을 내놓았다.

Q3.
빈칸에 알맞은 어구를 고르시오.

This Korean recipe has been __________ by local people.

① handed down
② held down

Daily Test 11

정답 p.448

A 우리말은 영어로, 영어는 우리말로 쓰시오.

01 지지하다, 옹호하다 ____________

02 칭찬하다, 추천하다 ____________

03 번영하다, 번창하다 ____________

04 평행의, 유사한 ____________

05 개요, 윤곽 ____________

06 계좌, 설명, 이유 ____________

07 갑작스러운, 뜻밖의 ____________

08 breed ____________

09 descend ____________

10 authority ____________

11 dignity ____________

12 naive ____________

13 recite ____________

14 conscience ____________

B 우리말과 일치하도록 빈칸에 알맞은 단어 또는 어구를 쓰시오.

서술형

01 Efforts are needed to h__________ __________ the rise in global temperatures.
지구의 기온 상승을 억제하기 위한 노력이 필요하다.

02 The police have released their report on a f__________ accident at Waterloo station.
경찰은 워털루역에서 발생한 치명적인 사고에 대한 보고서를 발표했다.

03 Humpback whales get hurt when they c__________ with boats.
혹등고래는 보트와 충돌할 때 상처를 입는다.

C 각 단어의 유의어 또는 반의어를 쓰시오.

01 동 object 유의 o__________

02 형 sacred 반의 s__________

03 명 introvert 반의 e__________

04 동 regulate 유의 a__________

05 형 manifest 유의 o__________

06 형 diverse 반의 u__________

07 명 rage 유의 f__________

08 형 intimate 반의 d__________

VOCA CLEAR

DAY 12

시험에 더 강해지는 어휘

0441

expertise
[èkspərtíːz]

명 전문 지식[기술]

He achieved **expertise** through a long period of training.
그는 장기간의 교육을 통해 전문 지식을 쌓았다.

파생 expert 명 형 전문가(의)
유의 skill 명 기술, 솜씨
know-how 명 전문적 지식, 비결
숙어 gain expertise (in) ~에 대한 전문 지식을 쌓다

0442

persist
[pərsíst]

동 1. 계속하다 2. 지속되다

Some behaviors have **persisted** in the form of customs. 기출
특정 행동은 관습의 형태로 계속되어 왔다.

파생 persistence 명 고집
persistent 형 끈질긴, 끊임없이 지속되는
숙어 persist in ~을 고집하다

0443

customs
[kʌ́stəmz]

명 1. 세관 2. 관세

The **customs** officer found the diamonds in the man's bag.
세관원은 남자의 가방에서 다이아몬드를 발견했다.

유의 import tax 명 수입 관세

0444

rotate
[róuteit]

동 1. 회전하다[시키다] 2. 자전하다 3. 교대 근무하다

Rotate the dial to open the lock.
자물쇠를 열기 위해 다이얼을 돌려라.

파생 rotation 명 회전, 교대
유의 revolve 동 회전하다

0445

peculiar
[pikjúːljər]

형 1. 독특한, 고유의, 특유의 2. 기이한, 이상한

In baseball, every batter has his own **peculiar** style.
야구에서는 모든 타자가 자신만의 독특한 스타일을 가지고 있다.

유의 unique 형 독특한
strange 형 이상한
반의 ordinary 형 평범한

0446

shallow
[ʃǽlou]

형 1. 얕은 2. 얄팍한, 피상적인

The river was **shallow** enough for children to walk across it.
강은 아이들이 걸어서 건널 수 있을 만큼 얕았다.

유의 superficial 형 피상적인

0447 다의어

discipline
[dísəplin]

명 1. 훈육, 훈련 2. 규율, 통제 3. 학문 (분야)
동 1. 훈련하다 2. 징계하다

Most parents put more value on **discipline** than on blind love. 기출
대부분의 부모들은 맹목적인 사랑보다 훈육에 더 많은 가치를 둔다.

Library science is an academic **discipline** that is sometimes referred to as information studies.
도서관학은 때때로 정보학이라고 불리는 학문 분야이다.

He **disciplined** himself to exercise daily to keep up his strength.
그는 체력을 유지하기 위해 매일 운동하도록 스스로를 단련했다.

파생 **disciplinary** 형 징계의
유의 **training** 명 훈련
field of study 명 학문 분야
punish 동 처벌하다

0448

weird
[wiərd]

형 기이한, 이상한

He did all those **weird** things to attract people's attention.
그는 사람들의 관심을 끌기 위해 온갖 이상한 짓들을 했다.

유의 **eccentric** 형 기이한, 별난
odd 형 이상한, 특이한

0449

priority
[praiɔ́(:)rəti]

명 우선 사항, 우선(권)

Safety is our top **priority** for your camp experience.
여러분의 캠프 경험에 있어 안전이 우리의 최우선 사항이다. 기출

수능표현 +
priority matter 중요 문제

파생 **prioritize** 동 우선순위를 매기다
유의 **precedence** 명 우선
preference 명 우선, 선호
숙어 **priority over** ~에 대한 우선권

0450

anonymous
[ənɑ́nəməs]

형 익명의, (작자) 미상의

The information was given to the police by an **anonymous** caller.
그 정보는 익명의 발신자에 의해 경찰에게 제공되었다.

파생 **anonymously** 부 익명으로, 작자 미상으로
유의 **unknown** 형 미상의
unidentified 형 미확인의

0451

import
[impɔ́:rt]

동 수입하다 명 [ímpɔ:rt] 수입(품)

More than 30% of countries **import** at least a quarter of their grain.
30퍼센트 넘는 국가가 적어도 곡물의 4분의 1을 수입하고 있다.

반의 **export** 명 동 수출(하다)

0452

slam
[slæm]

동 쾅 닫히다, 쾅 닫다

The boy, hurt by his father's words, went up to his room and **slammed** the door. 기출 응용
자신의 아버지의 말에 상처받은 소년은 자신의 방으로 올라갔고 방문을 쾅 닫았다.

유의 **bang** 동 쾅 닫히다

0453

pandemic
[pændémik]

명 전국적[세계적] 유행병
형 전염병이 전국적[세계적]으로 퍼지는

The Black Death was a **pandemic** that affected all of Europe.
흑사병은 유럽 전역에 영향을 미친 세계적 유행병이었다.

유의 **epidemic** 명 전염병 형 전염성의

0454

demand
[dimǽnd]

동 요구하다 명 요구, 수요

He walked into the office and **demanded** to see the branch manager.
그는 사무실로 들어가서 지점장을 만나게 해 달라고 요구했다.

수능표현+

supply and demand 공급과 수요

파생 **demanding** 형 힘든, 요구가 많은
숙어 **demand for** ~에 대한 요구
on demand 요구만 있으면

0455

benevolent
[bənévələnt]

형 자애로운, 인정 많은, 친절한

I was touched by her kind, **benevolent** smile.
나는 그녀의 친절하고 자애로운 미소에 감동을 받았다.

파생 **benevolence** 명 자비심, 자선
유의 **philanthropic** 형 인정 많은
charitable 형 자선을 베푸는

0456

institute
[ínstətjùːt]

명 (교육) 기관, 협회 동 (제도를) 도입[시작]하다

The state of Washington has selected three **institutes** to do research on urban planning.
워싱턴 주는 도시 계획에 관한 연구를 할 세 개의 기관을 선정했다.

파생 **institution** 명 기관, 제도
유의 **organization** 명 조직, 기구

0457

capacity
[kəpǽsəti]

명 1. 용량, 수용력 2. 능력

The new stadium will have a maximum **capacity** of 65,000.
새 경기장은 최대 6만 5천 명의 인원을 수용할 수 있을 것이다.

유의 **competence** 명 능력
반의 **incapacity** 명 무능력

0458 다의어

occupy
[ákjupài]

동 1. 차지하다 2. 거주하다 3. 점령하다

Pieces of furniture **occupy** most of the room.
가구들이 방의 대부분을 차지하고 있다.

My sister used to **occupy** an apartment across the street.
내 여동생은 한때 길 건너에 있는 아파트에 거주했었다.

The capital of the country has been **occupied** by allied forces.
그 나라의 수도는 연합군에 의해 점령당했다.

파생 **occupation** 명 점령, 직업
occupied 형 점령된, 사용 중인, 바쁜
유의 **take up** 차지하다
inhabit 동 거주하다

0459

gratitude
[grǽtitjù:d]

명 감사, 고마움

Eric expressed his **gratitude** for the warm support of everyone there.
Eric은 그곳의 모든 사람들로부터 받은 따뜻한 지원에 감사를 표했다.

파생 **grateful** 형 감사하는
유의 **appreciation** 명 감사
반의 **ingratitude** 명 은혜를 모름

0460

fluctuate
[flʌ́ktʃuèit]

동 변동을 거듭하다, 등락하다

Exchange rates now **fluctuate** more rapidly than ever before. 기출 응용
환율이 지금 어느 때보다도 더욱 빠르게 변동을 거듭한다.

수능표현 +
fluctuate in price 가격이 변동을 거듭하다

파생 **fluctuation** 명 변동
유의 **change** 동 변하다, 달라지다
반의 **steady** 동 침착해지다, 안정되다

0461

abandon
[əbǽndən]

동 1. 버리다, 유기하다 2. 그만두다, 포기하다

Some pet owners drive pets far from their homes and **abandon** them. 기출 응용
어떤 애완동물 주인은 애완동물을 집으로부터 멀리 떨어진 곳으로 태워 가서 그것을 버린다.

파생 **abandoned** 형 버려진, 유기된
유의 **desert** 동 버리다
surrender 동 버리다, 포기하다

0462

drawback
[drɔ́:bæ̀k]

명 결점, 단점, 문제점

One **drawback** of daily plans is that they lack flexibility. 기출
일일 계획의 한 가지 단점은 유연성이 부족하다는 것이다.

유의 **shortcoming** 명 결점, 단점
weakness 명 단점
반의 **strength** 명 강점

0463

divert
[divə́:rt]

동 1. 방향을 바꾸게 하다 2. 주의를 돌리다

Something shiny **diverted** me from the path I was on.
무언가 반짝이는 것이 내가 있던 길에서 방향을 바꾸게 했다.

파생 **diversion** 명 바꾸기, 전환
유의 **shift** 동 바꾸다
distract 동 주의를 돌리다

0464

temperate
[témpərət]

형 1. (기후가) 온화한 2. 절제하는

The **temperate** zone is found between the tropical and polar regions.
온대 지역은 열대 지방과 극지방 사이에 있다.

유의 **mild** 형 온화한
moderate 형 온건한, 절제 있는

0465

ray
[rei]

명 광선, 빛

A camera has a lens that focuses light **rays** from the outside into an image. 기출 응용
카메라는 외부에서 온 광선을 상에 집중시키는 렌즈를 지니고 있다.

유의 **beam** 명 광선
flash 명 섬광

0466

compete
[kəmpí:t]

동 1. 경쟁하다, 겨루다 2. (시합 등에) 참가하다

Our ancestors had to fight off predators and **compete** for scarce resources. 기출
우리 조상들은 포식자를 물리치고 부족한 자원을 위해 경쟁해야 했다.

파생 **competition** 명 경쟁, 시합
competitive 형 경쟁력 있는, 경쟁을 하는
유의 **contest** 동 논쟁하다, 다투다
숙어 **compete with A for B** B를 위해 A와 경쟁하다

0467

humanity
[hju(:)mǽnəti]

명 1. 인류(애) 2. 인간성

Mother Teresa showed **humanity** by giving unconditional love to others.
테레사 수녀는 타인에게 무조건적인 사랑을 주면서 인류애를 보여 주었다.

파생 **humane** 형 인도적인
humanitarian 형 인도주의적인
반의 **inhumanity** 명 비인간적인 행위

0468

scatter
[skǽtər]

동 1. (흩)뿌리다 2. 흩어지다, 분산시키다

As the farmer **scattered** the seeds, some fell on the rock.
농부가 씨앗을 뿌릴 때 일부는 바위에 떨어졌다.

유의 **sprinkle** 동 (흩)뿌리다
disperse 동 흩어지다
반의 **gather** 동 모으다

0469

deficient
[difíʃənt]

형 부족한, 결핍된

Adults who are **deficient** in vitamin D may experience muscle weakness.
비타민 D가 부족한 성인들은 근육 약화를 겪을지도 모른다.

파생 **deficiency** 명 결핍, 결함
deficit 명 적자
유의 **lacking** 형 부족한
반의 **abundant** 형 풍부한
숙어 **deficient in** ~이 부족한

0470

mammal
[mǽməl]

명 포유동물

Although polar bears are powerful marine **mammals**, they're too slow to catch a seal. 기출 응용
북극곰은 강력한 해양 포유동물이기는 하지만 물개를 잡기에는 너무 느리다.

0471

verify
[vérəfài]

동 1. 증명하다, 입증하다 2. 확인하다

I can **verify** that this method is correct.
나는 이 방법이 올바르다는 것을 입증할 수 있다.

파생 **verification** 명 확인, 입증
유의 **prove** 동 증명하다
confirm 동 확인하다

0472

conserve
[kənsə́ːrv]

동 1. 보존[보호]하다 2. (자원 등을) 아껴 쓰다

As part of its strategy for survival, our brain wants to **conserve** energy. 기출
생존 전략의 일환으로, 우리의 뇌는 에너지를 보존하고 싶어 한다.

파생 **conservation** 명 보존, 보호
유의 **preserve** 동 보존[보호]하다
save 동 아끼다
반의 **waste** 동 낭비하다

0473

urgent
[ə́ːrdʒənt]

형 긴급한, 다급한

I want immediate action to solve this **urgent** problem. 기출
나는 이 긴급한 문제를 해결하기 위한 즉각적인 조치를 원한다.

파생 **urge** 동 충고하다, 촉구하다
urgently 부 급히
유의 **pressing** 형 긴급한
반의 **trivial** 형 사소한

0474

sentiment
[séntəmənt]

명 1. 감정, 정서 2. 감상 3. 정에 약함

Our team shared the **sentiment** of excitement when we reached our goal.
우리 팀은 우리가 목표에 도달했을 때 흥분의 감정을 함께 느꼈다.

수능표현+
public sentiment 민심, 일반[대중] 정서

파생 **sentimental** 형 정서적인, 감상적인
유의 **emotion** 명 감정, 정서

수능 혼동 어휘

0475

calculate
[kǽlkjulèit]

동 1. 계산하다, 산출하다 2. 추정하다

This program can **calculate** the number of days between any two dates.
이 프로그램은 어느 두 날짜 사이에 있는 일 수를 계산할 수 있다.

0476

circulate
[sə́ːrkjulèit]

동 1. 순환하다 2. (소문 등이) 퍼지다 3. (화폐 등을) 유통시키다

Blood **circulates** throughout your body and delivers oxygen to the body's cells.
혈액은 여러분의 몸을 순환하고 신체 세포에 산소를 전달한다.

수능 UP

Q1.
둘 중 알맞은 단어를 고르시오.
[Calculate / Circulate] the cost and decide whether it is within your budget.

0477

involve
[inválv]

동 1. 포함[수반]하다 2. 관련시키다 3. 참여시키다

The study of origins **involves** many countries and localities across the world.
기원에 대한 연구는 전 세계의 많은 나라와 지역들을 포함한다.

0478

evolve
[iválv]

동 진화하다, 발달하다

As man's best friend, dogs have **evolved** alongside humans. 기출 응용
인간의 가장 친한 친구로서, 개는 인간과 함께 진화해 왔다.

Q2.
둘 중 알맞은 단어를 고르시오.
Birds **[involved / evolved]** from a group of dinosaurs called theropods.

수능 필수 숙어

0479

get over

1. 극복하다 2. 회복하다

Wise investing will help you **get over** your financial difficulties.
현명한 투자는 당신의 재정적인 어려움을 극복하는 데 도움을 줄 것이다.

0480

pull over

길 한쪽으로 차를 세우다

I was asked to **pull over** to the side of the road.
나는 길가에 차를 세우라는 요청을 받았다.

Q3.
빈칸에 알맞은 어구를 고르시오.

He ________ to the side of the road and made some calls.

① got over
② pulled over

Daily Test 12

정답 p.448

A 우리말은 영어로, 영어는 우리말로 쓰시오.

01 계속하다, 지속되다	________	**08** customs	________
02 버리다, 그만두다	________	**09** anonymous	________
03 자애로운, 인정 많은	________	**10** occupy	________
04 변동을 거듭하다	________	**11** gratitude	________
05 방향을 바꾸게 하다	________	**12** temperate	________
06 보존하다, 아껴 쓰다	________	**13** urgent	________
07 감정, 정서, 감상	________	**14** get over	________

B 우리말과 일치하도록 빈칸에 알맞은 단어 또는 어구를 쓰시오.

서술형

01 After several burglaries in this area, security is now a high p________.
이 지역에서 여러 차례의 강도 사건이 발생한 후 이제 보안이 최우선 사항이다.

02 The Ministry of Health is planning for mass vaccination to fight the p________ influenza.
보건복지부는 유행성 독감을 퇴치하기 위해 집단 예방 접종을 계획하고 있다.

03 Life started to e________ about 3.5 billion years ago under the sea.
생물은 바다 아래서 35억 년 전에 진화하기 시작했다.

C 각 단어의 유의어 또는 반의어를 쓰시오.

01 동 import	반의 e________	**05** 명 capacity	유의 c________
02 형 shallow	유의 s________	**06** 동 scatter	반의 g________
03 동 rotate	유의 r________	**07** 동 verify	유의 p________
04 형 weird	유의 o________	**08** 명 drawback	반의 s________

VOCA CLEAR

DAY 13

0481

profess
[prəfés]

동 1. 공언하다, 고백하다
2. (사실이 아닌 것을 사실이라고) 주장하다

He **professed** his love for his wife.
그는 아내에 대한 사랑을 고백했다.

시험에 더 강해지는 어휘

파생 **profession** 명 직업
유의 **declare** 동 선언하다
숙어 **profess to-v** ~하는 체하다

0482

curriculum
[kəríkjuləm]

명 교육과정

In many school physical education programs, team sports dominate the **curriculum**. 기출
많은 학교 체육 프로그램에서는 단체 경기가 교육과정을 장악하고 있다.

파생 **curricular** 형 교육과정의
유의 **syllabus** 명 교수요목

0483

valid
[vǽlid]

형 1. (법적으로) 유효한 2. 타당한, 근거 있는

Your passport is not **valid** and has to be renewed.
네 여권은 유효하지 않아서 갱신해야 한다.

파생 **validate** 동 입증[인증]하다
validity 명 유효함
반의 **invalid** 형 효력이 없는

0484

obtain
[əbtéin]

동 얻다, 획득하다

Scientific evidence must be **obtained** to prove the claim. 기출 응용
그 주장을 입증하기 위해서는 과학적 증거를 얻어야 한다.

유의 **acquire** 동 획득하다
gain 동 얻다
반의 **lose** 동 상실하다

0485

minority
[mainɔ́(:)rəti]

명 소수 (집단)

Only a small **minority** of students will participate in the program.
소수의 학생들만 그 프로그램에 참여할 것이다.

파생 **minor** 형 작은
반의 **majority** 명 다수

0486

accompany
[əkʌ́mpəni]

동 1. 동반[동행]하다 2. 수반하다 3. 반주를 하다

Children under seven years of age must be **accompanied** by an adult.
7세 미만의 어린이들은 어른을 동반해야 한다.

숙어 **be accompanied by** ~을 동반하다

0487

suspect
[səspékt]

동 의심하다 명 용의자

The school **suspects** that the student cheated on the exam.
학교는 그 학생이 시험에서 부정행위를 했다고 의심하고 있다.

파생 **suspicion** 명 혐의, 의심
suspicious 형 의심스러운
숙어 **suspect A of B**
A가 B했다고 의심하다

0488 다의어

edge
[edʒ]

명 1. 끝, 가장자리 2. (칼 등의) 날 3. 유리함, 우위 4. 신랄함, 날카로움
동 테두리를 두르다

The boardwalk was located along the **edge** of a lake. 기출 응용
그 판자 산책로는 호수의 가장자리를 따라 위치했다.

This cutting tool has a sharp **edge**, so you need to be extremely careful.
이 절단 도구는 날이 날카로우니 매우 조심해야 한다.

Politeness gives you an enduring **edge** over those who never acquired it. 기출
예의바름은 그것을 결코 습득하지 못했던 사람들에 대해 여러분이 지속적인 우위를 점하도록 한다.

수능표현 +
two-edged[double-edged] sword 양날의 검
cutting edge 최첨단

파생 **edgy** 형 불안한, 신랄한
유의 **verge** 명 가장자리
반의 **center** 명 중심
숙어 **on the edge of**
막 ~하려는 참에

0489

handle
[hǽndl]

동 (문제 등을) 다루다, 처리하다 명 손잡이

One difference between winners and losers is how they **handle** losing. 기출
승자와 패자 간의 한 가지 차이는 그들이 패배를 어떻게 다루는가이다.

유의 **deal with** ~을 다루다
cope with ~에 대처하다

0490

detergent
[ditə́ːrdʒənt]

명 세제

If you add too much **detergent**, you will have to rinse the clothes more than once.
세제를 너무 많이 넣으면 옷을 한 번 이상 헹궈야 한다.

유의 **cleaner** 명 세제

0491

coexist
[kòuigzíst]

동 공존하다

Conflicting notions of truth often **coexist** in Internet situations. 기출 응용
종종 진실의 상충되는 개념들이 인터넷 상황에서 공존한다.

파생 **coexistence** 명 공존
coexistent 형 공존하는

0492

trivial
[tríviəl]

형 **사소한, 하찮은**

People didn't know what was important and what was **trivial.** 기출
사람들은 무엇이 중요하고 무엇이 사소한지 몰랐다.

유의 **insignificant** 형 사소한
반의 **crucial** 형 중요한

0493

empathy
[émpəθi]

명 **감정 이입, 공감**

The author's job is to make the readers feel **empathy** for the characters.
작가의 일은 독자가 등장인물들에 감정 이입을 하게 만드는 것이다.

파생 **empathize** 동 공감하다
empathetic 형 감정 이입의
유의 **sympathy** 명 동정, 연민
숙어 **empathy with** ~와의[에 대한] 공감

0494

incorporate
[inkɔ́ːrpərèit]

동 **1. 포함하다, 통합시키다 2. 법인 조직으로 만들다**

Portions of rock can be **incorporated** into the magma. 기출
암석 일부가 마그마로 통합될 수 있다.

파생 **incorporation** 명 법인 설립, 회사
유의 **absorb** 동 병합하다

0495

refuge
[réfjuːʤ]

명 **피난처, 도피처**

The family is seeking **refuge** from the ongoing war.
그 가족은 계속되는 전쟁으로부터 피난처를 찾고 있다.

파생 **refugee** 명 난민, 망명자
유의 **shelter** 명 피난처, 은신처
숙어 **refuge from** ~로부터의 피난처

0496

contagious
[kəntéiʤəs]

형 **전염성의, 전염되는**

Many **contagious** diseases spread through carriers such as mosquitoes. 기출
많은 전염성 질병들은 모기와 같은 매개체를 통해 퍼진다.

수능표현 +

contagious disease 전염병
contagious laugh 전염성이 있는 웃음

파생 **contagion** 명 전염(병)
유의 **infectious** 형 전염성의

0497

abuse
[əbjúːs]

명 **1. 남용, 오용 2. 학대**
동 [əbjúːz] **1. 남용하다, 오용하다 2. 학대하다**

The problem of **abuse** of power is particularly serious in world politics.
권력 남용의 문제는 세계 정치에서 특히 심각하다.

파생 **abusive** 형 모욕적인, 학대하는
유의 **misuse** 명 오용
동 남용하다, 오용하다

0498

recall
[rikɔ́ːl]

동 1. 기억해 내다, 상기하다 2. 회수하다
명 1. 기억(해 냄) 2. 회수

They asked students to **recall** either an ethical or unethical behavior in their past. 기출 응용
그들은 학생들에게 과거의 윤리적인 혹은 비윤리적인 행동 둘 중 하나를 기억해 낼 것을 요청했다.

유의 **recollect** 동 기억해 내다
evoke 동 환기시키다
반의 **forget** 동 잊다

0499

federal
[fédərəl]

형 연방제의, 연방 정부의

Consumers are protected under **federal** law.
소비자는 연방법에 의해 보호된다.

수능표현+
federal government 연방 정부

파생 **federation** 명 연방 국가

0500 다의어

treat
[triːt]

동 1. 치료하다 2. 다루다, 취급하다, 대하다 3. 대접하다, 한턱내다 4. 처리하다
명 1. 특별한 것 2. 대접, 한턱내기

The doctor **treated** him with strong antibiotics.
의사는 강한 항생제로 그를 치료했다.

Young people **treat** the mobile phone as an essential necessity of life. 기출
젊은이들은 휴대 전화를 삶의 필수품으로 대한다.

To thank him, she **treated** him to lunch.
그에게 감사를 표하기 위해, 그녀는 그에게 점심을 대접했다.

파생 **treatment** 명 치료, 대우, 처리
treaty 명 조약, 협정
유의 **deal with** ~을 다루다
entertain 동 대접하다
반의 **mistreat** 동 학대하다, 부당하게 다루다

0501

notion
[nóuʃən]

명 개념, 관념, 생각

There is controversy surrounding the **notion** of general intelligence. 기출
일반 지능의 개념을 둘러싼 논란이 있다.

파생 **notional** 형 개념상의
유의 **concept** 명 개념
idea 명 생각

0502

suppose
[səpóuz]

동 1. 가정하다 2. 추정[추측]하다

Suppose that you see a person driving carelessly through a red light. 기출 응용
여러분이 빨간 신호등을 지나쳐 부주의하게 운전하고 있는 사람을 본다고 가정해 보라.

파생 **supposition** 명 추정
유의 **assume** 동 추정하다
숙어 **be supposed to-v** ~하기로 되어 있다

0503

definite
[défənit]

형 1. 명확한, 확실한 2. 한정된

The following are **definite** rules that you must follow.
다음은 여러분이 따라야 할 명확한 규칙이다.

파생 **define** 동 정의하다
definitely 부 분명히
유의 **specific** 형 명확한
반의 **indefinite** 형 정해지지 않은

0504

generate
[dʒénərèit]

동 발생시키다, 일으키다

Tourism can **generate** jobs and business opportunities. 기출
관광산업은 일자리와 사업 기회를 창출할 수 있다.

수능표현 +

generate income 소득을 창출하다
generate electricity 전기를 발생시키다

파생 **generation** 명 세대, 발생
generative 형 발생의, 생성의
유의 **produce** 동 만들어 내다
cause 동 야기시키다

0505

shelter
[ʃéltər]

명 보호소, 피난처 동 보호하다, ~에게 피난처를 제공하다

All donated items will go to the local homeless **shelter**.
기부된 모든 물품은 지역 노숙자 보호소에 전달될 것이다.

유의 **refuge** 명 피난처, 도피처
protect 동 보호하다

0506

scorn
[skɔːrn]

동 경멸하다, 멸시하다 명 경멸, 멸시, 조롱

He **scorned** her views and considered them useless.
그는 그녀의 견해를 경멸했고, 그것들을 쓸모없다고 여겼다.

유의 **despise** 동 경멸하다
contempt 명 경멸, 멸시
반의 **admire** 동 존경하다

0507

convention
[kənvénʃən]

명 1. 관습 2. 집회, 대회 3. 조약, 협약

The outsider refused to conform to social **conventions**.
그 외부인은 사회적 관습에 따르기를 거부했다.

수능표현 +

Geneva Convention 제네바 협정

파생 **conventional** 형 관습적인, 전통적인
유의 **custom** 명 관습

0508

recruit
[rikrúːt]

동 1. 모집하다 2. 징집하다 명 1. 신입 (회원) 2. 신병

She **recruited** qualified women pilots in the United States. 기출
그녀는 미국에서 자격을 갖춘 여성 조종사를 모집했다.

파생 **recruitment** 명 신규[신병] 모집
반의 **dismiss** 동 해고하다, 해산시키다

0509

bias
[báiəs]

명 1. 편견, 선입견 2. 성향 동 편견[선입견]을 갖게 하다

It is hard to deny that we have a strong **bias** toward our individual interests. 기출
우리가 자신의 개인적인 이익을 향한 강한 편견을 갖고 있다는 것을 부인하기 어렵다.

파생 **biased** 형 편향된
유의 **prejudice** 명 편견

0510

conquer
[káŋkər]

동 1. 정복하다 2. 극복하다

The discovery of new geographical knowledge enabled them to **conquer** new lands. 기출
새로운 지리학적 지식의 발견이 그들로 하여금 새로운 땅을 정복하는 것을 가능하게 했다.

파생 **conquest** 명 정복
conqueror 명 정복자
유의 **defeat** 동 패배시키다
overcome 동 극복하다

0511

sole
[soul]

형 1. 유일한 2. 혼자의, 단독의 명 발바닥

Price isn't the **sole** factor that determines sales.
가격이 판매량을 결정하는 유일한 요인은 아니다.

파생 **solely** 부 단독으로
유의 **only** 형 유일한
single 형 단 하나의
solitary 형 혼자[단독]의

0512

illusion
[ilúːʒən]

명 1. 착각 2. 환상, 환각

People have the **illusion** that money can bring them happiness.
사람들은 돈이 그들에게 행복을 가져다줄 것이라는 착각을 가지고 있다.

수능표현 +
optical illusion 착시 (현상)

파생 **illusory** 형 환상에 불과한
유의 **delusion** 명 망상, 착각, 오해

0513

proficient
[prəfíʃənt]

형 능숙한, 숙달된

She is **proficient** in dealing with disputes.
그녀는 분쟁을 다루는 데 능숙하다.

파생 **proficiency** 명 능숙, 숙달
유의 **skilled** 형 숙련된
숙어 **proficient in[at]** ~에 능숙한

0514

abnormal
[æbnɔ́ːrməl]

형 비정상적인, 이상한

The test can detect **abnormal** cells that could develop into cancer.
그 검사는 암으로 발전할 수 있는 비정상적인 세포를 발견할 수 있다.

수능표현 +
abnormal blood pressure 혈압 이상

파생 **abnormality** 명 기형, 이상
유의 **unusual** 형 비정상적인
반의 **normal** 형 정상적인

수능 혼동 어휘

0515

delicate
[délikət]

형 1. 연약한 2. 섬세한, 정교한

Silk is a very **delicate** fabric, so it is recommended that you handwash it.
실크는 매우 약한 천이어서 손빨래가 권장된다.

0516

deliberate
[dilíbərət]

형 1. 고의적인 2. 신중한 동 [dilíbərèit] 숙고하다

The politician told **deliberate** lies to cause panic and fear.
그 정치인은 공황과 공포를 유발하기 위해 고의적인 거짓말을 했다.

0517

neutral
[njú:trəl]

형 1. 중립의, 중립적인 2. 중성의 명 1. 중립 2. 중간색

The UN tries to play a **neutral** role in many international conflicts.
유엔은 많은 국제 분쟁에서 중립적인 역할을 하려고 노력한다.

0518

neural
[njú(:)ərəl]

형 신경(계)의

We have two different **neural** systems that manipulate our facial muscles. 기출
우리는 얼굴 근육을 조작하는 두 개의 다른 신경계를 가지고 있다.

수능 UP

Q1.
둘 중 알맞은 단어를 고르시오.
The eyes are one of the most **[delicate / deliberate]** organs of the body.

Q2.
둘 중 알맞은 단어를 고르시오.
They have evidence that meditation alters our **[neural / neural]** network.

수능 필수 숙어

0519

look after

~을 돌보다, ~을 보살펴 주다

Why don't you take leave today and **look after** yourself? 기출
오늘은 휴가를 내고 자신을 돌보는 게 어때?

0520

take after

~를 닮다

He **takes after** his grandfather in so many ways.
그는 여러모로 그의 할아버지를 닮았다.

수능 UP

Q3.
빈칸에 알맞은 어구를 고르시오.

I hoped the baby would ______ her mother in looks and personality.

① look after
② take after

Daily Test 13

정답 p.448

A 우리말은 영어로, 영어는 우리말로 쓰시오.

01 동반하다, 수반하다 ________________

02 기억해 내다, 상기하다 ________________

03 끝, 가장자리, 유리함 ________________

04 명확한, 확실한, 한정된 ________________

05 전염성의, 전염되는 ________________

06 정복하다, 극복하다 ________________

07 편견, 선입견, 성향 ________________

08 valid ________________

09 detergent ________________

10 incorporate ________________

11 generate ________________

12 convention ________________

13 abnormal ________________

14 neural ________________

B 우리말과 일치하도록 빈칸에 알맞은 단어 또는 어구를 쓰시오.

서술형

01 He wants to travel to Istanbul, Turkey, where Eastern and Western cultures c____________.

그는 동서양의 문화가 공존하는 터키 이스탄불을 여행하고 싶어 한다.

02 Many couples in Korea have to ask their parents to l____________ ____________ their children at least one day a week.

한국의 많은 부부들이 일주일에 적어도 하루는 부모에게 아이들을 돌봐 달라고 부탁해야 한다.

03 His speech was a d____________ attempt to embarrass the government.

그의 연설은 정부를 궁지에 빠뜨리려는 의도적인 시도였다.

C 각 단어의 유의어 또는 반의어를 쓰시오.

01 동 obtain 반의 l________________

02 형 trivial 반의 c________________

03 명 abuse 유의 m________________

04 명 notion 유의 c________________

05 동 profess 유의 d________________

06 동 suppose 유의 a________________

07 동 recruit 반의 d________________

08 명 minority 반의 m________________

VOCA CLEAR

DAY 14

➕ 시험에 더 강해지는 어휘

0521

attempt
[ətémpt]

명 시도 동 시도하다

The food industry sometimes uses colors in an **attempt** to manipulate customer behavior. 기출 응용
식료품 산업은 소비자의 행동을 조종하려는 시도로 색소를 때때로 사용한다.

유의 **try** 명 동 시도(하다)
숙어 **attempt to-v** ~하려고 시도하다

0522

hostile
[hɑ́stəl]

형 1. 적대적인 2. 강력히 반대하는

The book *Fathers and Sons* received a **hostile** reaction in Russia. 기출 응용
'Fathers and Sons'라는 책은 러시아에서 적대적인 반응을 받았다.

파생 **hostility** 명 적의, 적대감
유의 **unfavorable** 형 호의적이 아닌
반의 **hospitable** 형 우호적인

0523

evaporate
[ivǽpərèit]

동 1. 증발하다[시키다] 2. 사라지다

Water **evaporates** from the ocean. 기출
물은 바다에서 증발한다.

파생 **evaporation** 명 증발
유의 **disappear** 동 사라지다
반의 **condense** 동 응축하다
appear 동 나타나다

0524

output
[áutput]

명 1. 생산량, 산출량 2. ((컴퓨터)) 출력

With the new system, costs will decrease and **output** will increase.
새로운 시스템을 도입하면 비용은 줄어들고 생산량은 늘어날 것이다.

유의 **production** 명 생산(량)
yield 명 생산량, 수확
반의 **input** 명 입력, 투입

0525

degrade
[digréid]

동 1. 저하시키다 2. 비하하다

The noise may **degrade** the stability of the communication system.
소음은 통신 시스템의 안정성을 저하시킬 수 있다.

파생 **degradation** 명 저하, 비하
유의 **deteriorate** 동 저하시키다
반의 **upgrade** 동 개선하다

0526

malfunction
[mælfʌ́ŋkʃən]

명 오작동, 고장 동 제대로 작동하지 않다

Crashes due to aircraft **malfunction** are more likely to occur during long-distance flights.
항공기 오작동으로 인한 추락은 장거리 비행 중에 발생할 가능성이 더 크다.

유의 **breakdown** 명 고장
failure 명 고장, 결함

0527

counteract
[kàuntərǽkt]

동 1. (무엇의 영향에) 대응하다, 상쇄시키다
2. (약 등의 효력을) 중화하다

You have the ability to **counteract** negativity with positivity. 기출
여러분은 적극성으로 소극성을 상쇄시키는 능력을 가지고 있다.

파생 **counteraction** 명 중화 작용, 반작용
유의 **counter** 동 반박하다
offset 동 상쇄하다

0528

alert
[ələ́:rt]

형 1. 기민한 2. 경계하는 동 (위험을) 알리다, 경고하다
명 경계 태세

Elderly people who keep physically fit tend to be mentally **alert**.
신체적으로 건강함을 유지하는 노인들이 정신적으로 기민한 경향이 있다.

파생 **alertness** 명 조심성 있음
유의 **awake** 형 각성한
반의 **careless** 형 방심한

0529 다의어

observe
[əbzə́:rv]

동 1. 관찰하다 2. 목격하다 3. 준수하다 4. (의견을) 말하다

Some fish came close and **observed** us while we worked in the water.
우리가 물속에서 일하는 동안 물고기 몇 마리가 가까이 와서 우리를 관찰했다.

Failure to **observe** the speed limit has resulted in car accidents.
속도 제한을 지키지 않은 것이 차 사고로 이어졌다.

He **observed** that the policy change was not the only cause of the current crisis.
그는 정책 변화가 현재의 위기의 유일한 원인은 아니라고 말했다.

파생 **observation** 명 관찰
observance 명 준수
observant 형 관찰력 있는, 준수하는
유의 **monitor** 동 관찰[감시]하다
comment 동 논평하다

0530

region
[ríːdʒən]

명 1. 지역, 지방 2. 영역

Spilled oil may harm plants and animals in the **region**. 기출 응용
유출된 기름이 그 지역의 식물과 동물에 해를 끼칠지도 모른다.

파생 **regional** 형 지역의, 지방의
유의 **area** 명 지역
district 명 지역, 구역

0531

sophisticated
[səfístəkèitid]

형 1. 정교한, 복잡한 2. 세련된, 교양 있는

Neanderthals wore simple clothing that did not involve **sophisticated** sewing.
네안데르탈인은 정교한 바느질이 필요 없는 간단한 옷을 입었다.

유의 **complex** 형 복잡한
refined 형 세련된, 교양 있는

0532

refine
[rifáin]

동 1. 정제하다 2. 다듬다, 개선하다

There are steps that must be taken to **refine** oil into finished products.
오일을 완제품으로 정제하기 위해 취해야 할 조치들이 있다.

파생 **refinement** 명 정제, 개선
refined 형 정제된
유의 **purify** 동 정제하다
improve 동 개선하다
반의 **contaminate** 동 오염시키다

0533

canal
[kənǽl]

명 운하, 수로

The Erie **Canal** was regarded as the height of efficiency in its day. 기출
Erie 운하는 당대에 효율성의 최고봉이라고 여겨졌다.

유의 **waterway** 명 수로

0534

diminish
[dimíniʃ]

동 1. 줄다, 줄어들다 2. 폄하하다

The world's linguistic diversity is **diminishing** as many languages are becoming extinct.
세계의 언어적 다양성은 많은 언어들이 멸종되면서 줄어들고 있다.

파생 **diminution** 명 축소, 감소
유의 **decrease** 동 줄다, 감소하다
belittle 동 폄하하다
반의 **grow** 동 증가하다

0535 다의어

complex
[kɑːmpléks]

형 복잡한
명 [kɑ́ːmpleks] 1. 복합 단지 2. 콤플렉스, 강박 관념

Human reactions are so **complex** that they can be difficult to interpret objectively. 기출
인간의 반응은 너무 복잡해서 객관적으로 해석하기가 어려울 수 있다.

A sports **complex** for soccer games will be built in the center of the city.
도심에 축구 경기를 위한 스포츠 복합 단지가 지어질 것이다.

People with an inferiority **complex** believe that they are worthless or that they will always fail.
열등감이 있는 사람들은 자신이 가치가 없다거나 항상 실패할 거라고 믿는다.

파생 **complexity** 명 복잡성
유의 **complicated** 형 복잡한
intricate 형 복잡한
반의 **simple** 형 간단한

0536

ideology
[àidiɑ́lədʒi]

명 이념, 이데올로기

Politicians who share the same political **ideology** got together to form a new party.
같은 정치적 이념을 공유하는 정치인들이 모여 새로운 정당을 구성했다.

파생 **ideologize** 동 관념적으로 표현하다
ideological 형 이념적인
유의 **belief** 명 신념
creed 명 신념, 신조

0537

ban
[bæn]

동 금지하다 명 금지

Some cities, such as Honolulu and Yamato, have **banned** texting while walking.
호놀룰루와 야마토와 같은 몇몇 도시들은 보행 중에 문자를 보내는 것을 금지했다.

수능표현 +
ban on human cloning 인간 복제 금지

유의 **forbid** 동 금지하다
prohibition 명 금지
반의 **allow** 동 허락하다
permit 동 허락하다
숙어 **ban on** ~에 대한 금지

0538

flourish
[flə́:riʃ]

동 번창하다, 번성하다

Rome **flourished** as a center of civilization.
로마는 문명의 중심지로서 번영했다.

파생 **flourishing** 형 번창하는, 번성하는
유의 **thrive** 동 번창하다
prosper 동 번영하다

0539

segment
[ségmənt]

명 부분, 조각 동 [segmént] 나누다, 분할하다

The largest **segment** of the industry is commercial fishing. 기출 응용
이 산업의 가장 큰 부분은 상업적 어업이다.

파생 **segmentation** 명 분할
유의 **piece** 명 조각
divide 동 나누다

0540

diplomatic
[dìpləmǽtik]

형 1. 외교의 2. 외교에 능한

The nation should change its **diplomatic** policy toward the U.S.
그 나라는 미국에 대한 외교 정책을 바꿔야 한다.

파생 **diplomat** 명 외교관
diplomacy 명 외교, 외교 수완
반의 **undiplomatic** 형 외교 수완이 없는

0541

pervade
[pə:rvéid]

동 만연하다, 널리 퍼지다

Every July, the scent of lavender **pervades** the whole city.
매년 7월이면 라벤더 향기가 온 도시에 퍼진다.

파생 **pervasive** 형 만연한
유의 **permeate** 동 퍼지다

0542

vendor
[véndər]

명 1. 노점상, 행상인 2. (특정 제품의) 판매 회사

We watched the **vendor** put together the perfect hot dog. 기출
우리는 그 상인이 완벽한 핫도그를 만드는 것을 지켜보았다.

유의 **seller** 명 파는 사람

0543

diameter
[daiǽmitər]

명 지름, 직경

The crater is more than 20 meters in **diameter**.
그 분화구는 지름이 20미터 이상이다.

파생 diameteric 형 직경의
유의 width 명 폭, 너비

0544

sob
[sɑb]

동 흐느끼다, 흐느껴 울다 명 흐느낌

She **sobbed** herself to sleep after hearing the bad news.
그녀는 나쁜 소식을 들은 후 흐느껴 울며 잠이 들었다.

유의 weep 동 울다
숙어 sob oneself to sleep 울다가 잠들다

0545

ignore
[ignɔ́ːr]

동 1. 무시하다 2. (사람을) 못 본 척하다

When people who resist are **ignored**, they become the opposition. 기출 응용
저항하는 사람들이 무시당하게 될 때, 그들은 반대 세력이 된다.

파생 ignorance 명 무지
ignorant 형 무지한
유의 disregard 동 무시하다
overlook 동 간과하다, 못 보고 지나치다

0546

bureaucracy
[bjuərɑ́krəsi]

명 1. 관료 제도 2. 관료, 공무원

Managers use threats and **bureaucracy** to manage people. 기출 응용
관리자들은 사람들을 관리하기 위해 위협과 관료 제도를 이용한다.

수능표현 +
bureaucratic society 관료제 사회

파생 bureaucratic 형 관료의, 관료주의의

0547

alter
[ɔ́ːltər]

동 바꾸다, 변경하다

The ship **altered** its course to get closer to the island.
배는 섬에 접근하기 위해 항로를 바꾸었다.

파생 alteration 명 변화, 변경
유의 change 동 바꾸다
modify 동 변경하다
반의 maintain 동 유지하다

0548

edible
[édəbl]

형 먹을 수 있는, 식용의

Fishermen catch salmon, tuna, and other **edible** species such as squid. 기출 응용
어부들은 연어, 참치 그리고 오징어 같은 다른 먹을 수 있는 종들을 잡는다.

반의 inedible 형 먹을 수 없는

0549

military
[mílitèri]

형 군사의, 무력의 명 군대

The government purchases **military** weapons for national security every year.
정부는 매년 국가 안보를 위해 군사 무기를 구입하고 있다.

파생 **militarize** 동 군대화하다, 무장시키다
유의 **armed forces** 군대
반의 **civilian** 명 민간인

0550

ritual
[rítʃuəl]

명 1. (종교) 의식 2. 관례 형 1. 의식의 2. 의례적인

As a greeting **ritual**, Maori people in New Zealand press their noses together.
인사 의식의 하나로, 뉴질랜드의 마오리족은 함께 코를 맞댄다.

수능표현 +
worship ritual 숭배 의식

유의 **rite** 명 의식, 의례
ceremony 명 의식, 식
숙어 **make a ritual of** ~을 관례로 하다

0551

navigate
[nǽvəgèit]

동 1. 길을 찾다 2. 항해하다, 조종하다

The Global Positioning System (GPS) helps you **navigate** while driving. 기출 응용
GPS(위성 위치 확인 시스템)는 주행 중에 길을 찾는 데 도움이 된다.

파생 **navigation** 명 항해, 운항
유의 **steer** 동 조종하다

0552

lease
[liːs]

명 임대차 계약 동 임대하다, 임차하다

I must get permission to paint the wall as per the **lease** agreement. 기출 응용
임대차 계약에 따라 벽에 페인트칠을 할 수 있도록 허락을 받아야 한다.

유의 **rent** 동 임차하다
숙어 **lease A from B** B로부터 A를 임대하다

0553

profound
[prəfáund]

형 1. 깊은, 심오한 2. (영향·느낌 등이) 엄청난

We have **profound** concerns about climate change.
우리는 기후 변화에 대해 깊은 우려를 가지고 있다. 기출 응용

유의 **deep** 형 깊은, 심오한

0554

remark
[rimɑ́ːrk]

동 1. 언급[발언]하다, 논평하다 명 발언, 논평

She **remarked** that she didn't expect to get an award.
그녀는 상을 받을 것으로 예상하지 않았다고 말했다.

유의 **comment** 동 논평하다

수능 혼동 어휘

0555

exhibit
[igzíbit]

동 1. 전시하다 2. (감정 등을) 보이다 명 전시(품)

Paintings, ceramic works, and photographs submitted by students will be **exhibited.** 기출
학생들이 제출한 그림, 도자기 작품 및 사진이 전시될 것이다.

0556

inhibit
[inhíbit]

동 억제하다, 못 하게 하다

Responses to threats are fast, strong, and hard to **inhibit.** 기출 응용
위협에 대한 반응은 빠르고, 강하며, 억제하기 어렵다.

0557

inhabit
[inhǽbit]

동 살다, 거주하다, 서식하다

People may **inhabit** very different worlds even in the same city. 기출
사람들은 같은 도시에 거주하더라도 매우 다른 세계에 살지도 모른다.

수능 UP

Q1.
셋 중 알맞은 단어를 고르시오.
According to forest officials, crocodiles **[exhibit / inhibit / inhabit]** a 60- to 70-kilometer stretch of river.

수능 필수 숙어

0558

go after

~을 뒤쫓다[따라가다]

We saw a cat climb a tree to **go after** a squirrel.
우리는 고양이가 다람쥐를 쫓기 위해 나무에 올라가는 것을 보았다.

0559

ask after

~의 안부를 묻다

He always **asked after** my family whenever we spoke.
그는 우리가 얘기할 때마다 항상 나의 가족의 안부를 물었다.

0560

name after

~의 이름을 따서 명명하다

Riccardo, who was **named after** his father, was an immigrant from Mexico. 기출
아버지의 이름을 따서 이름 지어진 Riccardo는 멕시코에서 온 이민자였다.

Q2.
빈칸에 알맞은 어구를 고르시오.

She tried to ___________ him, but there was no way she was going to catch him.

① go after
② ask after
③ name after

Daily Test 14

정답 p.448

A 우리말은 영어로, 영어는 우리말로 쓰시오.

01 증발하다, 사라지다 ____________

02 경계하는; 경고하다 ____________

03 운하, 수로 ____________

04 금지하다; 금지 ____________

05 지름, 직경 ____________

06 관료 제도, 관료 ____________

07 깊은, 심오한, 엄청난 ____________

08 output ____________

09 sophisticated ____________

10 ideology ____________

11 diplomatic ____________

12 sob ____________

13 navigate ____________

14 ask after ____________

B 우리말과 일치하도록 빈칸에 알맞은 단어 또는 어구를 쓰시오.

서술형

01 When you o__________ nature, you will find that many living things depend on sunlight.
자연을 관찰하면, 많은 생명체가 햇빛에 의존해 사는 것을 발견할 수 있다.

02 There are six ways to ensure that small businesses f__________.
중소기업들이 번창하기 위한 6가지 방법이 있다.

03 Their physical layout encourages some uses and i__________ others. 기출
그것들의 물리적 배치는 어떤 사용은 권장하고 다른 사용은 억제한다.

C 각 단어의 유의어 또는 반의어를 쓰시오.

01 동 degrade 유의 d__________

02 동 alter 유의 m__________

03 동 diminish 반의 g__________

04 형 hostile 반의 h__________

05 동 refine 반의 c__________

06 형 edible 반의 i__________

07 동 remark 유의 c__________

08 명 segment 유의 p__________

VOCA CLEAR

DAY 15

시험에 더 강해지는 어휘

0561

create
[kriéit]

동 창조하다, 만들어 내다

Scientists are working to **create** new technology.
과학자들은 새로운 기술을 창조하기 위해 노력하고 있다.

파생 creation 명 창조, 창작
creative 형 창조적인
유의 invent 동 발명하다

0562

faith
[feiθ]

명 1. 믿음, 신뢰 2. 신앙(심)

The poet had **faith** that the world would value his poems. 기출 응용
그 시인은 세상이 그의 시를 가치 있게 여길 것이라는 믿음을 가지고 있었다.

파생 faithful 형 충실한
유의 trust 명 신뢰
반의 distrust 명 불신
숙어 faith in ~에 대한 신뢰

0563

discreet
[diskríːt]

형 1. 분별 있는 2. 신중한, 조심스러운

Be **discreet** in your behavior so as not to offend others.
다른 사람을 불쾌하게 하지 않도록 분별 있게 행동하라.

파생 discretion 명 재량(권), 신중함
유의 sensible 형 분별 있는
prudent 형 신중한
careful 형 조심스러운

0564

duration
[djuəréiʃən]

명 지속, 기간

Duration refers to the time that events last. 기출
지속 기간은 사건이 계속되는 시간을 나타낸다.

파생 durable 형 내구성 있는
유의 span 명 (지속) 기간

0565

rank
[ræŋk]

명 등급, 계급 동 (등급·순위를) 차지하다, 매기다

Thirteen officers in the National Army were promoted to higher **ranks**.
육군 장교 13명이 상급으로 진급했다.

수능표현 +

the upper[lower] ranks of society
상류[하류] 계급의 사람들

유의 status 명 지위
position 명 지위, 순위

0566

ultimate
[ʌ́ltəmit]

형 궁극적인, 최후의

The **ultimate** goal of the project is to fight poverty.
그 프로젝트의 궁극적인 목표는 가난과 싸우는 것이다.

파생 ultimately 부 궁극적으로
유의 eventual 형 궁극적인
final 형 최후의

0567

accumulate
[əkjúːmjəlèit]

동 축적하다, 모으다

To **accumulate** knowledge is to enhance its social application. 기출
지식을 축적하는 것은 그것의 사회적 응용을 강화시키는 것이다.

파생 **accumulation** 명 축적
accumulated 형 축적된
유의 **amass** 동 모으다, 축적하다

0568

encode
[inkóud]

동 1. 암호로 바꾸다 2. ((컴퓨터)) 부호화하다

Encode your data to protect it from unauthorized users.
무단 사용자로부터 데이터를 보호하기 위해 데이터를 암호화하라.

반의 **decode** 동 해독하다

0569 다의어

suspend
[səspénd]

동 1. 잠시 중단[유예]하다 2. 매달다 3. 정직[정학]시키다

The factory had to **suspend** production due to a shortage of materials.
공장은 자재 부족으로 생산을 중단해야 했다.

The lights are **suspended** at different heights.
조명들은 다양한 높이로 매달려 있다.

He was **suspended** without pay for two weeks.
그는 2주간 무급 정직을 당했다.

파생 **suspension** 명 보류, 정직[정학]
유의 **interrupt** 동 중단하다
hang 동 매달다

0570

interchange
[íntərtʃèindʒ]

명 1. 교환 2. 분기점 동 [ìntərtʃéindʒ] 교환하다

The Silk Road could function because translators were available at **interchange** points. 기출
실크로드가 기능할 수 있었던 것은 교환 지점에서 통역가들이 이용 가능했었기 때문이다.

파생 **interchangeable** 형 교환할 수 있는
유의 **junction** 명 교차로
exchange 동 교환하다

0571

paradigm
[pǽrədàim]

명 1. 사고[이론]의 틀 2. 모범, 전형적인 예

Problems cannot be solved from within the same **paradigm** in which they were created. 기출
문제들은 그것들이 생겨난 동일한 사고의 틀 안에서는 해결될 수 없다.

수능표현 +
paradigm shift 인식 체계의 대전환

유의 **example** 명 예, 전형
model 명 모형, 원형
pattern 명 견본

0572

attentive
[əténtiv]

형 1. 주의를 기울이는 2. 배려하는, 신경을 쓰는

We need to be **attentive** to an important hidden assumption. 기출 응용
우리는 숨겨져 있는 중요한 가정에 주의를 기울일 필요가 있다.

파생 **attention** 명 주의, 주목
유의 **alert** 형 경계하는, 주의하는
considerate 형 배려하는
반의 **inattentive** 형 부주의한

0573

ceremony
[sérəmòuni]

명 의식, 식

The opening **ceremony** of our day care center is scheduled for July 20. 기출 응용
우리 보육시설 개관식은 7월 20일로 예정되어 있다.

수능표현 +

opening ceremony 개막식[개업식]
closing ceremony 폐막식
awards ceremony 시상식

파생 **ceremonial** 형 의식의 명 의식 절차
유의 **ritual** 명 (종교) 의식

0574

withhold
[wiðhóuld]

동 1. 보류하다, 유보하다 2. 억누르다

You should be prepared to **withhold** judgment for a while. 기출
여러분은 당분간 판단을 보류할 준비가 되어 있어야 한다.

유의 **reserve** 동 유보하다
hold back 억누르다

0575

prosecute
[prásəkjù:t]

동 기소하다, 공소하다

The company was **prosecuted** for safety issues.
그 회사는 안전 문제로 기소되었다.

파생 **prosecution** 명 기소
prosecutor 명 검사
유의 **indict** 동 기소하다
숙어 **prosecute A for B** A를 B로 기소하다

0576

manuscript
[mǽnjuskrìpt]

명 1. 원고 2. 필사본

The **manuscript** will be published a few weeks after it has been edited.
원고는 편집된 뒤 몇 주 후에 출판될 것이다.

유의 **draft** 명 원고, 초안

0577

beneficent
[bənéfisənt]

형 1. 자선심이 많은, 선행을 하는 2. 유익한

Thanks to his **beneficent** guardian, Jack could pursue an education.
자선심이 많은 후견인 덕분에 Jack은 교육을 받을 수 있었다.

파생 **beneficence** 명 자선
유의 **generous** 형 인심 좋은
반의 **mean** 형 인색한

0578 다의어

bond
[bɑnd]

명 1. 유대, 끈 2. 접착(제) 3. 채권
동 1. 유대를 맺다 2. 접착시키다

He formed special **bonds** with the artists he worked with. 기출
그는 자신과 함께 일했던 예술가와 특별한 유대를 형성했다.

We have received quite a few e-mails over the past few weeks about insurance **bonds.**
우리는 지난 몇 주간 보험 채권에 대한 이메일을 상당수 받았다.

What had **bonded** them instantly was their common interests.
그들을 즉시 유대를 맺게 한 것은 그들의 공통된 관심사였다.

수능표현 +
chemical bond 화학 결합
government bond 국채

파생 **bondage** 명 구속
유의 **tie** 명 유대 관계
bind 동 묶다, 결속시키다
숙어 **bond between A and B** A와 B 간의 유대

0579

tame
[teim]

동 길들이다, 다스리다 형 길들여진

Scared by the fire, the tiny horse kicked like it had never been **tamed.**
불에 겁을 먹은 작은 말은 마치 길들여진 적이 없는 것처럼 발길질을 했다.

파생 **tamed** 형 길들여진
유의 **domesticated** 형 길들인
반의 **wild** 형 야생의

0580

obscure
[əbskjúər]

형 모호한, 이해하기 힘든 동 모호하게 하다

The message was so **obscure** that no one could understand it.
그 메시지는 너무 모호해서 아무도 그것을 이해할 수 없었다.

파생 **obscurity** 명 모호함
유의 **ambiguous** 형 모호한
unclear 형 명확하지 않은
반의 **obvious** 형 명확한

0581

diabetes
[dàiəbí:ti:z]

명 당뇨병

An excess of fat and sugar may cause **diabetes.**
지방과 설탕의 과잉은 당뇨병을 일으킬 수 있다.

파생 **diabetic** 형 당뇨병의

0582

enhance
[inhǽns]

동 (지위·가치 등을) 높이다, 향상시키다

Music appears to **enhance** physical and mental skills. 기출
음악은 신체적, 정신적 기술을 향상시키는 듯하다.

파생 **enhancement** 명 향상
유의 **improve** 동 향상시키다
반의 **reduce** 동 감소시키다

0583

wreck
[rek]

명 1. 난파선 2. 잔해 동 망가뜨리다, 파괴하다

The **wrecks** were found in the middle of the ocean.
난파선은 바다 한가운데서 발견되었다.

파생 **wrecked** 형 난파된, 망가진
유의 **destroy** 동 파괴하다
ruin 동 폐허로 만들다

0584

brochure
[bróuʃuər]

명 (안내·광고용) 소책자

The **brochures** include details of upcoming events in our community.
소책자는 우리 지역 사회에 곧 있을 행사의 세부 사항을 포함하고 있다.

유의 **booklet** 명 소책자

0585

punctual
[pʌ́ŋktʃuəl]

형 시간을 지키는[엄수하는]

He is extremely **punctual** and comes home at exactly six o'clock every day. 기출 응용
그는 시간을 아주 잘 지켜서 매일 정확히 6시에 집에 온다.

파생 **punctuality** 명 시간 엄수
punctually 부 정각에
유의 **on time** 정시의
반의 **unpunctual** 형 시간을 지키지 않는

0586

vanish
[vǽniʃ]

동 사라지다, 없어지다

Hundreds of species will **vanish** because of global warming.
지구 온난화 때문에 (동식물) 수백 종이 사라질 것이다.

유의 **disappear** 동 사라지다
evaporate 동 소멸하다
반의 **appear** 동 나타나다

0587

hardship
[hɑ́ːrdʃip]

명 고난, 어려움

Many who have experienced a major loss move on despite their **hardships**. 기출 응용
큰 손실을 경험한 많은 사람들은 고난에도 불구하고 계속 나아간다.

수능표현 +
financial hardship 재정적 어려움
economic hardship 경제적 어려움

유의 **suffering** 명 고통, 고난
adversity 명 역경, 불운
difficulty 명 어려움
반의 **ease** 명 편안함
comfort 명 안락, 편안

0588

renowned
[rináund]

형 유명한, 명성 있는

The university is known for producing many **renowned** scholars.
이 대학은 많은 유명한 학자를 배출하는 것으로 알려져 있다.

유의 **well-known** 형 유명한
recognized 형 알려진

0589

install
[instɔ́:l]

동 설치하다, 설비하다

It took only four weeks to **install** the new fire alarm system.
새로운 화재 경보 시스템을 설치하는 데 4주밖에 걸리지 않았다.

파생 installation 명 설치
installment 명 할부
유의 set up 설치하다
반의 remove 동 제거하다

0590

supplement
[sʌ́pləmənt]

명 보충(물), 추가(물) 동 [sʌ́pləmènt] 보충하다, 추가하다

Even if you take **supplements**, you still need to eat a well-balanced diet.
보충제를 먹어도 균형 잡힌 식단이 필요하다.

수능표현 +
dietary supplement 건강 보조 식품

파생 supplementary
형 보충의, 추가의
유의 addition 명 추가

0591

rapid
[rǽpid]

형 빠른, 신속한

Some are concerned about the **rapid** development of AI technology.
몇몇 사람들은 AI 기술의 급속한 발전에 대해 우려하고 있다.

파생 rapidly 부 빠르게
유의 swift 형 빠른
prompt 형 신속한
반의 gradual 형 점진적인

0592

combine
[kəmbáin]

동 1. 결합하다[시키다] 2. 갖추다, 겸비하다
명 [kɑ́mbain] 콤바인(예취와 탈곡 기능이 결합된 농기구)

Victor Borge developed a performance style that **combined** comedy with classical music. 기출
Victor Borge는 코미디와 고전 음악을 결합한 공연 스타일을 개발했다.

파생 combination 명 조합
combined 형 결합된
유의 unite 동 결합하다
반의 separate 동 분리하다
숙어 combine A with B
A와 B를 결합하다

0593

temper
[témpər]

명 1. 성질, 기질 2. 화, 노여움 동 완화시키다

It is a personal decision to stay in control and not to lose your **temper**. 기출
통제력을 유지하고 화를 내지 않는 것은 개인이 결정하는 것이다.

유의 temperament 명 기질, 성질
숙어 lose one's temper
화를 내다

0594

retire
[ritáiər]

동 1. 은퇴[퇴직]하다 2. 물러나다

After he **retired** from the university in 1986, he didn't stop his research. 기출
1986년에 대학에서 은퇴한 후에도 그는 자신의 연구를 멈추지 않았다.

파생 retirement 명 은퇴
유의 retreat 동 물러나다

수능 혼동 어휘

0595

heritage
[héritidʒ]

명 (국가·사회의) 유산, 전통[전승]

A child acquires the **heritage** of his culture by observing and imitating adults. 기출
어린이는 어른을 관찰하고 흉내 냄으로써 자신의 문화의 유산을 습득한다.

0596

heredity
[hərédəti]

명 유전(적 특징)

Heredity is a factor that helps determine human personality.
유전은 인간의 성격을 결정하는 데 도움을 주는 요소이다.

0597

instinct
[ínstiŋkt]

명 1. 본능 2. 타고난 소질, 직관(력)

We have the **instinct** to fold our arms against our chest when it's cold.
우리는 추울 때 가슴에 대고 팔장을 끼는 본능을 갖고 있다.

0598

extinct
[ikstíŋkt]

형 1. 멸종된, 사라진 2. 활동을 멈춘

Neanderthals became **extinct** about 40,000 years ago. 기출
네안데르탈인은 약 4만 년 전에 멸종되었다.

수능 UP

Q1.
둘 중 알맞은 단어를 고르시오.
A total of ten historical buildings have been inscribed on the national **[heritage / heredity]** list.

Q2.
둘 중 알맞은 단어를 고르시오.
At least 900 species have gone **[instinct / extinct]** in the last five centuries.

수능 필수 숙어

0599

long for

열망하다, 갈망하다

The curious child **longed for** a world away from what he knew. 기출 응용
그 호기심이 많은 아이는 자신이 알고 있는 것 이외의 세상을 갈망했다.

0600

run for

1. 입후보하다, 출마하다 2. ~를 부르러 달려가다

He is **running for** president of the student council this year. 기출
그는 올해 학생회장에 출마한다.

수능 UP

Q3.
빈칸에 알맞은 어구를 고르시오.

He made it clear that he was going to ________ public office.

① long for
② run for

Daily Test 15

정답 p.449

A 우리말은 영어로, 영어는 우리말로 쓰시오.

01 창조하다, 만들어 내다 ____________
02 유명한, 명성 있는 ____________
03 원고, 필사본 ____________
04 당뇨병 ____________
05 (지위·가치 등을) 높이다 ____________
06 결합하다, 갖추다 ____________
07 설치하다, 설비하다 ____________
08 accumulate ____________
09 paradigm ____________
10 tame ____________
11 brochure ____________
12 punctual ____________
13 hardship ____________
14 instinct ____________

B 우리말과 일치하도록 빈칸에 알맞은 단어 또는 어구를 쓰시오.

서술형

01 The use of the new system has been s__________ until next month.
새로운 시스템의 사용은 다음 달까지 연기되었다.

02 This hotel is an excellent place for families, as the staff is friendly, relaxed, and a__________.
이 호텔은 직원들이 친절하고, 편안하며 배려를 해 주기 때문에 가족을 위한 훌륭한 장소이다.

03 Many adults l__________ __________ the time when they were students.
많은 성인들은 그들이 학생이었던 때를 갈망한다.

C 각 단어의 유의어 또는 반의어를 쓰시오.

01 형 discreet 유의 s____________
02 동 encode 반의 d____________
03 동 prosecute 유의 i____________
04 형 rapid 유의 s____________
05 형 obscure 유의 a____________
06 형 ultimate 유의 e____________
07 동 vanish 반의 a____________
08 명 duration 유의 s____________

수능에 더 강해지는 TEST DAY 11-15

A

다음 짝 지어진 두 단어의 관계가 같도록 빈칸에 알맞은 단어를 <보기>에서 골라 쓰시오.

<보기>	maintain	attention	validate	prejudice

1 punctual : punctuality = attentive : ______________

2 alter : ______________ = edible : inedible

3 generate : produce = bias : ______________

4 valid : ______________ = definite : define

B

다음 문장에서 밑줄 친 어휘의 유의어를 고르시오.

1 His mood seems to fluctuate for no apparent reason.

① occupy ② change ③ verify

2 This book will help you obtain knowledge that is essential to life.

① acquire ② suspect ③ evaporate

3 He said that he scorned her for her weakness.

① coexisted ② banned ③ despised

4 People work with each other despite diverse cultural perspectives. 기출

① coherent ② pandemic ③ various

정답 p. 449

C

다음 빈칸에 알맞은 단어를 <보기>에서 골라 쓰시오.

<보기>	trivial	observe	discipline	intimate

1 Only the couple's most ______________ friends went to the wedding ceremony.

2 You should not ______________ your child in anger.

3 What may seem like a ______________ act may greatly affect others.

4 Andrew liked to ______________ Grandad play chess. 기출

D

각 네모 안에서 문맥에 맞는 말을 고르시오.

1 For two months, Sally had been excessively [absorbed / absurd] in studying birds. 기출 응용

2 At least 30 percent of the world's trees are in danger of becoming [instinct / extinct] in the near future.

3 The newborn baby girl was [asked after / named after] a Disney princess.

4 Recording engineers have learned to create special effects that tickle our brains by exploiting [neural / neutral] circuits. 기출

5 You will need to [degrade / upgrade] your old software in order to protect your private information.

시험에 더 강해지는 어휘

0601

distinct
[distíŋkt]

형 1. 뚜렷한, 분명한 2. 뚜렷이 다른, 별개의

Her height gave her a **distinct** advantage in playing basketball.
그녀의 큰 키는 농구를 하는 데 있어 그녀에게 분명한 이점을 주었다.

- 파생 **distinction** 명 차이, 뛰어남
- 유의 **evident** 형 분명한
- 반의 **indistinct** 형 희미한
- 숙어 **distinct from** ~와는 다른

0602

similarity
[sìmәlǽrәti]

명 유사(성), 닮은 점

One **similarity** between human and animal communication is the use of sound.
인간과 동물의 의사소통 간의 한 가지 유사점은 소리를 사용하는 것이다.

- 파생 **similar** 형 비슷한, 유사한
- 유의 **resemblance** 명 유사함

0603

abolish
[әbáliʃ]

동 (법·제도 등을) 폐지하다

They organized an international campaign to **abolish** nuclear weapons.
그들은 핵무기 폐지를 위한 국제적인 캠페인을 조직했다.

- 파생 **abolition** 명 폐지
- 유의 **eliminate** 동 제거하다
- 반의 **retain** 동 존속시키다

0604

mimic
[mímik]

동 모방하다[흉내 내다] 명 흉내쟁이

Younger male birds **mimic** the songs that the older males sing. 기출 응용
어린 수컷 새들은 나이가 더 많은 수컷들이 부르는 노래를 모방한다.

- 파생 **mimicry** 명 흉내
- 유의 **imitate** 동 모방하다

0605

errand
[érәnd]

명 심부름, 잡일

At home he runs **errands** for his parents.
그는 집에서 부모님을 위해 심부름을 한다.

- 유의 **chore** 명 일, 잡일
- 숙어 **run errands** 심부름하다
  on an errand 심부름으로

0606

burden
[bә́ːrdәn]

명 짐, 부담 동 짐[부담]을 지우다

When it comes to medical treatment, patients see choice as both a blessing and a **burden**. 기출
의학 치료에 대해서라면 환자들은 선택을 축복이자 부담으로 본다.

수능표현 +

burden of taxation 조세 부담

- 유의 **load** 명 동 짐(을 싣다)
- 반의 **unburden** 동 (부담을) 덜어 주다, (걱정을) 털어놓다
- 숙어 **carry[reduce] the burden** 부담을 지다[줄이다]

0607

impose
[impóuz]

동 1. 부과하다 2. 강요하다

The writer wouldn't accept the censorship or rewriting **imposed** by the publisher. 기출 응용
작가는 출판사에 의해 부과되는 검열이나 재작성을 받아들이려 하지 않을 것이다.

유의 **inflict** 동 과하다
enforce 동 강요하다
숙어 **impose A on B**
B에게 A를 부과하다

0608

contemporary
[kəntémpəreri]

형 1. 동시대의 2. 현대의, 당대의 명 동년배[동시대인]

He was a **contemporary** of the Italian art historian Vasari.
그는 이탈리아 미술 사학자 Vasari와 동시대인이었다.

수능표현 +
contemporary art 현대 미술
contemporary literature 현대 문학

유의 **current** 형 현재의
modern 형 현대의
반의 **outdated** 형 구식인

0609

gene
[dʒiːn]

명 유전자

Some pairs of twins share the exact same **genes** in their DNA. 기출
쌍둥이 중 어떤 쌍들은 그들의 DNA 안에 정확히 동일한 유전자들을 공유한다.

수능표현 +
dominant gene 우성 유전자
gene manipulation 유전자 조작

파생 **genetic** 형 유전의

0610 다의어

deal
[diːl]

동 1. 다루다, 처리[대처]하다 2. 거래하다
명 1. 거래 2. 대우, 취급

The questions **dealt** with very personal issues. 기출
그 질문들은 매우 개인적인 사안들을 다루었다.

They settled the **deal**, and Paul was delighted to purchase the car at a reasonable price. 기출 응용
그들은 거래를 성사시켰고, Paul은 적정한 가격에 그 차를 사게 되어 기뻤다.

유의 **trade** 동 거래하다
transaction 명 거래
숙어 **deal with** ~을 다루다, ~을 처리하다

0611

enact
[inǽkt]

동 1. (법을) 제정하다 2. 상연하다, 연기하다

The proposal was **enacted** into law by the lawmakers.
그 제안은 입법자들에 의해 법률로 제정되었다.

파생 **enactment** 명 법률 제정
유의 **perform** 동 상연하다

0612

prominent
[prámənənt]

형 1. 유명한, 저명한 2. 두드러진, 눈에 잘 띄는

Many **prominent** figures will attend our special anniversary event.
많은 저명 인사들이 우리의 특별 기념 행사에 참석할 것이다.

수능표현 +
prominent figure 저명 인사

파생 prominently 부 현저히
유의 eminent 형 저명한
noticeable 형 두드러진
반의 unknown 형 알려지지 않은

0613

outlook
[áutlùk]

명 1. 관점, 견해 2. (미래에 대한) 전망 3. 경치, 조망

Parents should help their children have a positive **outlook** on life.
부모들은 자녀가 삶에 대해 긍정적인 관점을 가질 수 있도록 도와야 한다.

유의 viewpoint 명 관점
prospect 명 전망
숙어 outlook for[on]
~에 대한 전망[관점]

0614

console
[kənsóul]

동 위로하다, 위안을 주다

He tried to **console** her but was unable to make her feel better.
그는 그녀를 위로하려고 애썼지만 그녀의 기분을 풀어줄 수 없었다.

파생 consolation 명 위로[위안]
유의 comfort 동 위로[위안]하다
반의 distress 동 괴롭히다

0615

sustain
[səstéin]

동 1. 유지[지속]하다 2. 떠받치다, 지탱하다

We cannot **sustain** a world-leading position without constant innovation.
우리는 지속적인 혁신 없이는 세계 최고의 자리를 유지할 수 없다.

수능표현 +
sustainable development 지속 가능한 개발

파생 sustainable
형 지속 가능한
유의 maintain 동 유지하다
continue 동 계속하다
support 동 지탱하다

0616

kin
[kin]

명 친척, 친족

Animals would risk their lives for **kin** with whom they shared common genes. 기출
동물들은 공통 유전자를 공유한 친족을 위해 목숨을 걸 것이다.

유의 relative 명 친척

0617

fabulous
[fǽbjələs]

형 기막히게 좋은, 굉장한

Talking and laughing over coffee, they enjoyed the **fabulous** spring day. 기출
커피를 마시면서 웃고 떠들며 그들은 아주 멋진 봄날을 즐겼다.

유의 fantastic 형 기막히게 좋은, 환상적인
terrific 형 아주 멋진

0618

rot
[rɑt]

동 썩다, 부패하다

Nature is where fallen logs **rot** and acorns grow. 기출
자연은 쓰러진 통나무가 썩고 도토리가 자라는 곳이다.

파생 **rotten** 형 썩은, 부패한
유의 **decay** 동 썩다
decompose 동 부패하다

0619 다의어

charge
[tʃɑːrdʒ]

동 1. 청구하다, 부담시키다 2. 비난하다, 고소하다 3. 충전하다
명 1. 요금 2. 비난, 고소 3. 책임 4. 충전

They were **charged** three times more than the usual fare due to the heavy traffic. 기출
그들은 심한 교통 체증 때문에 평상시 요금보다 세 배 많은 금액을 청구 받았다.

An old woman was brought before the judge, **charged** with stealing a loaf of bread. 기출
빵 한 덩어리를 훔친 것으로 기소된 한 노파가 판사 앞에 불려 왔다.

Once the device is fully **charged**, you can print up to 30 photos in a row. 기출
일단 그 기기가 완전히 충전되면 사진을 연속해서 30장까지 인쇄할 수 있다.

수능표현+
free of charge 무료로

유의 **accuse** 동 고발하다
fee 명 요금
숙어 **charge A for B** B에 대해 A를 청구하다
charge A with B B라는 죄목으로 A를 기소하다
in charge of ~의 책임을 맡은

0620

paralyze
[pǽrəlàiz]

동 1. 마비시키다 2. 무력하게 만들다

Her legs were **paralyzed** in a car accident.
그녀는 교통사고로 다리가 마비되었다.

파생 **paralysis** 명 마비

0621

enormous
[inɔ́ːrməs]

형 거대한, 엄청난

The super-rich will have something really worthwhile to do with their **enormous** wealth. 기출
슈퍼 리치들은 자신의 엄청난 부를 가지고 정말로 할 가치가 있는 일을 갖게 될 것이다.

파생 **enormously** 부 엄청나게
유의 **huge** 형 거대한
immense 형 엄청난
반의 **tiny** 형 작은

0622

sculpture
[skʌ́lptʃər]

명 조각(품), 조소

The art gallery was full of paintings and **sculptures**.
미술관은 그림과 조각상으로 가득했다.

유의 **statue** 명 조각상
figure 명 (회화·조각 등의) 인물상

0623

urge
[əːrdʒ]

동 촉구하다 명 욕구, 충동

We **urge** the government to create more jobs.
우리는 정부가 더 많은 일자리를 창출할 것을 촉구한다.

파생 **urgent** 형 긴급한
유의 **prompt** 동 촉구하다
impulse 명 충동
숙어 **urge A to-v**
A에게 ~할 것을 촉구하다

0624

tolerate
[tɑ́lərèit]

동 참다, 견디다, 용인하다

My mother **tolerated** all of the mess that we made.
어머니는 우리가 만든 모든 난장판을 참으셨다. 기출 응용

파생 **tolerance** 명 관용, 용인
tolerant 형 잘 참는, 관대한
유의 **bear** 동 참다
endure 동 참다, 견디다

0625

crew
[kruː]

명 1. 승무원, 선원 2. 팀, 반, 조

The **crew** lived on the ship trapped in the ice for nine months. 기출
선원들은 9개월간 얼음에 갇힌 배에서 지냈다.

수능표현 +

cabin[flight] crew (항공기의) 승무원
cockpit crew (조종석에서 항공기를 조종하는) 운항 승무원

유의 **team** 명 팀[단체]

0626

transparent
[trænspέ(ː)ərənt]

형 1. 투명한 2. 명료한, 알기 쉬운

The **transparent** window allows you to see what is inside.
투명 창을 통해 안에 무엇이 있는지 볼 수 있다.

파생 **transparency**
명 투명도, 명백함
유의 **clear** 형 명료한
apparent 형 분명한
반의 **opaque** 형 불투명한

0627

possess
[pəzés]

동 1. 소유하다 2. (자질 등을) 지니다 3. 사로잡다

Expert chess players **possess** a capacity to recall the position of chess pieces. 기출
숙련된 체스 선수들은 체스 말들의 위치를 기억해 낼 수 있는 능력을 지니고 있다.

파생 **possession** 명 소유
possessive 형 소유욕이 강한
유의 **own** 동 소유하다

0628

revenge
[rivéndʒ]

명 복수, 보복 동 복수하다

The movie is about a man who gets **revenge** against his enemies.
그 영화는 적들에 복수를 하는 한 남자에 관한 것이다.

유의 **vengeance** 명 복수
avenge 동 복수하다

0629

subordinate
[səbɔ́ːrdənət]

형 1. 종속된 2. 부차적인 명 부하, 하급자

In many cases, minority opinions are **subordinate** to those of the majority.
많은 경우에 있어, 소수의 의견은 다수의 의견에 종속된다.

수능표현 +

subordinate problem 지엽적인 문제
subordinate position 예속적 지위

유의 **secondary** 형 부차적인
반의 **primary** 형 주된, 주요한
숙어 **subordinate to** ~에 종속하는[부차적인]

0630

hatch
[hætʃ]

동 부화하다[시키다] 명 (배·항공기의) 출입구

Within four days, the egg will **hatch** and a caterpillar will emerge.
4일 안에, 알은 부화할 것이고 애벌레가 나올 것이다.

유의 **incubate** 동 부화하다

0631

compare
[kəmpέər]

동 1. 비교하다 2. 비유하다

What numbers allow us to do is to **compare** the relative size of one set with another. 기출
숫자가 우리로 하여금 할 수 있게 하는 것은 한 세트의 상대적인 크기를 다른 세트와 비교하는 것이다.

파생 **comparison** 명 비교, 비유
comparative 형 상대적인
유의 **contrast** 동 대조하다
숙어 **compare A with B** A를 B와 비교하다
compare A to B A를 B에 비유하다

0632

violent
[váiələnt]

형 1. 폭력적인, 난폭한 2. 격렬한, 맹렬한

Bullying is any behavior that hurts or is **violent** toward another person. 기출
괴롭힘은 타인에게 상처를 주거나 폭력을 행사하는 행동이다.

파생 **violence** 명 폭력
유의 **brutal** 형 난폭한
fierce 형 사나운, 맹렬한

0633

astronomy
[əstrɑ́nəmi]

명 천문학

The field of **astronomy** drives innovation in science and technology.
천문학 분야는 과학과 기술의 혁신을 추진한다.

파생 **astronomer** 명 천문학자
astronomical 형 천문학의

0634

viewpoint
[vjúːpɔ̀int]

명 견해, 관점

People pay attention to information that supports their **viewpoints**. 기출
사람들은 자신의 견해를 뒷받침하는 정보에 주목한다.

유의 **outlook** 명 관점
perspective 명 관점

수능 혼동 어휘

0635

lay
[lei]

동 1. 놓다[두다] 2. (알을) 낳다

Please **lay** your sweater flat when you dry it.
스웨터를 말릴 때는 평평하게 펴서 놓아 주세요.

0636

lie
[lai]

동 1. 눕다, 누워 있다 2. 놓여 있다
3. (어떤 상태로) 있다 4. 거짓말하다
명 거짓말

I feel so tired that I want to **lie** in my bed.
나는 너무 피곤해서 침대에 눕고 싶다.

수능표현 +

white lie 선의의 거짓말

0637

stimulate
[stímjəlèit]

동 1. 자극하다 2. 흥미[관심]를 불러일으키다

Aggression can be **stimulated**, controlled, or suppressed by parental response. 기출
공격성은 부모의 반응에 의해 자극, 통제 또는 억제될 수 있다.

0638

simulate
[símjəlèit]

동 1. 모의실험하다 2. ~한 체하다, 가장하다

This computer software is used to **simulate** conditions on the seabed.
이 컴퓨터 소프트웨어는 해저의 환경을 모의실험하는 데 사용된다.

수능 UP

Q1.
둘 중 알맞은 단어를 고르시오.
[Laying / Lying] her head on the pillow, she tried to get back to sleep.

Q2.
둘 중 알맞은 단어를 고르시오.
In this space, conditions on Mars, such as a lack of resources, will be **[stimulated / simulated]**.

수능 필수 숙어

0639

run into

우연히 만나다

While shopping, Jason was glad to **run into** his old friend Jennifer. 기출
쇼핑을 하던 중에, Jason은 그의 옛 친구인 Jennifer를 우연히 만나서 기뻤다.

0640

talk into

설득해서 ~하게 하다

I wasn't going to change my plan, but my colleagues **talked** me **into** it.
나는 계획을 바꾸려 하지 않았지만 동료들이 설득해서 하게 되었다.

수능 UP

Q3.
빈칸에 알맞은 어구를 고르시오.

They ________ each other at a restaurant downtown.

① ran into
② talked into

Daily Test 16

정답 p.450

A 우리말은 영어로, 영어는 우리말로 쓰시오.

01 짐, 부담 ______________
02 동시대의, 현대의 ______________
03 다루다; 거래, 취급 ______________
04 거대한, 엄청난 ______________
05 촉구하다; 욕구, 충동 ______________
06 투명한, 명료한 ______________
07 종속된, 부차적인 ______________
08 impose ______________
09 gene ______________
10 sculpture ______________
11 fabulous ______________
12 tolerate ______________
13 hatch ______________
14 astronomy ______________

B 우리말과 일치하도록 빈칸에 알맞은 단어 또는 어구를 쓰시오.

서술형

01 Her proposal to a __________ urban development plans was predictable.
도시 개발 계획을 폐지하자는 그녀의 제안은 예측된 것이었다.

02 The secret to the company's ability to s __________ long-term business growth is his leadership.
그 회사가 장기간 사업 성장을 유지한 비결은 그의 리더십 덕분이다.

03 The salesman t __________ me __________ buying unnecessary items.
그 판매원은 불필요한 물건을 사게 하려고 나를 설득했다.

C 각 단어의 유의어 또는 반의어를 쓰시오.

01 동 mimic 유의 i ______________
02 형 prominent 반의 u ______________
03 동 possess 유의 o ______________
04 동 console 반의 d ______________
05 명 errand 유의 c ______________
06 동 revenge 유의 a ______________
07 형 distinct 반의 i ______________
08 동 compare 유의 c ______________

VOCA CLEAR

DAY 17

시험에 더 강해지는 어휘

0641

categorize
[kǽtəgəràiz]

동 분류하다, 범주에 넣다

This color can be **categorized** as yellow. 기출 응용
이 색은 노린색으로 분류될 수 있다.

파생 categorization 명 분류
category 명 범주
유의 classify 동 분류하다
sort out 분류하다

0642

reproduce
[rìːprədjúːs]

동 1. 재생[재현]하다 2. 복제하다 3. 번식하다

Photographs can **reproduce** nature much more accurately than paintings can.
사진은 그림이 할 수 있는 것보다 훨씬 더 정확하게 자연을 재현할 수 있다.

파생 reproduction 명 재생, 복제, 번식
유의 copy 동 복제하다
replicate 동 복제하다
breed 동 번식하다

0643

blunt
[blʌnt]

형 1. 무딘, 뭉툭한 2. 직설적인

The site provides a variety of sharpeners for **blunt** knives.
그 사이트는 뭉툭한 칼을 위한 다양한 칼갈이를 제공한다.

파생 bluntly 부 직설적으로
유의 dull 형 무딘
반의 sharp 형 날카로운

0644

fiber
[fáibər]

명 섬유(질)

Our clothes are all made from natural **fibers** such as cashmere or wool.
우리 옷은 캐시미어나 울처럼 천연 섬유로 모두 만들어진다.

수능표현 +
muscle fiber 근섬유

유의 textile 명 섬유, 직물

0645

obsess
[ɑbsés]

동 사로잡다, 집착하게 하다

The cowboy was **obsessed** with the idea of revenge.
그 카우보이는 복수심에 사로잡혔다.

파생 obsession 명 집착
유의 consume 동 사로잡다
숙어 be obsessed with ~에 사로잡히다

0646

merchandise
[mə́ːrtʃəndàiz]

명 상품, 물품 동 판매하다

A wide range of **merchandise** will be on sale starting next week.
다음 주부터 매주 다양한 상품이 판매될 것이다.

파생 merchandiser 명 판매자
merchant 명 상인
유의 goods 명 상품

0647

commodity
[kəmɑ́dəti]

명 상품, 물품

Today, information is a **commodity** with its own value.
오늘날, 정보는 자신만의 가치를 가진 상품이다.

유의 goods 명 상품
product 명 상품

0648 다의어

engage
[ingéidʒ]

동 1. 관여[참여]하다 2. 고용하다
3. (주의·관심을) 끌다 4. 약속하다, 약혼하다

All human beings should be allowed to **engage** in political activity. 기출
모든 인간은 정치 활동에 참여할 수 있도록 허용되어야 한다.

She is currently **engaged** as a teaching assistant.
그녀는 현재 조교로 고용되어 있다.

The colorful patterns of his creations **engage** the eye of the viewer.
그의 작품의 다채로운 패턴은 보는 이의 시선을 끈다.

파생 engagement 명 약혼, 약속
engaging 형 마음을 끄는, 매력적인
유의 involve 동 관련시키다
participate 동 참여하다
employ 동 고용하다
숙어 engage in ~에 참여하다

0649

subsequent
[sʌ́bsəkwənt]

형 1. 다음의, 그 후의 2. 잇따라 일어나는

Our first impressions of a person affect our **subsequent** impressions. 기출 응용
한 사람에 대한 우리의 첫인상은 이후의 인상에 영향을 미친다.

유의 following 형 그다음의
반의 previous 형 이전의
숙어 subsequent to ~ 뒤에

0650

ponder
[pɑ́ndər]

동 숙고하다, 곰곰이 생각하다

Many students don't have time to **ponder** life's important questions, which affects their development.
많은 학생들은 인생에서 중요한 질문들을 깊이 생각할 시간을 갖지 않는데, 이는 그들의 성장에 영향을 미친다.

유의 consider 동 숙고하다
contemplate 동 숙고하다
숙어 ponder on ~에 대해 숙고하다

0651

grasp
[græsp]

동 1. 꽉 잡다 2. 이해하다, 파악하다
명 1. 꽉 잡기 2. 이해, 파악

As I **grasped** the hands of my friends, I felt I was being welcomed into a special club. 기출 응용
나는 친구들의 손을 잡으면서 특별한 동아리에서 환영을 받고 있는 듯한 느낌을 받았다.

유의 grip 동 꽉 잡다
understand 동 이해하다
반의 release 동 놓아주다

0652

atom

[ǽtəm]

명 원자

When **atoms** combine or break apart, energy is released.
원자들이 결합하거나 분리될 때 에너지가 방출된다.

수능표현 +

atomic bomb 원자 폭탄

파생 atomic 형 원자(력)의, 핵무기의

0653

glare

[glɛər]

동 1. 노려보다 2. 눈부시게 빛나다
명 1. 노려봄 2. 눈부신 빛

She was so angry that she **glared** at me silently.
그녀는 너무 화가 나서 말없이 나를 노려보았다.

파생 glaring 형 두드러진, 눈부신, 노려보는
유의 scowl 동 노려보다
shine 동 빛나다
숙어 glare at ~을 노려보다

0654

intersection

[ìntərsékʃən]

명 교차로, 교차 지점

Some towns have put "look up" signs in dangerous **intersections**. 기출
몇몇 도시는 위험한 교차로에 '고개를 드시오'라고 적힌 표지판을 세웠다.

파생 intersect 동 교차하다
유의 junction 명 교차로

0655

dissolve

[dizɑ́lv]

동 1. 용해되다[시키다] 2. 끝내다 3. 해산시키다

As the water evaporated, the traces of **dissolved** salts were concentrated. 기출
물이 증발하면서 용해된 미량의 소금이 농축되었다.

파생 dissolution 명 파경, 해산
dissolvent 명 용매 형 용해력이 있는
유의 melt 동 녹다
disperse 동 해산하다
숙어 dissolve in ~에 녹다

0656

toxic

[tɑ́ksik]

형 유독한, 독성의

The failure to detect **toxic** food can lead to serious health problems. 기출
독성 식품을 감지하지 못하면 심각한 건강 문제로 이어질 수 있다.

수능표현 +

toxic chemicals 유독성 화학 물질
toxic waste 유독성 폐기물

파생 intoxicate 동 중독시키다, 취하게 하다
유의 poisonous 형 독성의
반의 nontoxic 형 무독성의

0657

solution
[səljú:ʃən]

명 1. 해결책, 해답 2. 용해 3. 용액

Learning from your mistakes will help you find **solutions.** 기출 응용
실수로부터 배우는 것이 네가 해결책을 찾도록 도와줄 것이다.

파생 **solve** 동 해결하다
유의 **resolution** 명 해결
숙어 **solution to**
~에 대한 해답

0658

legitimate
[lidʒítəmət]

형 1. 합법적인, 정당한 2. 법률(상)의

Challenges to new ideas are the **legitimate** business of science. 기출
새로운 생각에 대한 도전은 과학의 정당한 본분이다.

파생 **legitimacy** 명 합법성
유의 **legal** 형 합법적인
justifiable 형 정당한

0659

pedestrian
[pədéstriən]

명 보행자 형 보행자의

The streets will be open only to **pedestrians** during the construction.
공사 중에 거리는 보행자에게만 개방될 것이다.

수능표현 +

pedestrian overpass 육교
pedestrian crossing 횡단보도

유의 **walker** 명 보행자

0660

confuse
[kənfjú:z]

동 혼동하다, 혼란스럽게 하다

We often **confuse** means with ends, and sacrifice happiness (end) for money (means). 기출 응용
우리는 흔히 수단을 목적과 혼동하여 돈(수단)을 위해 행복(목적)을 희생한다.

파생 **confusion** 명 혼동, 혼란
유의 **mix up** 혼동하다
숙어 **confuse A with B**
A와 B를 혼동하다

0661

discourage
[diskə́:ridʒ]

동 1. 의욕을 꺾다 2. (못 하게) 막다, 단념시키다

Sending him to another department **discouraged** his efforts to work hard.
그를 다른 부서로 보낸 것이 열심히 일하고자 한 그의 노력을 꺾었다.

파생 **discouragement**
명 낙심, 방해 요소
반의 **encourage** 동 격려하다
숙어 **discourage A from v-ing**
A로 하여금 ~하지 못하게 하다

0662

parental
[pəréntəl]

형 부모의, 어버이의

Wanting to protect our children is a normal **parental** instinct. 기출 응용
우리의 아이들을 보호하고 싶어 하는 것은 정상적인 부모의 본능이다.

파생 **parent** 명 어버이
유의 **maternal** 형 어머니의
paternal 형 아버지의

0663

upcoming
[ʌ́pkʌ̀miŋ]

형 다가오는, 곧 있을

Sharon received a ticket to an **upcoming** tango concert from her friend. 기출
Sharon은 그녀의 친구로부터 곧 있을 탱고 콘서트의 표를 받았다.

유의 **forthcoming** 형 다가오는
반의 **past** 형 지난

0664

immune
[imjúːn]

형 1. 면역(성)의 2. 영향을 받지 않는 3. 면제된

This test will determine whether you are **immune** to this disease or not.
이 검사는 여러분이 이 질병에 면역이 있는지 여부를 알아낼 것이다.

수능표현 +

immune response 면역 반응
immune system 면역 체계

파생 **immunity** 명 면역력, 면제
immunize 동 면역력을 갖게 하다
숙어 **immune to** ~에 면역이 생긴

0665

scrap
[skræp]

명 1. 조각 2. 조금 3. 찌꺼기, 폐품 동 폐기하다

Throw away any **scraps** of paper that cannot be reused.
재사용될 수 없는 종잇조각은 모두 버려라.

유의 **piece** 명 조각, 부분
bit 명 조금
숙어 **not a scrap of** 조금도 ~이 아닌

0666 다의어

arrange
[əréindʒ]

동 1. 정리하다, 배열하다 2. 준비[주선]하다 3. 편곡하다

The files in the cabinet are **arranged** alphabetically.
캐비넷 안에 있는 파일은 알파벳 순으로 배열되어 있다.

It will take a few more days to **arrange** everything.
모든 것을 준비하는 데 며칠이 더 걸릴 것이다.

The composer **arranged** a piece of vocal music for the piano.
작곡가는 성악곡을 피아노곡으로 편곡하였다.

파생 **arrangement** 명 준비, 배열
유의 **organize** 동 준비[조직]하다
반의 **disarrange** 동 어지럽히다

0667

democracy
[dimɑ́krəsi]

명 1. 민주주의 2. 민주 국가

The first known **democracy** in the world was in Athens.
세계 최초로 알려진 민주주의는 아테네에 있었다.

파생 **democratic** 형 민주적인
반의 **tyranny** 명 압제, 독재
dictatorship 명 독재 정부, 독재 국가

0668

exert
[igzə́ːrt]

동 1. (압력·영향력을) 가하다, 행사하다
2. (힘 등을) 쓰다, 발휘하다

Society **exerts** a powerful influence on what science accomplishes. 기출 응용
사회는 과학이 성취하는 것에 강력한 영향력을 행사한다.

파생 **exertion** 명 노력, 행사
유의 **exercise** 동 행사[발휘]하다
숙어 **exert oneself** 노력하다

0669

habitat
[hǽbitæ̀t]

명 서식지, 거주지

The saola's **habitat** is the dense mountain forests in the Annamite Mountains. 기출 응용
사올라의 서식지는 Annamite 산맥에 있는 울창한 산악림이다.

수능표현 +
habitat destruction 서식지 파괴
natural habitat 천연 서식지

파생 **habitation** 명 거주, 주거
inhabit 동 서식하다

0670

enthusiasm
[inθúːziæ̀zəm]

명 1. 열정, 열의 2. 열광

Praise for efforts boosts **enthusiasm** for the task.
노력에 대한 칭찬은 그 일에 대한 열정을 북돋아 준다.

파생 **enthusiastic** 형 열렬한, 열광적인
유의 **passion** 명 열정
eagerness 명 열의
반의 **indifference** 명 무관심

0671

strive
[straiv]

동 1. 노력하다, 애쓰다 2. 싸우다, 분투하다

We are continually **striving** to improve the services we offer to our guests. 기출
우리는 고객에게 제공하는 서비스를 개선하기 위해 지속적으로 노력하고 있다.

파생 **strife** 명 갈등, 다툼
유의 **endeavor** 동 노력하다
struggle 동 투쟁하다

0672

dense
[dens]

형 1. 빽빽한, 밀집한 2. (안개 등이) 짙은

The explorer struggled through the **dense** mountain forest.
그 탐험가는 빽빽한 산림을 헤치고 나아갔다.

수능표현 +
dense forest 울창한 숲, 밀림
dense population 인구 밀집

파생 **density** 명 밀도
유의 **compact** 형 빽빽한
thick 형 짙은
반의 **sparse** 형 드문, 희박한

0673

variety
[vəráiəti]

명 다양(성)

School physical education programs should offer a **variety** of activities. 기출
학교 체육 프로그램은 다양한 활동을 제공해야 한다.

파생 **vary** 동 서로 다르다
various 형 다양한
유의 **diversity** 명 다양성
숙어 **a variety of** 여러 가지의

0674

scroll
[skroul]

명 두루마리
동 ((컴퓨터)) 스크롤하다(화면의 내용을 상하[좌우]로 움직이다)

Greek texts were written on **scrolls**.
그리스 문자가 두루마리 위에 적혀 있었다.

숙어 **scroll down** 스크롤해 내리다

수능 혼동 어휘

0675

precious
[préʃəs]

형 1. 귀중한, 값비싼 2. 소중한

Precious metals have been desirable as money across the millennia. 기출
귀금속은 수 천 년에 걸쳐 돈으로써 바람직했다.

0676

previous
[príːviəs]

형 앞의, 이전의

It has become habitual to begin reports with reviews of **previous** work. 기출
이전 작업에 대한 재검토로 보고서를 시작하는 것이 습관이 되었다.

0677

insult
[ínsʌlt]

명 모욕 동 [insʌ́lt] 모욕하다

Getting angry is not the best way to deal with **insults**.
화를 내는 것은 모욕에 대처하는 가장 좋은 방법이 아니다.

0678

insert
[insə́ːrt]

동 삽입하다, 끼워 넣다

Insert two AA batteries into the battery box and press the power button. 기출
배터리 칸에 AA 건전지 두 개를 삽입하고 전원 버튼을 누르시오.

수능 필수 숙어

0679

live up to

(기대에) 부응하다, ~에 맞추어 살다

Parents should not force their children to **live up to** their expectations.
부모들은 자녀들이 그들의 기대에 부응하도록 강요해서는 안 된다.

0680

look up to

~를 존경하다

Everyone needs a role model to **look up to.**
모든 사람은 존경할 역할 모델이 필요하다.

수능 UP

Q1.
둘 중 알맞은 단어를 고르시오.
The robber stole **[precious / previous]** jewels from a famed jeweler near the Champs-Elysees yesterday.

Q2.
둘 중 알맞은 단어를 고르시오.
Customers paying in cash may **[insult / insert]** their notes and coins into the machine.

수능 UP

Q3.
빈칸에 알맞은 어구를 고르시오.

She was tired of trying to __________ the standards set by society.

① live up to
② look up to

Daily Test 17

정답 p.450

A 우리말은 영어로, 영어는 우리말로 쓰시오.

01 분류하다, 범주에 넣다 ____________
02 면역(성)의 ____________
03 관여하다, 약속하다 ____________
04 보행자(의) ____________
05 용해되다, 끝내다 ____________
06 노려보다 ____________
07 서식지, 거주지 ____________
08 fiber ____________
09 ponder ____________
10 intersection ____________
11 confuse ____________
12 democracy ____________
13 insult ____________
14 commodity ____________

B 우리말과 일치하도록 빈칸에 알맞은 단어 또는 어구를 쓰시오.

서술형

01 Scientists, especially young ones, can get too o____________ with results. 기출
과학자들, 특히 젊은 과학자들은 결과에 너무 집착할 수 있다.

02 He has a l____________ claim to part of the profits.
그는 이익의 일부에 대해 정당한 권리를 가지고 있다.

03 Professor Jones has been teaching me for four years, and I l____________ ____________ ____________ him.
Jones 교수는 나를 4년 동안 가르쳐 왔고 나는 그를 존경한다.

C 각 단어의 유의어 또는 반의어를 쓰시오.

01 형 toxic 유의 p____________
02 형 blunt 반의 s____________
03 동 exert 유의 e____________
04 형 upcoming 반의 p____________
05 동 discourage 반의 e____________
06 형 dense 유의 c____________
07 동 arrange 유의 o____________
08 명 enthusiasm 반의 i____________

VOCA CLEAR

DAY 18

시험에 더 강해지는 어휘

0681

condemn
[kəndém]

동 1. 비난하다 2. 형을 선고하다

He was **condemned** for his rude behavior.
그는 무례한 행동으로 비난을 받았다.

- 파생 **condemnation** 명 비난
- 유의 **denounce** 동 비난하다
  sentence 동 선고하다
- 숙어 **condemn A for B**
  A를 B 때문에 비난하다

0682

authentic
[ɔːθéntik]

형 1. 진짜[진품]의 2. 믿을 만한, 확실한

It was confirmed that van Gogh's self-portrait in Oslo is **authentic**.
오슬로에 있는 반 고흐의 자화상은 진품으로 확인되었다.

- 파생 **authenticity** 명 진정성
- 유의 **genuine** 형 진짜의
- 반의 **fake** 형 가짜의

0683

impact
[ímpækt]

명 영향, 충격 동 [impǽkt] 영향[충격]을 주다

Friendship has a positive **impact** on children's emotional growth.
우정은 아이들의 정서 발달에 긍정적인 영향을 미친다.

- 유의 **affect** 동 영향을 주다
  influence 명 동 영향(을 주다)
- 숙어 **have an impact on**
  ~에 영향을 주다

0684

magnify
[mǽgnəfài]

동 1. 확대하다 2. 과장하다

Galileo's first telescope **magnified** objects only three times.
갈릴레오의 첫 망원경은 물체를 단지 3배 확대했다.

- 파생 **magnification** 명 확대
  magnitude 명 규모
- 유의 **enlarge** 동 확대하다
- 반의 **reduce** 동 축소하다

0685

paradox
[pǽrədɑ̀ks]

명 역설, 모순, 패러독스

Paradoxes are statements that seem contradictory but are actually true. 기출
역설은 모순되게 보이지만 실제로는 사실인 진술이다.

- 파생 **paradoxical** 형 역설적인
- 유의 **contradiction** 명 모순
  inconsistency 명 모순

0686

widespread
[wáidspréd]

형 널리 퍼진, 광범위한

There was a **widespread** terror of the new technology. 기출
신기술에 대한 공포가 널리 퍼져 있었다.

- 유의 **prevalent** 형 널리 퍼진
  extensive 형 광범위한
  pervasive 형 만연한

0687

amend
[əménd]

동 (법 등을) 개정[수정]하다

Companies had to **amend** their policies to reflect local laws.
기업은 현지 법을 반영하기 위해 자신들의 방침을 개정해야 했다.

파생 **amendment** 명 개정
유의 **revise** 동 수정하다
반의 **maintain** 동 유지하다
숙어 **amend a bill** 법안을 수정하다

0688

ecology
[ikálədʒi]

명 생태(계), 생태학

Tourism can hurt the **ecology** of the island.
관광은 섬의 생태계를 해칠 수 있다.

수능표현 +

ecological footprint 생태 발자국
ecological pyramid 생태 피라미드

파생 **ecological** 형 생태계의, 생태학의

0689

perceive
[pərsíːv]

동 1. 인지[인식]하다 2. (~로) 여기다

Air pollution is sometimes **perceived** as a local problem.
대기 오염은 때로는 지역 문제라고 여겨진다.

파생 **perception** 명 지각, 인식
perceptive 형 지각의, 통찰력 있는
유의 **recognize** 동 인지하다

0690

factual
[fǽktʃuəl]

형 사실의, 사실에 근거한

Tell me the **factual** details of what actually happened in the past. 기출 응용
과거에 실제로 무슨 일이 있었는지 사실대로 자세히 말해 주십시오.

수능표현 +

factual information 사실을 담은 정보
factual report 사실에 근거한 보도

파생 **fact** 명 사실
유의 **authentic** 형 진짜의
반의 **fictional** 형 허구의

0691

patron
[péitrən]

명 1. 후원자 2. 단골손님, 고객

The Medici family was the **patron** of many great Renaissance artists.
메디치가는 많은 위대한 르네상스 예술가들의 후원자였다.

파생 **patronize** 동 후원하다, 단골로 하다
patronage 명 후원
유의 **supporter** 명 후원자
sponsor 명 후원자

0692

deficit
[défisit]

명 1. 적자 2. 부족(액), 결손

The budget **deficit** soared during the recent financial crisis. 기출 응용
최근 금융 위기 동안 재정 적자가 급증했다.

파생 **deficiency** 명 결핍
유의 **shortage** 명 부족, 결핍
반의 **surplus** 명 흑자, 과잉

0693

civil
[sívəl]

형 시민[민간]의

The king's death led to **civil** unrest as everyone fought to take the throne.
그 왕의 죽음은 모든 사람들이 왕위에 오르기 위해 싸우면서 시민들의 불안을 초래했다.

수능표현 +

civil war 내전
civil defense 민방위
civil rights 시민의 평등권

파생 civilize 동 문명화하다
유의 civic 형 시민의, 시의

0694

nutrition
[njuːtríʃən]

명 영양, 영양 섭취

No single food provides all the **nutrition** necessary for survival. 기출 응용
생존에 필요한 모든 영양분을 제공하는 단일 식품은 없다.

수능표현 +

nutritional value 영양가

파생 nutritional 형 영양상의
nutritious 형 영양가가 높은
유의 nourishment 명 영양(분)
반의 malnutrition 명 영양실조

0695

intervene
[ìntərvíːn]

동 1. 개입하다 2. 끼어들다, 가로막다

Most governments **intervene** in international trade to protect local businesses.
대부분의 정부는 국내 기업들을 보호하기 위해 국제 무역에 개입한다.

파생 intervention 명 개입, 간섭
유의 interfere 동 간섭하다
숙어 intervene in ~에 개입하다

0696

resolve
[rizɑ́ːlv]

동 1. 해결하다 2. 결심[결의]하다 명 결심, 결의

The main character in the TV series failed to **resolve** the series' many puzzles. 기출 응용
TV 시리즈물의 주인공은 그 시리즈의 많은 의문들을 해소하지 못했다.

파생 resolution 명 결의(안)
유의 determine 동 결심하다

0697 다의어

identify
[aidéntəfài]

동 1. 확인하다 2. 식별하다 3. 동일시하다

The job search starts with **identifying** individual job skills. 기출
구직은 개별 직무 기술을 확인하는 것으로 시작한다.

Teens find it easy to **identify** with the characters in the book.
십 대들은 책 속의 등장인물들과 동일시하기 쉽다는 것을 알게 된다.

파생 identification
명 신원 확인, 식별, 동일시
identity 명 정체(성)
유의 recognize 동 인지하다
숙어 identify A with B
A를 B와 동일시하다

0698

discharge
[distʃáːrdʒ]

동 1. 방출[배출]하다 2. 퇴원[제대/석방]시키다
명 [dístʃɑːrdʒ] 1. 방출[배출] 2. 퇴원, 제대

The three dams will **discharge** their excess flow into the river.
세 개의 댐은 초과 유량을 강으로 방류할 예정이다.

파생 **discharged** 형 해제된
유의 **release** 동 방출하다, 석방하다
숙어 **discharge from** ~에서 내보내다

0699

gravity
[grǽvəti]

명 1. 중력 2. 중대성[심각성]

The pull of **gravity** depends on the distance to the object doing the pulling. 기출 응용
중력의 당기는 힘은 잡아당기는 물체까지의 거리에 따라 달라진다.

수능표현 +
the law of gravity 중력의 법칙
center of gravity 무게 중심

파생 **gravitation** 명 중력 작용

0700

partial
[páːrʃəl]

형 1. 부분적인 2. 편파적인, 불공평한

We only have a **partial** knowledge of the laws of physics.
우리는 물리학 법칙에 대해 부분적인 지식만을 가지고 있다.

파생 **part** 명 일부, 부분
partially 부 부분적으로
유의 **biased** 형 편파적인
반의 **impartial** 형 공정한

0701

boundary
[báundəri]

명 1. 경계(선) 2. 한계, 한도

Growth is just outside the **boundaries** of where you are right now. 기출
성장은 현재 여러분이 있는 곳의 한계 바로 바깥에 있다.

유의 **limit** 명 한계
숙어 **fix the boundary** 경계를 정하다

0702

guarantee
[gæ̀rəntíː]

동 보장[보증]하다 명 보장[보증], 보증서

We **guarantee** the quality of service that our customers expect.
우리는 고객이 기대하는 서비스 품질을 보장한다.

파생 **guaranteed** 형 보장된
유의 **assure** 동 보장[보증]하다
warranty 명 품질 보증서
숙어 **be guaranteed to-v** 결국 ~하게 될 것이다.

0703

subtle
[sʌ́tl]

형 미묘한, 감지하기 힘든

This program can capture more **subtle** facial expressions.
이 프로그램은 더 미묘한 얼굴 표정을 포착할 수 있다.

유의 **delicate** 형 미묘한, 섬세한
반의 **obvious** 형 명백한, 분명한

0704

shed
[ʃed]

동 1. 흘리다 2. (잎·껍질 등이) 떨어지다 3. 발산하다
명 창고, 헛간

He **shed** tears as he washed his mother's wrinkled hands.
그는 어머니의 주름진 손을 닦아 주며 눈물을 흘렸다.

유의 **barn** 명 헛간, 외양간
숙어 **shed light on** ~을 밝히다

0705

tissue
[tíʃuː]

명 1. 조직 2. 화장지 3. 얇은 종이

The building materials of the body include cells, **tissues**, and organs.
신체의 구성 물질은 세포, 조직, 장기를 포함한다.

0706

vibrate
[váibreit]

동 떨다, 진동하다, 흔들리다

Her phone **vibrated**; it was a message with an audio file from her dad. 기출 응용
그녀의 전화기가 진동했다. 그것은 아버지가 보낸 오디오 파일이 담긴 메시지였다.

파생 **vibration** 명 떨림, 진동
유의 **shake** 동 흔들리다

0707

outdated
[àutdéitd]

형 구식의, 시대에 뒤진

The current park has **outdated** barbecue facilities.
현재의 공원에는 구식 바비큐 시설이 있다. 기출

유의 **out of date** 구식이 된
old-fashioned 형 구식의
반의 **modern** 형 현대의
up to date 최신의

0708

cause
[kɔːz]

동 초래하다, 야기하다 명 1. 원인, 이유 2. 명분

Hypothesis is a tool which can **cause** trouble if not used properly. 기출
가설은 적절하게 사용되지 않으면 문제를 일으킬 수 있는 도구이다.

수능표현 +

cause and effect 원인과 결과

파생 **causative** 형 원인이 되는
유의 **bring about** 초래하다
숙어 **cause A to-v** A가 ~하게 하다

0709

deprive
[dipráiv]

동 빼앗다, 박탈하다

Daily plans **deprive** a person of the chance to make choices along the way. 기출 응용
일일 계획은 한 사람이 도중에 선택을 할 기회를 빼앗아 버린다.

파생 **deprivation** 명 박탈
유의 **rob** 동 강탈하다
숙어 **deprive A of B** A에게서 B를 빼앗다

0710

commerce
[kάmə(:)rs]

명 상업, 무역

The rise of **commerce** led to technological innovations.
상업의 증가는 기술 혁신으로 이어졌다.

수능표현 +
electronic commerce 전자[온라인] 상거래

파생 **commercial** 명 광고 (방송) 형 상업의, 상업적인
유의 **trade** 명 무역

0711

avoid
[əvɔ́id]

동 1. 피하다 2. 막다

Regular dental exams are the best way to **avoid** gum disease. 기출
정기적인 치과 검사는 잇몸 질환을 피하는 가장 좋은 방법이다.

파생 **avoidance** 명 회피
avoidable 형 피할 수 있는
유의 **evade** 동 피하다
prevent 동 막다

0712

universal
[jùːnəvə́ːrsəl]

형 1. 보편적인, 일반적인 2. 전 세계적인, 전 우주의

Cuteness, like beauty, has a **universal** appeal. 기출
아름다움과 마찬가지로 귀여움에는 보편적인 매력이 있다.

파생 **universality** 명 보편성
universe 명 우주
유의 **general** 형 일반적인
worldwide 형 세계적인
반의 **local** 형 일부의

0713 다의어

render
[réndər]

동 1. ~하게 만들다 2. 주다, 제공하다
3. 표현하다, 연기[연주]하다

A computer virus **rendered** my data useless.
컴퓨터 바이러스가 내 데이터를 쓸모없게 만들었다.

The doctors have continued to voluntarily **render** health services to patients.
의사들은 무상으로 계속해서 환자들에게 의료 서비스를 제공하고 있다.

The song was beautifully **rendered** by the school's orchestra.
그 노래는 학교 관현악단에 의해 아름답게 연주되었다.

파생 **rendition** 명 연주[연기]
숙어 **render into** ~로 번역하다

0714

sibling
[síbliŋ]

명 (한 명의) 형제자매

Louise shared how her mother dealt with her **siblings** fighting. 기출 응용
Louise는 그녀의 어머니가 어떻게 형제자매 간의 싸움을 다루었는지를 공유했다.

수능표현 +
sibling rivalry 형제간 경쟁

수능 혼동 어휘

0715

submit [səbmít]

동 1. 제출하다 2. 굴복[항복]하다

You must **submit** a report on your project by tomorrow.
여러분은 내일까지 프로젝트 보고서를 제출해야 한다.

0716

summit [sʌ́mit]

명 1. 꼭대기, 정상 2. 정점, 절정 3. 정상 회담

After five hours of rock climbing, we sat on the **summit** and looked around. 기출 응용
5시간의 암벽 등반 후, 우리는 정상에 앉아서 주위를 둘러보았다.

0717

elect [ilékt]

동 (투표로) 선출하다 형 당선된

She was **elected** Woman of the Year in Science by the *Ladies Home Journal*. 기출
그녀는 'Ladies Home Journal'에 의해 과학 부문 올해의 여성으로 선정되었다.

0718

erect [irékt]

형 똑바로 선, 일어선 동 세우다, 건립하다

Stand **erect** and keep your feet shoulder-width apart.
똑바로 서서 발을 어깨 너비로 벌리시오.

수능 UP

Q1.
둘 중 알맞은 단어를 고르시오.
Individuals should **[submit / summit]** original documents that prove their financial ability.

Q2.
둘 중 알맞은 단어를 고르시오.
Voting to **[elect / erect]** a president is an important civic duty.

수능 필수 숙어

0719

break through

1. 돌파하다 2. 극복하다

The plane **broke through** the barrier and caught fire.
비행기는 장벽을 뚫고 불이 붙었다.

0720

go through

1. ~을 겪다 2. ~을 조사하다

Scientific theories evolve as they **go through** stages of redefinition. 기출
과학 이론은 재정의의 단계들을 거치면서 진보한다.

수능 UP

Q3.
빈칸에 알맞은 어구를 고르시오.

The man ___________ a period of depression but finally began to heal.

① broke through
② went through

Daily Test 18

정답 p.450

A 우리말은 영어로, 영어는 우리말로 쓰시오.

01 영향, 충격 ____________

02 역설, 모순 ____________

03 상업, 무역 ____________

04 개입하다, 끼어들다 ____________

05 경계(선), 한계 ____________

06 흘리다; 헛간 ____________

07 (한 명의) 형제자매 ____________

08 condemn ____________

09 ecology ____________

10 nutrition ____________

11 gravity ____________

12 widespread ____________

13 vibrate ____________

14 elect ____________

B 우리말과 일치하도록 빈칸에 알맞은 단어 또는 어구를 쓰시오.

서술형

01 He presented copies of his poetry to his noble p____________. 기출 응용

그는 자신의 시를 적은 사본을 귀족 후견인들에게 선물했다.

02 Demonstrators attempted to b____________ ____________ the police line to march to the National Assembly.

시위 참가자들은 국회로 행진하기 위해 경찰 저지선을 뚫으려고 시도했다.

03 The blow to the boxer's head was strong enough to r____________ him unconscious.

그 권투 선수의 머리에 가해진 타격은 그가 의식을 잃게 만들 정도로 강력했다.

C 각 단어의 유의어 또는 반의어를 쓰시오.

01 형 authentic 반의 f____________

02 동 deprive 유의 r____________

03 명 deficit 반의 s____________

04 동 discharge 유의 r____________

05 형 universal 반의 l____________

06 형 subtle 반의 o____________

07 동 magnify 반의 r____________

08 동 perceive 유의 r____________

VOCA CLEAR

DAY 19

시험에 더 강해지는 어휘

0721

soak
[souk]

동 담그다, (흠뻑) 적시다

Soaking oneself in hot water helps relieve muscle pain.
뜨거운 물에 몸을 담그는 것은 근육 통증을 덜어주는 데 도움이 된다.

파생 **soaked** 형 흠뻑 젖은
유의 **drench** 동 흠뻑 적시다

0722

crude
[kru:d]

형 1. 가공[정제]하지 않은 2. 조잡한, 거친

Refined sugar is made from **crude** sugar.
정제 설탕은 조당(정제하지 않은 설탕)으로 만들어진다.

유의 **raw** 형 가공되지 않은
unrefined 형 정제되지 않은
rough 형 거친
반의 **refined** 형 정제된, 다듬어진

0723

breakthrough
[bréikθrù:]

명 돌파구, 타개(책)

Every victory one person makes is a **breakthrough** for all. 기출
한 사람이 만들어 낸 모든 승리는 모두를 위한 돌파구이다.

파생 **break through** 돌파하다

0724

reverse
[rivə́:rs]

동 뒤바꾸다 명 반대, 역 형 반대[역]의

Our habits follow our intentions, but it's possible for this to be **reversed**. 기출 응용
우리의 습관은 우리의 의도를 따르지만 이것이 뒤바뀌는 것도 가능하다.

유의 **opposite** 명 형 반대(의)
converse 형 정반대의
숙어 **in reverse** 거꾸로

0725

phase
[feiz]

명 1. 단계[시기/국면] 2. 양상

Experts say the oil market will soon be in the final **phase** of the growth cycle.
전문가들은 석유 시장이 곧 성장 주기의 마지막 단계에 있게 될 거라고 말한다.

수능표현 +
the full moon phase 보름달상(相)

유의 **stage** 명 단계
period 명 시기

0726

incentive
[inséntiv]

명 자극, 동기, 장려(금) 형 자극적인, 격려하는

Disney movies might give children a strong **incentive** to learn English.
디즈니 영화들은 아이들에게 영어를 배우는 데 큰 동기를 부여할지도 모른다.

유의 **motivation** 명 동기 부여
encouragement 명 격려

0727

animate

[ǽnəmèit]

동 1. 생기를 불어넣다 2. 만화 영화로 제작하다
형 [ǽnəmət] 살아 있는, 생물인

Colorful lights help to further **animate** the show.
다채로운 조명이 그 쇼에 더욱 생기를 불어넣는 데 도움을 준다.

파생 **animation** 명 생기, 만화 영화
animated 형 활기찬, 만화 영화로 된
반의 **inanimate** 형 무생물의

0728

comply

[kəmplái]

동 (규칙 등에) 따르다, 준수하다

All citizens must **comply** with the city's laws.
모든 시민들은 도시법을 준수해야 한다.

파생 **compliance** 명 준수
compliant 형 순응하는
유의 **obey** 동 따르다
반의 **defy** 동 저항하다
숙어 **comply with** ~에 따르다

0729

disaster

[dizǽstər]

명 재앙, 재난, 재해

Missionaries failed to settle in the area because of the enormous natural **disasters**. 기출 응용
선교사들은 엄청난 자연재해 때문에 그 지역에 정착하는 데 실패했다.

수능표현 +

environmental disaster 환경 재해
industrial disaster 산업 재해
natural disaster 자연 재해

파생 **disastrous** 형 처참한
유의 **calamity** 명 재난
catastrophe 명 참사

0730

advent

[ǽdvent]

명 출현, 도래

With the **advent** of social media, our children become impatient for an immediate answer. 기출
소셜 미디어의 출현으로 우리 아이들은 즉각적인 응답에 조바심을 내게 되었다.

유의 **arrival** 명 도착, 도래
emergence 명 출현

0731

inherent

[inhí(:)ərənt]

형 내재적인, 타고난, 고유의

There are **inherent** risks in almost every investment.
거의 모든 투자에는 내재된 위험이 있다.

파생 **inherently** 부 선천적으로
유의 **intrinsic** 형 내재하는
innate 형 타고난

0732

disconnect

[dìskənékt]

동 1. 연결[접속]을 끊다 2. 관계를 끊다

If you want to do some serious thinking, you'd better **disconnect** the Internet. 기출
어떤 진지한 생각을 하고자 한다면, 인터넷 연결을 끊는 게 좋을 것이다.

파생 **disconnection** 명 단절, 분리
유의 **cut off** (공급을) 끊다
반의 **connect** 동 연결하다

0733 다의어

withdraw
[wiðdrɔ́ː]

동 1. 물러나다, 철수하다 2. 철회하다
3. (예금 등을) 인출하다

You may fight back or **withdraw** from this uncomfortable situation.
여러분은 맞서 싸울 수도 있고 이 불편한 상황에서 물러설 수도 있다.

The party would **withdraw** its support for the prime minister.
그 정당은 수상에 대한 지지를 철회할 것이다.

You can **withdraw** money from an ATM without charge.
너는 현금 자동 입출금기에서 수수료 없이 돈을 인출할 수 있다.

파생 **withdrawal** 명 철회, 인출
유의 **draw back** 물러나다
pull out 손을 떼다, 인출하다
반의 **deposit** 동 예금하다
숙어 **withdraw A from B**
B에서 A를 인출하다
withdraw from
~에서 철수[탈퇴]하다

0734

loan
[loun]

명 대출(금), 융자 동 대출하다, 빌려주다

He founded his own firm with the aid of a **loan** from his father. 기출 응용
그는 아버지에게서 빌린 돈의 도움으로 자신의 회사를 설립했다.

유의 **lend** 동 빌려주다
반의 **borrow** 동 빌리다
숙어 **on loan** 대여[대출] 중인

0735

characteristic
[kæ̀riktərístik]

명 특징, 특색 형 특유의, 특징적인

Infrasound has the special **characteristic** of traveling well in the ground or water. 기출
초저주파음은 땅이나 물에서 잘 전해지는 독특한 특징이 있다.

파생 **characterize**
동 특징이 되다
유의 **feature** 명 특징
trait 명 특성
distinguishing
형 특징적인

0736

harsh
[hɑːrʃ]

형 가혹한, 혹독한, 거친

Many plants have evolved to survive in **harsh** environments such as deserts.
많은 식물들이 사막과 같은 혹독한 환경에서 살아남기 위해 진화해 왔다.

파생 **harshly** 부 가혹하게
유의 **severe** 형 가혹한, 호된
cruel 형 가혹한
tough 형 가혹한, 거친
반의 **kind** 형 다정한, 친절한

0737

perish
[périʃ]

동 죽다, 소멸하다, 사라지다

According to the police, the guide dog saved its owner and did not **perish** in the fire.
경찰에 따르면 그 안내견은 화재에서 주인을 구했고 죽지 않았다.

파생 **perishable** 형 잘 상하는
유의 **die** 동 죽다
vanish 동 사라지다
반의 **survive** 동 살아남다

0738

describe
[diskráib]

동 서술하다, 묘사하다

The witness **described** the man she saw at the scene in detail.
증인은 현장에서 본 남자를 상세하게 묘사했다.

파생 **description** 명 서술, 묘사
descriptive 형 서술하는
유의 **depict** 동 묘사하다
숙어 **describe A as B**
A를 B라고 묘사하다

0739

microscope
[máikrəskòup]

명 현미경

Study the slide under the **microscope**. 기출 응용
현미경 아래 놓인 슬라이드를 살펴보아라.

파생 **microscopic** 형 미세한

0740

nominate
[námənèit]

동 지명하다, 임명하다

Richard Burton was **nominated** for an Academy Award seven times. 기출
Richard Burton은 일곱 차례 아카데미상 후보자로 지명되었다.

파생 **nomination** 명 지명
nominee 명 후보, 지명된 사람
유의 **designate** 동 지명하다
appoint 동 임명하다

0741

adequate
[ǽdəkwit]

형 적절한, 충분한

Having an **adequate** farming system helps farmers overcome long-term droughts. 기출
적절한 농경 체계를 가지는 것은 농부들이 장기적 가뭄을 극복하는 데 도움을 준다.

파생 **adequately** 부 충분히
유의 **sufficient** 형 충분한
반의 **inadequate** 형 부적절한, 불충분한

0742

resist
[rizíst]

동 1. 저항하다, 반대하다 2. 참다, 견디다

People **resist** for different reasons and in different ways. 기출
사람들은 다양한 이유와 다양한 방식으로 저항한다.

파생 **resistance** 명 저항
resistant 형 저항력 있는
유의 **oppose** 동 반대하다
반의 **surrender** 동 굴복하다

0743

justice
[dʒʌ́stis]

명 1. 정의, 공정, 정당성 2. 사법, 재판(관)

They are fighting for equal rights and **justice**.
그들은 평등한 권리와 정의를 위해 싸우고 있다.

수능표현 +
justice system 사법 제도
criminal justice 형사 사법 제도

파생 **just** 형 공정한
유의 **fairness** 명 공평
반의 **injustice** 명 불공평, 부정

0744

convert

[kənvə́ːrt]

동 1. 전환시키다, 개조하다 2. 개종하다

Green technologies help **convert** natural resources into the power that fuels our lives. 기출 응용

친환경 기술은 천연자원을 우리의 생활에 연료를 공급하는 동력으로 전환하는 데 도움을 준다.

파생 **conversion** 명 전환, 개종
convertible 형 전환 가능한
유의 **change** 동 바꾸다
alter 동 변하다, 바꾸다
숙어 **convert from A to B**
A에서 B로 전환하다

0745

synthetic

[sinθétik]

형 1. 합성한 2. 인조의 3. 종합의

Sofas made of **synthetic** leather are easy to clean.

인조 가죽으로 제작된 소파는 청소하기 쉽다.

수능표현 +

synthetic detergent 합성 세제

파생 **synthesis** 명 합성, 종합
synthesize 동 합성하다
유의 **artificial** 형 인조의

0746

remedy

[rémədi]

명 1. 치료(약) 2. 해결책 동 치료하다, 고치다

Home **remedies** can help relieve the symptoms of a winter cold.

민간요법들은 겨울 감기의 증상을 완화하는 데 도움을 줄 수 있다.

유의 **medicine** 명 약
cure 명 동 치료(하다)
숙어 **remedy for**
~에 대한 치료[해결책]

0747

flush

[flʌʃ]

동 1. 붉어지다, 상기되다 2. (변기의) 물을 내리다
명 1. 홍조 2. (변기의) 물을 내림

His face **flushed** with embarrassment.

그는 당황해서 얼굴이 붉어졌다.

유의 **blush** 동 얼굴을 붉히다
반의 **pale** 동 창백해지다

0748 다의어

ground

[graund]

명 1. 지면, 땅, 토양 2. (특정 용도를 위한) 장소, -장(場)
3. 근거, 이유 4. 입장, 의견
동 (~에) 근거[기초]를 두다

A puddle of water on the **ground** gradually dries out. 기출

지면 위의 물웅덩이는 점차 말라 사라진다.

The ministers insist that all decisions are made on purely scientific **grounds**.

장관들은 모든 결정이 순전히 과학적인 근거에서 내려진다고 주장한다.

His study was **grounded** on recent findings.

그의 연구는 최근의 발견에 기초를 두었다.

유의 **base** 동 ~에 근거를 두다
숙어 **stand one's ground**
입장을 고수하다

0749

encourage
[inkə́:ridʒ]

동 1. 격려하다, 용기를 북돋우다 2. 장려하다

The teacher **encouraged** the student to think of the right answer. 기출 응용
그 교사는 그 학생이 정답을 생각해 보도록 격려했다.

파생 **encouragement** 명 격려
유의 **inspire** 동 고무[격려]하다
반의 **discourage** 동 낙담시키다
숙어 **encourage A to-v** A에게 ~하도록 격려하다

0750

destination
[dèstənéiʃən]

명 1. 목적[행선]지, 도착지 2. 목적, 용도

We had to get to our **destination** three miles away without stopping. 기출
우리는 멈추지 않고 3마일 떨어진 목적지에 도착해야 했다.

수능표현 +
tourist destination 관광지

파생 **destine** 동 예정해 두다, ~행이다
유의 **purpose** 명 목적, 용도

0751

underestimate
[ʌ̀ndəréstəmeit]

동 1. 과소평가하다 2. 낮게[적게] 어림하다
명 [ʌ̀ndəréstəmət] 과소평가

We sometimes **underestimate** our ability to adapt to a new environment.
우리는 때때로 새로운 환경에 적응하는 우리의 능력을 과소평가한다.

유의 **undervalue** 동 과소평가하다
underrate 동 과소평가하다
반의 **overestimate** 동 과대평가하다

0752

tangible
[tǽndʒəbl]

형 1. 만져서 알 수 있는, 실체적인 2. 명백한

In contrast to literature or film, tourism leads to real, **tangible** worlds. 기출
문학이나 영화와 달리, 관광은 실제적인 감지할 수 있는 세계로 이어진다.

유의 **substantial** 형 실체의
evident 형 명백한
반의 **intangible** 형 만질 수 없는

0753

slogan
[slóugən]

명 구호, 슬로건

Well-made **slogans** bring people together.
잘 만든 슬로건은 사람들을 하나로 뭉치게 한다.

유의 **catchphrase** 명 선전 구호
motto 명 좌우명, 표어

0754

volcano
[valkéinou]

명 화산

A **volcano** in Iceland erupted for the first time in over 200 years. 기출 응용
아이슬란드에 있는 화산이 200년 만에 처음으로 분출했다.

파생 **volcanic** 형 화산의

수능 혼동 어휘

0755

memorable
[mémərəbl]

형 기억할 만한, 인상적인

I had a **memorable** night full of laughter and joy. 기출
나는 웃음과 즐거움으로 가득한 기억할 만한 밤을 보냈다.

0756

memorial
[məmɔ́:riəl]

명 기념비[물] 형 기념하기 위한, 추모의

This tower stands as a **memorial** to all the soldiers who fought in the war.
이 탑은 전쟁에서 싸웠던 모든 군인들에 대한 기념비로 세워져 있다.

0757

preserve
[prizə́:rv]

동 1. 보존하다, 지키다 2. 저장하다

He already knew that sugar was used to **preserve** fruit. 기출 응용
그는 설탕이 과일을 보존하기 위해 사용되었다는 것을 이미 알고 있었다.

0758

persevere
[pə̀:rsəvíər]

동 인내하며 계속하다

The teachers need to motivate children to **persevere** with difficult tasks.
교사들은 아이들이 어려운 일을 인내심을 갖고 계속하도록 동기를 부여할 필요가 있다.

수능 UP

Q1.
둘 중 알맞은 단어를 고르시오.
A **[memorable / memorial]** opening scene can make a great first impression on moviegoers.

Q2.
둘 중 알맞은 단어를 고르시오.
The project aims to **[preserve / persevere]** our cultural heritage.

수능 필수 숙어

0759

let on

말하다, 털어놓다

He knew her secrets, but he did not **let on**.
그는 그녀의 비밀을 알고 있었지만 말하지 않았다.

0760

take on

맡다, 책임을 지다

Mary will **take on** the role of a team leader in this project.
Mary는 이번 프로젝트에서 팀장의 역할을 맡을 것이다.

수능 UP

Q3.
빈칸에 알맞은 어구를 고르시오.

She ________ that she was pregnant with her second baby.

① let on
② took on

Daily Test 19

정답 p.451

A 우리말은 영어로, 영어는 우리말로 쓰시오.

01 죽다, 소멸하다 ____________

02 뒤바꾸다; 반대 ____________

03 출현, 도래 ____________

04 담그다, (흠뻑) 적시다 ____________

05 붉어지다; 홍조 ____________

06 땅, 근거; 근거를 두다 ____________

07 정의, 재판(관) ____________

08 breakthrough ____________

09 disaster ____________

10 inherent ____________

11 nominate ____________

12 adequate ____________

13 persevere ____________

14 harsh ____________

B 우리말과 일치하도록 빈칸에 알맞은 단어 또는 어구를 쓰시오.

서술형

01 The actor's bright smile and lively personality really a__________ the charity event.
그 배우의 밝은 미소와 쾌활한 성격이 자선 행사에 생기를 불어넣었다.

02 You can w__________ up to 1,000 dollars at a time.
너는 한 번에 1,000달러까지 인출할 수 있다.

03 My boss offered me a new position that allows me to t__________ __________ new responsibilities.
나의 상사는 내가 새로운 책무를 맡도록 하는 자리를 제안했다.

C 각 단어의 유의어 또는 반의어를 쓰시오.

01 형 crude 반의 r__________

02 동 loan 반의 b__________

03 동 comply 유의 o__________

04 동 encourage 반의 d__________

05 동 describe 유의 d__________

06 형 tangible 반의 i__________

07 동 convert 유의 c__________

08 형 synthetic 유의 a__________

VOCA CLEAR

DAY 20

시험에 더 강해지는 어휘

0761

attain

[ətéin]

동 1. 얻다, 달성하다 2. 도달하다

Material prosperity can help individuals, as well as society, **attain** higher levels of happiness. 기출
물질적 풍요는 사회뿐만 아니라 개인이 더 높은 수준의 행복을 얻을 수 있도록 도와줄 수 있다.

파생 **attainment** 명 달성
유의 **obtain** 동 얻다
achieve 동 달성하다
reach 동 도달하다

0762

garment

[gɑ́ːrmənt]

명 옷, 의류

The sale of winter **garments**, including sweaters and jackets, has increased.
스웨터와 재킷을 포함한 겨울 의류의 판매가 증가했다.

유의 **clothes** 명 옷, 의복
apparel 명 의류

0763

impersonal

[impə́ːrsənəl]

형 1. 인간미 없는 2. 비개인적인

Technology is frequently criticized for being **impersonal**.
기술은 빈번히 비인간적이라는 비판을 받는다.

파생 **impersonality** 명 비인간성, 비개인성
반의 **personal** 형 개인의, 개인적인

0764

depict

[dipíkt]

동 1. 묘사하다 2. 그리다

The book **depicts** the horrors of slavery. 기출 응용
그 책은 노예제도의 참상을 묘사하고 있다.

파생 **depiction** 명 묘사, 서술
유의 **describe** 동 묘사하다

0765

fade

[feid]

동 1. 바래다[희미해지다] 2. 서서히 사라지다

The name of the rock band, once written clearly on the T-shirt has **faded**. 기출 응용
한때 티셔츠에 또렷하게 쓰여 있던 록 밴드의 이름이 희미해졌다.

유의 **become pale** 희미해지다
숙어 **fade out** 희미해지다
fade away 사라지다

0766

elastic

[ilǽstik]

형 1. 탄성의, 신축성이 있는 2. 고무로 된

This band is so **elastic** that it stretches easily.
이 밴드는 신축성이 매우 좋아서 잘 늘어난다.

파생 **elasticity** 명 탄성, 탄력성
유의 **flexible** 형 신축성이 있는
반의 **inflexible** 형 경직된
rigid 형 고정된, 딱딱한

0767

candidate
[kǽndidèit]

명 1. 후보자 2. 지원자

Many of the **candidates** in this year's election are women.
올해 선거에서는 많은 후보자들이 여성이다.

수능표현 +

opposition candidate 야당 후보
presidential candidate 대통령 후보자

유의 **applicant** 명 지원자
숙어 **candidate for** ~의 후보자

0768

collaborate
[kəlǽbərèit]

동 협력하다, 공동으로 작업하다

The students in the group **collaborated** with each other to correctly answer the question.
그 그룹의 학생들은 질문에 맞게 대답하기 위해 서로 협력했다.

파생 **collaboration** 명 협력
collaborative 형 공동의
유의 **cooperate** 동 협력하다
숙어 **collaborate with** ~와 협력하다

0769

affection
[əfékʃən]

명 1. 애착, 보살핌 2. 애정

Dogs often display great **affection** for the people they live with.
개는 함께 살고 있는 사람들에 대해 종종 큰 애착을 보인다.

파생 **affectionate** 형 다정한
유의 **attachment** 명 애착
fondness 명 애정, 애호

0770

grab
[græb]

동 1. 움켜쥐다, 붙잡다 2. (기회를) 잡다 명 움켜잡음

The mother **grabbed** her daughter's arms, doing her best to pull the girl out of the water. 기출 응용
어머니는 딸의 팔을 붙잡고 그녀를 물 밖으로 끌어내기 위해 최선을 다했다.

수능표현 +

grab a bite 간단히 먹다, 요기하다
grab a cab 택시를 잡다

유의 **grip** 동 꽉 잡다
seize 동 꽉 붙잡다
반의 **release** 동 놓아 주다

0771

embed
[imbéd]

동 1. 박다[끼워 넣다] 2. 깊이 새겨 두다

Emotional events tend to be more deeply **embedded** in our memories. 기출 응용
감정적인 사건들은 우리의 기억 속에 더 깊이 새겨지는 경향이 있다.

파생 **embedded** 형 내장된
유의 **implant** 동 심다
insert 동 끼워 넣다
반의 **pull out** ~을 빼다
숙어 **embed in** ~에 박아 넣다

0772

vomit
[vámit]

동 토하다, 게우다

The smell of the food made me want to **vomit**.
음식 냄새 때문에 토할 것 같았다.

유의 **throw up** 토하다

0773 다의어

figure
[fígjər]

명 1. 숫자, 수치 2. 모습, 형상 3. 인물 4. 도표 5. 도형
동 1. 계산하다 2. 판단하다

The **figures** may not add up to the total shown because of rounding. 기출 응용
반올림 때문에 그 수치들은 표시된 총계가 되지 않을 수도 있다.

Before the day of the race, the organizers placed animal **figures** carved in stone on the summit. 기출 응용
경주 전날, 주최자들은 돌에 새긴 동물 형상을 산 정상에 놓았다.

Move and rearrange the four fragments from **Figure** 1 without adding new pieces. 기출
그림 1에서 새로운 조각을 추가하지 않고 4개의 조각을 이동 및 재정렬하라.

수능표현+

public figure 유명 인사, 공인
political figure 정치인, 정치적 인물

유의 **numeral** 명 숫자
shape 명 형상
calculate 동 계산하다
숙어 **figure out** ~을 이해하다 [생각해 내다/계산해 내다]

0774

mutual
[mjúːtʃuəl]

형 1. 상호 간의 2. 서로의, 공동의

People work together to achieve **mutual** goals.
사람들은 공동의 목표를 달성하기 위해 함께 일한다. 기출 응용

파생 **mutually** 부 서로, 상호 간에
유의 **reciprocal** 형 상호의
common 형 공동의

0775

refrain
[rifréin]

동 삼가다, 자제하다

Please **refrain** from smoking in this building.
이 건물에서는 흡연을 삼가 주십시오.

유의 **abstain** 동 삼가다
avoid 동 피하다
숙어 **refrain from v-ing** ~하는 것을 삼가다

0776

basis
[béisis]

명 1. 근거, 이유 2. 기초, 토대

The attack cannot be justified on the **basis** of international law.
그 공격은 국제법에 근거해 정당화될 수 없다.

파생 **base** 명 기초, 토대
basic 형 기본적인
유의 **grounds** 명 근거, 이유
foundation 명 근거, 토대
숙어 **on the basis of** ~을 기반으로, ~에 근거하여

0777

cosmetic
[kazmétik]

명 화장품 형 화장용의, 미용의

Ancient Egyptian men regularly applied various **cosmetics** to their skin. 기출
고대 이집트 남성들은 정기적으로 피부에 다양한 화장품을 발랐다.

수능표현+

cosmetic surgery 성형 수술

유의 **make-up** 명 화장품

0778

squeeze
[skwiːz]

동 1. 짜내다 2. 꽉 쥐다 3. 압박하다

Squeeze half of a lemon into the sparkling water.
레몬의 절반을 탄산수에 짜 넣으세요.

유의 **squash** 동 짜다, 짓누르다

0779

worthwhile
[wə̀ːrθhwáil]

형 (~할) 가치가 있는

Say something **worthwhile** to your listener, something that will not waste his time. 기출 응용
듣는 사람에게 가치 있는, 그의 시간을 낭비하지 않을 무언가를 말하라.

파생 **worthy** 형 ~할 만한
유의 **valuable** 형 가치가 있는
반의 **worthless** 형 가치 없는
숙어 **be worthwhile to-v** ~할 가치가 있다

0780 다의어

pose
[pouz]

동 1. (문제를) 제기하다 2. 자세를 취하다 명 자세

The human population **poses** a danger to the environment. 기출 응용
인류는 환경에 위험을 제기한다.

The photographer asked the model to change **poses.**
그 사진작가는 모델에게 자세를 바꿔 달라고 부탁했다.

유의 **sit for** ~을 위해 자세를 취하다
posture 명 자세, 태도

0781

intake
[íntèik]

명 섭취, 흡입

Food **intake** is essential for the survival of every living organism. 기출
음식 섭취는 모든 생명체의 생존을 위해 필수적이다.

유의 **ingestion** 명 섭취

0782

sequence
[síːkwəns]

명 1. (일련의) 연속 2. 순서, 차례

Newly released video clips show the **sequence** of events.
새로 공개된 영상들은 그 사건들의 순서를 보여 준다.

파생 **sequel** 명 속편, 후속
sequential 형 순차적인
유의 **succession** 명 연속(물)
order 명 순서

0783

drastic
[drǽstik]

형 급격한, 과감한, 극단적인

A **drastic** change in temperature can cause illness.
급격한 온도 변화는 질병을 유발할 수 있다.

수능표현 +

drastic effect 극심한 영향
drastic measures[action] 과감한 조치

파생 **drastically** 부 급격하게
유의 **extreme** 형 극단적인
radical 형 급진적인
반의 **mild** 형 가벼운, 온화한
moderate 형 온건한

0784

invade
[invéid]

동 1. 침략[침입]하다 2. 침해하다

The island was **invaded** by the French Army several times.
그 섬은 프랑스군으로부터 수차례 침략받았다.

수능표현 +

invade one's privacy ~의 사생활을 침해하다

파생 **invasion** 명 침략, 침입
invasive 형 침습성의
유의 **attack** 동 공격하다, 침범하다
violate 동 침해하다

0785

chronic
[kránik]

형 (질병이) 만성적인

Pets can help patients with **chronic** conditions, including cancer.
애완동물은 암을 포함한 만성적인 질환을 가진 환자를 도울 수 있다.

수능표현 +

chronic disease 만성병

파생 **chronically** 부 만성적으로
반의 **acute** 형 급성의

0786

prejudice
[prédʒədis]

명 편견 동 편견을 갖게 하다

Cultural preferences easily turn into **prejudices**.
문화적 선호는 쉽게 편견으로 바뀐다. 기출 응용

유의 **bias** 명 편견 동 편견을 갖게 하다
preconception 명 선입견
숙어 **prejudice against** ~에 대한 편견

0787

norm
[nɔːrm]

명 1. 표준, 기준 2. 규범

Online learning is the **norm** rather than an option nowadays.
오늘날 온라인 학습은 선택이라기보다는 표준이다.

수능표현 +

social norm 사회 규범
social security 사회 보장 제도

파생 **normative** 형 규범적인
유의 **standard** 명 표준
criterion 명 표준, 척도
반의 **exception** 명 예외, 이례

0788

superb
[supə́ːrb]

형 최고의, 훌륭한

This is a **superb** opportunity for teens to improve their research skills.
이것은 십 대들이 그들의 탐구 능력을 향상하기에 최고의 기회이다.

유의 **excellent** 형 탁월한
exceptional 형 특출한

0789

organism
[ɔ́ːrɡənìzəm]

명 유기체, (작은) 생물

A coral reef is a beautiful and colorful living **organism** that lives underwater.
산호초는 물속에 사는 아름답고 화려한 살아 있는 유기체이다.

수능표현 +

social organism 사회적 유기체

파생 **organic** 형 유기체의, 유기농의
유의 **creature** 명 생물

0790

source
[sɔːrs]

명 1. 원천, 근원 2. 자료, (자료의) 출처

Solar energy could be a practical energy **source** for us in the near future. 기출 응용
태양 에너지는 가까운 미래에 우리에게 실용적인 에너지원이 될 수 있다.

유의 **resource** 명 자원
material 명 자료

0791

emphasize
[émfəsàiz]

동 강조하다, 역설하다

Some schools and workplaces **emphasize** a stable, rote-learned database. 기출
일부 학교와 직장에서는 안정적이고, 기계적으로 암기한 데이터베이스를 강조한다.

파생 **emphasis** 명 강조
유의 **highlight** 동 강조하다
stress 동 강조하다
숙어 **put an emphasis on** ~을 강조하다

0792

guilty
[gílti]

형 유죄의, 죄책감을 느끼는

I stole some money. No one is at fault but myself. I'm **guilty**. 기출
나는 약간의 돈을 훔쳤다. 나 자신 말고는 아무도 잘못이 없다. 나는 유죄이다.

파생 **guilt** 명 죄책감, 유죄
유의 **culpable** 형 과실이 있는
ashamed 형 수치스러운
반의 **innocent** 형 죄가 없는

0793

terminal
[tə́ːrmənəl]

형 1. 말기의, 불치의 2. 끝의 명 터미널

He is suffering from **terminal** lung cancer.
그는 말기 폐암을 앓고 있다.

파생 **terminate** 동 종료하다
유의 **incurable** 형 불치의
fatal 형 치명적인
반의 **curable** 형 치유 가능한

0794

rid
[rid]

동 1. 제거하다 2. 자유롭게 하다

She wants to get **rid** of the old stuff that she doesn't use any more. 기출
그녀는 더 이상 사용하지 않는 오래된 물건을 처분하기를 원한다.

유의 **remove** 동 없애다
free 동 자유롭게 하다

수능 혼동 어휘

0795

raise [reiz]

동 1. 올리다 2. 기르다 3. 모금하다 4. 제기하다
명 임금 인상

He couldn't **raise** his arm when he woke up.
그는 깨어났을 때 그의 팔을 올릴 수 없었다.

0796

rise [raiz]

동 1. 오르다, 상승하다 2. (해·달이) 뜨다
명 1. 오름, 상승 2. 증가

The price **rises** as demand for the product increases.
상품에 대한 수요가 증가함에 따라 가격이 상승한다.

0797

arise [əráiz]

동 발생하다, 생기다

Economic problems **arise** because human desires are unlimited.
경제적 문제는 인간의 욕망이 무한하기 때문에 발생한다.

수능 UP

Q1.
셋 중 알맞은 단어를 고르시오.
The government aims to **[raise / rise / arise]** the top individual income tax rate from 37% to 39.6%.

수능 필수 숙어

0798

make up for

~을 보상하다

I will **make up for** your loss once the problems of the company are solved.
회사의 문제가 해결되기만 하면 내가 너의 손실을 보상해 주겠다.

0799

sign up for

~을 신청하다

To **sign up for** the class, go to Anne's Farm event page on the website. 기출 응용
강좌를 신청하려면 웹사이트에 있는 Anne's Farm 이벤트 페이지로 이동하시오.

0800

stand up for

~을 옹호하다, ~을 지지하다

The lawyer decided to **stand up for** the rights of minorities.
그 변호사는 소수자의 권리를 옹호하기로 결심했다.

수능 UP

Q2.
빈칸에 알맞은 어구를 고르시오.

When your friends are in trouble, you need to ___________ them.

① make up for
② sign up for
③ stand up for

Daily Test 20

정답 p.451

A 우리말은 영어로, 영어는 우리말로 쓰시오.

01 얻다, 달성하다 ______________

02 박다, 깊이 새겨 두다 ______________

03 삼가다, 자제하다 ______________

04 짜내다, 꽉 쥐다 ______________

05 애착, 보살핌, 애정 ______________

06 편견; 편견을 갖게 하다 ______________

07 표준, 기준, 규범 ______________

08 grab ______________

09 mutual ______________

10 cosmetic ______________

11 garment ______________

12 sequence ______________

13 vomit ______________

14 superb ______________

B 우리말과 일치하도록 빈칸에 알맞은 단어 또는 어구를 쓰시오.

서술형

01 The disappointment will take a long time to f__________ away.
실망감이 사라지기까지는 오랜 시간이 걸릴 것이다.

02 In her latest film, highly intelligent aliens i__________ the Earth and try to take over.
그녀의 최신 영화에서는, 고도의 지능을 가진 외계인들이 지구를 침공하여 장악하려고 한다.

03 Respecting yourself means that you s__________ __________ __________ yourself.
스스로를 존중하는 것은 여러분 자신을 지지하는 것을 의미한다.

C 각 단어의 유의어 또는 반의어를 쓰시오.

01 동 collaborate 유의 c______________

02 형 guilty 반의 i______________

03 명 candidate 유의 a______________

04 형 impersonal 반의 p______________

05 형 chronic 반의 a______________

06 명 intake 유의 i______________

07 명 organism 유의 c______________

08 형 worthwhile 반의 w______________

수능에 더 강해지는 TEST DAY 16-20

A 다음 짝 지어진 두 단어의 관계가 같도록 빈칸에 알맞은 단어를 <보기>에서 골라 쓰시오.

<보기> brutal modern maintain survive

1 rot : decay = sustain : ______________

2 violent : ______________ = mimic : imitate

3 magnify : reduce = outdated : ______________

4 perish : ______________ = resist : surrender

B 다음 문장에서 밑줄 친 어휘의 유의어를 고르시오.

1 The mother grabbed the child's hand and started to run.

① seized ② possessed ③ obsessed

2 The research was grounded on the works of leading scientists.

① imposed ② based ③ confused

3 A healthy diet is the key to avoiding heart disease.

① preventing ② paralyzing ③ discouraging

4 Music has traditionally been categorized by the types of musical instruments.

기출 응용

① classified ② perceived ③ reversed

정답 p. 451

C

다음 빈칸에 알맞은 단어를 <보기>에서 골라 쓰시오.

<보기>	tolerate	contemporary	convert	ponder

1 We cannot ______________ any further delay in medical services to the poor.

2 Printing made it possible to ______________ words into visual objects. 기출 응용

3 There is a ______________ account of the eruption of Mount Vesuvius.

4 The teacher suggested that students ______________ the question before they answer.

D

각 네모 안에서 문맥에 맞는 말을 고르시오.

1 [Toxic / Nontoxic] substances from many factories caused serious air pollution.

2 Your electricity will be [connected / disconnected] soon because of unpaid bills.

3 The orchestra will perform the music of [prominent / unknown] composers such as Mozart and Chopin.

4 If you are interested in our program, you can [sign up for / make up for] it online until May 10.

5 We loved our old house, but it is no longer [inadequate / adequate] for our needs.

VOCA CLEAR

DAY 21

+ 시험에 더 강해지는 어휘

0801

document
[dɑ́:kjumənt]

명 문서, 서류 동 [dɑ́:kjument] 기록하다

He opened the envelope, and found some **documents** inside.
그는 봉투를 열었고, 안에서 서류철들을 발견했다.

파생 **documentation** 명 서류, 문서화
documentary 명 기록물 형 서류로 이뤄진
유의 **papers** 명 서류
record 동 기록하다

0802

infer
[infə́:r]

동 추론하다, 추측하다

You can **infer** the meaning of the word from the context.
여러분은 문맥에서 그 단어의 뜻을 추론할 수 있다.

파생 **inference** 명 추론
유의 **deduce** 동 추론하다

0803

polar
[póulər]

형 1. 극지의, 북극[남극]의 2. (전지·자기의) 양극의

The explorers lived in south **polar** waters for two years. 기출 응용
탐험가들은 2년 동안 남극 해역에서 살았다.

파생 **polarize** 동 양극화하다
pole 명 (지구의) 극
유의 **Arctic** 형 북극의
Antarctic 형 남극의

0804

esteem
[istí:m]

명 존중, 존경 동 (중히) 여기다

The scientist is held in high **esteem** by his colleagues.
그 과학자는 동료들로부터 높은 존경을 받고 있다.

수능표현 +
self-esteem 자부심

파생 **esteemed** 형 존중받는
유의 **respect** 명 동 존경(하다)
value 동 중히 여기다
반의 **scorn** 명 동 경멸(하다)
숙어 **hold in (high) esteem** (매우) 존경하다

0805

criticize
[krítisàiz]

동 1. 비판[비난]하다 2. 비평하다

That was the show where their paintings were severely **criticized** as "art gone mad." 기출
그 전시회에서 그들의 그림은 '미쳐 버린 예술'이라고 호되게 비판을 받았다.

파생 **critic** 명 비평가
critical 형 비판적인
유의 **condemn** 동 비난하다
반의 **praise** 동 칭찬하다

0806

vow
[vau]

동 맹세하다, 서약하다 명 맹세, 서약

She **vowed** never to return to her hometown until she succeeded. 기출 응용
그녀는 성공하기 전에는 절대로 고향에 돌아가지 않겠다고 맹세했다.

유의 swear 명 동 맹세(하다)
pledge 명 동 서약(하다)
oath 명 맹세, 서약

0807

accelerate
[əksélərèit]

동 속도를 높이다, 가속화되다[하다]

Urbanization **accelerated** with the globalization of the economy. 기출 응용
도시화는 경제의 세계화로 인해 가속화되었다.

파생 acceleration 명 가속
유의 speed up 속도를 높이다
expedite 동 촉진시키다
반의 decelerate 동 감속하다

0808

counterfeit
[káuntərfit]

형 위조의, 가짜의 명 위조품, 가짜

The notes are **counterfeit** copies of the current $100 bill.
이 지폐들은 통용되는 100달러 지폐의 위조 사본이다.

유의 fake 형 가짜의 명 위조품
forged 형 위조의
반의 genuine 형 진짜의

0809 다의어

negotiate
[nigóuʃièit]

동 1. 협상[교섭]하다 2. 협정[결정]하다
3. 양도하다, 유통하다 4. 지나다, 빠져나가다

Two parties **negotiate** because they feel that they can gain something by interacting.
쌍방은 소통을 통해 무언가를 얻을 수 있다고 생각하기 때문에 협상한다.

He **negotiated** a check for $1,000 to his client.
그는 그의 고객에게 1,000달러짜리 수표를 양도했다.

The driver failed to **negotiate** a corner and struck a tree.
운전자는 모퉁이를 빠져나가는 데 실패했고, 나무를 들이받았다.

파생 negotiation 명 협상, 교섭
유의 compromise 동 타협하다
숙어 negotiate with ~와 협상하다

0810

revolution
[rèvəlú:ʃən]

명 1. 혁명 2. 공전, 회전

Scientific and technological innovations led to the Industrial **Revolution**.
과학 및 기술의 혁신이 산업 혁명으로 이어졌다.

파생 revolt 명 동 반란(을 일으키다)
revolve 동 회전하다
revolutionary 형 혁명의

0811

foretell
[fɔːrtél]

동 예언하다, 예고하다

People used to believe that dreams would enable us to **foretell** the future.
사람들은 꿈이 우리가 미래를 예언할 수 있게 해 줄 거라고 믿곤 했다.

유의 foresee 동 예견하다
predict 동 예측하다

0812

rejoice
[ridʒɔ́is]

동 크게 기뻐하다

People **rejoiced** over the end of World War II and the advent of peace.
사람들은 2차 세계 대전의 종식과 평화의 도래에 대해 기뻐했다.

유의 **be delighted** 크게 기뻐하다
반의 **mourn** 동 애도하다

0813

exquisite
[ékskwizit]

형 1. 매우 아름다운 2. 정교한

This **exquisite** piece of jewelry was inspired by a French garden.
이 매우 아름다운 보석은 프랑스 정원에서 영감을 받았다.

유의 **beautiful** 형 아름다운
elaborate 형 정교한
delicate 형 섬세한, 우아한

0814

discriminate
[diskrímənèit]

동 1. 차별하다 2. 구별하다, 식별하다

It is illegal to **discriminate** against people because of their race.
그들의 인종 때문에 사람들을 차별하는 것은 불법이다.

수능표현 +

discriminate right from wrong
선악[옳고 그름]을 구별하다

파생 **discrimination** 명 차별
유의 **segregate** 동 차별하다
distinguish 동 구별하다
숙어 **discriminate against** ~를 차별하다
discriminate A from B A를 B와 구별하다

0815

solitary
[sɑ́litèri]

형 1. 혼자의 2. 고독한, 외로운

Their work was entirely **solitary**, as it involved sitting in a cubicle with a phone. 기출 응용
그들의 일은 전화 한 대가 있는 칸막이 안에 앉아서 하는 것을 수반했기 때문에 완전히 혼자서 이뤄졌다.

파생 **solitude** 명 고독
유의 **single** 형 혼자인
isolated 형 외딴, 고립된

0816

geology
[dʒiɑ́lədʒi]

명 지질학

Geology can explain the formation of the Ngorongoro Crater in Tanzania. 기출
지질학은 탄자니아의 Ngorongoro 분화구의 형성을 설명할 수 있다.

파생 **geologist** 명 지질학자
geological 형 지질학의

0817

predecessor
[prédəsèsər]

명 전임자, 이전의 것

The new coach reversed the rules of his **predecessor**.
새 코치는 전임자의 규칙을 뒤집었다.

반의 **successor** 명 후임자, 계승하는 것

0818

masculine
[mǽskjəlin]

형 남자의, 남자다운

Traditionally, for men to be **masculine**, they had to show strength.
전통적으로 남성이 남성적이기 위해서는 힘을 발휘해야 했다.

유의 **male** 형 남자의
manly 형 남자다운
반의 **feminine** 형 여성의, 여성스러운

0819

equate
[ikwéit]

동 동일시하다, 균등하게 하다

Some people **equate** the accumulation of wealth with success.
어떤 사람들은 부의 축적을 성공과 동일시한다.

파생 **equation** 명 동일시, 등식
유의 **identify** 동 동일시하다
숙어 **equate A to[with] B** A를 B와 동일시하다

0820

resume
[rizúːm]

동 재개하다, 다시 시작하다

The hockey player **resumed** training after recovering from his ankle injury.
그 하키 선수는 발목 부상에서 회복한 후 훈련을 재개했다.

유의 **recommence** 동 재개하다
restart 동 재개하다
반의 **discontinue** 동 중단하다

0821

sector
[séktər]

명 부문, 분야, 영역

The education **sector** will create more jobs than the manufacturing sector by 2037. 기출 응용
교육 부문은 2037년까지 제조 부문보다 더 많은 일자리를 창출할 것이다.

수능표현 +
public sector 공공 부문
private sector 민간 부문

유의 **field** 명 분야
section 명 부분

0822

wander
[wɑ́ːndər]

동 1. 배회하다, 방랑하다 2. 산만해지다

Kate was **wandering** around the room, looking at the pictures on the walls. 기출
Kate는 벽에 있는 사진들을 보면서 방을 배회하고 있었다.

파생 **wanderer** 명 방랑자
wandering 형 방랑하는, 종잡을 수 없는
유의 **roam** 동 배회하다

0823

layer
[léiər]

명 층, 겹 동 층층이 쌓다

Wearing **layers** of clothing keeps us warmer than wearing just one thick piece of clothing.
옷을 여러 겹 입는 것이 두꺼운 옷 하나만 입는 것보다 더 따뜻하다.

파생 **layered** 형 층을 이룬
유의 **tier** 명 층

0824

scheme
[skiːm]

명 1. (운영) 계획, 제도 2. 책략
동 1. 계획하다 2. 책략을 꾸미다

This **scheme** is designed to provide appropriate training to the unemployed.
이 계획은 실업자들에게 적절한 훈련을 제공하기 위해 고안되었다.

파생 **schema** 명 개요, 설계
유의 **plot** 명 책략 동 음모를 꾸미다

0825

academic
[ӕkədémik]

형 학업[학교]의, 학문의, 학구적인

His **academic** achievements were excellent all the way from secondary school until college. 기출
그의 학업 성취도는 중등 학교에서부터 대학교까지 내내 훌륭했다.

수능표현 +

academic discipline 학문 영역
academic interest 학문적 관심

파생 **academy** 명 (특수 목적의) 학교, 학원
유의 **scholastic** 형 학업의
scholarly 형 학구적인

0826

impulse
[ímpʌls]

명 1. 충동 2. 충격, 자극

Sam felt a sudden **impulse** to dance to music.
Sam은 음악에 맞춰 춤을 추고 싶은 갑작스러운 충동을 느꼈다.

수능표현 +

impulse purchase 충동 구매

파생 **impulsive** 형 충동적인
유의 **urge** 명 충동
숙어 **on impulse** 충동적으로

0827

evaluate
[ivǽljuèit]

동 (가치·품질 등을) 평가하다, 감정하다

Have your work **evaluated** by experts, and receive suggestions on how to make it better. 기출 응용
전문가들로부터 여러분의 일을 평가받고, 그것을 더 낫게 만드는 방법에 대한 제안을 받으라.

파생 **evaluation** 명 평가
유의 **assess** 동 평가하다
appraise 동 평가하다

0828

restrict
[ristríkt]

동 제한[한정]하다

The restaurant **restricts** its number of customers to 100 per day.
그 식당은 하루 손님 수를 100명으로 제한하고 있다.

파생 **restriction** 명 제한, 제약
restricted 형 제한된
유의 **limit** 동 제한하다
반의 **widen** 동 넓히다

0829

verbal
[və́ːrbəl]

형 1. 언어의, 말의 2. 구두의

When people communicate, **verbal** and nonverbal cues may conflict. 기출 응용
사람들이 의사소통을 할 때, 언어적 신호와 비언어적 신호들이 충돌할 수 있다.

수능표현 +
verbal abuse 언어 폭력
nonverbal behavior 비언어적 행동

파생 **verbally** 부 말로, 구두로
유의 **oral** 형 구두의, 구강의
반의 **nonverbal** 형 비언어적인

0830

tenant
[ténənt]

명 세입자, 임차인

The new **tenant** hasn't paid his rent for two months.
새 세입자는 두 달째 집세를 내지 않고 있다.

유의 **renter** 명 임차인, 세입자
반의 **landlord** 명 집주인

0831

surpass
[sərpǽs]

동 능가하다, 뛰어넘다

With technological improvements, humanity has **surpassed** its limitations.
기술의 발전으로 인류는 그들의 한계를 넘어섰다.

유의 **exceed** 동 능가하다
outdo 동 능가하다

0832

anniversary
[ӕnəvə́ːrsəri]

명 기념일

There was an exhibition to celebrate the 50th **anniversary** of the Trade Center.
무역 센터의 창립 50주년을 기념하기 위한 전시회가 열렸다.

유의 **commemoration** 명 기념

0833

fragile
[frǽdʒəl]

형 1. 부서지기[깨지기] 쉬운 2. 연약한, 허약한 3. 섬세한

We are **fragile** creatures in an environment full of danger. 기출
우리는 위험으로 가득 찬 환경에 살고 있는 연약한 존재이다.

파생 **fragility** 명 부서지기 쉬움, 허약
유의 **delicate** 형 연약한, 섬세한
vulnerable 형 취약한
반의 **durable** 형 내구성이 있는

0834

muscle
[mʌ́sl]

명 근육, 힘

After a workout, eating protein such as fish or chicken may help your **muscles** recover.
운동 후에, 생선이나 닭고기 같은 단백질을 먹는 것은 근육이 회복되는 데 도움을 줄 수 있다.

파생 **muscular** 형 근육의, 근육이 발달한

수능 혼동 어휘

0835

distract
[distrǽkt]

동 (주의를) 딴 데로 돌리다, 산만하게 하다

Irrelevant images will only **distract** and confuse the audience.
관련 없는 사진은 관람객을 산만하게 하고 혼란스럽게 할 뿐이다.

0836

district
[dístrikt]

명 지구, 구역

Houses in the historic **district** of Key West must be built of wood. 기출
Key West의 역사 지구에 있는 집들은 나무로 지어져야 한다.

수능 UP

Q1.
둘 중 알맞은 단어를 고르시오.
Wall Street is an eight-block-long street in the financial **[distract / district]** in Manhattan.

0837

proceed
[prəsíːd]

동 1. 진행하다, 계속되다 2. 나아가다

The lawyers advised their client not to **proceed** with the case.
변호사는 의뢰인에게 그 사건을 진행하지 말 것을 조언했다.

0838

precede
[prisíːd]

동 ~에 선행하다, ~에 앞서다

The tornado was **preceded** by a thunderstorm.
토네이도에 앞서 뇌우가 일어났다.

Q2.
둘 중 알맞은 단어를 고르시오.
He could not **[proceed / precede]** with the presentation because of the noise from outside.

수능 필수 숙어

0839

succeed to

~을 잇다, ~을 물려받다[승계하다]

As the king died, his eldest son **succeeded to** the throne.
왕이 죽자, 그의 장남이 왕위를 계승했다.

0840

succeed in

~에 성공하다

She **succeeded in** persuading her son to work out every day for an hour.
그녀는 그녀의 아들이 매일 한 시간씩 운동을 하도록 설득하는 데 성공했다.

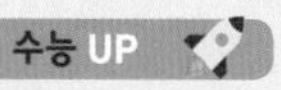

Q3.
빈칸에 알맞은 어구를 고르시오.

Jennifer rejoiced when she ____________ CEO of the company.

① succeeded to
② succeeded in

Daily Test 21

정답 p.452

A 우리말은 영어로, 영어는 우리말로 쓰시오.

01 극지의, 북극[남극]의 ______________

02 맹세하다; 맹세, 서약 ______________

03 지질학 ______________

04 매우 아름다운, 정교한 ______________

05 차별하다, 구별하다 ______________

06 전임자, 이전의 것 ______________

07 재개하다 ______________

08 masculine ______________

09 solitary ______________

10 evaluate ______________

11 restrict ______________

12 surpass ______________

13 verbal ______________

14 precede ______________

B 우리말과 일치하도록 빈칸에 알맞은 단어 또는 어구를 쓰시오.

서술형

01 They s___________ ___________ getting to the summit despite the bad weather.
그들은 기상 악화에도 불구하고 정상에 도달하는 데 성공했다.

02 Haven't you found any t___________ for your house yet?
집의 세입자를 아직 찾지 못했나요?

03 The noise d___________ him, so he couldn't study for the exam last night.
소음이 정신을 산만하게 하여 그는 어젯밤 시험공부를 할 수 없었다.

C 각 단어의 유의어 또는 반의어를 쓰시오.

01 동 infer 유의 d______________

02 명 esteem 반의 s______________

03 형 counterfeit 반의 g______________

04 동 accelerate 반의 d______________

05 명 impulse 유의 u______________

06 동 criticize 반의 p______________

07 동 wander 유의 r______________

08 형 fragile 반의 d______________

VOCA CLEAR

DAY 22

시험에 더 강해지는 어휘

0841

cope

[koup]

동 대처[대응]하다

Repetition of experience helps people learn to **cope** with the nervousness. 기출 응용

경험의 반복은 사람들이 긴장감에 대처하는 법을 배우는 데 도움이 된다.

유의 **deal with** ~을 다루다
manage 동 잘 해내다
숙어 **cope with** ~에 대처하다

0842

halt

[hɔːlt]

명 멈춤, 중단 동 멈추다, 중단시키다

Major League Baseball players went on strike, bringing baseball to a **halt**. 기출

메이저리그 야구 선수들이 파업에 돌입하여, 야구를 중단시켰다.

유의 **stop** 동 멈추다
cease 동 중단하다
반의 **continue** 동 계속하다
숙어 **bring A to a halt** A를 중단시키다

0843

privilege

[prívəlidʒ]

명 특권, 특혜 동 특권을 주다

Changes in your position might mean that you lose **privileges**. 기출 응용

지위의 변화는 특권을 잃는 것을 의미할 수도 있다.

파생 **privileged** 형 특권을 가진
유의 **prerogative** 명 특권

0844

unbiased

[ʌnbáiəst]

형 편향되지[편파적이지] 않은, 선입견[편견]이 없는

The media should deliver the news based on **unbiased** information.

미디어는 편향되지 않은 정보를 기반으로 뉴스를 전달해야 한다.

파생 **bias** 명 동 편견(을 갖게 하다)
유의 **impartial** 형 공정한
fair 형 공정한
반의 **biased** 형 선입견이 있는

0845

nurture

[nə́ːrtʃər]

동 1. 양육하다 2. 육성하다 명 1. 양육 2. 육성

Loving parents **nurture** and guide their children with all their hearts.

자애로운 부모는 아이들을 온 정성을 다해 양육하고 지도한다.

수능표현 +

nature and nurture 천성과 양육

유의 **raise** 동 기르다
foster 동 육성하다
upbringing 명 양육

0846

liquid
[líkwid]

명 액체 형 액체의, 유동성의

Human newborn infants show a strong preference for sweet **liquids.** 기출
인간 신생아는 달콤한 액체에 대한 강한 선호를 보인다.

유의 **fluid** 명 형 유동체(의)
반의 **solid** 명 형 고체(의)

0847 다의어

address
[ədrés]

동 1. 연설하다 2. (호칭으로) 부르다 3. 검토하다
명 1. 연설 2. 주소 3. 호칭

The principal was energetically **addressing** students about the thrills of high school life. 기출 응용
교장 선생님은 고등학교 생활의 설렘에 대해 학생들에게 힘차게 연설을 하고 있었다.

The residents will **address** these issues as an entire community.
주민들은 공동체 전체로서 이 문제들을 검토할 것이다.

Your application should be sent to the following email **address** by September 10. 기출
9월 10일까지 다음 이메일 주소로 여러분의 지원서를 보내야 합니다.

유의 **make a speech** 연설하다

0848

glossy
[glási]

형 1. 윤이 나는 2. 화려한

She dries her hair with cold air to keep it **glossy**.
그녀는 윤이 나는 머리카락을 유지하기 위해 찬 바람으로 머리를 말린다.

파생 **gloss** 명 윤[광]
유의 **lustrous** 형 윤이 나는
sleek 형 윤이 나는

0849

cutback
[kʌ́tbæ̀k]

명 축소, 삭감

On account of the economic recession, the employers were aiming to make **cutbacks** in jobs.
경기 침체 때문에 고용주들은 일자리를 줄이는 것을 목표로 하고 있었다.

파생 **cut back** 줄이다, 삭감하다
유의 **reduction** 명 축소, 삭감

0850

doom
[du:m]

동 (나쁘게) 운명 짓다 명 (좋지 않은) 운명, 파멸

The plan was **doomed** to fail from the start.
그 계획은 처음부터 실패할 운명이었다.

유의 **destine** 동 운명 짓다
fate 명 운명
숙어 **be doomed to-v** ~할 운명이다

0851

extract
[ikstrǽkt]

동 1. 추출하다 2. 발췌하다 명 [ékstrækt] 1. 추출물 2. 발췌

We have become much more efficient in **extracting** oil from the deep sea. 기출 응용
우리는 심해로부터 석유를 추출하는 데 있어 훨씬 더 효율성을 갖게 되었다.

파생 **extraction** 명 추출
유의 **abstract** 명 동 발췌(하다)

0852

misconception 명 오해

[mìskənsépʃən]

Contrary to a common **misconception**, sushi does not mean "raw fish."
일반적인 오해와는 달리, 스시는 '회'를 의미하지 않는다.

파생 **misconceive** 동 오해하다
유의 **misunderstanding** 명 오해, 착오

0853

skeptical 형 회의적인, 의심 많은

[sképtikəl]

Some people are **skeptical** about the claims that e-books will replace paper books.
몇몇 사람은 전자책이 종이책을 대체할 것이라는 주장에 대해 회의적이다.

파생 **skeptic** 명 회의론자
유의 **incredulous** 형 회의적인
suspicious 형 의심하는
반의 **convinced** 형 확신하는
숙어 **skeptical about[of]** ~에 대해 회의적인[의심 많은]

0854

flaw 명 결함, 결점, 흠

[flɔː]

Unfortunately, the document has major **flaws**. 기출 응용
유감스럽게도, 그 문서에는 중대한 결함이 있다.

파생 **flawed** 형 결함이 있는
유의 **defect** 명 결함
fault 명 잘못, 결점

0855

retain 동 보유하다, 유지하다

[ritéin]

The founder of the company still **retains** control of it.
그 회사의 설립자는 여전히 회사의 지배력을 유지하고 있다.

파생 **retention** 명 보유, 유지
유의 **hold** 동 보유[유지]하다
maintain 동 유지하다

0856

bargain 명 1. (정상가보다) 싸게 사는 물건, 특가품 2. 흥정 동 협상[흥정]하다

[báːrgin]

We saw an excellent **bargain**: a good TV for 25% off of the regular price.
우리는 아주 훌륭한 특가품을 보았는데, 그것은 정가의 25%가 할인된 괜찮은 TV였다.

유의 **good deal[buy]** 싸게 잘 산 물건
negotiate 동 협상하다

0857

context 명 1. 문맥 2. (일의) 맥락, 전후 상황

[kántekst]

Certain terms can cause misunderstanding if the **context** is not considered. 기출 응용
어떤 용어는 문맥이 고려되지 않으면 오해를 불러일으킬 수 있다.

수능표현 +

social context 사회적 맥락[상황]
cultural context 문화적 맥락

파생 **contextual** 형 맥락과 관련된
유의 **circumstance** 명 상황
background 명 배경
숙어 **in the context of** ~라는 맥락 속에서

0858

eloquent
[éləkwənt]

형 1. 웅변의, 달변의 2. 표현[표정]이 풍부한

Practicing these techniques will make you an **eloquent** speaker.
이 기술을 연습하는 것이 여러분을 달변의 연사로 만들어 줄 것이다.

파생 **eloquence** 명 웅변, 능변
유의 **expressive** 형 표정이 풍부한
반의 **ineloquent** 형 능변이 아닌

0859

surround
[səráund]

동 둘러싸다, 에워싸다

The walnut's growth is limited by the hard shell that **surrounds** it. 기출 응용
호두가 자라는 것은 그것을 둘러싸고 있는 딱딱한 껍질에 의해 한정된다.

파생 **surroundings** 명 환경
유의 **enclose** 동 에워싸다
숙어 **be surrounded by[with]** ~로 둘러싸이다

0860

vehicle
[víːikl]

명 1. 탈것, 차량, 운송 수단 2. 수단, 매개체

No **vehicles** passed along the narrow hill street. 기출
그 어떤 차량들도 좁은 언덕길을 따라 지나가지 않았다.

유의 **automobile** 명 차량
medium 명 수단, 방편
숙어 **a vehicle for** ~을 위한 수단

0861

painstaking
[péinstèikiŋ]

형 힘이 드는, 애쓰는, 공들인

The painter could rework the image, but the process was **painstaking** and slow. 기출 응용
화가는 이미지를 재작업할 수 있었지만, 그 과정은 힘이 들고 더뎠다.

유의 **laborious** 형 힘든

0862

intrigue
[intríːg]

동 1. 흥미를 불러일으키다 2. 음모를 꾸미다
명 [íntriːg] 음모

Exactly how cicadas keep track of time has always **intrigued** researchers. 기출
정확히 어떻게 매미가 시간을 추적하는지는 항상 연구자들의 흥미를 불러일으켰다.

수능표현+

political intrigue 정치적인 음모

파생 **intriguing** 형 아주 흥미로운
유의 **interest** 동 흥미를 돋우다
conspire 동 공모하다
plot 명동 음모(를 꾸미다)

0863

slide
[slaid]

동 1. 미끄러지다 2. 내려가다 명 1. 미끄러짐 2. 하락

The children are **sliding** down the hill in the snow.
아이들이 눈 속에서 언덕을 미끄러져 내려가고 있다.

유의 **slip** 동 미끄러지다
glide 동 미끄러지듯 가다

0864

weary
[wí(:)əri]

형 1. 지친, 피곤한 2. 싫증 난 동 지치게 하다

The **weary** traveler finally found a place to stay for the night.
그 지친 여행객은 마침내 하룻밤 묵을 곳을 찾았다.

유의 **exhausted** 형 지친
worn out 형 매우 지친
숙어 **weary of** ~에 싫증 난

0865

opponent
[əpóunənt]

명 1. 상대, 적수 2. 반대자

After training with a new coach, she started winning even against more experienced **opponents**.
그녀는 새 코치와 함께 훈련한 후 더 경험이 많은 상대에게도 승리를 거두기 시작했다.

파생 **oppose** 동 반대하다
opposition 명 반대
유의 **adversary** 명 적수, 상대
반의 **proponent** 명 찬성자, 지지자

0866

maintain
[meintéin]

동 1. 유지하다, 지속하다 2. 주장하다

We should switch to software that will **maintain** the company's database system. 기출 응용
우리는 회사의 데이터베이스 시스템을 유지해 줄 소프트웨어로 바꿔야 한다.

파생 **maintenance** 명 유지, 생활비
유의 **sustain** 동 지속하다
insist 동 주장하다

0867 다의어

trunk
[trʌŋk]

명 1. 줄기, 몸통 2. 코끼리의 코 3. 여행용 큰 가방

The tree had a very thick **trunk**, and it looked like it was over 500 years old.
그 나무는 매우 두꺼운 몸통을 가지고 있었고 500살은 넘은 것처럼 보였다.

Elephants use their **trunks** to make a loud noise to warn others.
코끼리는 코를 이용하여 시끄러운 소음을 내어 상대편에게 경고한다.

She dragged a heavy **trunk** that had a broken wheel.
그녀는 바퀴가 부러진 무거운 여행용 큰 가방을 끌고 갔다.

0868

athletic
[æθlétik]

형 1. 운동의, 운동 경기의 2. (몸이) 탄탄한
명 ((-s)) 운동 경기

Our new sports training program will help you improve your **athletic** skills as a soccer player. 기출
우리의 새 스포츠 훈련 프로그램은 여러분이 축구 선수로서 운동 기술을 향상시키는 데 도움이 될 것입니다.

파생 **athlete** 명 운동 선수
유의 **fit** 형 탄탄한

0869

examine
[igzǽmin]

동 1. 조사[검토]하다, 검사하다 2. 진찰하다 3. 시험을 보게 하다

Set the marbles on the table and **examine** each one with the magnifying glass. 기출
대리석들을 테이블 위에 놓고 돋보기로 각각의 대리석들을 검사하라.

파생 **examination** 명 조사, 검사, 시험
유의 **inspect** 동 점검[검사]하다
investigate 동 조사하다

0870

consist
[kənsíst]

동 1. 구성되다 2. (~에) 있다

The faculty **consists** of college-educated, specially trained instructors.
교수진은 대학 교육을 받은, 특별히 훈련된 강사들로 구성되어 있다.

파생 **consistent** 형 일관된, ~와 일치하는
숙어 **consist of** ~로 구성되다
consist in ~에 있다

0871

archaeology
[ɑ̀ːrkiɑ́lədʒi]

명 고고학

The quest for profit and the search for knowledge cannot coexist in **archaeology**. 기출
이익 추구와 지식 탐구는 고고학에서 공존할 수 없다.

수능표현 +
archaeological site 고고학 발굴 현장

파생 **archaeologist** 명 고고학자
archaeological 형 고고학의

0872

ego
[íːgou]

명 1. ((심리)) 자아 2. 자부심, 자존심

Everyone has an **ego**, and when used in the right way, it can serve you well.
모든 사람은 자아를 가지고 있으며 그것이 올바른 방식으로 사용될 때 여러분에게 도움을 줄 수 있다.

유의 **self** 명 자아, 자신
self-esteem 명 자부심

0873

temporary
[témpərèri]

형 일시적인, 임시의

Find a **temporary** solution to begin with, and decide on a permanent one later. 기출
우선 일시적인 해결책을 찾고 영구적인 것을 나중에 결정하라.

파생 **temporarily** 부 일시적으로, 임시로
반의 **permanent** 형 영구적인, 불변의

0874

salary
[sǽləri]

명 급여, 월급

We can consider raising your current **salary** after getting your performance report.
우리는 당신의 실적 보고서를 받은 후에 현재 임금을 인상하는 것을 고려해 볼 수 있습니다.

유의 **pay** 명 급료, 보수
wage 명 임금

수능 혼동 어휘

0875

comparable [kɑ́:mpərəbl]

형 비슷한, 비교할 만한

The safer alternative is available at a **comparable** cost. 기출
더 안전한 대안을 비슷한 비용으로 구할 수 있다.

0876

comparative [kəmpǽrətiv]

형 1. 비교의, 비교를 통한 2. 상대적인

This is a **comparative** analysis of the U.S. foreign policy towards Iran and China.
이것은 미국의 이란과 중국에 대한 외교 정책을 비교 분석한 것이다.

0877

leap [li:p]

동 1. 뛰다, 도약하다 2. 급증하다 명 1. 도약 2. 급증

The actor actually **leaped** from the roof of the building for the movie.
그 배우는 영화를 위해 실제로 건물 옥상에서 뛰어내렸다.

수능표현 +

leap year 윤년

0878

reap [ri:p]

동 거두다, 수확하다

The negotiators **reaped** more benefits from the agreement than they expected.
협상가들은 협정에서 그들이 기대한 것보다 더 많은 이익을 거뒀다.

수능 UP

Q1.
둘 중 알맞은 단어를 고르시오.
Millennials have lower real incomes than previous generations did at a **[comparable / comparative]** age.

Q2.
둘 중 알맞은 단어를 고르시오.
Two men were forced to **[leap / reap]** into the water to escape the flames.

수능 필수 숙어

0879

set about

시작하다, 착수하다

After dinner he **set about** clearing the table.
저녁 식사 후 그는 식탁을 치우기 시작했다.

0880

bring about

~을 야기하다

Individuals are often not sure of their impact or power to **bring about** change. 기출 응용
개인들은 흔히 변화를 야기하는 자신의 영향이나 힘을 확신하지 못한다.

수능 UP

Q3.
빈칸에 알맞은 어구를 고르시오.

Good interpersonal skills can __________ success in the workplace.

① set about
② bring about

Daily Test 22

정답 p.452

A 우리말은 영어로, 영어는 우리말로 쓰시오.

01 탈것, 차량, 매개체 ____________

02 특권; 특권을 주다 ____________

03 연설(하다), 주소 ____________

04 비교의, 상대적인 ____________

05 줄기, 몸통 ____________

06 문맥, (일의) 맥락 ____________

07 웅변의, 달변의 ____________

08 retain ____________

09 intrigue ____________

10 painstaking ____________

11 surround ____________

12 skeptical ____________

13 archaeology ____________

14 glossy ____________

B 우리말과 일치하도록 빈칸에 알맞은 단어 또는 어구를 쓰시오.

서술형

01 Local authorities didn't know how to c__________ with the rapid rise of river pollution.
지방 당국은 하천 오염이 급격히 증가하는 것에 어떻게 대처할지를 몰랐다.

02 Business was not good, so the company made a c__________ in workers from 50 to 30.
사업이 잘 되지 않아 회사는 직원을 50명에서 30명으로 감원했다.

03 Our team s__________ __________ the task of bringing his idea into reality.
우리 팀은 그의 아이디어를 현실로 가져오기 위한 작업에 착수했다.

C 각 단어의 유의어 또는 반의어를 쓰시오.

01 동 halt 반의 c____________

02 형 unbiased 반의 b____________

03 동 nurture 유의 f____________

04 형 weary 유의 e____________

05 동 doom 유의 d____________

06 명 opponent 반의 p____________

07 동 maintain 유의 s____________

08 형 temporary 반의 p____________

VOCA CLEAR

DAY 23

시험에 더 강해지는 어휘

0881

recess
[risés]

명 휴회 (기간) 동 휴회하다

There was an uproar in the courtroom, and the judge called a short **recess**.
법정에 소란이 있었고, 판사는 짧은 휴정을 선언했다.

- 파생 **recede** 동 물러나다
- **recession** 명 (경기) 후퇴
- 유의 **break** 명 휴식
- 숙어 **in recess** 휴회 중에

0882

dread
[dred]

동 무서워하다, 두려워하다 명 공포, 두려움

Jeremy became so stressed that he even **dreaded** going into his classroom. 기출
Jeremy는 너무 스트레스를 받아서 그의 교실에 들어가는 것조차 두려워했다.

- 파생 **dreadful** 형 끔찍한
- 유의 **fear** 동 두려워하다 명 두려움
- **horror** 명 공포

0883

enlighten
[inláitən]

동 깨우치다, 계몽하다

The aim of this campaign is to **enlighten** young people on human rights.
이 캠페인의 목적은 젊은이들에게 인권에 대해 깨우치게 하는 것이다.

- 파생 **enlightenment** 명 깨우침
- **enlightened** 형 계몽된
- 유의 **inform** 동 알려주다

0884

perpetual
[pərpétʃuəl]

형 영속하는, 끊임없는

There is **perpetual** snow on the peak of the mountain.
그 산의 꼭대기에는 만년설이 있다.

- 파생 **perpetuate** 동 영속시키다
- 유의 **everlasting** 형 영원한
- **permanent** 형 영속적인
- 반의 **temporary** 형 일시적인

0885

hemisphere
[hémisfìər]

명 반구, 반구체

The Great Salt Lake is the largest salt lake in the Western **Hemisphere**. 기출
그레이트 솔트 호는 서반구에서 가장 큰 염수호이다.

수능표현 +

Northern Hemisphere 북반구
Southern Hemisphere 남반구

0886

accord
[əkɔ́ːrd]

동 일치하다, 부합하다 명 합의, 협정

The quality of an artwork doesn't always **accord** with its price.
예술품의 질이 항상 그것의 가격과 부합하는 것은 아니다.

파생 accordance 명 일치, 합치
유의 coincide 동 일치하다
agreement 명 협정
반의 discord 동 일치하지 않다 명 불일치
숙어 in accord with ~와 조화되어, 일치하여

0887 다의어

concern
[kənsə́ːrn]

동 1. 걱정하게 하다 2. 관련되다 3. 관심을 갖다
명 1. 걱정, 염려 2. 관심(사)

Concerned about Jean idling around, Ms. Baker decided to change her teaching method. 기출
Jean이 빈둥거리는 것이 걱정되어, Baker 선생님은 자신의 교수법을 바꾸기로 결정했다.

The new study **concerns** the recent rise of traffic accidents.
새 연구는 최근의 교통사고 증가와 관련되어 있다.

We have deep **concerns** about climate change due to global warming.
우리는 지구 온난화로 인한 기후 변화에 대해 깊이 우려하고 있다.

파생 concerned 형 걱정하는, 관심이 있는
concerning 전 ~에 관한
유의 worry 명 동 걱정(하다)
숙어 concern with[about] ~에 대한 염려

0888

strategy
[strǽtidʒi]

명 1. 전략 2. 계략, 술수 3.계획

Each species has a distinct **strategy** for survival.
각각의 종은 생존을 위한 뚜렷한 전략을 가지고 있다.

파생 strategic 형 전략적인
유의 plan 명 계략, 계획

0889

barbarous
[bɑ́ːrbərəs]

형 1. 미개한, 야만스러운 2. 잔혹한, 악랄한

Some religious ceremonies appear **barbarous** to the modern mind.
어떤 종교 의식은 현대인에게 야만적인 것처럼 보인다.

파생 barbarian 명 형 야만인(의)
유의 savage 형 야만적인
uncivilized 형 미개한
brutal 형 잔혹한, 악랄한

0890

tension
[ténʃən]

명 1. 긴장 (상태) 2. 팽팽함
동 1. 긴장시키다 2. 팽팽하게 하다

Reducing stress and **tension** will help you improve your memory dramatically. 기출
스트레스와 긴장을 줄이는 것은 여러분의 기억력을 극적으로 향상시키는 데 도움이 될 것이다.

파생 tense 형 긴장한
반의 relaxation 명 완화, 휴식

0891

apparent
[əpǽrənt]

형 1. 분명한, 명백한 2. 외관상의, 겉보기의

It was **apparent** from her face that she was lying to me.
그녀가 나에게 거짓말을 하고 있다는 것이 그녀의 얼굴에 분명히 드러났다.

파생 **appear** 동 ~처럼 보이다
apparently 부 보아하니
유의 **obvious** 형 분명한, 명백한
반의 **ambiguous** 형 모호한

0892

glimpse
[glimps]

동 힐끗 보다 명 힐끗 봄

He **glimpsed** the girl through the window as he passed.
그는 지나가면서 창문을 통해 그 소녀를 힐끗 보았다.

유의 **glance** 동 힐끗 보다 명 힐끗 봄
숙어 **catch a glimpse** 힐끗 보다, 얼핏 보다

0893

copyright
[kɑ́:piràit]

명 저작권, 판권 형 저작권 보호를 받는

The singer has many hit songs, but he does not own the **copyrights** to any of them.
그 가수는 많은 히트곡을 가지고 있지만, 그것들 중 어느 것에도 저작권을 가지고 있지 않다 .

수능표현 +

copyright protection 저작권 보호
copyright act[law] 저작권법
copyright infringement 저작권 침해

0894

slip
[slip]

동 미끄러지다 명 1. 미끄러짐 2. 실수 3. (작은 종이) 조각

A wider handle prevented the razor from **slipping** out of the user's hand. 기출 응용
더 넓은 손잡이는 면도기가 사용자의 손에서 미끄러지는 것을 막아 주었다.

수능표현 +

slip of the tongue 실언, 말실수

유의 **slide** 동 미끄러지다
mistake 명 실수

0895

impress
[imprés]

동 1. 깊은 인상을 주다 2. 감동시키다

She was so **impressed** by her employees' dedication to Amy. 기출 응용
그녀는 Amy에 대한 직원들의 헌신에 깊은 인상을 받았다.

파생 **impression** 명 인상
impressive 형 인상 깊은
유의 **inspire** 동 (감정을) 불어넣다

0896

vocal
[vóukəl]

형 목소리의, 음성의 명 보컬 (부분)

The tongue is a **vocal** organ that helps produce speech.
혀는 발화를 돕는 음성 기관이다.

파생 **vocalize** 동 입으로 소리를 내다
vocalist 명 보컬 (가수)

0897

retreat
[ritríːt]

동 후퇴하다, 물러서다 명 후퇴, 철수

We had to **retreat** from the mountain due to heavy snowfall.
폭설로 인해 우리는 산에서 후퇴해야 했다.

유의 recede 동 물러가다
withdraw 동 물러나다
반의 advance 동 전진하다

0898

auction
[ɔ́ːkʃən]

명 경매 동 경매로 팔다

The painting is expected to sell for $20,000 at **auction**.
그 그림은 경매에서 2만 달러에 팔릴 것으로 예상된다.

숙어 be sold at[by] auction 경매되다

0899

peer
[piər]

명 동료, 또래 동 응시하다, 자세히 보다

Having positive relationships with **peers** can lead directly to information that helps students learn. 기출
또래와 긍정적인 관계를 갖는 것은 학생들의 학습을 돕는 정보에 직접적으로 이르게 할 수 있다.

수능표현 +
peer group 또래 집단

유의 fellow 명 동료, 동년배
gaze 동 응시하다

0900

oppose
[əpóuz]

동 반대하다, 대항하다

The majority of people are **opposed** to the British government's proposals.
대다수의 사람들은 영국 정부의 제안에 반대한다.

파생 opposition 명 반대
opposite 형 반대의
반의 support 동 지지하다
숙어 be opposed to ~에 반대하다

0901

incredible
[inkrédəbl]

형 1. 믿을 수 없는 2. (믿기 힘들 만큼) 놀라운, 대단한

It is **incredible** that she hasn't eaten anything for three days.
그녀가 3일간 아무것도 먹지 않았다는 것이 믿기 어렵다.

파생 incredibly 부 놀랍게도
유의 unbelievable 형 믿을 수 없는
amazing 형 놀라운
반의 credible 형 믿을 만한

0902

molecule
[máləkjùːl]

명 분자

How many hydrogen atoms are in a **molecule** of water? 기출 응용
물 분자 안에 몇 개의 수소 원자가 있는가?

파생 molecular 형 분자의

0903

supreme
[suprí:m]

형 최고의, 최상의

Clean air is of **supreme** importance to our health and environment.
깨끗한 공기는 우리의 건강과 환경에 가장 중요하다.

수능표현+
supreme court 대법원

파생 supremacy 명 최고, 우위, 패권
유의 paramount 형 (지위·권력이) 최고의
숙어 of supreme importance 가장 중요한

0904

weave
[wi:v]

동 (실 등을) 짜다, 엮다

Ghost spiders **weave** webs out of very short threads. 기출
유령거미는 매우 짧은 가닥으로 거미줄을 짠다.

유의 knit 동 뜨다, 짜다

0905

receive
[risí:v]

동 받다, 받아들이다

We have **received** reports that some residents have been disturbed by noise. 기출 응용
우리는 몇몇 거주자가 소음에 방해를 받고 있다는 보고를 받았다.

파생 reception 명 접수처, (환영) 연회
receipt 명 영수증
유의 accept 동 받아들이다

0906 다의어

desert
[dézərt]

명 사막 형 사막의, 사람이 살지 않는
동 [dizə́:rt] 버리다, 떠나다

When land loses its ability to produce vegetation, it turns into **desert**. 기출 응용
땅이 초목을 생산할 능력을 잃으면 사막으로 변한다.

People left the village during the war, and it is now **deserted.**
전쟁 중에 사람들은 마을을 떠났고, 그곳은 현재 버려진 상태이다.

파생 deserted 형 버려진, 인적이 끊긴
유의 abandon 동 버리다

0907

empirical
[empírikəl]

형 경험에 따른, 실증적인

Empirical knowledge is based on facts determined through observation.
경험적 지식은 관찰을 통해 결정된 사실에 기초한다.

파생 empiricism 명 경험주의
반의 theoretical 형 이론(상)의

0908

chronological
[krɑ̀:nəlɑ́dʒikəl]

형 연대순의, 발생[시간] 순서대로 된

The paper's essential information was presented in **chronological** order.
논문의 핵심 정보는 연대순으로 제시되어 있었다.

파생 chronicle 명 연대기 동 연대순으로 기록하다

0909

threat
[θret]

명 1. 위협, 협박 2. 위험

Cloning is sometimes seen as a **threat** to the diversity of nature. 기출 응용
복제는 때때로 자연의 다양성에 대한 위협으로 여겨진다.

파생 **threaten** 동 위협하다
유의 **danger** 명 위험, 위협
risk 명 위험

0910

protest
[próutest]

명 항의, 시위 동 [prətést] 항의[반대]하다, 이의를 제기하다

Picasso painted his famous *Guernica* in **protest** of fascism. 기출 응용
피카소는 파시즘에 항의하여 그의 유명한 'Guernica'를 그렸다.

유의 **demonstration** 명 시위
object 동 반대하다
oppose 동 반대하다
숙어 **protest against**
~에 항의[반대]하다

0911

cancer
[kǽnsər]

명 암

Lung **cancer** risk increases by 7% with every cigarette per day.
폐암의 위험은 매일 피우는 담배 한 개비마다 7퍼센트씩 증가한다.

수능표현 +
stomach[breast/skin] cancer [위/유방/피부]암

파생 **cancerous** 형 암에 걸린
유의 **tumor** 명 종양

0912

modify
[mɑ́:dəfài]

동 1. 수정하다 2. 수식하다, 한정하다

The website doesn't allow you to **modify** the document after submitting it.
그 웹사이트는 문서를 제출 후 수정하는 것을 허용하지 않는다.

수능표현 +
genetically modified organism (GMO)
유전자 변형 농산물

파생 **modification** 명 수정
유의 **alter** 동 변경하다
revise 동 수정[교정]하다

0913

survey
[sə́:rvei]

명 (설문) 조사 동 [sərvéi] 조사하다

Advertisers use the results of **surveys** to prove what they say about their products. 기출
광고주들은 그들의 상품에 대해 자신들이 말하는 것을 입증하기 위해 설문 조사의 결과를 이용한다.

유의 **research** 명 동 조사(하다)
questionnaire
명 설문지

0914

equilibrium
[ì:kwəlíbriəm]

명 1. 평형[균형] (상태) 2. (마음의) 평정

Naturally we return to a balanced state of **equilibrium**. 기출 응용
자연적으로 우리는 균형이라는 안정된 상태로 돌아간다.

유의 **balance** 명 평형, 균형
반의 **imbalance** 명 불균형

수능 혼동 어휘

0915

affect [əfékt]

동 영향을 미치다

Feelings may **affect** various aspects of your eating, including your food choices. 기출
감정은 여러분의 음식 선택을 포함하여 식사의 다양한 측면에 영향을 줄 수 있다.

0916

effect [ifékt]

명 1. 영향, 효과 2. 결과

Language has a significant **effect** on how we "see" colors. 기출
언어는 우리가 색을 '보는' 방식에 상당한 영향을 미친다.

수능표현 +
cause and effect 원인과 결과

0917

intuition [ìntjuíʃən]

명 직관(력), 직감

We need our **intuition** to make quick judgments.
우리는 빠른 판단을 내리기 위해 직관이 필요하다. 기출 응용

0918

tuition [tjuíʃən]

명 수업료, 등록금

His college **tuition** will be paid for with scholarships this year.
올해 그의 대학 등록금은 장학금으로 지불될 것이다.

수능 UP

Q1.
둘 중 알맞은 단어를 고르시오.
Natural drivers of climate change will have little **[affect / effect]** on long-term global warming.

Q2.
둘 중 알맞은 단어를 고르시오.
I had a(n) **[intuition / tuition]** that something was wrong, but I ignored it.

수능 필수 숙어

0919

give rise to

~을 낳다, ~을 일으키다

The physical processes in the brain **give rise to** the conscious experience. 기출 응용
뇌의 물리적 과정은 의식적인 경험을 일으킨다.

0920

give way to

~에 굽히다, ~에 항복하다

I will not **give way to** my fears again.
나는 두려움에 다시 굴복하지 않을 것이다.

Q3.
빈칸에 알맞은 어구를 고르시오.

Evolutionary processes ________ diversity at every level of biological organization.

① give rise to
② give way to

Daily Test 23

정답 p.452

A 우리말은 영어로, 영어는 우리말로 쓰시오.

01 전략, 계략, 계획 ____________

02 (실 등을) 짜다, 엮다 ____________

03 후퇴하다, 물러서다 ____________

04 저작권, 판권 ____________

05 긴장 (상태), 팽팽함 ____________

06 힐끗 보다; 힐끗 봄 ____________

07 수정하다, 수식하다 ____________

08 equilibrium ____________

09 supreme ____________

10 enlighten ____________

11 chronological ____________

12 threat ____________

13 molecule ____________

14 intuition ____________

B 우리말과 일치하도록 빈칸에 알맞은 단어 또는 어구를 쓰시오.

서술형

01 The captain didn't g__________ __________ __________ the rainstorm and continued to sail the ship.
선장은 폭풍우에 굴하지 않고 항해를 계속했다.

02 The buyer did not attend the a__________, but he did send a representative to place the bids.
구매자는 경매에 참석하지 않았지만, 입찰을 하기 위해 대리인을 보냈다.

03 She p__________ into the dark corridor to see what was making the noise.
그녀는 무엇이 소음을 내고 있는지 확인하기 위해 어두운 복도를 응시했다.

C 각 단어의 유의어 또는 반의어를 쓰시오.

01 형 perpetual 반의 t__________

02 동 accord 반의 d__________

03 형 incredible 유의 u__________

04 형 barbarous 유의 s__________

05 형 apparent 반의 a__________

06 형 empirical 반의 t__________

07 동 oppose 반의 s__________

08 동 desert 유의 a__________

VOCA CLEAR

DAY 24

시험에 더 강해지는 어휘

0921

accommodate
[əkάːmədèit]

동 1. 숙박시키다, 수용하다 2. 적응시키다[하다]

The conference room can **accommodate** around 100 people.
회의실에는 대략 100명의 인원을 수용할 수 있다.

파생 **accommodation** 명 숙박 시설
유의 **house** 동 (집을) 제공하다, 수용하다
adapt 동 적응하다

0922

duty
[djúːti]

명 1. 의무 2. 임무 3. (수출입에 대한) 세금

It is my **duty** as a parent to protect my children.
아이들을 보호하는 것은 부모로서의 나의 의무이다.

유의 **obligation** 명 의무
tax 명 세금
숙어 **on duty** 근무 중인
off duty 비번의

0923

native
[néitiv]

형 1. 태어난 곳의 2. 타고난 3. 토박이의
명 1. ~ 출신자 2. 원주민, 토착민

It is possible to forget your **native** language even as an adult.
성인이 되어서도 모국어를 잊어버릴 수 있다.

유의 **innate** 형 타고난
indigenous 형 토착의
반의 **acquired** 형 후천적인

0924

fund
[fʌnd]

명 기금, 자금 동 자금을 대다

The Green Bike Ride is an event to raise **funds** for local environmental conservation. 기출 응용
Green Bike Ride는 지역 환경 보전 기금을 모으기 위한 행사이다.

파생 **funding** 명 자금, 자금 제공
숙어 **raise funds** 자금을 모집하다[조달하다]

0925

tribe
[traib]

명 부족, 종족

There are many **tribes** that live in the Amazon rainforest.
아마존 열대 우림에는 많은 부족들이 살고 있다.

파생 **tribal** 형 부족의, 종족의

0926

clarify
[klǽrəfài]

동 1. 명백히 하다 2. 정화하다

You should **clarify** that the notice of harmful chemicals is a warning. 기출 응용
너는 해로운 화학 물질에 대한 알림이 경고라는 것을 명백히 밝혀야 한다.

파생 **clarification** 명 설명, 정화
유의 **explain** 동 설명하다

0927

gracious
[gréiʃəs]

형 1. 자애로운 2. 품위 있는, 우아한 3. 정중한

These acts can be as simple as a kind word or a **gracious** smile.
이 행동들은 친절한 말이나 자애로운 미소처럼 간단할 수 있다.

파생 **grace** 명 품위, 우아함
graceful 형 우아한
유의 **elegant** 형 우아한
polite 형 정중한

0928

repair
[ripέər]

동 1. 수리[수선]하다 2. 회복하다
명 1. 수리[수선] 2. 회복

Please send a service engineer as soon as possible to **repair** the washing machine. 기출 응용
세탁기를 수리하기 위해 가능한 한 빨리 서비스 기사를 보내 주세요.

수능표현 +

repair bill 수리비 (청구서)
repairman 수리공
repair shop 수리점

유의 **mend** 동 수리하다
fix 동 수리하다
restore 동 회복하다
반의 **damage** 동 훼손하다
숙어 **under repair** 수리 중인

0929

prophecy
[prά:fəsi]

명 예언, 예지력

The wizard's **prophecy** that the boy would become the king of the kingdom came true.
그 소년이 그 왕국의 왕이 될 것이라는 마법사의 예언은 실현되었다.

파생 **prophet** 명 예언자
prophetic 형 예언의
유의 **prediction** 명 예언

0930

electron
[iléktrɑ:n]

명 전자

Electrons flow from the negative terminal to the positive one.
전자는 음극 단자에서 양극으로 흐른다.

파생 **electronic** 형 전자의

0931

betray
[bitréi]

동 1. 배신[배반]하다 2. 누설하다 3. (무심코) 드러내다

Hard work and effort never **betray** you.
수고와 노력은 절대 여러분을 배신하지 않는다.

파생 **betrayal** 명 배신, 배반
유의 **expose** 동 드러내다
reveal 동 드러내다

0932

snap
[snæp]

동 1. 확 잡아채다 2. 찰칵 소리내다
명 1. 찰칵하는 소리 2. 스냅 사진

He **snapped** up an early-bird ticket for the concert.
그는 그 콘서트의 얼리버드 입장권을 덥석 샀다.

숙어 **snap up** 덥석 물다[사다]

0933

obligation
[à:bləgéiʃən]

명 의무, 책무

Schools have an **obligation** to help students learn new things.
학교는 학생들이 새로운 것을 배울 수 있도록 도와야 할 의무가 있다.

파생 **oblige** 동 강요하다
obligatory 형 의무적인
유의 **duty** 명 의무
숙어 **obligation to-v** ~할 의무

0934 다의어

bear
[bɛər]

동 1. 참다, 견디다 2. (부담·책임을) 지다
3. (무게를) 지탱하다 4. (아이를) 낳다, (열매를) 맺다

He couldn't **bear** the cold of Alaska after living in the heat of Texas.
텍사스의 더위에서 살고 난 후 그는 알래스카의 추위를 견딜 수 없었다.

You don't have to **bear** the blame for other people's mistakes.
다른 사람들의 실수에 대한 비난을 여러분이 감당하지 않아도 된다.

She was **born** in France but lived in Spain.
그녀는 프랑스에서 태어났으나 스페인에서 살았다.

파생 **bearable** 형 참을 수 있는
유의 **stand** 동 참다, 견디다
endure 동 견디다
support 동 지탱하다
give birth to (아이를) 낳다

0935

initial
[iníʃəl]

형 처음의, 초기의 명 머리글자(이니셜)

The **initial** pain will be large, but the total amount of pain over time will decrease. 기출 응용
초기의 고통은 크겠지만, 시간이 흐르면서 고통의 총량은 줄어들 것이다.

수능표현 +
initial stage 초기 단계
initial plan 초기 계획

파생 **initiate** 동 시작하다
initially 부 처음에
유의 **early** 형 초기의
반의 **final** 형 마지막의

0936

nostalgia
[nɑ:stǽldʒə]

명 향수, 옛날을 그리워함

He felt **nostalgia** for his school days when he looked at some old photos.
그는 옛날 사진 몇 장을 보면서 학창 시절에 대한 향수를 느꼈다.

파생 **nostalgic** 형 향수의
유의 **homesickness** 명 향수병

0937

devour
[diváuər]

동 1. 게걸스레 먹다 2. 탐독하다

This strange plant can swallow and **devour** rats whole. 기출 응용
이 이상한 식물은 쥐를 통째로 삼키고 게걸스럽게 먹어 치울 수 있다.

파생 **devouring** 형 게걸스럽게 먹는
유의 **gobble up** 게걸스럽게 먹어 치우다

0938

inherit
[inhérit]

동 상속하다, 물려받다

Children tend to **inherit** the looks, habits, and traits of their parents.
아이들은 부모의 외모, 습관, 성격상의 특성을 물려받는 경향이 있다.

파생 **inheritance** 명 상속, 유산
heritage 명 (국가) 유산
유의 **take over** 물려받다

0939

superstition
[sù:pərstíʃən]

명 미신

According to **superstition**, “13” is an unlucky number.
미신에 따르면, ‘13’은 불운의 숫자이다.

파생 **superstitious** 형 미신을 믿는

0940

artificial
[à:rtifíʃəl]

형 1. 인공적인, 인조의 2. 거짓의

Some studies have suggested a link between certain types of **artificial** sweeteners and cancer.
몇몇 연구는 특정 종류의 인공 감미료와 암과의 관련성을 시사했다.

수능표현 +

artificial flavor 인공 조미료
artificial intelligence(AI) 인공 지능
artificial organ 인공 장기

유의 **synthetic** 형 인조의, 합성한
fake 형 가짜의, 모조의
반의 **natural** 형 자연의, 천연의
genuine 형 진짜의

0941

revive
[riváiv]

동 1. 활기를 되찾다, 회복하다 2. 재공연하다

Breaks are necessary to **revive** your energy levels.
에너지 수준을 회복하려면 휴식이 필요하다. 기출

파생 **revival** 명 회복, 재공연
유의 **revitalize** 동 활기를 되찾다
restore 동 회복하다

0942

convey
[kənvéi]

동 1. (생각·감정 등을) 전달하다 2. 나르다, 운반하다

Complex human language can **convey** nuanced emotions and ideas. 기출 응용
복잡한 인간 언어는 미묘한 차이가 있는 감정과 생각을 전달할 수 있다.

파생 **conveyance** 명 운송
유의 **communicate** 동 전달하다
carry 동 나르다, 전달하다

0943

herd
[hə:rd]

명 (짐승의) 떼, 무리 동 떼 지어 몰다

Zebra **herds** spend most of their time on open grassland.
얼룩말 무리는 대부분의 시간을 탁 트인 초원에서 보낸다.

유의 **flock** 명 떼, 무리
숙어 **a herd of** ~의 떼, 무리

0944

philosophy
[filɑ́ːsəfi]

명 철학

Education in our school is based on a child-centered **philosophy**.
우리 학교 교육은 아동 중심의 철학을 기반으로 한다.

파생 philosopher 명 철학자
philosophical 형 철학의, 철학에 관련된

0945

mount
[maunt]

동 1. 오르다 2. 증가하다 명 산

As the day of the game grew closer, the pressure to win began to **mount**.
시합 날이 다가옴에 따라 승리에 대한 압박감이 증가하기 시작했다.

파생 mounting 형 증가하는
유의 increase 동 증가하다
반의 decrease 동 감소하다

0946 다의어

stall
[stɔːl]

명 1. 가판대, 좌판 2. 마구간 3. 구실, 핑계
동 1. 멈추다 2. 시간을 끌다

Vegetables were placed on the market **stall**.
채소들이 시장 가판대에 올려졌다.

The **stall** was too small to hold even two horses.
그 마구간은 너무 작아서 말 두 마리조차 수용할 수 없었다.

The car **stalled** on a steep hill and would not start again.
가파른 언덕에서 차가 멈췄고 다시는 시동이 걸리지 않았다.

Quit **stalling** and answer my questions.
시간 끌기 그만하고 내 질문에 대답해.

유의 stand 명 가판대
halt 동 멈추다, 서다
delay 동 시간을 끌다, 지체하게 하다

0947

extrovert
[ékstrəvə̀ːrt]

명 외향적인 사람

Extroverts enjoy being around other people and focus on the outside world.
외향적인 사람은 다른 사람들 주변에 있는 것을 즐기며 외부 세계에 초점을 둔다.

파생 extroverted 형 외향적인
반의 introvert 명 내향적인 사람

0948

differ
[dífər]

동 1. 다르다 2. 의견이 다르다

Adolescents **differ** from adults in the way they behave and make decisions. 기출
청소년들은 행동하고 결정을 내리는 방식에서 어른들과 다르다.

파생 difference 명 차이
유의 vary 동 다르다
disagree 동 의견이 다르다
숙어 differ from ~와 다르다

0949

consistent
[kənsístənt]

형 1. 일관된, 한결같은 2. 일치하는

A **consistent** reward may not sustain motivation over time.
일관된 보상은 시간이 지남에 따라 동기 부여를 유지하지 못할 수도 있다.

수능표현 +
consistent pain 지속적인 통증

반의 inconsistent 형 일관성 없는
숙어 consistent in ~에 있어 일관성이 있는
consistent with ~와 일치하는

0950

verse
[vəːrs]

명 1. 운문, 시 2. (시의) 연, (노래의) 절

The play was written in **verse**, not in prose.
그 희곡은 산문이 아니라 운문으로 쓰였다.

유의 poetry 명 시
반의 prose 명 산문

0951

employ
[implɔ́i]

동 1. 고용하다 2. (기술·방법 등을) 이용하다

Those businesses help to keep people in the community **employed.** 기출
그 기업들은 지역 사회의 사람들이 고용된 상태를 유지하도록 도와준다.

수능표현 +
self-employed musician 독자적으로 일하는 음악가

파생 employment 명 고용
employer 명 고용주
employee 명 직원
employed 형 취직하고 있는
유의 hire 동 고용하다
반의 dismiss 동 해고하다

0952

adversity
[ædvə́ːrsəti]

명 역경, 고난, 불운

Positive people are more likely to overcome **adversity** in life.
긍정적인 사람들은 인생에서 역경을 극복할 가능성이 더 높다.

파생 adverse 형 불리한
유의 hardship 명 난관
misfortune 명 불운

0953

theme
[θiːm]

명 주제, 테마

The **theme** for this year's competition is "healthy desserts." 기출 응용
올해 대회의 주제는 '건강한 후식'이다.

파생 thematic 형 주제의
유의 subject 명 주제
topic 명 화제, 주제

0954

potent
[póutənt]

형 1. 강력한, 유력한 2. 효험이 있는

Cooperation is our most **potent** weapon to get through the crisis.
협력은 위기를 극복할 수 있는 우리의 가장 강력한 무기이다.

유의 powerful 형 강력한
effective 형 효과가 있는
반의 impotent 형 무력한

수능 혼동 어휘

0955

expand
[ikspǽnd]

동 확대하다, 확장하다, 팽창시키다

Expanding your mind is vital to being creative. 기출
지적 능력을 확장하는 것은 창의적으로 되는 것에 필수적이다.

0956

expend
[ikspénd]

동 (돈·시간 등을) 쓴다, 들이다

The management should **expend** time and effort in reducing employee turnover. 기출 응용
경영진은 직원들의 이직을 줄이는 데 시간과 노력을 들여야 한다.

0957

extend
[iksténd]

동 1. 연장하다 2. 뻗다 3. 확장하다

Scientists have found a way to **extend** human lifespan.
과학자들은 인간의 수명을 연장시키는 방법을 발견해 왔다.

수능 UP

Q1.
셋 중 알맞은 단어를 고르시오.
Her lawyer **[expanded / expended / extended]** all her efforts to win the new trial.

수능 필수 숙어

0958

carry out

1. 수행하다 2. 완수하다

The bad weather made it hard for him to **carry out** his plan.
악천후로 인해 그는 계획을 수행하는 데 어려움을 겪었다.

0959

turn out

~인 것으로 밝혀지다

It **turned out** that the forest fire was caused by a discarded cigarette butt.
산불은 버려진 담배꽁초에 의해 발생됐음이 밝혀졌다.

0960

work out

1. 운동하다 2. (일이) 잘 풀리다

Part of my daily routine is to go to the gym to **work out**.
나의 일과 중 일부는 운동을 하러 체육관에 가는 것이다.

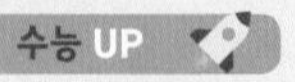

Q2.
빈칸에 알맞은 어구를 고르시오.

We weren't sure where he got the information, but it ________ to be true.

① carried out
② turned out
③ worked out

Daily Test 24

정답 p.453

A 우리말은 영어로, 영어는 우리말로 쓰시오.

01 숙박시키다 ____________

02 (짐승의) 떼, 무리 ____________

03 미신 ____________

04 처음의; 머리글자 ____________

05 부족, 종족 ____________

06 연장하다, 뻗다 ____________

07 오르다; 산 ____________

08 inherit ____________

09 revive ____________

10 convey ____________

11 nostalgia ____________

12 philosophy ____________

13 artificial ____________

14 devour ____________

B 우리말과 일치하도록 빈칸에 알맞은 단어 또는 어구를 쓰시오.

서술형

01 Much research is c ____________ ____________ in secret in industry.
많은 연구들이 업계에서 비밀리에 수행된다.

02 The soldier b ____________ his fellow soldiers by telling the enemy where they were hiding.
병사는 전우들이 어디 숨었는지 적에게 알려 줌으로써 그들을 배신했다.

03 The majority of people with major health problems say they actually derived benefits from their a ____________. 기출 응용
심각한 건강 문제를 겪은 대다수의 사람들은 자신이 겪은 역경에서 실제로 이익을 얻었다고 말한다.

C 각 단어의 유의어 또는 반의어를 쓰시오.

01 명 verse 반의 p ____________

02 명 prophecy 유의 p ____________

03 명 extrovert 반의 i ____________

04 명 obligation 유의 d ____________

05 형 potent 반의 i ____________

06 동 differ 유의 v ____________

07 동 employ 반의 d ____________

08 형 consistent 반의 i ____________

VOCA CLEAR

DAY 25

시험에 더 강해지는 어휘

0961

portion
[pɔ́ːrʃən]

명 1. 부분[일부] 2. 몫, 1인분 동 분배[할당]하다

A large **portion** of the room was taken up by the sofa.
그 방의 상당 부분이 소파에 의해 차지되었다.

유의 **serving** 명 1인분
숙어 **a portion of** 약간의, 일부의

0962 다의어

release
[rilíːs]

동 1. 석방하다 2. 놓아 주다, 방출하다 3. 발매[개봉/발표]하다
명 1. 석방 2. 방출 3. 발매[개봉/발표]

The authorities decided to **release** three political prisoners.
당국은 정치범 3명을 석방하기로 결정했다.

Their eighth album will be **released** on August 1.
그들의 8번째 앨범이 8월 1일에 발매될 예정이다.

The **release** of Nelson Mandela was broadcast live throughout the nation.
넬슨 만델라의 석방이 전국에 생방송되었다.

유의 **discharge** 동 석방하다
issue 동 발표하다
반의 **imprison** 동 수감하다
숙어 **be released in** ~에 배포[발매]되다

0963

stereotype
[stériətàip]

명 고정 관념

"Sand," "rich," and "oil" are all **stereotypes** about Arabs. 기출
'모래', '부유함', 그리고 '석유'는 모두 아랍인들에 대한 고정 관념이다.

수능표현 +
stereotype phrase[expression] 상투적인 어구[표현]

파생 **stereotyped** 형 판에 박은, 진부한

0964

overtake
[òuvərtéik]

동 1. 추월하다 2. 불시에 닥치다

Your train **overtakes** a slightly slower train. 기출
여러분의 열차는 조금 더 느린 열차를 추월한다.

유의 **outstrip** 동 추월하다
fall on[upon] 닥쳐오다

0965

foremost
[fɔ́ːrmòust]

형 1. 주요한, 으뜸가는 2. 맨 먼저의 부 맨 먼저

The test was given by some of the **foremost** dog trainers in the field.
그 분야의 으뜸가는 몇몇 개 조련사들이 테스트를 했다.

유의 **chief** 형 주요한
primary 형 맨 먼저의

0966

correlation
[kɔ̀(:)rəléiʃən]

명 연관성, 상관관계

Some studies found a **correlation** between confidence and learning outcomes.
일부 연구는 자신감과 학습 성과 사이의 상관관계를 밝혀냈다.

파생 **correlate** 동 연관성이 있다
유의 **connection** 명 연관성
숙어 **correlation between A and B** A와 B 사이의 상관관계

0967

improvise
[ímprəvàiz]

동 (연주·연설 등을) 즉흥적으로 하다

Jazz musicians often **improvise** during live performances.
재즈 음악가들은 종종 라이브 공연 동안에 즉흥 연주를 한다.

파생 **improvisation** 명 즉석에서 하기
유의 **ad-lib** 동 즉흥적으로 하다

0968

speculate
[spékjəlèit]

동 1. 추측[짐작]하다 2. 투기하다

It is hard to **speculate** on how AI will have developed in a few years from now.
인공 지능이 지금부터 몇 년 후에 얼마나 성장하게 될지 추측하기는 어렵다.

파생 **speculation** 명 추측, 투기
speculative 형 추측에 근거한, 투기적인
유의 **guess** 동 추측하다

0969

automatic
[ɔ̀:təmǽtik]

형 1. 자동의 2. 무의식적인

This restroom includes **automatic** sensors to control the faucets.
이 화장실에는 수도꼭지를 제어하는 자동 센서가 있다.

파생 **automatically** 부 자동적으로
유의 **unconscious** 형 무의식적인
반의 **manual** 형 수동의

0970

logic
[lάdʒik]

명 1. 논리(학) 2. 타당성

Logic must be learned through the use of examples and actual problem solving. 기출
논리는 실례의 사용과 실제적 문제 해결을 통해서 학습되어야 한다.

수능표현 +
logic of markets 시장 논리

파생 **logical** 형 논리적인, 타당한

0971

backfire
[bǽkfàiər]

동 역효과를 낳다

The government's plan to lower housing prices **backfired**.
주택 가격을 낮추려는 정부의 계획은 역효과를 낳았다.

숙어 **backfire on** ~에 역효과를 낳다

0972

racial

[réiʃəl]

형 인종의, 민족의

Recent violence against Asians has increased **racial** tensions.
아시아인에 대한 최근의 폭력은 인종 간 긴장을 증가시켰다.

수능표현 +

racial discrimination 인종 차별
racial minorities 인종적 소수자들

파생 race 명 인종
유의 ethnic 형 인종의, 민족의

0973

hatred

[héitrid]

명 혐오, 증오

His voice was full of anger and **hatred**.
그의 목소리는 분노와 증오로 가득 차 있었다.

파생 hate 명 동 혐오(하다)
유의 abhorrence 명 혐오
aversion 명 혐오

0974

associate

[əsóuʃièit]

동 연상하다, 연관 짓다 명 [əsóuʃiət] (직장·사업) 동료

Children often **associate** pictures with their life experiences or familiar images. 기출 응용
어린이들은 종종 그림을 그들의 삶의 경험이나 익숙한 이미지들과 연관 짓는다.

파생 association 명 연상, 연관, 협회
유의 relate 동 연관 짓다
숙어 associate with ~와 어울리다
associate A with B A를 B와 관련시켜 생각하다

0975

simultaneously

[sàiməltéiniəsli]

부 동시에

He worked as a journalist while **simultaneously** trying to establish herself as a fiction writer. 기출
그는 기자로 일하면서 동시에 소설가로 자리매김하려고 애썼다.

파생 simultaneous 형 동시의
유의 concurrently 부 동시에
at the same time 동시에

0976

version

[və́ːrʒən]

명 1. ~판, 버전 2. (개인의) 설명, 견해 3. 개작, 각색

We've updated our computer security program to the latest **version**.
우리는 컴퓨터 보안 프로그램을 최신판으로 갱신했다.

수능표현 +

a film version of a novel 소설의 영화화

유의 account 명 설명
adaptation 명 개작

0977

predominant

[pridɑ́ːmənənt]

형 1. 우세한, 지배적인 2. 주류를 이루는, 두드러진

Many different languages are spoken in the U.S., but English is the **predominant** one.
많은 다양한 언어들이 미국에서 사용되지만, 영어가 지배적인 언어이다.

파생 predominate 동 우위를 차지하다, 지배적이다
유의 dominant 형 지배적인
prevailing 형 우세한

0978

pile
[pail]

명 쌓아 놓은 것, 더미 동 쌓아 올리다

She carried huge **piles** of hay on her head for several miles. 기출
그녀는 커다란 건초 더미를 수 마일을 머리에 이고 나른다.

유의 **stack** 명 더미 동 쌓다

0979

duplicate
[djú:pləkèit]

동 복사[복제]하다 형 [djú:plikət] 사본의, 똑같은 명 [djú:plikət] 사본

We expect photography to **duplicate** our reality for us. 기출
우리는 사진이 우리의 현실을 복제[재현]해 줄 것으로 기대한다.

유의 **replicate** 동 복제하다
copy 동 복사하다 명 사본
반의 **original** 명 형 원본(의)

0980

remains
[riméinz]

명 1. 유물, 유적 2. 나머지, 남은 것

Tourists can still explore the **remains** of the ancient Roman site.
관광객은 여전히 고대 로마 유적지를 답사할 수 있다.

파생 **remain** 동 남아 있다
유의 **relic** 명 유물, 유적
remnant 명 나머지

0981

torture
[tɔ́:rtʃər]

명 고문 동 고문하다

Many of the prisoners have suffered **torture.**
그 죄수들 중 많은 이들이 고문을 당했다.

파생 **tortured** 형 무척 고통받는
유의 **torment** 동 고문하다

0982

intermediate
[ìntərmí:diət]

형 중간의, 중급의 명 중급자

Intermediate students are recommended to take two lessons per week.
중급 학생들은 주당 두 번의 수업을 받도록 권장된다.

파생 **intermediary** 명 중재자, 중개인

0983

swallow
[swɑ́:lou]

동 (꿀꺽) 삼키다 명 1. 제비 2. 삼킴

He **swallowed** a mouthful of hot coffee, feeling it burn his throat.
그는 뜨거운 커피 한 모금을 삼켰는데, 그의 목구멍이 타들어가는 느낌을 받았다.

수능표현 +
at one swallow 한 입에, 단숨에

유의 **gulp** 동 꿀꺽 삼키다

0984

exaggerate

[igzǽdʒərèit]

동 과장하다, 지나치게 강조하다

The importance of leisure can hardly be **exaggerated.** 기출 응용

여가의 중요성은 아무리 강조해도 지나치지 않다.

파생 exaggeration 명 과장
유의 overstate 동 과장하다
overemphasize 동 지나치게 강조하다
반의 understate 동 축소해서 말하다

0985

descendant

[diséndənt]

명 자손, 후예

They are the **descendants** of humans who left Africa around 65,000 years ago. 기출 응용

그들은 약 6만 5천 년 전에 아프리카를 떠난 사람들의 후예이다.

파생 descend 동 내려오다
유의 offspring 명 자손
반의 ancestor 명 조상, 선조

0986

strict

[strikt]

형 1. 엄격한 2. 엄밀한

Students were required to follow the **strict** school rules.

학생들은 엄격한 학교 규칙을 따라야 했다.

수능표현+

strict vegetarian 엄격한 채식주의자

파생 strictly 부 엄격히
유의 rigid 형 엄격한
precise 형 엄밀한

0987

approve

[əprúːv]

동 1. 찬성하다 2. 승인하다

Most citizens **approved** of the city's plan to change the wasteland into a park.

대부분의 시민들은 황무지를 공원으로 바꾸려는 시의 계획을 찬성했다.

파생 approval 명 찬성, 승인
유의 agree 동 찬성하다
반의 disapprove 동 찬성하지 않다
숙어 approve of ~을 승인[찬성]하다

0988 다의어

quarter

[kwɔ́ːrtər]

명 1. 4분의 1[15분/25센트/분기] 2. 지역, 지구 3. ((-s)) 숙소, 막사

During the last two **quarters**, the sales of the game dropped sharply.

지난 두 분기 동안, 그 게임의 판매량이 급격하게 떨어졌다.

Sun Street has been called "the historic **quarter** of the town."

Sun Street는 '마을의 역사지구'로 불려 왔다.

They provided comfortable **quarters** for sick and injured soldiers.

그들은 아프고 부상을 입은 군인들을 위해 안락한 막사를 제공했다.

파생 quarterly 형 분기별의
유의 district 명 지구, 지역

0989

secondhand
[sékəndhæ̀nd]

형 1. 중고의 2. 간접의

Younger people tend to buy **secondhand** clothes for environmental reasons.
젊은 사람들은 환경적인 이유로 중고 옷을 사는 경향이 있다.

유의 **used** 형 중고의
indirect 형 간접적인
반의 **firsthand** 형 직접 구입한[얻은]

0990

define
[difáin]

동 1. 정의하다, 규정하다 2. (범위 등을) 한정하다

After identifying the existence of a problem, we must **define** its scope and goals. 기출
문제의 존재를 확인한 후에 그 문제의 범위와 목표를 정의해야 한다.

파생 **definition** 명 정의
definite 형 분명한
숙어 **define A as B** A를 B라고 정의하다

0991

prohibit
[prouhíbit]

동 1. 금지하다 2. ~하지 못하게 하다

People urged the company to **prohibit** animal testing for cosmetics.
사람들은 그 회사가 화장품을 위한 동물 실험을 금지할 것을 촉구했다.

파생 **prohibition** 명 금지
유의 **forbid** 동 금지하다
ban 동 금지하다
반의 **permit** 동 허락[허가]하다

0992

geometry
[dʒiɑ́:mətri]

명 1. 기하학 2. 기하학적 구조

Euclidean **geometry** is generally used in engineering and architecture.
유클리드 기하학은 일반적으로 공학 및 건축에 이용된다.

파생 **geometric** 형 기하학적인

0993

cozy
[kóuzi]

형 아늑한, 편안한

The room looks **cozy** because of the rug on the floor. 기출
그 방은 바닥에 있는 양탄자 때문에 아늑해 보인다.

파생 **coziness** 명 아늑함
유의 **snug** 형 아늑한
comfortable 형 편안한
반의 **uncomfortable** 형 불편한

0994

metropolitan
[mètrəpɑ́litən]

형 주요 도시의, 대도시의, 수도의

Many people commute by public transportation in the New York **metropolitan** area.
뉴욕 대도시 지역에서 많은 사람들은 대중교통으로 통근한다.

파생 **metropolis** 명 주요 도시

수능 혼동 어휘

0995

imitate
[ímitèit]

동 모방하다, 흉내 내다

Children will **imitate** a role model of their choice.
아이들은 그들이 선택한 역할 모델을 모방할 것이다.

0996

initiate
[iníʃièit]

동 1. 시작하다, 개시하다 2. 입회시키다

The restaurant will **initiate** a table booking service through a smartphone app.
그 식당은 스마트폰 앱으로 자리를 예약하는 서비스를 시작할 것이다.

수능 UP

Q1.
둘 중 알맞은 단어를 고르시오.
My younger sister can **[imitate / initiate]** my voice perfectly.

0997

mediate
[míːdièit]

동 중재하다, 조정하다

The volunteers **mediate** conflicts between other students.
지원자들이 다른 학생들 간의 갈등을 중재한다.

0998

meditate
[méditèit]

동 1. 명상하다, 묵상하다 2. 숙고하다

We all need time to relax, to think and **meditate**, and to learn and grow. 기출
우리는 모두 휴식을 취하고 생각하고 명상을 하며, 배우고 성장하는 시간이 필요하다.

Q2.
둘 중 알맞은 단어를 고르시오.
I'm trying to learn how to **[mediate / meditate]** so that I can become a calm and peaceful person.

수능 필수 숙어

0999

take ~ for granted

~을 당연하게 여기다

You should not **take** the kindness of others **for granted**. 기출
여러분은 다른 사람들의 친절을 당연하게 여겨서는 안 된다.

1000

take ~ into account

~을 고려하다, ~을 참작하다

Moral decisions require **taking** other people **into account**. 기출
도덕적 결정에는 다른 사람들을 고려하는 것이 요구된다.

Q3.
빈칸에 알맞은 어구를 고르시오.

Weather must be ______ when planning outdoor activities.

① taken for granted
② taken into account

Daily Test 25

정답 p.453

A 우리말은 영어로, 영어는 우리말로 쓰시오.

01 고정 관념 ______________

02 즉흥적으로 하다 ______________

03 논리(학), 타당성 ______________

04 추측하다, 투기하다 ______________

05 역효과를 낳다 ______________

06 인종의, 민족의 ______________

07 동시에 ______________

08 hatred ______________

09 overtake ______________

10 torture ______________

11 remains ______________

12 exaggerate ______________

13 geometry ______________

14 initiate ______________

B 우리말과 일치하도록 빈칸에 알맞은 단어 또는 어구를 쓰시오.

서술형

01 The movie was r____________ last week and is showing in neighborhood theaters.

그 영화는 지난주에 개봉했고 동네 극장에서 상영되고 있다.

02 Most people t____________ the most important things in their life ____________ ____________.

대부분의 사람들은 그들의 인생에서 가장 중요한 것들을 당연하게 여긴다.

03 UN officials m____________ between the rebel fighters and the government.

유엔 관리들은 반군과 정부 사이를 중재했다.

C 각 단어의 유의어 또는 반의어를 쓰시오.

01 명 correlation 유의 c______________

02 동 swallow 유의 g______________

03 동 approve 반의 d______________

04 동 prohibit 반의 p______________

05 동 associate 유의 r______________

06 명 duplicate 반의 o______________

07 명 pile 유의 s______________

08 형 automatic 반의 m______________

수능에 더 강해지는 TEST DAY 21-25

A

다음 짝 지어진 두 단어의 관계가 같도록 빈칸에 알맞은 단어를 <보기>에서 골라 쓰시오.

<보기>	object	grace	permanent	recede

1 counterfeit : genuine = temporary : ______________

2 recess : ______________ = obligation : oblige

3 racial : race = gracious : ______________

4 protest : ______________ = examine : inspect

B

다음 문장에서 밑줄 친 어휘의 유의어를 고르시오.

1 The teacher told the students to infer the meaning of the words from the context.

① deduce ② release ③ duplicate

2 A perpetual learner in pursuit of wisdom would constantly explore, question, and test. 기출 응용

① verbal ② everlasting ③ barbarous

3 It is said that there is a correlation between intelligence and healthy habits.

① connection ② misconception ③ scheme

4 He acted more like a politician than the unbiased judge he is supposed to be.

① weary ② initial ③ impartial

정답 p. 453

C 서술형

다음 빈칸에 알맞은 단어를 <보기>에서 골라 쓰시오. (필요시 형태를 바꿀 것)

<보기>	empirical	precede	skeptical	fragile

1 The dinner was _______________ by a reception at six o'clock.

2 With your donation, we can preserve _______________ coral reefs. 기출

3 The school seems to be _______________ about changes introduced to the education system.

4 An impressive amount of _______________ evidence supports the theory.

D

각 네모 안에서 문맥에 맞는 말을 고르시오.

1 Mental health issues like depression and anxiety [affect / effect] both men and women.

2 After we found further scientific evidence for this theory, a number of faults in this view of history became [ambiguous / apparent]. 기출 응용

3 The human species is unique in its ability to [expand / expend] its functionality by inventing new cultural tools. 기출

4 They kept livestock in windowless sheds using [natural / artificial] lighting. 기출 응용

5 Researchers are preparing to [work out / carry out] the tests on the blood samples.

VOCA CLEAR

DAY 26

1001

receipt

[risíːt]

명 1. 영수증 2. 수령, 인수

My wife and I received an envelope with a copy of a restaurant **receipt.** 기출

아내와 나는 식당 영수증 사본이 들어 있는 봉투를 받았다.

파생 **receive** 동 받다

1002

spectacular

[spektǽkjulər]

형 1. 장관을 이루는 2. 화려한, 멋진

A drone was used to shoot the **spectacular** scene.

장관을 이루는 장면을 촬영하는 데 드론이 사용되었다.

파생 **spectacle** 명 (인상적인) 광경, 장관

유의 **magnificent** 형 장려한, 훌륭한

1003

pursue

[pərsjúː]

동 1. 추구하다 2. 뒤쫓다, 추적하다

Scholarships are given to teachers who **pursue** a master's degree in testing.

평가 분야에서 석사 학위를 하려는 교사에게는 장학금이 제공된다.

파생 **pursuit** 명 추구, 추격

유의 **seek** 동 추구하다

1004

immense

[iméns]

형 엄청난, 거대한, 막대한

Despite **immense** hardships, a third of the kids matured into competent adults.

엄청난 고난에도 불구하고 아이들의 3분의 1은 유능한 어른으로 자랐다.

파생 **immensely** 부 엄청나게

유의 **enormous** 형 막대한

1005

hierarchy

[háiərὰːrki]

명 계층, 계급(제), 위계

Hierarchies are good at weeding out obviously bad ideas. 기출

위계는 명백히 나쁜 아이디어를 제거하는 데 유용하다.

수능표현

hierarchy of needs 욕구의 계층[단계]

파생 **hierarchical** 형 계급에 따른

1006

embody

[imbάdi]

동 1. 상징하다, 구현하다 2. 포함하다

In this painting, the wild horse **embodies** freedom.

이 그림에서 야생마는 자유를 상징한다.

파생 **embodiment** 명 전형, 화신

유의 **represent** 동 상징하다, 나타내다

1007

approximate
[əprάksəmət]

형 대략적인, 근사치의 동 [əprάksəmèit] 비슷하다, 가깝다

There is a calculator to help you figure out your **approximate** income tax.
대략적인 소득세를 계산하는 것을 도와주는 계산기가 있다.

수능표현 +

approximate value 근사값

파생 **approximation** 명 근사치
approximately 부 대략, 거의
유의 **estimated** 형 추측의
rough 형 대략의

1008

prolific
[proulífik]

형 1. 다작하는 2. 다산의 3. 많은, 풍부한

He is considered the most **prolific** and influential inventor in radio history. 기출 응용
그는 라디오 역사상 가장 다작하고 영향력 있는 발명가로 여겨진다.

파생 **proliferate** 동 급증하다
유의 **fertile** 형 번식력이 있는
abundant 형 풍부한
productive 형 다작의, 비옥한

1009 다의어

margin
[mάːrdʒin]

명 1. 여백 2. 가장자리, 끝 3. 수익 4. (득표 등의) 차이

Don't forget to write your name and student ID number in the **margin**.
여러분의 이름과 학생증 번호를 여백에 적는 것을 잊지 마세요.

This is one of the typical fruit trees that grows in the **margins** of rivers and lakes.
이것은 강과 호수 가장자리에서 자라는 전형적인 과일나무 중 하나이다.

If we can decrease our costs, we can increase our **margin**.
우리가 비용을 줄이면, 우리는 수익을 늘릴 수 있다.

수능표현 +

profit margin 이윤의 폭
margin of error 오차

파생 **marginalize** 동 주류에서 밀리게 하다
marginal 형 여백의, 가장자리의
유의 **edge** 명 가장자리, 변두리
verge 명 가장자리
border 명 가장자리, 가

1010

inject
[indʒékt]

동 주사하다, 주입하다

The muscle that the vaccine is **injected** in may feel sore afterwards.
백신이 주입된 근육은 나중에 통증을 느낄 수 있다.

파생 **injection** 명 주사
반의 **extract** 동 뽑다, 추출하다
숙어 **inject A into B**
A에 B를 주사[주입]하다

1011

script
[skript]

명 1. 대본, 원고 2. 서체, 필적 동 대본을[원고를] 쓰다

When writing a presentation **script**, write short and simple sentences.
프레젠테이션 대본을 작성할 때는 짧고 간단한 문장을 작성하라.

유의 **manuscript** 명 원고, 필사본
handwriting 명 필적

1012

objective
[əbdʒéktiv]

형 객관적인 명 목표, 목적

You can start eating healthier simply by taking an **objective** view of your eating habits.
여러분의 식습관을 객관적인 시각으로 보는 것만으로도 여러분은 더 건강한 음식을 먹기 시작할 수 있다.

수능표현 +

objective criteria[standard] 객관적인 기준
objective data 객관적인 자료

파생 **object** 명 대상
objectivity 명 객관성, 객관적 타당성
유의 **unbiased** 형 선입견 없는
goal 명 목적, 목표
반의 **subjective** 형 주관적인

1013

misfortune
[misfɔ́ːrtʃən]

명 불운, 불행

Suppose someone has suffered a **misfortune** — failed an exam or lost a job. 기출 응용
누군가가 시험에 떨어지거나 직장을 잃는 불운을 겪었다고 가정하자.

유의 **adversity** 명 불운, 역경
disaster 명 불행, 재난
반의 **fortune** 명 운, 행운

1014 다의어

command
[kəmǽnd]

명 1. 명령 2. 지휘 동 1. 명령하다 2. 지휘하다 3. 지배하다 4. (경치를) 내려다보는 위치를 차지하다

Are they all following the **commands** of a leader?
그들은 모두 지도자의 명령을 따르고 있는가? 기출

The general **commanded** the 20,000 soldiers on the front line.
그 장군은 최전방에서 병사 2만 명을 지휘했다.

The hotel suite **commands** a view of the Eiffel Tower.
그 호텔 스위트룸은 에펠탑의 전경을 내려다보는 위치에 있다.

파생 **commander** 명 지휘관
commanding 형 지휘하는, 우세한
유의 **order** 명 동 명령(하다)
반의 **obey** 동 복종하다

1015

rough
[rʌf]

형 1. 거친, 험한 2. 대략적인 3. 힘든

The waves were **rough**, so we didn't go swimming.
파도가 거칠어서 우리는 수영을 하러 가지 않았다.

파생 **roughly** 부 거칠게, 대략
유의 **approximate** 형 대략적인
반의 **smooth** 형 부드러운

1016

curb
[kəːrb]

동 제한하다, 억제하다
명 1. 제한[억제]하는 것 2. (도로의) 연석

We need to **curb** our anger and negative thoughts.
우리는 분노와 부정적인 생각을 억제할 필요가 있다. 기출 응용

유의 **control** 동 제어하다
restrain 동 제지하다, 억제하다

1017

disappoint
[dìsəpɔ́int]

동 실망시키다, 낙담시키다

If she found out that her hero hadn't won, she would be terribly **disappointed.** 기출
만약 그녀가 자신의 영웅이 이기지 못한 것을 알게 되면, 그녀는 몹시 실망할 것이다.

파생 **disappointment** 명 실망, 낙담
disappointed 형 실망한, 낙담한
유의 **let down** 실망시키다
반의 **please** 동 기쁘게 하다

1018

abbreviation
[əbrìːviéiʃən]

명 축약(형)

AKA is commonly used as an **abbreviation** for "also known as."
AKA는 흔히 'also known as'의 축약형으로 쓴다.

파생 **abbreviate** 동 줄여 쓰다
유의 **acronym** 명 두문자어
contraction 명 축약형

1019

concrete
[kɑ́nkriːt]

형 1. 구체적인 2. 콘크리트로 된 명 콘크리트

I am more attracted to **concrete** answers rather than abstract ideas.
나는 추상적인 생각보다 구체적인 답변에 더 끌린다.

파생 **concretely** 부 구체적으로, 명확하게
유의 **specific** 형 구체적인
반의 **vague** 형 모호한
abstract 형 추상적인

1020

lack
[læk]

명 부족, 결핍 동 부족하다

Pets who are abandoned suffer from weather and a **lack** of adequate food. 기출 응용
버려진 애완동물은 날씨와 적절한 먹이의 부족으로 고통 받는다.

유의 **shortage** 명 부족
반의 **abundance** 명 풍부
숙어 **lack of** ~의 부족

1021

beware
[biwέər]

동 조심하다, 주의하다

Before you invest in stocks, **beware** of the risks.
주식에 투자하기 전에 위험 요인을 조심하라.

유의 **be cautious** 주의하다
숙어 **beware of** ~을 조심하다

1022

theory
[θí(:)əri]

명 이론, 학설

For these **theories**, there is little experimental evidence in animals. 기출
이러한 이론을 대상으로 동물에 대한 실험 증거는 거의 없다.

수능표현 +

the theory of relativity 상대성 이론
the theory of evolution 진화론

파생 **theoretical** 형 이론의, 이론적인
유의 **hypothesis** 명 가설
숙어 **in theory** 이론상으로는

1023

undergo
[ʌ̀ndərgóu]

동 겪다, 경험하다

The theories of science are not fixed; rather, they **undergo** change. 기출
과학 이론은 고정된 것이 아니다. 그것들은 오히려 변화를 겪는다.

유의 **experience** 동 경험하다
go through 거치다, 겪다
반의 **avoid** 동 피하다

1024

stride
[straid]

동 성큼성큼 걷다 명 1. 활보 2. 진보, 진전

The brave soldiers **strode** onto the battlefield.
용감한 군인들이 전장으로 성큼성큼 걸어갔다.

유의 **march** 동 행군하듯 걷다
progress 명 진보, 진전

1025

tune
[tjuːn]

명 1. 곡, 선율 2. (다른 악기와의) 조화
동 1. 조율하다 2. (채널 등을) 맞추다

The new **tune** begins with on arresting bass line.
새로운 곡은 매력적인 베이스 라인으로 시작한다.

수능표현 +

signature tune 테마[시그널]곡
catchy tune 외우기 쉬운 선율

유의 **melody** 명 선율
adjust 동 조정하다
숙어 **be in tune with**
~와 조화를 이루다

1026

sociable
[sóuʃəbl]

형 사교적인, 붙임성 있는

A **sociable** man had found himself unexpectedly "alone" in New York. 기출
한 사교적인 남자가 뉴욕에서 뜻밖에도 '혼자' 있는 자신을 알게 되었다.

파생 **socialize** 동 사회화시키다
social 형 사회의, 사회적인
유의 **friendly** 형 친화적인
outgoing 형 사교적인

1027

notify
[nóutəfài]

동 1. 알리다, 통지하다 2. 발표하다, 공시하다

While she was performing CPR, I immediately **notified** the nearby hospital. 기출
그녀가 심폐 소생술을 하는 동안, 나는 즉시 근처 병원에 알렸다.

파생 **notification** 명 알림, 통지
notice 명 통지, 고지
유의 **inform** 동 알리다
숙어 **notify A of B**
A에게 B를 알리다

1028

plague
[pleig]

명 전염병 동 괴롭히다

The cholera **plague** spread quickly throughout the island.
콜레라 전염병이 섬 전체에 빠르게 퍼져 나갔다.

유의 **epidemic** 명 유행병
trouble 동 괴롭히다

1029

construct
[kənstrʌ́kt]

동 1. 건설하다 2. 구성하다

Between 1722 and 1726, James Gibbs **constructed** his most famous church. 기출
1722년에서 1726년 사이에 James Gibbs는 자신의 가장 유명한 교회를 건축하였다.

파생 **construction** 명 건설
constructive 형 건설적인
유의 **build** 동 건축하다
compose 동 구성하다
반의 **destroy** 동 파괴하다

1030

struggle
[strʌ́gl]

동 애쓰다, 분투하다 명 노력, 분투

She cried for help and **struggled** to get out. 기출
그녀는 도와달라고 울부짖으며 나가려고 애썼다.

수능표현 +
struggle for independence 독립 투쟁

유의 **strive** 동 노력하다
숙어 **struggle to-v** ~하려고 애쓰다
struggle for ~을 위해 노력하다

1031

gross
[grous]

형 1. 총~, 총계의 2. 엄청난, 중대한

I spend 30 percent of my **gross** monthly income on housing costs.
나는 월 총소득의 30퍼센트를 주거 비용으로 사용한다.

수능표현 +
gross national product 국민 총생산 (GNP)

유의 **total** 형 전체의
반의 **net** 형 순(純) ~, 정(正) ~

1032

reptile
[réptail]

명 파충류

Some of the largest animals to have ever lived were **reptiles**.
지금까지 살았던 가장 큰 동물들 중 일부는 파충류였다.

1033

degenerate
[didʒénərèit]

동 악화[퇴화]하다, 퇴보하다 형 [didʒénərət] 퇴폐적인, 타락한

We all know that our eyes **degenerate** due to overuse or age.
우리 모두는 과도한 사용 또는 노화로 인해 눈이 쇠퇴한다는 것을 안다.

파생 **degeneration** 명 악화, 퇴보
유의 **deteriorate** 동 악화시키다
반의 **improve** 동 개선시키다

1034

veteran
[vétərən]

명 1. 퇴역 군인 2. 전문가 형 노련한, 경험이 많은

The old **veteran**'s body ached from marching. 기출
그 퇴역 군인의 몸은 행군으로 아팠다.

유의 **experienced** 형 능숙한, 경험이 풍부한

수능 혼동 어휘

1035

constitute [kάnstətjù:t]

동 1. 구성하다 2. 설립하다, 제정하다

Our set of values and their importance to us **constitute** our value system. 기출
우리의 가치관과 우리에게 미치는 그것의 중요성은 우리의 가치 체계를 구성한다.

1036

substitute [sʌ́bstətjù:t]

동 대체하다, 대신하다 명 대체물, 대리인

You can **substitute** honey if you don't have sugar.
만약 설탕이 없다면 꿀을 대신할 수 있다.

1037

afflict [əflíkt]

동 괴롭히다, 피해를 입히다

When a country is **afflicted** by socioeconomic problems, it takes time to recover.
나라가 사회 경제적 문제로 피해를 입으면 회복하는 데 시간이 걸린다.

1038

inflict [inflíkt]

동 가하다, 지우다

The wooden board couldn't withstand the force being **inflicted** on it.
그 나무 판자는 그것에 가해지는 힘을 견디지 못했다.

수능 UP

Q1.
둘 중 알맞은 단어를 고르시오.
Online meetings cannot **[constitute / substitute]** for face-to-face meetings.

Q2.
둘 중 알맞은 단어를 고르시오.
The policy could unintentionally **[afflict / inflict]** economic harm on Africans.

수능 필수 숙어

1039

leak out

누출되다

A flaw in the technology allowed the information to **leak out**.
기술 결함으로 인해 정보가 누출되었다.

1040

leave out

빼다, ~을 생략하다

His scathing biography of the former president didn't **leave out** any facts.
전 대통령에 대한 그의 통렬한 전기는 어떤 사실도 빠뜨리지 않았다.

Q3.
빈칸에 알맞은 어구를 고르시오.

> You need to ________ unnecessary details when writing a summary.

① leak out
② leave out

Daily Test 26

정답 p.454

A 우리말은 영어로, 영어는 우리말로 쓰시오.

01 전염병; 괴롭히다 ______________

02 엄청난, 거대한, 막대한 ______________

03 계층, 계급(제), 위계 ______________

04 대략적인, 근사치의 ______________

05 주사하다, 주입하다 ______________

06 추구하다, 뒤쫓다 ______________

07 실망시키다, 낙담시키다 ______________

08 abbreviation ______________

09 lack ______________

10 beware ______________

11 undergo ______________

12 stride ______________

13 gross ______________

14 afflict ______________

B 우리말과 일치하도록 빈칸에 알맞은 단어 또는 어구를 쓰시오.

서술형

01 The plans to develop new technologies l__________ __________ to the media.
새로운 기술 개발 계획이 언론에 유출되었다.

02 The recipe says you can s__________ yogurt for the sour cream.
조리법에 따르면 사워크림을 요거트로 대체할 수 있다.

03 The s__________ guide led a group of tourists on a tour of the cave.
사교성 좋은 안내인은 동굴 투어에서 한 그룹의 관광객들을 인솔하였다.

C 각 단어의 유의어 또는 반의어를 쓰시오.

01 동 curb 유의 r______________

02 동 embody 유의 r______________

03 형 prolific 유의 a______________

04 형 objective 반의 s______________

05 형 concrete 반의 a______________

06 동 notify 유의 i______________

07 동 construct 반의 d______________

08 형 rough 반의 s______________

VOCA CLEAR

DAY 27

시험에 더 강해지는 어휘

1041

indigenous
[indídʒənəs]

형 1. 토착의, 그 지역 고유의 2. 타고난

Alien plants compete with **indigenous** species for space, light, nutrients, and water. 기출
외래 식물은 공간, 빛, 양분, 그리고 물을 (얻기) 위해 토착종과 경쟁한다.

유의 **native** 형 토착의
local 형 지역의
반의 **foreign** 형 외국의
exotic 형 이국의

1042

biodiversity
[bàioudaivə́rsəti]

명 생물의 다양성

The loss of **biodiversity** leads to a loss in the productivity of the ecosystem.
생물 다양성의 상실은 생태계의 생산성 상실로 이어진다.

1043

pledge
[pledʒ]

동 약속하다, 맹세하다 명 약속, 맹세

The teachers **pledged** to prevent school bullying in their classrooms.
교사들은 교실에서 학교 괴롭힘을 막겠다고 약속했다.

수능표현 +

campaign pledge 선거 공약

유의 **promise** 명 동 약속(하다)
vow 명 동 맹세(하다)

1044

frugal
[frúːgəl]

형 검소한, 절약하는

One important habit of **frugal** people is buying things that last.
검소한 사람들의 한 가지 중요한 습관은 오래가는 물건을 사는 것이다.

유의 **thrifty** 형 검소한
반의 **extravagant** 형 낭비하는, 사치스러운

1045

forecast
[fɔ́ːrkæ̀st]

명 예측, 예보 동 예측하다, 예보하다

Thanks to your weather **forecast** yesterday, I was prepared for the sudden showers. 기출
어제 당신의 일기 예보 덕분에 갑작스러운 소나기에 대비했다.

파생 **forecaster** 명 예보자
유의 **prediction** 명 예측, 예견
predict 동 예측하다

1046

glow
[glou]

동 1. 빛나다, 타다 2. 발개지다 명 1. 불빛 2. 홍조

The woman was standing in the darkness holding a **glowing** torch.
그 여자는 타오르는 횃불을 들고 어둠 속에 서 있었다.

파생 glowing 형 작열하는
유의 gleam 동 빛나다 명 빛, 반짝임

1047 다의어

correspond
[kɔ̀:rəspánd]

동 1. 일치[부합]하다 2.~에 해당[상응]하다 3. 편지를 주고받다

The way the word is spelled doesn't **correspond** to the way it is pronounced.
그 단어의 철자가 쓰인 방식은 발음되는 방식과 일치하지 않는다.

Each number **corresponds** to a special place on the map.
각 번호는 지도상의 특별한 장소에 해당한다.

The singer has personally **corresponded** with her fans.
그 가수는 팬들과 개인적으로 편지를 주고받았다.

파생 correspondence 명 편지, 관련성
유의 coincide 동 일치하다

1048

relevant
[réləvənt]

형 1. 관련 있는 2. 적절한

Students tend to copy the **relevant** material for later use. 기출
학생들은 나중에 사용하기 위해 관련 자료를 복사하는 경향이 있다.

파생 relevance 명 관련성
유의 related 형 관련된
반의 irrelevant 형 상관없는

1049

craft
[kræft]

명 1. 공예, 기술 2. 선박, 비행기 동 공들여 만들다

Fijians have developed shell jewelry **crafts** into profitable tourist businesses. 기출
피지 제도에 사는 사람들은 조개껍데기로 만든 장신구 공예품을 돈벌이가 되는 관광 사업으로 발전시켰다.

수능표현 +
arts and crafts 미술품과 공예품

유의 art 명 기술, 기예
skill 명 기술

1050

orient
[ɔ́:riènt]

동 지향하게 하다, 목적에 맞추다 명 [ɔ́:riənt] 동양, 동방

These articles can help us **orient** toward infectious disease management in new ways.
이 기사들은 우리가 감염병 관리를 새로운 방식으로 지향하는 데 도움을 줄 수 있다.

파생 orientation 명 지향, 방향
oriental 형 동양의
유의 adjust 동 맞추다, 조정하다

1051

administer
[ədmínistər]

동 1. 관리하다, 운영하다 2. 집행하다

He set up and **administered** the British Blood Bank from 1940 to 1941. 기출
그는 1940년부터 1941년까지 영국 혈액 은행을 설립하고 관리했다.

파생 **administration** 명 관리, 집행
administrative 형 관리상의
유의 **manage** 동 관리하다, 운영하다

1052

dialect
[dáiəlèkt]

명 방언, 사투리

People in this town speak the local **dialect**.
이 마을 사람들은 지역 방언을 말한다.

유의 **accent** 명 말씨, 악센트

1053

locate
[lóukeit]

동 1. 위치시키다, 두다 2. 찾아내다

It is crucial to **locate** the factory near the main road.
주요 도로 부근에 공장을 두는 것이 중요하다.

파생 **location** 명 장소
유의 **place** 동 두다, 배치하다
detect 동 발견하다

1054

entail
[intéil]

동 1. 수반하다, 필요로 하다 2. 함의하다

Skilled professions **entail** many years of education and training. 기출 응용
숙련된 직업은 다년간의 교육과 훈련을 필요로 한다.

유의 **involve** 동 수반[포함]하다
require 동 필요로 하다
implicate 동 함의하다

1055 다의어

present
[préznt]

형 1. 현재의 2. 있는, 참석한, 출석한 명 1. 선물 2. 현재
동 [prizént] 1. 증정하다, 주다 2. 제시하다 3. 발표하다

Many **present** efforts to maintain human progress are simply unsustainable. 기출
인간의 진보를 유지하기 위한 많은 현재의 노력들은 그저 지속 불가능하다.

Receiving so many **presents** all at once made her eyes shine. 기출 응용
한꺼번에 그렇게 많은 선물을 받는 것은 그녀의 눈을 반짝이게 했다.

The president will **present** the medals to U.S. veterans.
대통령은 그 훈장을 미국 참전 용사들에게 수여할 것이다.

파생 **presentation** 명 수여, 증정, 발표
presence 명 존재, 참석
숙어 **present A with B** A에게 B를 주다

1056

monologue
[mánəlɔ̀ːg]

명 1. 독백 2. 독백 형식의 극

He began a long **monologue** about his life.
그는 자신의 삶에 대한 긴 독백을 시작했다.

유의 **soliloquy** 명 독백

1057

reinforce
[rì:infɔ́:rs]

동 1. 강화하다, 보강하다 2. 증원하다

Education is criticized for **reinforcing** the current social structure.
교육은 현재의 사회 구조를 강화한다는 비판을 받는다.

파생 reinforcement 명 강화, 보강, 증원
유의 strengthen 동 강화하다

1058

horizon
[həráizən]

명 수평선, 지평선

It is easy to calculate latitude by measuring the height of the sun above the **horizon** at noon. 기출
정오에 지평선 위의 태양의 높이를 측정하는 것으로써 위도를 쉽게 계산할 수 있다.

파생 horizontal 형 수평선의, 가로의

1059

despair
[dispέər]

명 절망 동 절망하다

Think of some moments of **despair** such as when somebody died. 기출
누군가가 죽었을 때와 같은 절망의 순간을 생각해 보라.

파생 desperation 명 자포자기, 필사적임
desperate 형 절망적인, 필사적인
숙어 in despair 절망하여

1060

shred
[ʃred]

동 (갈가리) 찢다, 채를 썰다 명 조각, 파편

You need to **shred** any documents that contain personal information.
개인 정보를 포함하는 문서는 파쇄해야 한다.

파생 shredder 명 파쇄기
유의 scrap 명 조각, 파편

1061

entire
[intáiər]

형 1. 전체의 2. 완전한

The **entire** article has been read from beginning to end. 기출
그 논문 전체가 처음부터 끝까지 읽혔다.

유의 whole 형 전체의
complete 형 완전한
반의 partial 형 부분적인, 불완전한

1062

executive
[igzékjutiv]

명 1. 임원, 경영진 2. 행정부 형 1. 경영의 2. 행정의

The **executive** offered his guest joint partnership in a new business venture. 기출 응용
그 임원은 자신의 손님에게 새로운 벤처 사업에서의 합작 제휴를 제의했다.

수능표현 +
chief executive officer (CEO) 최고 경영자

파생 execute 동 실행하다
execution 명 실행
유의 board of directors 경영진

1063

alley
[ǽli]

명 골목길, 오솔길

The criminal raced down a narrow **alley** as fast as his legs could move.
범인은 자신의 다리가 움직일 수 있는 한 빠르게 좁은 골목을 달렸다.

유의 **lane** 명 좁은 길, 골목길
pathway 명 오솔길

1064

dominate
[dɑ́mənèit]

동 1. 지배하다 2. 우위를 차지하다

He **dominated** the conversation at family dinners.
그는 가족 식사에서 대화를 지배했다.

파생 **dominance** 명 우월, 지배
dominant 형 지배적인, 우세한
유의 **control** 동 지배하다
rule 동 통치하다

1065

absolute
[ǽbsəlù:t]

형 1. 절대적인 2. 완전한 명 절대적인 것

You'd better disconnect the Internet and try spending twenty-four hours in **absolute** solitude. 기출
여러분은 인터넷을 끊고 절대적인 고독 속에서 24시간을 보내는 것을 시도해 보아야 한다.

수능표현 +

absolute truth 절대 진리
absolute majority 절대 다수[과반수]

파생 **absolutely** 부 전적으로, 틀림없이
유의 **unconditional** 형 절대적인
complete 형 완전한
반의 **relative** 형 상대적인

1066

imply
[implái]

동 내포하다, 암시하다

The survey results **imply** that more people want to live in their own house.
설문 조사 결과는 더 많은 사람들이 자신들의 집에서 살고 싶어 한다는 것을 암시한다.

파생 **implication** 명 함축, 암시
implicit 형 내포되는, 암시된
유의 **suggest** 동 암시하다
indicate 동 암시하다

1067

spectator
[spékteitər]

명 관중, 구경꾼

People often become passive **spectators** of entertainment provided by TV. 기출 응용
사람들은 종종 TV에서 제공하는 오락의 수동적인 구경꾼이 된다.

파생 **spectate** 동 구경하다
spectacle 명 구경거리, 장관
유의 **viewer** 명 관객, 시청자
onlooker 명 구경꾼

1068

discrete
[diskrí:t]

형 분리된, 별개의

Try focusing on one **discrete** stream of information out of the millions of bits. 기출 응용
수백만 개의 조각 중에서 하나의 별개 정보의 흐름에 초점을 맞춰 보라.

유의 **separate** 형 분리된
distinct 형 별개의
반의 **connected** 형 연결된

1069

utter
[ʌ́tər]

동 (소리를) 내다, 말하다 형 완전한, 순전한

Without **uttering** a word, he placed the instrument back in its case. 기출
그는 아무 말도 하지 않고 악기를 다시 케이스에 넣었다.

파생 utterance 명 발언
유의 say 동 말하다
complete 형 완전한
sheer 형 순전한

1070

conversation
[kɑ̀nvərséiʃən]

명 대화, 회화

He picked up the phone and engaged in a fifteen-minute **conversation**. 기출 응용
그는 수화기를 들고 15분간의 대화를 나누었다.

파생 converse 동 대화를 나누다
유의 talk 명 이야기, 대화

1071

notice
[nóutis]

동 1. 알아차리다 2. 주목하다 3. 통지하다
명 1. 주목 2. 알림, 통지 3. 게시

As soon as I came into the office, I **noticed** a card on my desk.
사무실에 들어오자마자, 나는 책상 위에 카드가 놓여 있는 것을 알아차렸다.

파생 noticeable 형 뚜렷한, 분명한
유의 notification 명 통지
announcement 명 알림, 공고

1072

tradition
[trədíʃən]

명 전통

Immigrants bring the world's diverse food **traditions** to New York. 기출 응용
이민자들은 전 세계의 다양한 음식 전통을 뉴욕에 가져온다.

수능표현 +

cultural tradition 문화적 전통
religious tradition 종교적 전통

파생 traditional 형 전통적인
유의 custom 명 관습, 풍습
convention 명 관습, 관례

1073

paragraph
[pǽrəgræ̀f]

명 단락, 문단

A short **paragraph** is enough when you want to emphasize an idea. 기출 응용
아이디어를 강조하고 싶을 때는 짧은 단락이면 충분하다.

1074

texture
[tékstʃər]

명 1. 감촉, 질감 2. 조직

He noted the differences in size, color, and **texture** of each marble. 기출
그는 각 구슬의 크기, 색깔, 질감의 차이를 언급했다.

파생 textile 명 직물, 옷감
유의 tissue 명 (세포) 조직

수능 혼동 어휘

1075

prescribe [priskráib]

동 1. 처방하다 2. 규정하다

Average consumers of health care do not have a license to **prescribe** medications. 기출

일반 의료 소비자들은 약을 처방할 수 있는 면허가 없다.

1076

subscribe [səbskráib]

동 1. 구독하다, 가입하다 2. 기부하다

All those insert cards with subscription offers are included in magazines to encourage you to **subscribe.** 기출

구독을 장려하기 위해 구독 안내가 있는 모든 삽입 (광고) 카드가 잡지에 포함되어 있다.

1077

merge [məːrdʒ]

동 합병하다, 합치다

The two companies **merged** to gain an upper hand in the market.

두 회사는 시장에서 우위를 점유하기 위해 합병했다.

1078

emerge [imə́ːrdʒ]

동 나타나다, 드러나다

They saw Jacob **emerge** from the building with the boy. 기출

그들은 Jacob이 그 소년과 함께 건물에서 나오는 것을 보았다.

수능 UP

Q1.
둘 중 알맞은 단어를 고르시오.
The doctor had to **[prescribe / subscribe]** drugs to lower the patient's blood pressure.

Q2.
둘 중 알맞은 단어를 고르시오.
The car stopped at an intersection where two paths **[merge / emerge]** into one.

수능 필수 숙어

1079

break in[into]

1. 침입하다 2. (대화에) 끼어들다

I was lying in bed when I heard someone **break into** my house.

내가 침대에 누워 있을 때 누군가 내 집에 침입하는 소리가 들렸다.

1080

break out

일어나다[발발하다]

A fight **broke out** between fans of rival soccer teams.

라이벌 축구팀 팬들 사이에 싸움이 벌어졌다.

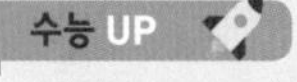

Q3.
빈칸에 알맞은 어구를 고르시오.

They surrounded the house but made no attempt to __________.

① break in
② break out

Daily Test 27

정답 p.454

A 우리말은 영어로, 영어는 우리말로 쓰시오.

01 토착의, 그 지역 고유의 ______________

02 생물의 다양성 ______________

03 빛나다, 타다; 불빛 ______________

04 관중, 구경꾼 ______________

05 관리하다, 집행하다 ______________

06 임원, 행정부; 경영의 ______________

07 (갈가리) 찢다; 조각 ______________

08 locate ______________

09 tradition ______________

10 correspond ______________

11 utter ______________

12 texture ______________

13 prescribe ______________

14 despair ______________

B 우리말과 일치하도록 빈칸에 알맞은 단어 또는 어구를 쓰시오.

서술형

01 The bank announced that it will m__________ with another high street bank.

그 은행은 또 다른 시내 중심가 은행과 합병할 것이라고 발표했다.

02 Civil war could b__________ __________ in the country as the national economy has become unstable.

국가 경제가 불안정해지면서 국내에서도 내전이 일어날 수 있다.

03 Road repairs would e__________ the closure of the bridge for six months.

도로 보수에는 6개월간의 다리 폐쇄가 수반될 것이다.

C 각 단어의 유의어 또는 반의어를 쓰시오.

01 동 pledge 유의 v______________

02 형 frugal 반의 e______________

03 동 dominate 유의 c______________

04 형 relevant 반의 i______________

05 동 reinforce 유의 s______________

06 형 entire 반의 p______________

07 동 imply 유의 s______________

08 형 discrete 유의 s______________

VOCA CLEAR

DAY 28

시험에 더 강해지는 어휘

1081

cosmos

[kázməs]

명 ((the -)) 우주

Astronomers' understanding of the **cosmos** is changing so rapidly. 기출

우주에 대한 천문학자들의 이해는 매우 빠르게 변화하고 있다.

파생 cosmic 형 우주의

유의 universe 명 우주

1082

empower

[impáuər]

동 ~에게 권한을 부여하다, 권력을 위임하다

Empower people by letting them know that you believe in them. 기출

여러분이 그들을 믿는다는 것을 알게 함으로써 사람들에게 권한을 부여하라.

파생 empowerment 명 권한 부여, 권력 위임

유의 authorize 동 권한을 주다

1083

govern

[gʌ́vərn]

동 통치하다, 지배하다

The country is **governed** by the will of the people.

그 나라는 국민의 의지에 의해 통치된다.

파생 government 명 정부

governance 명 통치[관리] 방식

유의 rule 동 지배하다

control 동 통제하다

1084

linguistic

[liŋgwístik]

형 언어의, 언어학의 명 ((-s)) 언어학

Our program helps students develop their **linguistic** abilities.

우리 프로그램은 학생들이 언어 능력을 발달하는 것을 돕는다.

수능표현 +

linguistic development 언어 발달

linguistic feature[characteristic] 언어 특징

파생 linguist 명 언어학자

1085

exhilarating

[igzílərèitiŋ]

형 기분을 북돋우는, 신나는

It was **exhilarating** to feel the wind in my face.

내 얼굴에서 바람을 느낄 수 있어서 신났다.

파생 exhilarate 동 기분을 북돋우다

유의 exciting 형 신나는

thrilling 형 흥분되는

1086

theft

[θeft]

명 절도, 도둑질

The police are investigating the **theft** of several bicycles.

경찰은 자전거 여러 대의 절도 사건을 조사하고 있다.

파생 thieve 동 훔치다

유의 stealing 명 절도, 훔침

robbery 명 도둑질, 강도

1087

delude
[dilúːd]

동 속이다, 착각하게 하다

Don't be **deluded** by the press into thinking that all is well.
언론에 속아 모든 것이 잘되고 있다고 생각하지 말라.

파생 **delusion** 명 망상, 착각
유의 **mislead** 동 호도하다
deceive 동 속이다
숙어 **delude into** 현혹해서 ~하게 하다

1088

instant
[ínstənt]

형 1. 즉시의, 즉각적인 2. 인스턴트의 명 순간

My first draft wasn't perfect, but I wasn't prepared for an **instant** rejection. 기출 응용
나의 초안이 완벽하지 않았지만, 나는 그런 즉각적인 거절을 당할 준비가 되어 있지 않았다.

수능표현 +
instant message <컴퓨터> 인스턴트 메시지

파생 **instantaneous** 형 즉각적인, 순간적인
instantly 부 즉각적으로
유의 **immediate** 형 즉각적인
숙어 **in an instant** 순식간에

1089

monopoly
[mənάpəli]

명 독점, 전매

The government had a **monopoly** on telephone services.
정부가 전화 서비스를 독점했다.

파생 **monopolize** 동 독점하다

1090

suicide
[súːisàid]

명 자살

I am no longer thinking about **suicide** because people care about me. 기출
사람들이 나를 아끼기 때문에 나는 더 이상 자살에 대해 생각하지 않는다.

숙어 **commit suicide** 자살하다

1091

compress
[kəmprés]

동 압축하다

Foams feel soft because they are easily **compressed.** 기출
발포 고무는 쉽게 압축되기 때문에 부드럽게 느껴진다.

파생 **compression** 명 압축
유의 **squeeze** 동 압착하다
condense 동 응축하다
반의 **expand** 동 팽창하다

1092

professional
[prəféʃənl]

형 1. 직업(상)의 2. 전문적인, 프로의
명 전문가

You need to get **professional** qualifications to work in this area.
이 분야에서 일하려면 직업 관련 자격증을 취득해야 한다.

유의 **expert** 형 숙련된 명 전문가
반의 **amateur** 형 아마추어의, 미숙한 명 비전문가, 아마추어

1093 다의어

defect
[dí:fekt]

명 1. 결함, 결점 2. 부족, 결핍
동 [di:fékt] (국가·당을) 버리다, (다른 나라·당으로) 도망치다

I believe the machine's failure was caused by a manufacturing **defect.** 기출
나는 그 기계의 오작동이 제조상의 결함으로 인한 것이라고 생각한다.

The Russian scientist **defected** to the United States to find a new life.
그 러시아 과학자는 새로운 삶을 찾기 위해 미국으로 망명했다.

파생 **defective** 형 결함이 있는
유의 **fault** 명 결점
flaw 명 결함
deficiency 명 결핍, 부족

1094

colleague
[kάli:g]

명 (직장) 동료

This young person worked very hard and earned the respect of his **colleagues.** 기출
이 젊은이는 아주 열심히 일해서 동료들의 존경을 받았다.

유의 **coworker** 명 동료

1095

renovate
[rénəvèit]

동 1. 개조하다, 보수하다 2. 혁신[쇄신]하다

A friend of hers bought a house that needed to be **renovated.** 기출
그녀의 친구 중 한 명이 개조할 필요가 있는 집을 샀다.

파생 **renovation** 명 수리, 혁신
유의 **repair** 동 수리[수선]하다
refurbish 동 새로 꾸미다

1096

acute
[əkjú:t]

형 1. 극심한 2. 예민한 3. (병이) 급성의

Through evolution, our brains have developed to deal with **acute** dangers. 기출
진화를 통해 우리의 뇌는 극심한 위험에 대처하도록 발달했다.

수능표현 +
acute pain 극심한 통증
acute heart attack 급성 심장 마비

유의 **serious** 형 심각한
sensitive 형 예민한
반의 **chronic** 형 만성의

1097

hospitality
[hὰspətǽləti]

명 1. 환대, 후한 대접 2. 접대

The members of the club were kind, and I was grateful for their **hospitality.**
동아리 회원들은 친절했고, 나는 그들의 환대에 감사했다.

파생 **hospitable** 형 환대하는
유의 **welcome** 명 환영, 환대
반의 **inhospitality** 명 푸대접, 냉대

1098

sprain
[sprein]

동 삐다, 접질리다

When you **sprain** an ankle, avoid putting any weight on it.
발목을 삐었을 때 발목에 체중이 실리지 않도록 하라.

유의 **twist** 동 삐다, 접질리다
wrench 동 삐다, 접질리다

1099

funeral
[fjúːnərəl]

명 장례식 형 장례의

They get together whenever a formal occasion such as a family wedding or a **funeral** comes along. 기출 응용
그들은 가족 결혼식이나 장례식과 같은 공식적인 행사가 있을 때마다 모인다.

유의 **burial** 명 매장(식)

1100

agenda
[ədʒéndə]

명 의제, 안건

The council added several items to the **agenda** to discuss at their next meeting.
의회는 다음 회의에서 논의할 안건에 몇 가지 안건을 추가했다.

수능표현 +

hidden agenda 숨은 의도
high on the agenda 중요한 안건

유의 **plan** 명 계획, 안

1101

electronic
[ilektránik]

형 1. 전자의 2. 전자 장비와 관련된

With the growth of **electronic** media, it is necessary to protect the privacy of individuals. 기출 응용
전자 매체가 성장함에 따라 개인의 사생활을 보호할 필요가 있다.

수능표현 +

electronic device 전자 기기
electronic publishing 전자 출판

파생 **electron** 명 전자

1102

originate
[ərídʒənèit]

동 1. 기원하다, 유래하다 2. 발명[고안]하다

The board game **originated** in ancient China more than 2,500 years ago.
그 보드게임은 2천5백 년도 더 전에 고대 중국에서 유래했다.

파생 **original** 형 원래의
유의 **derive** 동 유래하다
invent 동 발명하다
숙어 **originate from[in]** ~에서 비롯되다

1103

quote
[kwout]

동 인용하다, 예로 들다 명 인용문[구]

She **quoted** famous philosophers when giving her speech.
그녀는 연설을 할 때 유명한 철학자들을 인용했다.

파생 **quotation** 명 인용(구)
유의 **cite** 동 인용하다

1104

independent
[ìndipéndənt]

형 1. 독립된, 독립적인 2. 자립심이 강한

Many countries in the world became **independent** after World War II.
세계 많은 국가는 제2차 세계 대전 이후 독립했다.

파생 **independence** 명 독립
independently 부 독립적으로
반의 **dependent** 형 의존하는

1105

impair
[impέər]

동 손상시키다, 악화시키다

The essential oils can help patients whose digestive systems have been **impaired.** 기출 응용
소화계가 손상된 환자들에게 정유가 도움이 될 수 있다.

수능표현 +
impaired memory 손상된 기억
impaired vision 손상된 시력

파생 **impairment** 명 장애
impaired 형 손상된
유의 **worsen** 동 악화시키다
diminish 동 손상시키다, 약화시키다
damage 동 손상시키다

1106

politics
[pálitiks]

명 1. 정치 2. 정치학

African American males have played an increasingly important role in global **politics.** 기출
흑인 남성들은 세계 정치에서 점점 더 중요한 역할을 해 왔다.

파생 **politician** 명 정치인
political 형 정치적인

1107

vote
[vout]

동 투표하다 명 투표

Did you **vote** for or against the proposal?
그 제안에 찬성이라고 투표했나요, 반대라고 투표했나요?

수능표현 +
casting vote 캐스팅 보트(투표에서 당락을 결정하는 결정권)

파생 **voter** 명 유권자
유의 **ballot** 명 (비밀) 투표
election 명 선거

1108

confront
[kənfrʌ́nt]

동 1. 직면하다, 맞서다 2. 마주보고 있다

Employers are increasingly **confronted** with the problem of retaining talented personnel. 기출
고용주는 재능 있는 직원을 보유하는 문제에 점점 더 직면하고 있다.

파생 **confrontation** 명 직면, 대립
유의 **face up to** 직면하다
반의 **avoid** 동 피하다
숙어 **be confronted with** ~에 직면하다

1109

inventory
[ínvəntɔ̀ːri]

명 물품 목록, 재고(품)

Making a household **inventory** before moving makes the packing process easier.
이사하기 전에 집안 물품 목록을 만들면 포장 과정이 더 쉬워진다.

유의 **stock** 명 재고(품)

1110 다의어

rear
[riər]

명 뒤쪽 형 뒤쪽의 동 양육하다, 기르다

He had a small kitchen at the **rear** of his store. 기출
그는 가게 뒤쪽에 작은 부엌을 가지고 있었다.

The bees got their mid-legs and **rear** legs onto the surface.
벌들은 그들의 중간 다리와 뒷다리를 표면에 닿게 했다.

Rearing a child takes more than money.
아이를 양육하는 데는 돈 이상의 것이 필요하다.

유의 **back** 명 뒤쪽
raise 동 양육하다
bring up ~을 기르다
반의 **front** 명 형 앞쪽(의)

1111

suffer
[sʌ́fər]

동 1. (고통을) 겪다, 입다 2. (병을) 앓다

Follow the rules, or you will **suffer** serious social disapproval. 기출 응용
규칙을 따르지 않으면 심각한 사회적 반대를 겪을 것이다.

파생 **suffering** 명 고통
유의 **undergo** 동 겪다
숙어 **suffer from** ~을 겪다, 앓다

1112

nerve
[nəːrv]

명 1. 신경 2. 긴장, 불안 3. 용기, 배짱

Our **nerve** connections make sure that we become aware of the dangers and react to them. 기출 응용
우리의 신경 연결(망)은 우리가 위험을 인식하고 그것에 반응하도록 한다.

수능표현 +

the optic nerve 시신경
nerve fibers 신경 섬유

파생 **nervous** 형 신경의, 불안해하는
숙어 **have the nerve** 배짱이 있다

1113

sarcastic
[saːrkǽstik]

형 빈정대는, 비꼬는, 풍자적인

Before making **sarcastic** comments, think whether they can hurt others' feelings.
비꼬는 말을 하기 전에 그것이 다른 사람의 감정을 상하게 할 수 있는지 생각해 보라.

파생 **sarcastically** 부 비꼬는 투로, 풍자적으로
유의 **satirical** 형 비꼬는, 풍자적인
cynical 형 빈정대는, 비꼬는
sneering 형 비꼬는

1114

purchase
[pə́ːrtʃəs]

동 구입하다, 구매하다 명 구입(품), 구매

He was delighted to **purchase** the carving at a reasonable price. 기출
그는 적절한 가격에 그 조각품을 사게 되어 기뻤다.

수능표현 +

impulse purchase[buying] 충동구매

파생 **purchaser** 명 구매자
유의 **buy** 동 사다, 구입하다
숙어 **make a purchase** 구입하다

수능 혼동 어휘

1115

altitude
[ǽltitjùːd]

명 (해발) 고도, 고지

The SOFIA, a Boeing 747 jet, can reach an **altitude** of about 40,000 feet. 기출
보잉 747 제트기인 SOFIA는 약 4만 피트의 고도에 이를 수 있다.

1116

aptitude
[ǽptitjùːd]

명 소질, 적성

Chess players have a great **aptitude** for remembering chessboard patterns. 기출 응용
체스 선수는 체스판 패턴을 기억하는 데 있어 뛰어난 소질을 갖고 있다.

1117

latitude
[lǽtətjùːd]

명 1. 위도 2. (위도상의) 지역, 지대

In a few locations, particularly at **latitudes** near the equator, tea can be harvested year-round. 기출
특히 적도 근처 위도의 몇몇 지역에서는 일 년 내내 차가 수확될 수 있다.

수능 UP

Q1.
셋 중 알맞은 단어를 고르시오.
He was quite smart, with a particular **[altitude / aptitude / latitude]** for electronics and mechanics.

수능 필수 숙어

1118

take up

1. 차지하다 2. (일·취미 등을) 시작하다

The bed **takes up** two thirds of the room.
그 침대는 방의 3분의 2를 차지한다.

1119

turn up

1. 나타나다 2. (소리 등을) 높이다

He **turned up** to a serious business meeting dressed as Mickey Mouse. 기출 응용
그는 진지한 사업 관련 회의에 미키마우스 복장을 한 채 나타났다.

1120

end up

결국 ~하게 되다

If you apply all your extra money to paying off your debt, you will **end up** going further into debt. 기출 응용
만약 여윳돈을 빚을 갚는 데 다 쓴다면, 결국 더 큰 빚을 지게 된다.

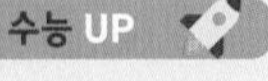

Q2.
빈칸에 알맞은 어구를 고르시오.

With all the kids plus their parents, we __________ a big chunk of the table space.

① took up
② turned up
③ ended up

Daily Test 28

정답 p.454

A 우리말은 영어로, 영어는 우리말로 쓰시오.

01 우주 ____________

02 언어의, 언어학의 ____________

03 절도, 도둑질 ____________

04 즉시의; 순간 ____________

05 압축하다 ____________

06 독점, 전매 ____________

07 환대, 후한 대접, 접대 ____________

08 sprain ____________

09 agenda ____________

10 electronic ____________

11 suicide ____________

12 sarcastic ____________

13 aptitude ____________

14 renovate ____________

B 우리말과 일치하도록 빈칸에 알맞은 단어 또는 어구를 쓰시오.

서술형

01 Drinking large amounts of alcohol severely i__________ your ability to drive.
다량의 음주는 운전 능력을 심각하게 손상시킨다.

02 She used to q__________ clever sayings from Oscar Wilde's plays in her lectures.
그녀는 자신의 강의에서 오스카 와일드의 희곡에서 현명한 경구들을 인용하곤 했다.

03 With "two-for-one" promotions, you e__________ __________ spending more money than you normally would have.
'1개 값으로 2개' 판촉은 결국 평소보다 더 많은 돈을 지출하게 된다.

C 각 단어의 유의어 또는 반의어를 쓰시오.

01 동 empower 유의 a____________

02 동 suffer 유의 u____________

03 동 delude 유의 d____________

04 형 acute 반의 c____________

05 명 defect 유의 d____________

06 명 inventory 유의 s____________

07 동 confront 반의 a____________

08 명 rear 반의 f____________

DAY 29

1121

constraint
[kənstréint]

명 1. 제약 2. 제한, 통제

The project was delayed due to some financial **constraints**.
그 프로젝트는 일부 재정적인 제약으로 인해 연기되었다.

시험에 더 강해지는 어휘

파생 **constrain** 동 제약하다, 강요하다
유의 **restraint** 명 규제, 제한
restriction 명 제약, 제한
숙어 **constraint on** ~에 대한 제약

1122

innate
[inéit]

형 타고난, 선천적인

Leonardo da Vinci had the **innate** gift of insight and invention. 기출 응용
레오나르도 다빈치는 통찰과 발명에 타고난 재능을 갖고 있었다.

파생 **innately** 부 선천적으로
유의 **inborn** 형 타고난
native 형 타고난
반의 **acquired** 형 후천적인, 학습된

1123

plunge
[plʌndʒ]

동 1. 급락하다 2. 뛰어들다 명 1. 급락 2. 뛰어듦

Stocks **plunged** at fears of a slowdown in growth.
성장 둔화에 대한 우려로 주가가 급락했다.

유의 **plummet** 동 급락하다
dive 동 뛰어들다
반의 **soar** 동 급상승하다

1124

excel
[iksél]

동 능가하다, 탁월하다

The ancient Egyptians **excelled** in many areas of science. 기출
고대 이집트인들은 많은 과학 분야에서 뛰어났다.

파생 **excellence** 명 뛰어남
excellent 형 탁월한
유의 **surpass** 동 능가하다
outshine 동 ~보다 더 낫다

1125

savage
[sǽvidʒ]

형 1. 야만적인, 미개한 2. 잔인한, 난폭한 명 미개인

The country's **savage** attack on its neighbor was widely criticized.
그 나라의 이웃에 대한 야만적인 공격은 널리 비판 받았다.

유의 **uncivilized** 형 야만적인
brutal 형 잔혹한
cruel 형 잔인한
반의 **civilized** 형 문명화된

1126

creed
[kri:d]

명 신념, (종교의) 교리

His political **creed** centered on the legal supremacy of the king.
그의 정치적 신념은 국왕의 법적 패권을 중시하였다.

유의 **belief** 명 신념
doctrine 명 교리

1127

lick
[lik]

동 핥다, 핥아먹다

When a dog quickly **licks** something, the bitter taste will not be registered. 기출 응용
개가 재빠르게 무언가를 핥으면 쓴맛은 인식되지 않는다.

1128

continue
[kəntínju(:)]

동 계속하다, 지속하다

The children **continued** working until the sun was high in the sky. 기출 응용
아이들은 해가 중천에 뜰 때까지 일을 계속했다.

파생 **continuous** 형 계속되는
유의 **last** 동 계속하다
carry on 계속하다
반의 **discontinue** 동 중단하다, 중단되다

1129

fare
[fɛər]

명 (교통) 요금, 운임

He had to walk home because he didn't have enough money for the bus **fare**.
그는 버스 요금을 낼 돈이 없어서 집까지 걸어가야 했다.

수능표현+
fare increase 요금 인상

유의 **charge** 명 요금
rate 명 요금, ~료

1130

trigger
[trígər]

동 촉발하다, 유발하다 명 1. 방아쇠 2. 계기, 도화선

Engagement in dishonest acts may **trigger** larger acts of dishonesty later on. 기출
부정직한 행위에 관여하는 것은 나중에 더 큰 부정직한 행위를 유발할 수 있다.

유의 **cause** 동 일으키다, 초래하다
set off 유발하다

1131 다의어

issue
[íʃuː]

명 1. 문제, 쟁점 2. 발행(물)
동 1. 공표[발표]하다 2. 발행[발부]하다

More people are willing to discuss personal **issues** with strangers on the Internet.
더 많은 사람들이 인터넷에서 낯선 사람들과 개인적인 문제를 기꺼이 토론하려고 한다.

His interview was included in the latest **issue** of *Art* magazine.
그의 인터뷰는 Art 잡지의 최신호에 실렸다.

In addition to the nine states that **issued** apologies for slavery, another state expressed official regret.
노예 제도에 대한 사과를 발표한 9개 주 외에도 또 다른 주가 공식적인 유감을 표명했다.

유의 **subject** 명 쟁점
publication 명 발행, 발표
announce 동 공표하다

1132

shortage
[ʃɔ́ːrtidʒ]

명 부족, 결핍

The rapid development of cities caused a housing **shortage** in urban areas.
도시의 급속한 발전은 도시 지역의 주택 부족을 초래했다.

유의 lack 명 부족
scarcity 명 부족, 결핍
반의 abundance 명 풍부
숙어 shortage of ~의 부족

1133

utensil
[juːténsəl]

명 (가정용) 기구, 도구

These bamboo cooking **utensils** are durable and lightweight.
이 대나무 요리 기구들은 내구성이 좋고 무게가 가볍다.

유의 implement 명 기구, 도구
tool 명 도구

1134

demolish
[dimɑ́liʃ]

동 1. 파괴하다, 무너뜨리다 2. 폐지하다

The explosion **demolished** the building completely.
그 폭발로 그 건물은 완전히 파괴되었다.

파생 demolition 명 파괴, 폭파
유의 destroy 동 파괴하다
반의 build 동 세우다, 짓다

1135

force
[fɔːrs]

동 강요하다, 억지로 ~하게 하다
명 1. 힘 2. 강압, 폭력 3. 병력

Stressful events sometimes **force** people to develop new skills. 기출
스트레스를 주는 사건들은 때때로 사람들이 새로운 기술을 개발하게 한다.

수능표현 +
air force 공군
armed forces 무력
labor force 노동력

유의 compel 동 강요하다
반의 volunteer 동 자진하여 하다
숙어 force A to-v
A에게 ~하라고 강요하다

1136

ally
[ǽlai]

명 1. 동맹국 2. 협력자
동 (~에 대항하여) 동맹을 맺다, 연합하다

The country is not an **ally** of the United States.
그 나라는 미국의 동맹국이 아니다.

파생 alliance 명 동맹, 연합
반의 adversary 명 적수
숙어 ally with ~와 동맹하다

1137

primary
[práimeri]

형 1. 주요한, 제1의 2. 최초[초기]의 3. 초등의

People are more satisfied with their lives when their **primary** goals are intrinsic. 기출 응용
사람들은 자신들의 주요한 목표가 내재적일 때 자신들의 삶에 더 많이 만족한다.

파생 primarily 부 주로
유의 chief 형 주요한
prime 형 주된, 주요한

1138

react
[riǽkt]

동 1. 반응하다 2. 반작용하다

Players typically **react** strongly to points they win or lose. 기출
선수들은 일반적으로 그들이 획득하거나 잃는 점수에 강하게 반응한다.

파생 **reaction** 명 반응, 반작용
reactive 형 반응을 보이는
유의 **respond** 동 반응하다
숙어 **react to** ~에 반응하다

1139

victim
[víktim]

명 희생자, 피해자

When he witnessed the bullying, he put himself between the bully and the **victim**. 기출 응용
그는 괴롭힘을 목격했을 때 괴롭히는 자와 피해자 사이에 끼어들었다.

파생 **victimize** 동 부당하게 괴롭히다, 희생시키다
유의 **sufferer** 명 피해자
target 명 (피해) 대상

1140

municipal
[mjuːnísəpəl]

형 시[읍/군]의, 지방 자치제의

Municipal governments are responsible for the local police force.
시정(市政)은 지방 경찰력에 책임이 있다.

수능표현 +

municipal council 시 의회
municipal elections 지방 자치 선거

파생 **municipality** 명 지방 자치제
유의 **civic** 형 도시의, 시민의

1141

retrieve
[ritríːv]

동 되찾아 오다, 회수하다

The police were able to **retrieve** the evidence from the crime scene.
경찰은 범죄 현장에서 증거를 회수할 수 있었다.

파생 **retrieval** 명 만회, 회복
retrievable 형 되찾을 수 있는
유의 **recover** 동 되찾다, 만회하다

1142

available
[əvéiləbl]

형 1. 이용 가능한 2. 시간이 있는

The product must be **available** where and when needed. 기출
제품은 필요한 곳에 필요할 때에 사용할 수 있어야 한다.

파생 **availability** 명 유용성
유의 **accessible** 형 이용 가능한
반의 **unavailable** 형 이용할 수 없는

1143

discord
[dískɔːrd]

명 1. 불화, 불일치 2. 불협화음

The attention of lonely people is drawn to **discord** among others. 기출 응용
외로운 사람들의 관심은 다른 사람들 사이의 불화로 쏠려 있다.

유의 **conflict** 명 불화, 갈등
반의 **harmony** 명 조화
concord 명 화합, 일치

1144

strengthen
[stréŋkθən]

동 강화하다

The CEO wants to **strengthen** the company's financial position.
CEO는 회사의 재무 상태를 강화하기를 원한다.

파생 **strength** 명 힘, 강점
유의 **enhance** 동 강화하다
반의 **weaken** 동 약화시키다

1145

hilarious
[hiléə(ː)riəs]

형 유쾌한, 아주 재미있는

It was a **hilarious** joke that made everyone laugh.
그것은 모두를 웃게 만든 아주 재미있는 농담이었다.

유의 **funny** 형 재미있는, 웃기는

1146

disturb
[distə́ːrb]

동 1. 방해하다 2. 어지럽히다, 혼란케 하다

Please do not speak or stand up, so that you do not **disturb** other test takers.
다른 수험생을 방해하지 않도록 말하거나 일어서지 마십시오.

파생 **disturbance** 명 방해
disturbing 형 방해되는, 교란시키는
유의 **interrupt** 동 방해하다
bother 동 신경 쓰이게 하다

1147

outrage
[áutreidʒ]

명 1. 격분, 분개 2. 잔인무도한 일
동 격분하게 만들다

The shocking photos caused public **outrage**.
그 충격적인 사진들이 대중의 격분을 일으켰다.

수능표현 +
moral outrage 부도덕한 행동

파생 **outrageous** 형 너무나 충격적인
유의 **fury** 명 격분, 분노
resentment 명 분개, 분노
enrage 동 격분하게 하다

1148

sufficient
[səfíʃənt]

형 충분한

Not all organisms are able to find **sufficient** food to survive. 기출
모든 유기체가 생존하기에 충분한 먹이를 찾을 수 있는 것은 아니다.

파생 **suffice** 동 충분하다
유의 **adequate** 형 충분한
enough 형 충분한
반의 **insufficient** 형 불충분한
숙어 **sufficient to-v[for]** ~(하기)에 충분한

1149

petition
[pətíʃən]

명 청원(서), 탄원(서) 동 청원하다, 탄원하다

It was a **petition** with 10,000 signatures demanding a solution to the issue.
그것은 문제에 대한 해결책을 요구하는 1만 명의 서명이 있는 청원서였다.

숙어 **petition for[against]** ~을 위한[반대하는] 청원

1150

attitude
[ǽtitjùːd]

명 태도, 자세, 마음가짐

Attitudes toward technological progress are shaped by how people's incomes are affected by it. 기출
기술 진보에 대한 태도는 그것으로 인해 사람들의 수입이 어떻게 영향을 받느냐에 따라 형성된다.

유의 **stance** 명 태도, 자세
position 명 자세, 입장
posture 명 태도, 자세
숙어 **attitude toward** ~에 관한 태도

1151

crop
[krɑp]

명 1. 농작물 2. 수확물 동 자르다, 베다

In Kenya, farmers are actively encouraged to grow export **crops** such as tea and coffee. 기출
케냐에서 농부들은 차와 커피와 같은 수출용 작물을 재배하도록 적극적으로 장려된다.

수능표현 +
staple crop 주요 작물, 주된 곡물
cash crop 환금 작물

유의 **harvest** 명 수확물
yield 명 수확, 생산량
produce 명 생산량

1152

manipulate
[mənípjulèit]

동 1. (기계 등을) 다루다, 조작하다 2. (사람·여론을) 조종하다

Robots learn to **manipulate** new objects through prediction.
로봇은 예측을 통해 새로운 물체를 조작하는 법을 배운다.

파생 **manipulation** 명 조작
manipulative 형 조종하는, 조작의

1153 다의어

flat
[flæt]

형 1. 평평한, 납작한 2. 바람이 빠진, 펑크 난

A hockey puck seems to slide across an ice rink's **flat** surface. 기출
하키 퍽은 아이스링크의 평평한 표면을 미끄러져 지나가는 것 같다.

Steve found that his bicycle had a **flat** tire, so he started to run to school. 기출
Steve는 그의 자전거에 타이어 바람이 빠졌다는 것을 알았고, 그래서 그는 학교로 뛰기 시작했다.

파생 **flatten** 동 납작하게 만들다
유의 **even** 형 평평한
horizontal 형 수평의, 가로의
반의 **uneven** 형 평탄하지 않은

1154

blast
[blæst]

명 1. 폭발 2. 강한 바람 동 폭발시키다

Every window in the building had been shattered by the force of the **blast**.
폭발의 힘으로 건물의 모든 창문이 산산조각 났다.

유의 **explosion** 명 폭발
blow up 폭파하다

수능 혼동 어휘

1155

eliminate

[ilímənèit]

동 제거하다, 없애다

Couldn't some of that paperwork be **eliminated** by simply talking to another person? 기출

간단히 다른 사람에게 이야기하는 것으로 서류 작업의 일부를 없앨 수 있지 않을까?

1156

illuminate

[ilú:mənèit]

동 밝게 비추다, 조명하다

The ancient Greeks and Romans **illuminated** the streets with oil lamps.

고대 그리스와 로마인들은 기름 램프로 거리를 비추었다.

수능 UP

Q1.
둘 중 알맞은 단어를 고르시오.
A bit of green light **[eliminated / illuminated]** the room in front of him.

1157

optical

[ɑ́ptikəl]

형 1. 시각의, 시력의 2. 광학의, 빛의

The child's drawings are not reproductions of an **optical** image. 기출

아이의 그림은 시각적인 이미지의 복제물이 아니다.

1158

optimal

[ɑ́ptəməl]

형 최상의, 최적의

Certain conditions are necessary to ensure that the bananas are of **optimal** quality.

바나나가 최적의 품질을 유지하기 위해서는 특정한 조건이 필요하다.

Q2.
둘 중 알맞은 단어를 고르시오.
During the race, the skaters rushed inward to gain **[optical / optimal]** position.

수능 필수 숙어

1159

figure out

1. 생각해 내다, 알아내다 2. 이해하다

You need to **figure out** how to solve the problem by yourself.

여러분은 혼자서 문제를 해결할 방법을 알아내야 한다.

1160

make out

1. 이해하다, 분간하다 2. 작성하다

Michael looked through the window but could not **make out** the objects within. 기출 응용

Michael은 창문을 들여다보았지만 안에 있는 물체들을 분간할 수 없었다.

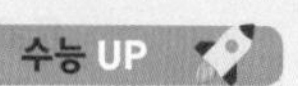

Q3.
빈칸에 알맞은 어구를 고르시오.

Henry is trying to ______ who to invite to his dinner party.

① figure out
② make out

Daily Test 29

정답 p.454

A 우리말은 영어로, 영어는 우리말로 쓰시오.

01 제약, 제한, 통제 ______________
02 타고난, 선천적인 ______________
03 신념, (종교의) 교리 ______________
04 핥다, 핥아먹다 ______________
05 부족, 결핍 ______________
06 (가정용) 기구, 도구 ______________
07 동맹국; 동맹을 맺다 ______________
08 attitude ______________
09 municipal ______________
10 retrieve ______________
11 hilarious ______________
12 figure out ______________
13 blast ______________
14 eliminate ______________

B 우리말과 일치하도록 빈칸에 알맞은 단어 또는 어구를 쓰시오.

서술형

01 Nothing is as important as safety, so fixing this i__________ should be made a top priority. 기출 응용

그 어떤 것도 안전만큼 중요한 것은 없으므로 이 쟁점을 해결하는 것이 최우선 사항이 되어야 한다.

02 The tax increase has t__________ a protest by homeowners.

세금 인상은 주택 보유자들의 항의를 촉발했다.

03 To make the o__________ decision, he scanned as many different alternatives as possible.

최적의 결정을 내리기 위해 그는 다양한 대안들을 최대한 많이 살펴보았다.

C 각 단어의 유의어 또는 반의어를 쓰시오.

01 동 plunge 유의 p______________
02 명 discord 반의 h______________
03 동 strengthen 반의 w______________
04 동 outrage 유의 e______________
05 동 demolish 반의 b______________
06 동 excel 유의 o______________
07 형 sufficient 유의 e______________
08 형 flat 반의 u______________

VOCA CLEAR

DAY 30

+ 시험에 더 강해지는 어휘

1161

blueprint
[blú:prìnt]

명 1. 청사진, 설계도 2. (세밀한) 계획

Genes give very general directions for the **blueprints** of neural networks. 기출
유전자는 신경망의 청사진에 대해 매우 대략적인 방향을 제시한다.

유의 **design** 명 설계도
plan 명 계획, 설계도

1162

entitle
[intáitl]

동 1. 자격[권리]을 주다 2. 제목을 붙이다

This ticket **entitles** you to park for free for one month.
이 표는 당신에게 한 달 동안 무료로 주차할 권리를 준다.

파생 **entitlement** 명 자격, 권리
숙어 **be entitled to-v** ~할 자격이 있다

1163

revolve
[riválv]

동 1. 돌다, 회전하다 2. 공전하다

The artificial satellite is programmed to **revolve** around the Earth.
인공 위성은 지구 주위를 돌도록 프로그램되어 있다.

파생 **revolution** 명 회전, 혁명
유의 **orbit** 동 궤도를 돌다
rotate 동 돌다, 자전하다
turn 동 돌다

1164

latter
[lǽtər]

형 후자의, 나중의

The **latter** company had more difficulty than the former. 기출
후자의 회사는 전자보다 더 많은 어려움을 겪었다.

반의 **former** 형 전자의

1165

peril
[pérəl]

명 위험, 위기

Rainforests are endangered, and polar bears are in **peril**. 기출 응용
열대 우림은 멸종 위기에 처해 있고 북극곰들은 위험에 처해 있다.

파생 **perilous** 형 아주 위험한
유의 **danger** 명 위험
반의 **safety** 명 안전

1166

spine
[spain]

명 1. 척추, 등뼈 2. (동식물의) 가시

A poor sitting posture can add pressure to the **spine**.
잘못된 앉은 자세는 척추에 압력을 가할 수 있다.

파생 **spinal** 형 척추의
유의 **backbone** 명 척추, 등뼈

1167

deterioration
[ditìəriəréiʃən]

명 악화, 저하, 하락

The extra grazing contributes to the **deterioration** of the pasture. 기출
추가적인 방목은 목초지 악화의 원인이 된다.

파생 deteriorate 동 악화되다
유의 worsening 명 악화
decline 명 저하, 하락
반의 improvement 명 개선

1168

surgery
[sə́ːrdʒəri]

명 (외과) 수술

He underwent **surgery** and physical therapy, in an attempt to regain fitness. 기출
그는 건강을 되찾기 위해 수술과 물리 치료를 받았다.

수능표현 +

plastic[cosmetic] surgery 성형 수술
undergo surgery 수술을 받다

파생 surgical 형 외과의, 수술의
유의 operation 명 수술

1169

nasty
[nǽsti]

형 1. 고약한, 못된 2. (맛·냄새가) 불쾌한, 역겨운

I don't want to work with him because he has a **nasty** temper.
그는 성질이 고약해서 나는 그와 같이 일하고 싶지 않다.

파생 nastiness 명 더러움
유의 mean 형 비열한
disgusting 형 역겨운
unpleasant 형 불쾌한

1170

alienate
[éiliənèit]

동 1. 멀어지게 만들다 2. 소외감을 느끼게 하다

Technology has **alienated** some people from reality.
기술은 일부 사람들을 현실에서 멀어지게 했다.

파생 alienation 명 소외
유의 estrange 동 사이를 멀어지게 하다

1171

congress
[káŋgris]

명 1. ((C~)) 미국 의회, 국회 2. (공식적인) 회의

Congress will vote to pass the new legislation soon.
의회는 곧 새 법안을 통과시키기 위해 투표할 것이다.

파생 congressional 형 의회의
유의 Parliament 명 (영국) 의회

1172

overthrow
[òuvərθróu]

동 전복시키다, 타도하다 명 [óuvərθròu] 전복, 타도

Toward the end of the American Revolution, she became involved in a plot to **overthrow** the king. 기출
독립 전쟁이 끝날 무렵 그녀는 왕을 끌어내리려는 음모에 가담했다.

유의 overturn 동 뒤집어 엎다
defeat 동 패배시키다
subversion 명 전복

1173

inflate
[infléit]

동 1. 부풀리다 2. (물가를) 올리다

To decorate the wall, I **inflated** letter balloons with an air pump.
벽면을 장식하기 위해 나는 공기 펌프로 글자 풍선을 부풀렸다.

파생 **inflation** 명 인플레이션, 물가 상승률
반의 **deflate** 동 공기를 빼다, 수축시키다

1174

brilliant
[bríljənt]

형 1. 뛰어난 2. 빛나는 3. 훌륭한, 멋진

He was a **brilliant** navigator and a relatively humane captain by the standards of his time.
그는 뛰어난 항해사였고 그가 살던 시대의 기준에서 비교적 인간적인 선장이었다.

파생 **brilliance** 명 광명, 탁월
brilliantly 부 훌륭히, 찬란히, 뛰어나게
유의 **outstanding** 형 뛰어난, 우수한
shining 형 빛나는

1175

perspective
[pərspéktiv]

명 1. 관점, 시각 2. 전망, 경치 3. 원근법

Systems have been designed from a technology-centered **perspective.** 기출
시스템은 기술 중심 관점에서 디자인이 되어 왔다.

유의 **viewpoint** 명 관점, 시각
outlook 명 전망, 경치

1176

melt
[melt]

동 1. 녹다, 녹이다 2. (감정이) 누그러지다

In the winter, you can get drinking water by **melting** snow.
겨울에는 눈을 녹여서 식수를 얻을 수 있다.

유의 **dissolve** 동 녹이다, 용해시키다
반의 **freeze** 동 얼다

1177

impatient
[impéiʃənt]

형 1. 참지 못하는, 조급한 2. 짜증 난, 안달하는

He rubbed two sticks of wood together, but soon grew **impatient.** 기출 응용
그는 나무 막대기 두 개를 문질렀지만, 곧 참을성이 없어졌다.

유의 **intolerant** 형 참을성이 없는
annoyed 형 짜증이 난
반의 **patient** 형 참을성 있는

1178

foe
[fou]

명 적수, 원수

He viewed the country as a **foe** to freedom.
그는 그 나라를 자유의 적으로 보았다.

수능표현 +

friend or foe 아군 또는 적군

유의 **enemy** 명 적
opponent 명 적수, 상대
반의 **friend** 명 친구

1179

cunning
[kʌ́niŋ]

형 교활한, 간사한, 약삭빠른

He is a **cunning** liar who will do whatever he can to win.
그는 이기기 위해 자신이 할 수 있는 것은 무엇이든 하는 교활한 거짓말쟁이다.

유의 **crafty** 형 교활한
wily 형 교활한, 약삭빠른

1180

dump
[dʌmp]

동 1. 내다 버리다 2. 덤핑하다 명 쓰레기 하치장

Recyclable plastics are being **dumped** into the sea.
재활용 가능한 플라스틱이 바다에 버려지고 있다.

수능표현 +
nuclear waste dump 핵폐기물 폐기장

파생 **dumping** 명 투기[폐기]
유의 **drop** 동 떨어뜨리다
throw away 버리다

1181

perplex
[pərpléks]

동 1. 혼란케 하다 2. 당혹하게 하다, 난처하게 하다

Students of ethics have been **perplexed** whether to classify their subject as a science or an art. 기출
윤리학 연구자들은 자신들의 과목을 과학으로 분류할지 예술로 분류할지 혼란스러워해 왔다.

파생 **perplexity** 명 당혹감
perplexed 형 당황한
유의 **puzzle** 동 당혹하게 하다

1182

require
[rikwáiər]

동 요구하다, 필요로 하다

In the experiments on stress, people did tasks that **required** concentration. 기출
스트레스에 대한 실험에서 사람들은 집중력이 필요한 과업을 했다.

파생 **requirement** 명 필요, 요건
유의 **need** 동 필요로 하다
demand 동 요구하다

1183

passive
[pǽsiv]

형 수동적인, 소극적인

The task of reading is a more or less **passive** process of recovering the author's intentions. 기출 응용
읽기라는 과업은 작가의 의도를 재발견하는 다소 수동적인 과정이다.

파생 **passivity** 명 수동성, 소극성
passively 부 수동적으로
반의 **active** 형 적극적인

1184

shiver
[ʃívər]

동 (몸을) 떨다 명 떨림, 오한, 전율

Shivering with fear, I murmured a panicked prayer that this situation would end quickly. 기출
두려움에 떨면서 나는 이 상황이 빨리 끝나게 해 달라는 겁에 질린 기도를 중얼거렸다.

유의 **tremble** 동 (몸을) 떨다
shudder 동 몸서리치다

1185

trauma
[trɔ́:mə]

명 정신적 외상, 트라우마

These people suffer from mental **trauma** that has led to emotional stress.
이 사람들은 정서적 스트레스로 이어지는 정신적 트라우마를 겪는다.

수능표현 +

post traumatic stress disorder (PTSD)
외상 후 스트레스 장애

파생 traumatize 동 정신적 외상을 주다
traumatic 형 대단히 충격적인

1186

wound
[wu:nd]

명 상처, 부상 동 상처[부상]를 입히다

These are the **wounds** from the alligator's teeth. 기출
이것들은 악어의 이빨로 생긴 상처이다.

파생 wounded 형 부상을 입은
유의 injury 명 상처, 부상
injure 동 상처를 입히다
반의 heal 동 낫게 하다

1187 다의어

appreciate
[əprí:ʃièit]

동 1. 감사하다 2. 감상하다 3. (올바로) 인식하다

I would really **appreciate** it if you could allow my son to register. 기출
제 아들이 등록할 수 있도록 허락해 주실 수 있다면 정말로 감사하게 여길 것입니다.

Art lovers will be able to **appreciate** the artworks in this gallery starting tomorrow.
미술 애호가들은 내일부터 이 갤러리에서 미술품을 감상할 수 있을 것이다.

The mayor could not **appreciate** the seriousness of the situation.
시장은 사태의 심각성을 인지하지 못했다.

파생 appreciation 명 감사, 감상, 감탄
appreciative 형 감사하는
유의 be grateful 고마워하다
realize 동 알아보다

1188

detect
[ditékt]

동 탐지[감지]하다, 발견하다

If we **detect** unfavorable reactions, our self-concept will likely be negative. 기출
만약 우리가 호의적이지 않은 반응을 탐지하면, 우리의 자아 개념은 부정적이 될 가능성이 있을 것이다.

파생 detection 명 발견, 탐지
detective 명 형사
유의 discover 동 발견하다
track down 찾아내다

1189

scared
[skɛərd]

형 겁을 먹은, 겁에 질린, 두려운

When you watch a chase scene in an action movie, you may be a little bit **scared**. 기출
액션 영화에서 추격 장면을 볼 때, 여러분은 조금 겁을 먹을 수도 있다.

파생 scare 동 겁주다 명 공포
유의 afraid 형 두려워하는
frightened 형 겁먹은

1190

aware
[əwɛ́ər]

형 알고 있는, 인식하는

Young scientists are not always **aware** of the importance of attending different conferences.
젊은 과학자들이 서로 다른 학회에 참석하는 것의 중요성을 항상 인지하고 있는 것은 아니다.

파생 **awareness** 명 인식
유의 **informed** 형 잘 아는
반의 **unaware** 형 알지 못하는
숙어 **be aware of** ~을 알다

1191

offer
[ɔ́(:)fər]

동 1. 제공하다 2. 제안하다 명 1. 제공 2. 제안

We **offer** a special service that will rent you all the equipment you need. 기출 응용
우리는 당신이 필요로 하는 모든 장비를 대여해 주는 특별 서비스를 제공합니다.

수능표현 +

special offer 특가 판매

파생 **offering** 명 공물, 제물
유의 **provide** 동 제공하다
suggest 동 제안하다
반의 **take** 동 가져가다

1192

assent
[əsént]

명 동의, 찬성 동 동의하다, 찬성하다

If your study subjects are children, the **assent** of their parents is needed.
만약 여러분의 연구 대상자가 어린이들이라면, 부모님의 동의가 필요하다.

유의 **agreement** 명 동의
approval 명 찬성, 승인
반의 **dissent** 명 동 반대(하다)

1193

remarkable
[rimɑ́ːrkəbl]

형 주목할 만한, 놀랄 만한

The genius made **remarkable** achievements in a wide variety of fields. 기출 응용
그 천재는 매우 다양한 분야에서 주목할 만한 업적을 남겼다.

파생 **remarkably** 부 두드러지게, 현저히
유의 **astonishing** 형 정말 놀라운
outstanding 형 눈에 띄는, 우수한

1194

hygiene
[háidʒi(:)n]

명 위생, 청결

Poor personal **hygiene** is seen as unhealthy in most cultures.
개인위생이 좋지 않을 것은 대부분의 문화에서 건강에 좋지 않은 것으로 여겨진다.

수능표현 +

dental[oral] hygiene 치과[구강] 위생
public hygiene 공중위생
food hygiene 식품 위생

파생 **hygienic** 형 위생적인

수능 혼동 어휘

1195

moral

[mɔ́:rəl]

형 도덕의, 도덕적인 명 교훈

Moral behavior is what is accepted by society as the right thing to do.
도덕적 행동은 사회에서 해야 할 옳은 일이라고 인정하는 것이다.

1196

morale

[mərǽl]

명 사기, 의욕

The tanks caused alarm among the Germans and raised the **morale** of the British troops. 기출 응용
탱크는 독일군 사이에서 불안감을 조성했고, 영국군의 사기를 높였다.

1197

assemble

[əsémbl]

동 1. 모이다, 모으다 2. 조립하다

He looked around the room, where his entire family was **assembled**.
그는 그의 가족 전체가 모인 방을 둘러보았다.

1198

resemble

[rizémbl]

동 ~와 닮다, 비슷하다

The surface of the sculpture **resembles** fish scales.
그 조각품의 표면은 물고기 비늘과 비슷하다.

수능 UP

Q1.
둘 중 알맞은 단어를 고르시오.
Harsh criticism on her work would lower her **[moral / morale]**.

Q2.
둘 중 알맞은 단어를 고르시오.
He wanted to **[assemble / resemble]** everybody in the street in front of the store to make a speech.

수능 필수 숙어

1199

wipe out

일소하다, 전멸시키다

Researchers found that humans have **wiped out** hundreds of bird species in the last 50,000 years.
연구원들은 지난 5만 년 동안 인간이 수백 종의 새를 멸종시켰다는 사실을 발견했다.

1200

put out

(등불·불을) 끄다

It took almost a day for the firefighters to **put out** the fire.
소방관들이 그 불을 끄는 데 거의 하루가 걸렸다.

Q3.
빈칸에 알맞은 어구를 고르시오.

The rainforests are being burned, which is ________ native species of plants.

① wiping out
② putting out

Daily Test 30

정답 p.455

A 우리말은 영어로, 영어는 우리말로 쓰시오.

01 청사진, 설계도, 계획 ____________

02 자격[권리]을 주다 ____________

03 교활한, 간사한 ____________

04 척추, 등뼈, 가시 ____________

05 전복시키다, 타도하다 ____________

06 뛰어난, 빛나는, 훌륭한 ____________

07 감사하다, 감상하다 ____________

08 dump ____________

09 nasty ____________

10 shiver ____________

11 trauma ____________

12 foe ____________

13 detect ____________

14 aware ____________

B 우리말과 일치하도록 빈칸에 알맞은 단어 또는 어구를 쓰시오.

서술형

01 Several factors made it difficult for the fire crews to p__________ __________ the flames.
몇 가지 요인들이 소방대원들이 불을 끄기 어렵게 만들었다.

02 By this time there was a line of i__________ customers waiting to be served.
이 시간이면 서빙을 기다리는 참을성 없는 손님들이 줄 서 있었다.

03 Personal h__________ includes cleanliness, eating healthy foods, and exercising.
개인위생에는 청결, 건강한 음식 섭취, 운동이 포함된다.

C 각 단어의 유의어 또는 반의어를 쓰시오.

01 명 assent 반의 d____________

02 명 peril 반의 s____________

03 형 latter 반의 f____________

04 동 inflate 반의 d____________

05 동 melt 유의 d____________

06 동 perplex 유의 p____________

07 동 wound 유의 i____________

08 동 revolve 유의 o____________

수능에 더 강해지는 TEST DAY 26-30

A

다음 짝 지어진 두 단어의 관계가 같도록 빈칸에 알맞은 단어를 <보기>에서 골라 쓰시오.

<보기>	hospitable	experience	acquired	relative

1 prolific : fertile = undergo : ______________

2 absolute : ______________ = entire : partial

3 cosmos : cosmic = hospitality : ______________

4 innate : ______________ = savage : civilized

B

다음 문장에서 밑줄 친 어휘의 유의어를 고르시오.

1 Achievement comes when you <u>pursue</u> and obtain what you want. 기출

① seek ② eliminate ③ alienate

2 He is <u>frugal</u> and buys only necessary things at a reasonable price.

① thrifty ② brilliant ③ optimal

3 She didn't wish to <u>disturb</u> the natural balance of the environment. 기출

① plunge ② interrupt ③ originate

4 The actress <u>quoted</u> a line from her movie in her award acceptance speech.

① deluded ② offered ③ cited

정답 p. 455

C

서술형

다음 빈칸에 알맞은 단어를 <보기>에서 골라 쓰시오. (필요시 형태를 바꿀 것)

<보기>	merge	sufficient	hierarchy	retrieve

1 She ______________ the bag she had left behind on the subway.

2 The king occupied the highest position in the social ______________.

3 Having similar goals, the two groups have ______________ into one.

4 Schools promote healthy dietary behaviors, including drinking ______________ water. 기출 응용

D

각 네모 안에서 문맥에 맞는 말을 고르시오.

1 In case of a plane crash, you should learn how to [inflate / deflate] a life jacket.

2 Lights [eliminated / illuminated] nearly every window in the village.

3 Researchers are developing medicines to prevent the [improvement / deterioration] of brain function.

4 The birth of a child in a family is often the reason why people [take up / turn up] photography. 기출

5 The pilot reduced the plane's [altitude / latitude], hoping to fly as far as a planned fuel stop in Louisiana. 기출 응용

VOCA CLEAR

DAY 31

1201

fame
[feim]

명 명성

Despite his **fame** as a classical scholar, he actually published little. 기출
고전학자로서의 명성에도 불구하고, 그는 실제로는 책을 거의 출판하지 않았다.

시험에 더 강해지는 어휘

- 파생 **famous** 형 유명한
- 유의 **reputation** 명 명성
- 반의 **disgrace** 명 불명예
- 숙어 **earn fame** 명성을 얻다

1202

poetry
[póuitri]

명 시, 운문

The structure of **poetry** is different from that of our everyday language.
시의 구조는 우리의 일상 언어의 구조와는 다르다.

- 파생 **poet** 명 시인
  poetic 형 시적인
- 유의 **verse** 명 운문
- 반의 **prose** 명 산문

1203

dictate
[díkteit]

동 1. 받아쓰게 하다 2. 명령하다, 지시하다

The teacher **dictated** the sentences to the class. 기출
그 교사는 그 문장들을 반 학생들에게 받아쓰게 했다.

- 파생 **dictation** 명 받아쓰기, 명령
- 유의 **command** 동 명령하다
- 반의 **obey** 동 따르다

1204

tide
[taid]

명 1. 조수(潮水), 조류 2. 흐름

High **tides** had washed lots of poor sea creatures ashore. 기출
만조는 많은 가엾은 바다 생물들을 해안으로 휩쓸었다.

수능표현 +

high[low] tide 만조[간조]

- 파생 **tidal** 형 조수의
- 유의 **current** 명 조류, 해류, 흐름

1205

pierce
[piərs]

동 1. 꿰뚫다, 관통하다 2. 구멍을 뚫다

The arrow **pierced** the center of the target.
화살은 과녁 중앙을 관통했다.

- 파생 **pierced** 형 구멍이 난
  piercing 형 꿰뚫는, 귀청을 찢는 듯한
- 유의 **penetrate** 동 관통하다

1206

uniform
[júːnəfɔ̀ːrm]

형 한결같은, 균일한 명 제복, 유니폼

Ideas of political power are not **uniform** across cultures. 기출 응용
정치 권력에 관한 생각은 문화 전반에 걸쳐 일률적이지 않다.

- 파생 **uniformity** 명 한결같음, 균일, 일률
- 유의 **consistent** 형 한결같은, 일관된

1207

gather
[gǽðər]

동 모으다, 모이다

The children always **gathered** at this time of year to assist with their grandma's corn harvest. 기출 응용
아이들은 할머니의 옥수수 수확을 돕기 위해 매년 이맘때쯤에 항상 모였다.

파생 **gathering** 명 모임, 수집
유의 **collect** 동 모으다
assemble 동 모이다
반의 **scatter** 동 흩어지다

1208

probable
[prɑ́bəbl]

형 그럴 듯한, 충분히 가능한

It is **probable** that this painting was painted in the late 1800s.
이 그림은 1800년대 후반에 그려졌을 가능성이 있다.

파생 **probability** 명 개연성
probably 부 아마도
유의 **likely** 형 있음직한
반의 **improbable** 형 있을 것 같지 않은

1209

retrospect
[rétrəspèkt]

명 회상, 회고

In **retrospect**, his decision to cancel the concert proved to be right.
돌이켜 보면, 콘서트를 취소하기로 한 그의 결정은 옳았다.

파생 **retrospective** 형 회고하는
반의 **prospect** 명 전망
숙어 **in retrospect** 돌이켜 보면

1210

extreme
[ikstríːm]

형 극도의, 극단적인 명 극단, 극도

The princess had a fear of water that was so **extreme** that she couldn't even touch it. 기출 응용
공주는 물에 대한 공포가 너무 극심해서 물을 만질 수도 없었다.

수능표현 +
extreme fear 극도의 공포

파생 **extremely** 부 극도로
유의 **severe** 형 극심한
반의 **moderate** 형 온건한

1211

divorce
[divɔ́ːrs]

명 1. 이혼 2. 분리 동 1. 이혼하다 2. 분리시키다

His marriage to the actress ended in **divorce**.
그 여배우와 한 그의 결혼은 이혼으로 끝났다.

유의 **separation** 명 분리
split up 이혼하다, 분리하다
숙어 **get divorced** 이혼하다

1212

imprint
[imprínt]

동 1. 찍다, 인쇄하다 2. 강한 인상을 주다
명 [ímprint] 자국, 각인

Jennie was wearing a T-shirt **imprinted** with a university logo.
Jennie는 대학교 로고가 찍힌 티셔츠를 입고 있었다.

유의 **print** 동 찍다, 인쇄하다
impress 동 강한 인상을 주다

1213

compost
[kάmpoust]

명 퇴비 동 퇴비를 만들다[주다]

Compost is usually added to the soil so that plants grow well.
퇴비는 식물들이 잘 자라도록 주로 토양에 더해진다.

유의 **fertilizer** 명 비료

1214

lure
[luər]

동 꾀다, 유혹하다 명 매력, 미끼

The creek full of trout **lures** fishermen every spring.
송어로 가득한 그 개울은 매년 봄에 낚시꾼들을 유혹한다.

유의 **attract** 동 끌어당기다
tempt 동 유혹하다, 꾀다
숙어 **lure A into B**
A를 B로 끌어들이다

1215

estimate
[éstəmèit]

동 1. 추정하다, 견적하다 2. 평가하다
명 [éstəmət] 1. 추정, 견적(서) 2. 평가

Psychologists asked subjects to **estimate** the lab's indoor temperature. 기출
심리학자들은 피실험자들에게 실험실의 실내 온도를 추정하라고 요청했다.

파생 **estimation** 명 추정, 평가
유의 **assume** 동 추정하다
evaluate 동 평가하다

1216

warfare
[wɔ́ːrfὲər]

명 전쟁, 전투, 교전

The two countries have been engaged in **warfare** for over three years.
두 나라는 3년 넘게 전쟁을 해 왔다.

수능표현 +

chemical warfare 화학전
biological[germ] warfare 세균전

유의 **battle** 명 전투
combat 명 전투

1217

inner
[ínər]

형 내부의, 내면의

Your **inner** voice helps you guide and direct your life.
여러분의 내면의 목소리는 여러분이 자신의 삶을 안내하고 지도하도록 도와준다.

유의 **internal** 형 내부의
반의 **outer** 형 외부의
external 형 외부의

1218

aquatic
[əkwǽtik]

형 물속에서 사는, 수생의

How do **aquatic** animals breathe underwater?
수생 동물들은 물속에서 어떻게 숨을 쉬는가?

1219

contaminate

[kəntǽmənèit]

동 오염시키다, 더럽히다

Waste from the factories **contaminate** the local water.
공장에서 나온 폐기물이 지역의 물을 오염시킨다.

수능표현 +

radioactive contamination 방사능 오염

- 파생 **contamination** 명 오염
  contaminated 형 오염된
- 유의 **pollute** 동 오염시키다
- 반의 **purify** 동 정화하다
- 숙어 **contaminate A with B** A를 B로 오염시키다

1220

thrill

[θril]

명 전율, 흥분 동 전율하게 하다, 흥분시키다

When you ride a zipline, you will feel the **thrill** of flying like an eagle! 기출 응용
네가 집라인을 탈 때, 독수리처럼 날아다니는 전율을 느끼게 될 것이다!

- 파생 **thrilling** 형 흥분시키는
  thrilled 형 흥분된
- 유의 **excite** 동 흥분시키다
- 숙어 **thrill to** ~에 짜릿함을 느끼다

1221 다의어

bound

[baund]

형 1. 반드시 ~하게 될 2. ~로 향하는
동 (공이) 튀어 오르다, 바운드하다

Education that stresses only knowledge is **bound** to fail.
지식만 강조하는 교육은 반드시 실패한다.

Libya is a key gateway for migrants **bound** for Europe.
리비아는 유럽으로 향하는 이민자들의 주요 관문이다.

Sometimes dogs **bound** up to other dogs to say hello.
때로는 개들이 인사하기 위해 다른 개들에게 튀어 오른다.

- 유의 **bounce** 동 (공이) 튀다
- 숙어 **be bound to-v** 반드시 ~하다
  bound for ~행의

1222

demoralize

[dimɔ́(:)rəlàiz]

동 사기를 꺾다, 의기소침하게 하다

Do not be terribly **demoralized** if you make some mistakes. 기출
여러분이 약간의 실수를 하더라도 너무 의기소침하지는 마라.

- 파생 **demoralization** 명 사기 저하, 풍속 문란, 혼란
- 유의 **discourage** 동 의욕을 꺾다
- 반의 **encourage** 동 격려하다

1223

altruism

[ǽltru(:)ìzəm]

명 이타주의, 이타심

A lack of **altruism** is the central problem facing society today.
이타주의의 결여는 오늘날 사회가 직면하고 있는 핵심 문제이다.

- 파생 **altruist** 명 이타주의자
- 반의 **selfishness** 명 이기적임

1224

cooperate
[kouápərèit]

동 협력하다, 협조하다

Whales travel in social groups that **cooperate** to defend and protect each other. 기출
고래는 서로를 방어하고 보호하기 위해서 협력하는 사회적 집단을 이루어 이동한다.

파생 **cooperation** 명 협력, 협조
cooperative 형 협력의, 협조적인
유의 **collaborate** 동 협력하다
숙어 **cooperate with** ~와 협력하다

1225

mature
[mətjúər]

형 1. 성숙한, 다 자란 2. 익은, 숙성한
동 성숙해지다, 숙성하다

We expect people to show a **mature** attitude during the discussion.
우리는 사람들이 토론 중에 성숙한 태도를 보일 것으로 기대한다.

파생 **maturity** 명 성숙함
유의 **ripe** 형 익은, 숙성한
반의 **immature** 형 미성숙한, 다 자라지 못한

1226

sew
[sou]

동 바느질하다, 꿰매다

The thick fabric was too tough to **sew** by hand.
그 두꺼운 천은 손으로 꿰매기에 너무 거칠었다.

파생 **sewing** 명 바느질(감)
유의 **stitch** 동 바느질하다
seam 동 꿰매다

1227

escalate
[éskəlèit]

동 (단계적으로) 확대되다, 상승하다

The protest against the company's policy **escalated** into violence.
회사의 정책에 반대한 그 시위는 폭력적인 사태로 확대되었다.

파생 **escalation** 명 단계적 확대
유의 **intensify** 동 심화시키다
숙어 **escalate into** ~로 확대[악화]되다

1228

grief
[gri:f]

명 큰 슬픔, 비탄, 비통

Ellen experienced tears of **grief** when her puppy died.
Ellen은 그녀의 강아지가 죽었을 때 슬픔의 눈물을 흘렸다.

파생 **grieve** 동 비통해 하다
유의 **sadness** 명 슬픔, 비애
sorrow 명 슬픔
숙어 **in grief** 슬픔에 잠긴

1229

shortsighted
[ʃɔ:rtsáitid]

형 1. 근시의 2. 근시안적인

It is **shortsighted** to rely only on protected areas to preserve biodiversity. 기출
생물 다양성을 보존하기 위해 보호 구역에만 의존하는 것은 근시안적이다.

수능표현 +
shortsighted policy 근시안적 정책

반의 **farsighted** 형 선견지명이 있는

1230

monument
[mánjumənt]

명 기념물, 기념비

He expected to see some old castles and historical **monuments.** 기출
그는 몇몇 옛 성과 역사적 기념물들을 보기를 기대했다.

파생 **monumental** 형 기념비적인
유의 **memorial** 명 기념물, 기념비

1231 다의어

stroke
[strouk]

명 1. 뇌졸중 2. (공을 치는) 타법[타격], 스트로크 3. 한번의 동작
동 1. (공을) 치다 2. 쓰다듬다

People with high blood pressure are more likely to have a **stroke.**
고혈압 환자들은 뇌졸중에 걸릴 확률이 더 높다.

He **stroked** the ball into an empty net, with a minute to go.
그는 1분을 남겨 두고 공을 빈 네트로 쳤다.

I relaxed as he **stroked** my head and praised me.
그가 내 머리를 쓰다듬고 칭찬해 주자 나는 긴장이 풀렸다.

유의 **hit** 명 치기, 타격
pat 동 쓰다듬다

1232

vacuum
[vǽkjuəm]

명 진공 동 진공청소기로 청소하다

If you want to suck the liquid out of the inner parts of the phone, try using a **vacuum** cleaner. 기출
여러분이 전화기 속 부품에서 물을 빨아내고자 하면, 진공청소기를 이용해 보라.

수능표현 +
vacuum cleaner 진공청소기

숙어 **in a vacuum** 외부와 단절된 상태에서, 진공 상태에서

1233

recede
[risíːd]

동 1. 물러나다, 멀어지다 2. 약해지다, 희미해지다

She heard the sound of the car engine **recede** into the distance.
그녀는 자동차 엔진 소리가 멀어지는 것을 들었다.

파생 **recession** 명 후퇴
recess 명 휴회 (기간)
유의 **retreat** 동 물러가다
반의 **progress** 동 전진하다

1234

sweep
[swiːp]

동 1. (빗자루 등으로) 쓸다, 청소하다 2. 휩쓸다

Simply **sweeping** the floor may not get all the fine dust off of it.
바닥을 쓸어 내는 것만으로는 바닥의 미세 먼지가 모두 제거되지 않을 수 있다.

파생 **sweeper** 명 청소부
유의 **clean** 동 청소하다

수능 혼동 어휘

1235

exclaim
[ikskléim]

동 외치다, 소리치다

"What a wonderful adventure!" I **exclaimed.** 기출
"정말 멋진 모험이군요!"라고 나는 외쳤다.

1236

proclaim
[proukléim]

동 선언하다, 선포하다

The governments of the world **proclaim** human rights. 기출
세계 각국 정부가 인권을 선언한다.

수능 UP

Q1.
둘 중 알맞은 단어를 고르시오.
The governor **[exclaimed / proclaimed]** a state of emergency in counties.

1237

diploma
[diplóumə]

명 1. 졸업장, 수료증 2. 학위 (증서)

She earned her high school **diploma** two years after she started school. 기출 응용
그녀는 고등학교를 입학한 지 2년 만에 고등학교 졸업장을 받았다.

1238

diplomat
[díplәmæ̀t]

명 외교관

Diplomats from different countries met to discuss a variety of issues.
서로 다른 나라의 외교관들이 다양한 문제를 논의하기 위해 만났다.

Q2.
둘 중 알맞은 단어를 고르시오.
Without a high school **[diploma / diplomat]**, he found it hard to find a job to support his family.

수능 필수 숙어

1239

cut down on

~을 줄이다

To help kids **cut down on** lunch bag waste, I have invented a reusable lunch bag. 기출
아이들이 점심 도시락 가방 쓰레기를 줄이는 것을 돕기 위해, 나는 재사용이 가능한 도시락 가방을 발명했다.

1240

look down on

~을 경시하다, ~을 얕보다

No matter how successful you are in life, never **look down on** others.
인생에서 아무리 성공하더라도 절대 다른 사람들을 얕보지 마라.

Q3.
빈칸에 알맞은 어구를 고르시오.

Since we introduced the system, we have ______ ____ paperwork by 50%.

① cut down on
② looked down on

Daily Test 31

정답 p.456

A 우리말은 영어로, 영어는 우리말로 쓰시오.

01 뇌졸중, 타법; (공을) 치다 ____________

02 전쟁, 전투, 교전 ____________

03 (빗자루 등으로) 쓸다 ____________

04 물속에서 사는, 수생의 ____________

05 근시의, 근시안적인 ____________

06 추정하다, 평가하다 ____________

07 협력하다, 협조하다 ____________

08 demoralize ____________

09 sew ____________

10 escalate ____________

11 tide ____________

12 fame ____________

13 vacuum ____________

14 proclaim ____________

B 우리말과 일치하도록 빈칸에 알맞은 단어 또는 어구를 쓰시오.

서술형

01 Speech recognition software is useful for d__________ emails very quickly.
음성 인식 소프트웨어는 이메일을 매우 빨리 받아쓰게 하는 데 유용하다.

02 When you are dealing with so many patients, mistakes are b__________ to happen.
너무 많은 환자를 대하다 보면 반드시 실수가 생기게 된다.

03 My doctor advised me to c__________ __________ __________ frozen foods, processed foods, and smoked meats.
의사는 내게 냉동식품, 가공식품 및 훈제 고기를 줄이라고 조언했다.

C 각 단어의 유의어 또는 반의어를 쓰시오.

01 동 imprint 유의 i__________

02 명 retrospect 반의 p__________

03 명 compost 유의 f__________

04 동 lure 유의 t__________

05 동 gather 반의 s__________

06 명 altruism 반의 s__________

07 형 mature 반의 i__________

08 동 recede 유의 r__________

VOCA CLEAR

DAY 32

시험에 더 강해지는 어휘

1241

sensation
[senséiʃən]

명 1. 감각, 느낌 2. 돌풍, 선풍

Every **sensation** our body feels has to wait for the information to be carried to the brain. 기출
우리 몸이 느끼는 모든 감각은 정보가 뇌에 전달되기까지 기다려야 한다.

파생 sensational 형 선풍적인
유의 feeling 명 느낌, 감각

1242

anchor
[ǽŋkər]

동 1. 닻을 내리다 2. 고정시키다
명 1. 닻 2. (뉴스) 앵커

The city announced a regulation concerning where private boats can be **anchored**.
시는 사설 선박이 정박할 수 있는 장소에 관한 규정을 발표했다.

파생 anchorage 명 정박지
반의 unfasten 동 풀다, 끄르다

1243

defeat
[difíːt]

동 패배시키다, 이기다 명 패배

With the enemy's general dead, Sun Pin now easily **defeated** the rest of the enemy. 기출 응용
적의 장군이 죽자, 이제 손빈은 나머지 적을 쉽게 물리쳤다.

수능표현
self-defeating behavior 자기 패배적 행동

파생 defeated 형 패배한
유의 beat 동 이기다
반의 surrender 동 항복하다

1244

precaution
[prikɔ́ːʃən]

명 1. 예방(책) 2. 조심, 경계

We need to take **precautions** to prevent emergencies from arising. 기출 응용
우리는 비상사태가 발생하지 않도록 예방 조치를 취해야 한다.

파생 precautious 형 조심하는
유의 safeguard 명 보호(책)
숙어 precaution against ~에 대비한 조치

1245

exhausted
[igzɔ́ːstid]

형 1. 매우 지친 2. 고갈된, 다 써 버린

The main reason for the minor but unpleasant illnesses is that we are **exhausted**. 기출 응용
경미하지만 반갑지 않은 질병들의 주요 원인은 우리가 매우 지쳐 있다는 것이다.

파생 exhaust 동 고갈시키다, 기진맥진하게 하다
exhausting 형 진을 빼는
유의 worn out 매우 지친

1246

dust

[dʌst]

명 먼지, 티끌 동 먼지를 털다

The outdoor event was canceled due to the fine **dust** alert.
미세 먼지 경보로 인해 야회 행사는 취소되었다.

파생 **dusty** 형 먼지투성이인
숙어 **dust off** ~에서 먼지를 털다

1247

staple

[stéipl]

형 주된, 주요한 명 1. 주식(主食) 2. 주요 산물

Rice is the **staple** food in the Asia-Pacific region.
쌀은 아시아 태평양 지역의 주된 음식이다.

수능표현 +
staple diet[food] 주식

유의 **principal** 형 주요한
chief 형 주된

1248

tremble

[trémbl]

동 떨다, 떨리다 명 떨림

She **trembled** uncontrollably for fear of being caught. 기출
그녀는 잡힐까 봐 두려워서 걷잡을 수 없이 떨었다.

파생 **trembling** 명 전율 형 떨리는
유의 **shiver** 동 떨다 명 떨림

1249

cluster

[klʌ́stər]

명 1. 무리, 군락 2. (열매의) 송이 동 무리를 이루다

A little **cluster** of white houses can be found in the village.
그 마을에서 몇 채 모여 있는 흰색 집들을 볼 수 있었다.

수능표현 +
star cluster 성단(별들의 무리)

파생 **clustered** 형 무리를 이룬
유의 **bunch** 명 송이, 다발, 묶음
숙어 **a cluster of** 한 송이[무리]의

1250

recover

[rikʌ́vər]

동 1. (건강 등을) 회복하다, 되찾다 2. (손실 등을) 메우다

It took Amy's mother another few weeks to **recover**. 기출
Amy의 어머니가 회복하는 데에는 또 몇 주가 걸렸다.

파생 **recovery** 명 회복
유의 **restore** 동 회복하다, 되찾다
숙어 **recover from** ~에서 회복하다[되찾다]

1251

phenomenon

[finɑ́mənɑ̀n]

명 1. 현상 2. 경이로운 것

Scientists have tried to explain many natural **phenomena**.
과학자들은 많은 자연 현상들을 설명하려고 노력해 왔다.

복수 **phenomena**
파생 **phenomenal** 형 경이적인

1252 다의어

manage
[mǽnidʒ]

동 1. 관리하다, 경영하다 2. (간신히) 해내다 3. 다루다, 처리하다

We used the budget to buy software to **manage** working hours more efficiently.
우리는 근무 시간을 더 효율적으로 관리하기 위해 소프트웨어를 사는 데 예산을 사용했다.

As he promised, he **managed** to finish the project before the deadline.
약속한 대로 그는 마감일 진에 그 프로젝트를 간신히 마쳤다.

Negative thinking is often an effective strategy for **managing** anxiety. 기출
부정적 생각은 종종 걱정을 다루는 데 효과적인 전략이 된다.

수능표현 +
sales manager 영업부장

파생 **management** 명 경영(진), 관리
manager 명 관리자, 감독
유의 **administer** 동 관리하다, 운영하다
handle 동 다루다, 처리하다

1253

owe
[ou]

동 1. 빚지고 있다 2. 신세를 지다

The store already **owes** the bank a couple of thousand dollars.
그 가게는 이미 수천 달러를 은행에 빚지고 있다.

유의 **be in debt** 빚지다
숙어 **owe A to B** A는 B 덕분이다

1254

cohesive
[kouhí:siv]

형 결속력 있는, 응집성의

The management team is a highly **cohesive** group that has a very strong leader.
그 경영팀은 아주 강한 리더를 가진 매우 결속력이 높은 그룹이다.

파생 **cohesion** 명 결합, 응집

1255

apparatus
[æ̀pərǽtəs]

명 1. 기구, 장치 2. (특히 정부의) 조직 3. (신체의) 기관

Systematic errors can't be found if one measures with the same **apparatus**.
같은 기구로 측정하면 시스템적 오류는 발견될 수 없다.

유의 **equipment** 명 장비
organization 명 조직
organ 명 (신체의) 기관

1256

dispute
[dispjú:t]

명 논쟁, 분쟁 동 반박하다, 이의를 제기하다

A shared language facilitated settlement of any **disputes**. 기출 응용
공유된 언어는 어떤 분쟁의 해결도 용이하게 했다.

유의 **argument** 명 논쟁
conflict 명 논쟁, 분쟁
숙어 **in dispute** 논쟁 중인, 미해결의

1257

dispatch
[dispǽtʃ]

동 발송하다, 파견하다 명 1. 발송, 파견 2. 급보

The package was **dispatched** to the customer on the day it was ordered.
소포는 주문 당일에 고객에게 발송되었다.

유의 **send** 동 발송하다
반의 **receive** 동 수신하다
숙어 **with dispatch** 신속하게

1258

cost
[kɔ(:)st]

명 1. 값, 비용 2. 희생
동 1. (돈·시간·노력이) 들다 2. 희생시키다

For the low **cost** of only $49 per person, you can be a part of this unforgettable adventure. 기출
1인당 49달러밖에 안 되는 저렴한 비용으로, 여러분은 이 잊지 못할 모험의 일원이 될 수 있습니다.

수능표현 +
at a cost 대가를 지불하여
at all costs 어떤 희생을 치르더라도, 기어코

파생 **costly** 형 많은 비용이 드는, 희생이 큰
유의 **price** 명 가격, 값
expense 명 비용

1259

grin
[grin]

동 (이를 드러내고) 웃다, 활짝 웃다 명 활짝 웃음

My grandmother used to **grin** as she watched us play from the porch.
할머니는 현관에서 우리가 노는 것을 보면서 웃으시곤 했다.

1260

produce
[prədjúːs]

동 1. 생산하다 2. 야기하다 3. (새끼를) 낳다
명 [prádjuːs] 생산물, 농산물

The trees **produce** poison to prevent the other trees from growing. 기출
그 나무들은 다른 나무들이 자라는 것을 막기 위해 독을 생산한다.

파생 **production** 명 생산
product 명 생산품
유의 **create** 동 만들다, 야기하다
manufacture 동 제조하다

1261

biology
[baiálədʒi]

명 생물학

Biology aims to study the structure, function, and evolution of living things.
생물학은 생물체의 구조, 기능, 진화를 연구하는 것을 목표로 한다.

파생 **biological** 형 생물학적인
biologist 명 생물학자

1262

orbit
[ɔ́ːrbit]

명 궤도 동 궤도를 돌다

A spacecraft from the UAE successfully entered **orbit** around Mars.
UAE 우주선이 화성 궤도에 성공적으로 진입했다.

파생 **orbiting** 형 궤도를 선회하는

1263

rehearse
[rihə́:rs]

동 1. 예행연습[리허설]을 하다 2. 되풀이하다

The dancers were given only a week to **rehearse** for the street performance.
댄서들에게 거리 공연을 예행연습할 시간으로 일주일밖에 주어지지 않았다.

파생 **rehearsal** 명 리허설, 예행연습
유의 **practice** 동 연습하다

1264

aim
[eim]

명 1. 목표, 목적 2. 겨냥, 조준 동 목표로 하다

A salesperson's ultimate **aim** is to conclude a sale profitably. 기출 응용
판매원의 궁극적인 목표는 수익성 있게 매매 계약을 하는 것이다.

유의 **purpose** 명 목적
target 명 목표
숙어 **aim at** ~을 겨냥하다
aim to-v ~하는 것을 목표로 하다

1265

significant
[signífikənt]

형 1. 중요한 2. (양·정도가) 상당한

Researchers found that a message's provider was a **significant** factor in influencing listeners. 기출
연구자들은 메시지 제공자가 청자에 영향을 미치는 중요한 요소라는 것을 발견했다.

파생 **significantly** 부 중요하게, 상당히
유의 **important** 형 중요한
crucial 형 중요한
반의 **insignificant** 형 사소한

1266

imminent
[ímənənt]

형 임박한, 절박한

Many experts have warned that an economic crisis is **imminent**.
많은 전문가들은 경제 위기가 임박했다고 경고했다.

파생 **imminence** 명 절박, 급박
유의 **impending** 형 임박한
반의 **distant** 형 (시간적으로) 먼

1267

sneak
[sni:k]

동 살금살금[몰래] 가다

When I went out, she'd **sneak** into my room and read my journal. 기출
내가 나가면 그녀는 내 방에 몰래 들어가서 내 일기를 읽곤 했다.

파생 **sneaky** 형 교활한, 엉큼한
유의 **creep** 동 살금살금 가다
숙어 **sneak up** 몰래 다가가다

1268

marble
[mɑ́:rbl]

명 1. 대리석 2. 구슬 형 대리석으로 된

Spotless white **marble** was brought from all over India to build the Taj Mahal.
흠이 없는 흰 대리석은 타지마할을 짓기 위해 인도 전역에서 들여왔다.

1269

fort
[fɔːrt]

명 요새, 보루

The city's high walls and sandstone **fort** sheltered its palaces. 기출 응용
그 도시의 높은 성벽과 사암으로 만들어진 요새가 궁전을 보호했다.

파생 **fortify** 동 요새화하다, 강화하다
유의 **fortress** 명 요새

1270

theology
[θiάlədʒi]

명 신학

His deep interest in religion led to his study of **theology** in college.
종교에 대한 그의 깊은 관심이 그가 대학에서 신학을 공부하도록 이끌었다.

파생 **theologist** 명 신학자

1271

intimidate
[intímidèit]

동 위협하다, 겁을 주다

The boy was not **intimidated** by the threats of the older students.
그 소년은 고학년 학생들의 협박에도 겁을 먹지 않았다.

파생 **intimidating** 형 겁나는
유의 **threaten** 동 위협하다
숙어 **intimidate A into v-ing**
A를 위협하여 ~하게 하다

1272

envision
[invíʒən]

동 마음속에 그리다, 상상하다

I always **envision** a perfect world free of suffering.
나는 늘 고통 없는 완벽한 세상을 상상한다.

유의 **visualize** 동 마음속에 그려 보다, 상상하다
imagine 동 상상하다

1273

plead
[pliːd]

동 1. 간청하다, 탄원하다 2. 변호하다, 항변하다

The woman **pleaded** for help in finding her lost daughter.
그 여자는 잃어버린 딸을 찾는 데 도움을 달라고 간청했다.

수능표현 +

plead guilty 유죄를 인정하다

파생 **plea** 명 탄원, 항변
유의 **beg** 동 애원하다
숙어 **plead for**
~을 간청[변호]하다

1274

linear
[líniər]

형 1. (직)선의 2. 길이의 3. ((수학)) 1차의, 선형의

Linear parks can be an attractive solution for cities lacking spaces for relaxation.
직선 공원은 휴식을 위한 공간이 부족한 도시에 매력적인 해결책이 될 수 있다.

파생 **line** 명 동 선(을 긋다)
반의 **non-linear** 형 비선형의

수능 혼동 어휘

1275

facility
[fəsíləti]

명 1. (편의) 시설 2. 쉬움, 용이함

You can use all the library **facilities** for free. 기출
여러분은 모든 도서관 시설을 무료로 이용할 수 있다.

1276

faculty
[fǽkəlti]

명 1. 교수진 2. 학부 3. 능력, 재능

In 1865, Mitchell became a **faculty** member at Vassar College. 기출
1865년에 Mitchell은 Vassar 대학의 교수진의 일원이 되었다.

1277

alternative
[ɔːltə́ːrnətiv]

명 대안 형 대안의, 대체 가능한

If you find these oils rather expensive, there's a reasonable **alternative**, which is grapeseed oil. 기출
이 기름들이 좀 비싸다고 생각한다면, 합리적인 대안인 포도씨유가 있다.

수능표현 +

alternative energy 대체 에너지

1278

alternate
[ɔ́ːltərnèit]

동 번갈아 하다 형 [ɔ́ːltərnət] 번갈아 하는, 교대의

The classes **alternate** between cooking lessons and gardening lessons. 기출
수업은 요리 수업과 원예 수업이 교대로 진행된다.

수능 UP

Q1.
둘 중 알맞은 단어를 고르시오.
This is a care **[facility / faculty]** for patients suffering from Alzheimer's disease.

Q2.
둘 중 알맞은 단어를 고르시오.
Honey, the oldest natural sweetener, is a good **[alternative / alternate]** to sugar.

수능 필수 숙어

1279

hand in

~을 제출하다

You ought to **hand in** your class paper before the due date. 기출
여러분은 마감일 전에 수업 보고서를 제출해야 한다.

1280

hand out

~을 나누어 주다, ~을 배포하다

The teacher started to **hand out** the worksheet to the class.
선생님은 연습 문제지를 반 학생들에게 나눠주기 시작했다.

수능 UP

Q3.
빈칸에 알맞은 어구를 고르시오.

I saw him __________ flyers to people on the street.

① hand in
② hand out

Daily Test 32

정답 p.456

A 우리말은 영어로, 영어는 우리말로 쓰시오.

01 패배시키다; 패배 ______________

02 매우 지친, 고갈된 ______________

03 무리, (열매의) 송이 ______________

04 현상, 경이로운 것 ______________

05 결속력 있는, 응집성의 ______________

06 논쟁, 분쟁; 반박하다 ______________

07 (이를 드러내고) 웃다 ______________

08 orbit ______________

09 rehearse ______________

10 sneak ______________

11 theology ______________

12 linear ______________

13 sensation ______________

14 alternate ______________

B 우리말과 일치하도록 빈칸에 알맞은 단어 또는 어구를 쓰시오.

서술형

01 As a p__________, the company advised consumers to examine any bottle before opening it.
예방 차원에서 회사는 소비자에게 병을 열기 전에 검사할 것을 권고했다.

02 When participants e__________ the most positive outcome, their energy levels, as measured by blood pressure, dropped. 기출
참가자들이 가장 긍정적인 결과를 상상했을 때 혈압으로 측정된 에너지 수준이 떨어졌다.

03 The lecturer h__________ __________ the materials she had prepared to the audience.
강연자는 자신이 준비한 자료를 청중에게 나누어 주었다.

C 각 단어의 유의어 또는 반의어를 쓰시오.

01 형 staple 유의 p______________

02 동 tremble 유의 s______________

03 명 apparatus 유의 e______________

04 동 dispatch 반의 r______________

05 형 significant 반의 i______________

06 형 imminent 반의 d______________

07 동 intimidate 유의 t______________

08 동 plead 유의 b______________

VOCA CLEAR

DAY 33

시험에 더 강해지는 어휘

1281

approach
[əpróutʃ]

동 다가가다[오다], 접근하다 명 접근(법)

While they were enjoying dessert, a server **approached** them. 기출
그들이 디저트를 즐기고 있는 동안 한 종업원이 그들에게 다가왔다.

유의 **access** 명 접근
숙어 **approach to** ~로의 접근

1282

factor
[fǽktər]

명 요소, 요인

Motivation is a key **factor** in sports training and performance. 기출
동기 부여는 스포츠 훈련과 경기력의 핵심 요소이다.

수능표현 +

genetic factor 유전적 요인
psychological factor 심리적 요인
external factor 외부 요인

유의 **element** 명 요소
component 명 구성 요소

1283

separate
[sépərèit]

동 분리하다[되다] 형 [sépərət] 분리된, 별개의

The eastern and western districts of the city are **separated** by a river.
도시의 동쪽과 서쪽 지구는 강에 의해 분리되어 있다.

파생 **separation** 명 분리
separately 부 각기, 따로따로
숙어 **separate from** ~에서 분리하다[떼어 놓다]

1284

analogy
[ənǽlədʒi]

명 1. 비유, 유사점 2. 유추

There are many **analogies** between art and science.
예술과 과학 사이에 많은 유사점이 있다.

파생 **analogous** 형 유사한
analogical 형 유추의
유의 **similarity** 명 유사(점)

1285

utilitarian
[juːtìlitɛ́(ː)əriən]

형 실용적인, 공리주의의 명 공리주의자

These **utilitarian** office desks definitely put function over form.
이 실용적인 사무용 책상은 확실히 형태보다 기능을 중시한다.

유의 **practical** 형 실용적인

1286

corporate
[kɔ́ːrpərit]

형 1. 기업의, 법인의 2. 공동의, 단체의

In **corporate** finance, the objective of a firm is to maximize its value.
기업 재무에서 회사의 목표는 그것의 가치를 극대화하는 것이다.

파생 corporation 명 기업
incorporate 동 (법인을) 설립하다
반의 private 형 사적인

1287

headquarters
[hédkwɔ̀ːrtərz]

명 본사, 본부

The company has a plan to open a new **headquarters** in New York.
그 회사는 뉴욕에 새로운 본사를 열려는 계획을 갖고 있다.

유의 head office 명 본사

1288 다의어

contract
[kɑ́ntrækt]

명 계약(서), 협약(서)
동 [kəntrǽkt] 1. 계약하다 2. 수축하다[시키다] 3. (병에) 걸리다

The singer signed a five-year **contract** with a new management company.
그 가수는 새로운 소속사와 5년 계약을 맺었다.

The cactus **contracts** like an accordion to minimize the surface area exposed to the sun. 기출
선인장은 태양에 노출된 표면적을 최소화하기 위해 아코디언처럼 수축한다.

Ted has never smoked a cigarette in his life, but he **contracted** lung cancer.
Ted는 평생 담배를 피워본 적이 없지만 폐암에 걸렸다.

파생 contraction 명 수축
유의 agreement 명 협정, 계약
constrict 동 수축하다
반의 expand 동 확장되다

1289

sheer
[ʃiər]

형 1. 순전한, 순수한 2. 가파른 3. 얇은, 비치는

Terrific discoveries are sometimes made by **sheer** luck.
때때로 훌륭한 발견은 순전한 운에 의해 이루어진다.

유의 complete 형 완전한
pure 형 순수한
steep 형 가파른

1290

activate
[ǽktəvèit]

동 1. 활성화하다 2. 작동시키다

Social punishments **activate** the same area of the brain as physical pains.
사회적 처벌은 육체적 통증과 같이 뇌의 같은 부분을 활성화한다.

파생 activation 명 활성화
activator 명 활성물
반의 deactivate 동 정지시키다, 비활성화시키다

1291

incur
[inkə́ːr]

동 (손실을) 입다, 초래하다

Changing a reservation will not **incur** any additional costs.
예약을 변경하는 것으로 인해 어떠한 추가 비용도 발생하지 않을 것이다.

유의 suffer 동 (고통·손해 등을) 입다, 겪다
cause 동 초래하다

1292

module
[mɑ́dʒuːl]

명 모듈, (교과목) 학습 단위

During the first year, you will typically study core **modules** in economics.
첫 해에는 일반적으로 경제학의 핵심 모듈을 공부하게 될 것이다.

수능표현 +

lunar module 달 착륙선

1293

generous
[dʒénərəs]

형 관대한, 너그러운, 후한

If you are **generous** with your money, your reputation will improve.
만약 여러분이 돈에 관대하다면, 여러분의 평판도 좋아질 것이다.

파생 generosity 명 너그러움
유의 broad-minded 형 관대한, 너그러운

1294

accurate
[ǽkjərit]

형 정확한, 정밀한

As more causes are known, predictions become more **accurate.** 기출
더 많은 원인들이 알려질수록 예측은 더 정확해진다.

파생 accuracy 명 정확(도)
유의 precise 형 정확한, 정밀한
correct 형 옳은, 정확한
반의 inaccurate 형 부정확한

1295

deplete
[diplíːt]

동 고갈시키다, 대폭 감소시키다

General recreational exercise does not severely **deplete** any nutrients. 기출 응용
일반적인 여가 운동은 어떤 영양분도 심하게 고갈시키지는 않는다.

수능표현 +

deplete resources 자원을 고갈시키다

파생 depletion 명 고갈, 소모
유의 exhaust 동 고갈시키다
use up 다 써 버리다

1296

fraud
[frɔːd]

명 사기(꾼), 속임

Credit card **fraud** occurs when somebody makes purchases with a stolen credit card.
신용카드 사기는 누군가가 훔친 신용카드로 구매할 때 발생한다.

파생 fraudulent 형 사기를 치는
유의 deception 명 속임, 사기

1297

sprout
[spraut]

동 싹이 나다 명 (새)싹

As the weather is getting warmer, new leaves will soon **sprout** from the trees.
날이 따뜻해짐에 따라 새 잎이 나무에서 곧 돋아날 것이다.

유의 bud 명 동 싹(을 틔우다)

1298 다의어

reserve
[rizə́:rv]

동 1. 예약하다 2. 비축하다 명 1. 비축(물) 2. 보호 구역

You need to **reserve** the campground beforehand due to the restrictions.
제한 사항으로 인해 사전에 캠핑장을 예약해야 한다.

Oil **reserves** are one factor that affects oil prices.
석유 비축량은 유가에 영향을 미치는 한 요인이다.

Bidston Moss in Wirral became a local nature **reserve** in 1994.
Wirral의 Bidston Moss는 1994년에 지역 자연 보호 구역이 되었다.

파생 **reservation** 명 예약
유의 **book** 동 예약하다
store 명 동 비축(하다)

1299

evade
[ivéid]

동 피하다, 모면하다

He skillfully **evaded** the reporter's question by changing the subject.
그는 화제를 전환하면서 그 기자의 질문을 능숙하게 피했다.

파생 **evasion** 명 회피, 모면
유의 **avoid** 동 피하다
elude 동 피하다
반의 **face** 동 직면하다

1300

negative
[négətiv]

형 1. 부정적인 2. 음성의 3. 음의

Exercise is a great way for us to get rid of **negative** energy. 기출
운동은 우리가 부정적인 에너지를 제거하는 아주 좋은 방법이다.

수능표현 +
negative effect 부정적 효과[영향]
negative pole (자석의) 음극

파생 **negate** 동 부정하다
negativity 명 부정적 성향
반의 **affirmative** 형 긍정적인
positive 형 긍정적인, 양성의

1301

overwhelm
[òuvərhwélm]

동 1. 압도하다 2. 제압하다

All too often, the visual information is so powerful that it **overwhelms** the verbal. 기출
너무나도 흔히 시각적 정보는 매우 강력해서 언어적인 정보를 압도한다.

파생 **overwhelming** 형 압도적인
유의 **overpower** 동 압도하다, 제압하다

1302

bay
[bei]

명 (바다·호수의) 만

The pollution of the rivers flowing into the **bay** affected marine life.
만으로 흘러 들어오는 강의 오염은 해양 생물에 영향을 미쳤다.

유의 **gulf** 명 만

1303

mass
[mæs]

명 1. 큰 덩어리 2. 다량, 다수 3. 대중
형 1. 많은, 대량의 2. 대중의

A **mass** of dark clouds darkened the beach.
먹구름 덩어리가 해변을 어둡게 했다.

수능표현 +

mass production 대량 생산
mass communications 대중 매체

파생 **massive** 형 거대한
유의 **quantity** 명 다량, 다수

1304

proper
[prápər]

형 적절한, 알맞은

Proper understanding of the space is needed before choosing furniture.
가구를 선택하기 전에 공간에 대한 적절한 이해가 필요하다.

파생 **propriety** 명 적절성
properly 부 적절하게
유의 **appropriate** 형 적절한
반의 **improper** 형 부적절한

1305

trim
[trim]

동 다듬다, 손질하다

I **trimmed** my hair to keep the ends neat.
나는 끝부분을 단정하게 하기 위해 머리카락을 다듬었다.

파생 **trimming** 명 정돈, 손질

1306

escape
[iskéip]

동 1. 탈출하다, 달아나다 2. 피하다, 면하다
명 탈출, 도망

When the Nazis invaded Denmark in 1940, he managed to **escape** to America. 기출
1940년에 나치가 덴마크를 침공했을 때, 그는 미국으로 간신히 탈출했다.

유의 **flee** 동 달아나다
avoid 동 피하다
숙어 **escape from** ~에서 탈출하다

1307

portray
[pɔːrtréi]

동 1. 그리다, 묘사하다 2. 표현하다

Her works **portrayed** the harsh reality of life in Romania. 기출
그녀의 작품들은 루마니아에서의 삶의 냉혹한 현실을 묘사했다.

파생 **portrayal** 명 묘사
portrait 명 초상화
유의 **depict** 동 그리다, 묘사하다

1308

inward
[ínwərd]

형 1. 내적인, 마음의 2. 안의, 내부의 부 안(쪽)으로

Her expression had something **inward** and profound.
그녀의 표현은 내적이고 심오한 무엇인가를 가지고 있었다.

파생 **inwardly** 부 마음속으로
반의 **outward** 형 표면상의, 겉보기의

1309

chamber
[tʃéimbər]

명 1. ~실, 방 2. 회의소, 회관 형 실내악의

The archaeologists found a secret **chamber** in King Tut's tomb.
고고학자들은 투탕카멘 왕의 무덤에서 비밀의 방을 발견했다.

수능표현 +
Chamber of Commerce 상공 회의소

유의 hall 명 홀, 회관, ~실

1310

literate
[lítərit]

형 1. 읽고 쓸 줄 아는 2. 교양 있는

The high percentage of **literate** people in the country is due to public education.
그 나라의 읽고 쓸 줄 아는 사람들의 비율이 높은 것은 공교육 덕분이다.

수능표현 +
literacy rate 식자율
computer literacy 컴퓨터 사용 능력

파생 literacy 명 읽고 쓰는 능력
literature 명 문학, 문헌
literal 형 문자 그대로의
반의 illiterate 형 글을 모르는

1311

storage
[stɔ́:ridʒ]

명 1. 저장, 보관 2. 창고, 저장소

These folding chairs are designed for easy **storage**.
이 접이식 의자는 보관이 용이하도록 디자인되었다.

파생 store 동 저장[보관]하다
유의 warehouse 명 창고

1312

replicate
[répləkèit]

동 복제[모사]하다

Machines have **replicated** behaviors we thought were unique to humans. 기출 응용
기계는 우리가 인간에게 고유하다고 생각했던 행동들을 복제해 왔다.

파생 replication 명 사본, 모사
replica 명 복제품, 모형
유의 duplicate 동 복제하다
copy 동 복제하다

1313

physiology
[fìziálədʒi]

명 생리학, 생리 (기능)

Physiology is the study of the biological processes that support life.
생리학은 생명을 지탱하는 생물학적 과정을 연구하는 학문이다.

파생 physiologist
명 생리학자
physiological
형 생리학의, 생리적인

1314

dose
[dous]

명 복용량, 투여량 동 (약을) 투여하다

A large **dose** of vitamin C can cause stomach pain.
비타민 C를 다량 섭취하면 위통을 일으킬 수 있다. 기출 응용

파생 dosage 명 1회분의 투약량

수능 혼동 어휘

1315

sensible
[sénsəbl]

형 **분별 있는, 현명한**

There is a more **sensible** way to deal with the conflict.
갈등에 대처하는 더 분별 있는 방법이 있다.

1316

sensitive
[sénsətiv]

형 **1. 민감한, 예민한 2. 세심한**

Birds are more **sensitive** to changes in their environment than other animals. 기출
새는 다른 동물보다 환경 변화에 더 민감하다.

1317

sensory
[sénsəri]

형 **감각의, 지각의**

We predict the likely taste of a food based on **sensory** cues, such as color and smell. 기출 응용
우리는 색깔과 냄새 같은 감각 신호를 기반으로 음식의 가능한 맛을 예측한다.

수능 UP

Q1.
셋 중 알맞은 단어를 고르시오.
Before we make a final decision, it would be **[sensible / sensitive / sensory]** to wait until we have more information.

수능 필수 숙어

1318

get out of

~에서 나오다, ~에서 도망치다

Just as she was about to **get out of** the lake, her mother grabbed her arms. 기출 응용
그녀가 막 호수에서 나오려던 찰나, 그녀의 어머니는 그녀의 팔을 잡았다.

1319

grow out of

자라서 ~을 못 입게 되다

My daughter had **grown out of** her school uniform during the previous year.
내 딸은 작년 한 해 동안 교복이 몸에 안 맞을 정도로 자랐다.

1320

run out of

다 써 버리다, 동나다

We will soon **run out of** oil if we keep burning it at this rate.
이 속도로 계속 태우면 곧 기름이 고갈될 것이다.

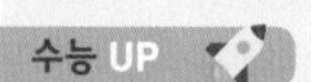

Q2.
빈칸에 알맞은 어구를 고르시오.

When drivers are about to __________ fuel, they should pull over to the side of the road.

① get out of
② grow out of
③ run out of

Daily Test 33

정답 p.456

A 우리말은 영어로, 영어는 우리말로 쓰시오.

01 분리하다; 분리된 ______________

02 방, 회의소; 실내악의 ______________

03 읽고 쓸 줄 아는 ______________

04 압도하다, 제압하다 ______________

05 (손실을) 입다, 초래하다 ______________

06 감각의, 지각의 ______________

07 사기(꾼), 속임 ______________

08 sprout ______________

09 sheer ______________

10 headquarters ______________

11 trim ______________

12 utilitarian ______________

13 physiology ______________

14 module ______________

B 우리말과 일치하도록 빈칸에 알맞은 단어 또는 어구를 쓰시오.

서술형

01 The company was prosecuted for breaking their c__________ with the subcontractor.
회사는 하청 회사와의 계약을 위반한 혐의로 기소되었다.

02 A c__________ merger can have a profound effect on a company's growth prospects.
기업 합병은 기업의 성장 전망에 엄청난 영향을 미칠 수 있다.

03 Sally g__________ __________ __________ bed quietly, careful not to wake her kid.
Sally는 아이를 깨우지 않도록 조심하면서 조용히 침대에서 나왔다.

C 각 단어의 유의어 또는 반의어를 쓰시오.

01 명 analogy 유의 s______________

02 형 negative 반의 p______________

03 동 activate 반의 d______________

04 형 accurate 유의 p______________

05 동 deplete 유의 e______________

06 동 evade 반의 f______________

07 동 portray 유의 d______________

08 동 replicate 유의 d______________

VOCA CLEAR

DAY 34

시험에 더 강해지는 어휘

1321

conceal

[kənsíːl]

동 숨기다, 감추다

You should not **conceal** the truth from people who have a right to know.
당신은 알 권리가 있는 사람들로부터 진실을 숨겨서는 안 된다.

유의 **disguise** 동 숨기다
hide 동 감추다
반의 **reveal** 동 드러내다
숙어 **conceal A from B** B로부터 A를 숨기다

1322

satellite

[sǽtəlàit]

명 위성, 인공위성

Large **satellites** for collecting solar power have been the subject of much study. 기출
태양 에너지를 모으기 위한 대형 위성은 많은 연구의 대상이 되어 왔다.

1323

radiate

[réidièit]

동 (빛·열 등을) 방출하다, 내뿜다

The stove **radiates** heat to warm the pot.
그 스토브는 냄비를 데우기 위해 열을 방출한다.

파생 **radiation** 명 발산, 방사물[선]
radiant 형 빛나는
유의 **emit** 동 내뿜다
give off 발산하다

1324

substance

[sʌ́bstəns]

명 1. 물질 2. 실체 3. 본질, 핵심

Refrigerators were useful for storing perishable **substances** such as milk. 기출 응용
냉장고는 우유와 같이 부패하기 쉬운 물질을 저장하는 데 유용했다.

파생 **substantial** 형 상당한
유의 **material** 명 물질, 재료

1325

atmosphere

[ǽtməsfìər]

명 1. 대기(권) 2. (특정 장소의) 공기 3. 분위기

The amount of CO_2 in the **atmosphere** has increased greatly over the past 100 years.
대기 중의 이산화 탄소 양은 지난 100년 동안 크게 증가했다.

유의 **air** 명 공기, 대기
mood 명 분위기

1326

endeavor

[indévər]

명 노력, 시도 동 노력하다, 시도하다

The bees in the bottle will continue their **endeavor** to look for an exit. 기출 응용
병 속의 꿀벌들은 출구를 찾기 위해 계속해서 노력할 것이다.

유의 **effort** 명 노력, 수고
strive 동 노력하다
숙어 **endeavor to-v** ~하려고 노력하다

1327

remote
[rimóut]

형 1. 멀리 떨어진, 외딴 2. (시간적으로) 먼

You can build a road to the top of the mountain to reach the **remote** cabin. 기출 응용
외딴 오두막에 도달하기 위해 산 정상으로 가는 길을 만들 수 있다.

수능표현 +
remote working 원격 재택 근무
remote learning 원격 학습

파생 **remotely** 부 원격으로, 아주 약간
유의 **isolated** 형 외딴, 고립된
distant 형 (멀리) 떨어져 있는, 먼
반의 **nearby** 형 가까운

1328

trail
[treil]

명 1. 자국, 자취 2. 오솔길
동 1. (질질) 끌다 2. 추적하다

Hansel and Gretel left a **trail** of breadcrumbs as they walked through the forest.
헨젤과 그레텔은 숲속을 걸어 들어가면서 빵 부스러기의 흔적을 남겼다.

유의 **track** 명 자국 동 추적하다
trace 명 흔적 동 추적하다
path 명 오솔길

1329

displace
[displéis]

동 1. 옮겨 놓다 2. 대신하다 3. 쫓아내다

The plant's pollen is too sticky to be easily **displaced** by the wind.
그 식물의 꽃가루는 너무 끈적끈적해서 바람에 쉽게 옮겨지지 않는다.

파생 **displacement** 명 이동
유의 **move** 동 옮기다
replace 동 대체하다

1330

serene
[səríːn]

형 1. 잔잔한, 고요한 2. 차분한 3. 청명한

The lake in the moonlight was **serene** and beautiful.
달빛을 받은 그 호수는 고요하고 아름다웠다.

파생 **serenity** 명 고요함, 맑음
유의 **tranquil** 형 고요한, 평온한
clear 형 맑은, 청명한

1331

advanced
[ədvǽnst]

형 1. 진보한, 선진의 2. 고급의, 상급의

This smartwatch is more technologically **advanced** than the previous model.
이 스마트워치는 이전 모델보다 기술적으로 더 진보했다.

파생 **advance** 명 동 전진(하다), 진보(하다)
유의 **developed** 형 선진의, 발달한

1332

glide
[glaid]

동 미끄러지듯 가다, 활주하다 명 미끄러짐, 활주

The swans **glide** over the water's surface.
백조들이 수면 위를 미끄러지듯 나아간다.

유의 **slide** 동 미끄러지듯 움직이다 명 미끄러짐

1333

predetermine
[prì:ditə́:rmin]

동 1. 미리 결정하다 2. 운명짓다

What's the point of voting when the result is **predetermined**?
결과가 미리 결정된 상태에서 투표해 봐야 무슨 소용이 있는가?

유의 prearrange 동 미리 준비하다, 예정하다

1334 다의어

yield
[ji:ld]

동 1. 산출하다 2. 굴복하다 3. 양보하다
명 산출량, 이익

Encouraging people to question their own worldview often **yields** good results. 기출 응용
사람들에게 자신만의 세계관에 의문을 가져 보도록 권하는 것은 종종 좋은 결과를 낸다.

Our principle never to **yield** to the threat of force is firm.
권력의 위협에 절대 굴복하지 않겠다는 우리의 원칙은 확고하다.

Rice farmers improved their **yields** by making better choices. 기출
벼농사를 짓는 농부들은 더 나은 선택을 함으로써 산출량을 늘렸다.

유의 produce 동 산출하다
give in 굴복하다
profit 명 이익
반의 resist 동 저항하다
loss 명 손실
숙어 yield to ~에 굴복하다, 양보하다

1335

frustrated
[frʌ́strèitid]

형 좌절한, 낙담한

The man felt **frustrated** by the fact that no one could help him.
그 남자는 누구도 그를 도와줄 수 없다는 사실에 좌절감을 느꼈다.

파생 frustrate 동 좌절시키다
유의 discouraged 형 낙담한
숙어 be frustrated at[by] ~에 대해[때문에] 좌절감을 느끼다

1336

quality
[kwɑ́ləti]

명 1. 질, 품질 2. 특성 3. 자질, 소질
형 양질의, 고급의

The ideal sound **quality** varies a lot in step with technological and cultural changes. 기출
이상적인 음질은 기술적이고 문화적인 변화에 발맞춰 많이 달라진다.

수능표현 +
quality control 품질 관리
quality time 귀중한 시간(특히 자녀와 함께 보내는 시간)

파생 qualify 동 자격을 주다
qualitative 형 질적인
반의 quantity 명 양

1337

label
[léibəl]

명 상표, 라벨 동 상표를 붙이다

Pack the items into a shoebox with a shipping **label**. 기출
배송 라벨을 붙인 신발 상자에 물품을 담으시오.

파생 labeling 명 표시
유의 tag 명 동 꼬리표(를 붙이다)

1338

drain
[drein]

동 1. 물을 빼다 2. 소모시키다 명 배수관

To remove moss from the aquarium, **drain** off the water and wash the tank thoroughly.
수족관에서 이끼를 제거하려면, 물을 빼내고 수조를 잘 닦으세요.

파생 **drainage** 명 배수(로)
숙어 **drain A of B** A에서 B를 빼다[유출하다]

1339

leak
[li:k]

동 1. (액체·기체 등이) 새다 2. 누출[유출]하다
명 1. 새는 곳 2. 누출, 유출

A picture of the first patient to contract this disease was **leaked** to the media.
이 병에 감염된 첫 번째 환자의 사진이 언론에 유출되었다.

파생 **leakage** 명 누출, 유출
유의 **reveal** 동 누설하다

1340

remnant
[rémnənt]

명 1. 나머지, 잔여 2. 유물

Beneath the waves were the **remnants** of the long-lost ship.
파도 아래에는 오랫동안 실종되었던 배의 잔해가 있었다.

유의 **remains** 명 나머지, 유적

1341

oblivious
[əblíviəs]

형 의식하지 못하는, 잊어버리는

Lost in thoughts, he was **oblivious** to the sound of his name.
그는 생각에 잠겨서 그의 이름을 부르는 소리를 의식하지 못했다.

파생 **oblivion** 명 망각
유의 **unaware** 형 알지[눈치 채지] 못하는

1342

seek
[si:k]

동 1. 찾다, 추구하다 2. 노력하다, 시도하다

The orchestra is actively **seeking** a replacement for its musical director. 기출 응용
교향악단은 음악 감독의 후임자를 적극적으로 찾고 있다.

유의 **pursue** 동 추구하다
search for ~을 찾다

1343

fallacy
[fǽləsi]

명 틀린 생각, 오류

Avoid the **fallacy** of reaching a conclusion without any evidence at all. 기출 응용
아무런 증거도 없이 결론에 도달하는 오류를 피하라.

수능표현 +
gambler's fallacy 도박사의 오류(앞에 일어난 사건의 확률을 근거로 다음 사건의 확률을 계산하는 오류)

유의 **misconception** 명 오해
반의 **fact** 명 사실

1344

raw
[rɔː]

형 1. 날것의 2. 가공하지 않은

Sashimi is a Japanese dish consisting of fresh **raw** fish sliced into thin pieces.
회는 얇게 썬 신선한 날 생선으로 이루어진 일본의 요리이다.

수능표현 +

raw data 미가공 데이터
raw material 원자재

유의 **uncooked** 형 날것의
unprocessed 형 가공되지 않은
반의 **refined** 형 정제된, 세련된

1345

imperial
[impí(ː)əriəl]

형 제국의, 황제의

Imperial competition for resources has caused major conflicts and wars around the world.
자원을 위한 제국주의적 경쟁은 전 세계적으로 주요 분쟁과 전쟁을 야기했다.

파생 **empire** 명 제국
imperialism 명 제국주의

1346

psychology
[saikάlədʒi]

명 심리(학)

The advance of **psychology** has raised the hope of a scientific answer to the secret of human happiness. 기출 응용
심리학의 진보는 인간 행복 비밀에 대한 과학적인 해답의 기대를 높였다.

파생 **psychologist** 명 심리학자
psychological 형 정신의, 심리적인

1347

uncover
[ʌnkʌ́vər]

동 1. 알아내다, 밝히다 2. 덮개를 열다

Researchers have **uncovered** evidence that Mars had a large ocean 4 billion years ago.
연구원들은 40억 년 전에 화성에 거대한 바다가 있었다는 증거를 밝혔다.

파생 **discover** 동 발견하다
유의 **unveil** 동 밝히다, 덮개를 열다
유의 disclose 동 밝히다, 폭로하다

1348

invent
[invént]

동 발명하다, 고안하다

I have **invented** my own recipes, which will be posted on my website.
나는 나만의 조리법을 발명했는데, 그것은 웹 사이트에 게시될 예정이다.

파생 **invention** 명 발명(품)
inventor 명 발명가
유의 **create** 동 창작하다
devise 동 고안하다

1349

withstand
[wiðstǽnd]

동 견뎌 내다, 버티다

We need to structure a riverbank that is enough to **withstand** floods.
우리는 홍수에도 견딜 만큼 충분히 튼튼한 강둑을 구축할 필요가 있다.

유의 **endure** 동 참다, 견디다
resist 동 견디다

1350

decay
[dikéi]

명 1. 부패, 부식 2. 쇠퇴 동 부패하다, 썩다

The essential oil protects the plant against **decay**, bacteria, and mold. 기출
에센셜 오일은 식물을 부패, 박테리아, 그리고 곰팡이로부터 보호한다.

수능표현+
decayed teeth 충치

유의 rot 명 부패 동 썩다
decline 명 동 쇠퇴(하다)
반의 preserve 동 보존하다

1351

combat
[kɑ́mbæt]

명 전투, 싸움 동 싸우다, 전투를 벌이다

For soldiers, a wound meant surviving **combat** and returning home. 기출
병사들에게 있어서, 부상은 전투에서 살아남아 집으로 돌아가는 것을 의미했다.

파생 combative 형 전투적인
유의 fight 명 싸움 동 싸우다
battle 명 전투, 싸움
숙어 in combat with ~와 전투 중인

1352 다의어

balance
[bǽləns]

명 1. 균형[평형] 2. 은행 잔고 동 균형을 이루다

Your body needs the right **balance** of key nutrients to heal and grow stronger. 기출 응용
여러분의 신체는 치유하고 더 강해지기 위해 주요 영양소의 적절한 균형을 필요로 한다.

The company's success is reflected in its healthy bank **balance**.
회사의 성공은 그것의 많은 은행 잔고에 반영되어 있다.

Supply and demand on the currency market will generally **balance**.
통화 시장에서 수요와 공급은 일반적으로 균형을 이룰 것이다.

유의 equilibrium 명 균형[평형]
반의 imbalance 명 불균형

1353

sting
[stiŋ]

동 1. 찌르다, 쏘다 2. 따끔거리다, 쓰리다

All jellyfish **sting**, but not all have poison that hurts humans.
모든 해파리가 쏘지만, 모든 것이 사람을 다치게 하는 독을 지닌 것은 아니다

파생 stinging 형 찌르는, 찌를 듯이 아픈

1354

psychiatrist
[saikáiətrist]

명 정신과 의사

She needs to see a **psychiatrist** for her depression.
그녀는 우울증으로 정신과 의사를 만나야 한다.

파생 psychiatry 명 정신 의학

수능 혼동 어휘

1355

access
[ǽkses]

명 접근(권) 동 1. 접근하다 2. 접속하다

In 1997, 36% of the rural population did not have **access** to electricity. 기출 응용
1997년에는 시골 인구의 36%가 전기에 접근권이 없었다.

1356

assess
[əsés]

동 1. 평가하다 2. 산정하다

We **assess** students based on their academic achievements.
우리는 학생들의 학업 성취도를 기준으로 그들을 평가한다.

1357

civilization
[sìvəlizéiʃən]

명 문명

One of the greatest **civilizations** of ancient times was the Egyptians. 기출
고대의 가장 위대한 문명들 중 하나는 이집트 문명이었다.

수능표현 +
ancient civilization 고대 문명

1358

cultivation
[kʌ̀ltəvéiʃən]

명 1. 경작, 재배 2. 양성, 수련

Grain **cultivation** is the main factor behind increases in global temperatures.
곡물 재배는 지구 기온 상승의 주된 요인이다.

수능 UP

Q1.
둘 중 알맞은 단어를 고르시오.
I can **[access / assess]** the database with my account.

Q2.
둘 중 알맞은 단어를 고르시오.
In most farming societies people focused on plant **[cultivation / civilization]** rather than raising animals.

수능 필수 숙어

1359

turn in

제출하다

Please make sure you **turn in** your essays before the due date.
마감일 전에 반드시 에세이를 제출해 주세요.

1360

take in

~을 섭취하다, ~을 흡수하다

You **take in** an extra 200 calories by drinking a soft drink. 기출
청량음료를 마시면 200칼로리를 추가로 섭취하게 된다.

Q3.
빈칸에 알맞은 어구를 고르시오.

Healthy eating is the best way to ________ vitamins and minerals.

① turn in
② take in

Daily Test 34

정답 p.457

A 우리말은 영어로, 영어는 우리말로 쓰시오.

01 위성, 인공위성 __________
02 물질, 실체, 본질, 핵심 __________
03 대기(권), 분위기 __________
04 활주하다; 미끄러짐 __________
05 노력, 시도; 노력하다 __________
06 자국, 오솔길; 추적하다 __________
07 틀린 생각, 오류 __________
08 predetermine __________
09 frustrated __________
10 civilization __________
11 decay __________
12 withstand __________
13 combat __________
14 drain __________

B 우리말과 일치하도록 빈칸에 알맞은 단어 또는 어구를 쓰시오.

서술형

01 Most natural habitats in a __________ nations have already been replaced with some form of an artificial environment. 기출 응용
선진국의 자연 서식지 대부분은 어떤 형태의 인위적 환경으로 이미 대체되어 왔다.

02 Humans t__________ __________ oxygen and breathe out carbon dioxide.
인간은 산소를 들이마시고 이산화탄소를 내뿜는다.

03 A wasp can cause severe irritation if it s__________ a human.
말벌이 사람을 쏘면 심한 자극을 일으킬 수 있다.

C 각 단어의 유의어 또는 반의어를 쓰시오.

01 동 radiate 유의 e__________
02 형 remote 반의 n__________
03 형 serene 유의 t__________
04 형 raw 반의 r__________
05 명 remnant 유의 r__________
06 형 oblivious 유의 u__________
07 동 conceal 반의 r__________
08 동 invent 유의 d__________

VOCA CLEAR

DAY 35

시험에 더 강해지는 어휘

1361

communal
[kəmjúːnəl]

형 1. 공동의, 공용의 2. 사회의, 공동체의

We need land for **communal** facilities to improve the quality of urban living. 기출 응용
도시 생활의 질을 높이기 위해서는 공동 시설을 위한 토지가 필요하다.

수능표현 +
communal property 공동 재산

파생 **community** 명 공동체, 지역 사회
유의 **common** 형 공동의
반의 **private** 형 사유의

1362

brief
[briːf]

형 짧은, 간결한 동 간단히 보고하다

Scotland experienced a **brief** period of population growth during the early 1990s.
스코틀랜드는 1990년대 초에 짧은 기간 동안의 인구 증가를 경험했다.

파생 **brevity** 명 간결성
briefly 부 간단히, 잠시
유의 **concise** 형 간결한
숙어 **in brief** 간단히 말해서

1363

sink
[siŋk]

동 가라앉다, 침몰하다 명 싱크대, 개수대

A piece of wood tossed into water floats instead of **sinking**. 기출
물속에 던져진 나무 조각은 가라앉는 대신 물에 뜬다.

유의 **go down** 침몰하다
반의 **float** 동 떠오르다

1364

rebuild
[rìːbíld]

동 재건하다, 다시 세우다

They are **rebuilding** the houses that were damaged by the typhoon.
그들은 태풍으로 피해를 입은 집들을 재건하고 있다.

유의 **reconstruct** 동 재건하다
반의 **demolish** 동 철거하다

1365

landscape
[lǽndskèip]

명 1. 풍경, 경치 2. 풍경화 동 조경(造景)하다

A small waterfall in the garden will bring beauty to your **landscape**.
정원에 있는 작은 폭포는 풍경에 아름다움을 가져다줄 것이다.

유의 **scenery** 명 풍경
view 명 경치, 전망

1366

component [kəmpóunənt]

명 1. 구성 요소 2. 부품

Feeling secure is an important **component** of happiness. 기출
안정감을 느끼는 것은 행복의 중요한 구성 요소이다.

유의 part 명 부품
element 명 요소, 성분

1367

stubborn [stʌ́bərn]

형 완고한, 고집 센

His new boss was so **stubborn** that no one could persuade him.
그의 새 상사는 너무 완고해서 아무도 그를 설득할 수 없었다.

유의 obstinate 형 완고한, 고집 센
반의 compliant 형 고분고분한

1368

enchant [intʃǽnt]

동 1. 매혹하다 2. 마법을 걸다

The visitors were **enchanted** by the sights of the Caribbean.
방문객들은 카리브해의 광경에 매혹되었다.

파생 enchantment 명 황홀감, 마법에 걸린 상태
유의 fascinate 동 매혹하다
숙어 be enchanted with[by] ~에 매혹당하다

1369

adolescent [æ̀dəlésənt]

명 청소년 형 청소년기의

Tim changed from a cheerful young boy into a confused **adolescent**.
Tim은 쾌활한 소년에서 혼란스러운 청소년으로 변했다.

파생 adolescence 명 청소년기
유의 juvenile 명 형 청소년(의)
teenage 형 십 대의
반의 adult 명 형 성인(의)

1370

detest [ditést]

동 몹시 싫어하다, 혐오하다

I **detest** politicians who fail to keep their election promises.
나는 자신의 선거 공약을 지키지 못하는 정치인들을 몹시 싫어한다.

유의 abhor 동 혐오하다
loathe 동 혐오하다
반의 adore 동 아주 좋아하다
admire 동 존경하다

1371

jealous [dʒéləs]

형 질투하는

He was **jealous** because his best friend was going to a musical with someone else.
그는 가장 친한 친구가 다른 친구와 그 뮤지컬을 보러 가려고 했기 때문에 질투를 느꼈다.

파생 jealousy 명 질투
유의 envious 형 시기하는
숙어 jealous of ~을 시기하는

1372

dynasty
[dáinəsti]

명 왕조, 왕가

The Joseon **Dynasty** was founded by King Taejo in 1392.
조선 왕조는 1392년에 태조에 의해 건국되었다.

파생 dynastic 형 왕조의

1373

copper
[kápər]

명 구리

This coin was made from a mixture of **copper** and aluminum.
이 동전은 구리와 알루미늄의 혼합물로 만들어졌다.

1374

economic
[ì:kənámik]

형 경제(상)의 명 ((-s)) 경제학

According to Adam Smith, competition is the driving force behind **economic** efficiency. 기출 응용
Adam Smith에 따르면, 경쟁은 경제적 효율의 원동력이다.

수능표현+

economic trend 경제 동향
economic inequalities 경제적 불평등

파생 economy 명 경제
economical 형 경제적인, 절약하는

1375

donate
[dóuneit]

동 기부[기증]하다

EU nations are going to **donate** more than 150 million doses of vaccine to countries in need.
EU 국가들은 1억 5천만 개가 넘는 백신을 도움이 필요한 나라들에 기증할 예정이다.

파생 donation 명 기부
유의 contribute 동 기부하다

1376

prerequisite
[prì(:)rékwizit]

명 필수[전제] 조건

Good communication skills in English are a **prerequisite** for this job.
훌륭한 영어 의사소통 능력이 이 직무에 필수 조건이다.

유의 precondition 명 전제 조건
requirement 명 필요 조건

1377

outlaw
[áutlɔ̀:]

동 불법화하다, 금지하다

The Swedish government has **outlawed** TV advertising of children's goods. 기출 응용
스웨덴 정부는 아동용품의 TV 광고를 금지해 왔다.

유의 ban 동 금지하다
prohibit 동 금지하다
반의 legalize 동 합법화하다

1378

prestigious
[prestídʒiəs]

형 명성 있는, 일류의

An Oscar is one of the most **prestigious** awards in the film industry.
오스카는 영화 산업에서 가장 명성 있는 상 중 하나이다.

파생 **prestige** 명 명망
유의 **renowned** 형 유명한
prominent 형 저명한

1379

mischief
[místʃif]

명 장난, 못된 짓

That naughty kid is always up to some **mischief**.
그 장난꾸러기 아이는 항상 장난을 친다.

파생 **mischievous** 형 짓궂은, 말썽꾸러기의
유의 **prank** 명 장난
숙어 **be up to mischief** 못된 짓을 꾸미다

1380

include
[inklúːd]

동 포함하다[시키다]

His job **includes** selecting the music for four concerts annually. 기출 응용
그의 업무는 매년 4회의 연주회를 위한 음악을 선정하는 것을 포함한다.

파생 **inclusion** 명 포함
inclusive 형 모든 것을 포함한, 포괄적인
유의 **contain** 동 포함하다
involve 동 수반하다
반의 **exclude** 동 제외하다

1381

thrust
[θrʌst]

동 밀다, 밀치다, 찌르다
명 1. 밀침, 찌르기 2. 요점, 취지

The man **thrust** his chair forward angrily and stormed out of the office.
그 남자는 화가 나서 의자를 앞으로 밀치고 사무실을 뛰쳐나갔다.

유의 **push** 동 밀다, 밀치다
stab 동 찌르다 명 찌르기
gist 명 요지

1382

arch
[ɑːrtʃ]

동 동그랗게 구부리다[구부러지다] 명 아치형 (구조물)

The branches of the trees **arched** over the trail.
나뭇가지가 오솔길 위로 동그랗게 굽었다.

유의 **curve** 동 구부리다, 휘다

1383

statement
[stéitmənt]

명 1. 진술, 서술 2. 성명(서)

I need a **statement** from you that summarizes the medical problems related to my feet. 기출
제 발과 관련된 의학적 문제를 요약한 귀하의 진술서가 필요합니다.

수능표현 +
joint statement 공동 성명
official statement 공식 성명

파생 **state** 동 말하다, 진술하다
유의 **announcement** 명 발표, 공표
declaration 명 선언(서), 성명서

1384 다의어

term
[təːrm]

명 1. 용어 2. 기간 3. 학기 4. 조건 5. 관계, 사이
동 일컫다, 칭하다

Here is a list of English expressions containing color **terms.** 기출
여기 색 용어(색체어)가 포함된 영어 표현 목록이 있다.

The students are coming back as the spring **term** begins.
봄 학기가 시작되면서 학생들이 돌아오고 있다.

At the age of 65, he didn't want to be **termed** a senior citizen.
65세의 나이에 그는 노인이라고 불리기를 원치 않았다.

유의 **period** 명 기간
semester 명 학기
condition 명 조건, 조항
relationship 명 관계
call 동 칭하다
숙어 **in terms of**
~ 면에서

1385

intrinsic
[intrínzik]

형 본질적인, 고유한, 내재적인

Parents need to teach children the **intrinsic** value of good behavior.
부모는 아이들에게 좋은 행동의 본질적인 가치를 가르쳐야 한다.

수능표현 +
intrinsic motivation 내재적 동기

파생 **intrinsically** 부 본질적으로
유의 **inherent** 형 내재하는
innate 형 고유한
반의 **extrinsic** 형 외부의

1386

sacrifice
[sǽkrəfàis]

동 1. 희생하다 2. 제물을 바치다 명 1. 희생 2. 제물

There are times that you have to **sacrifice** the lesser for the greater.
대를 위해 소를 희생해야 할 때가 있다.

유의 **offering** 명 제물
숙어 **at the sacrifice of**
~을 희생하여

1387

gratify
[grǽtəfài]

동 기쁘게 하다, 충족[만족]시키다

My boss was most **gratified** with the outcome of today's meeting.
나의 상사는 오늘 회의 결과에 매우 만족했다.

파생 **gratification** 명 만족(감)
유의 **satisfy** 동 만족시키다
반의 **dissatisfy** 동 불만을 느끼게 하다

1388

feat
[fiːt]

명 1. 위업, 공적 2. 재주, 묘기

His efforts to reach his goal led him to achieve an amazing **feat.**
목표에 도달하려는 그의 노력이 그가 놀라운 공적을 달성하도록 이끌었다.

유의 **achievement** 명 업적

1389

wilderness
[wíldərnis]

명 황야, 황무지

There were diamond mines in the remote Canadian **wilderness.** 기출 응용
멀리 떨어진 캐나다 황야에 다이아몬드 광산이 있었다.

유의 **wilds** 명 (미개척의) 황무지

1390

stink
[stiŋk]

동 악취를 풍기다 명 악취

The house **stank** of smoke for a couple of weeks.
몇 주 동안 집에서 연기 냄새가 났다.

유의 **reek** 명 동 악취(를 풍기다)
숙어 **stink of** ~의 악취가 나다

1391

infect
[infékt]

동 1. 감염[전염]시키다 2. 오염시키다

Just a simple mosquito bite can **infect** a person with malaria.
모기가 한 번 무는 것만으로도 사람에게 말라리아를 감염시킬 수 있다.

파생 **infection** 명 감염, 전염
infectious 형 전염되는
유의 **contaminate** 동 오염시키다
숙어 **infect A with B** A에게 B를 감염시키다

1392

botanist
[bátənist]

명 식물학자

The **botanist** published a book about plant distribution.
그 식물학자는 식물 분포에 관한 책을 출판했다.

파생 **botanical** 형 식물의

1393

predator
[prédətər]

명 1. 포식자, 포식 동물 2. 약탈자

Many **predators** direct their initial attack at the head of their prey. 기출
많은 포식자들은 먹이를 처음 공격할 때 그것들의 머리를 겨냥한다.

반의 **prey** 명 먹이

1394

religious
[rilídʒəs]

형 종교의, 종교적인, 신앙심이 깊은

Some people become more **religious** when they are desperate and in need.
일부 사람들은 절실하고 도움이 필요할 때 더욱 신앙심이 깊어진다.

수능표현+
religious rituals 종교 의식
religious practices 종교적 관례

파생 **religion** 명 종교
유의 **devotional** 형 종교적인
devout 형 독실한

수능 혼동 어휘

1395

comprehend [kὰmprihénd]

동 이해하다

We use our existing knowledge to **comprehend** new information.
우리는 새로운 정보를 이해하기 위해 기존의 지식을 사용한다.

1396

apprehend [æ̀prihénd]

동 1. 체포하다 2. 파악하다

The man was **apprehended** by the police when he tried to steal money.
그 남자는 돈을 훔치려다가 경찰에 체포되었다.

1397

vague [veig]

형 1. 모호한 2. 희미한 3. 막연한

She is a bit **vague** about exactly when she will leave.
그녀가 정확히 언제 떠날지 약간 모호하다.

1398

vogue [voug]

명 1. 유행, 성행 2. 인기, 호평

Wide-legged pants are in **vogue** again.
통 넓은 바지가 다시 유행이다.

수능 UP

Q1.
둘 중 알맞은 단어를 고르시오.
If the suspect is seen buying a train ticket, the police will **[comprehend / apprehend]** him at once.

Q2.
둘 중 알맞은 단어를 고르시오.
His plan to develop a new drug is innovative but **[vague / vogue]**.

수능 필수 숙어

1399

pay for

대금을 지불하다, 빚을 갚다

How much should I **pay for** the repairs? 기출
수리비로 얼마를 지불해야 하나요?

1400

pay off

1. 성과를 내다, 결실을 맺다 2. 갚다, 청산하다

All my time and effort finally **paid off** when I won a gold medal. 기출 응용
금메달을 땄을 때 나의 모든 시간과 노력이 마침내 결실을 맺었다.

Q3.
빈칸에 알맞은 어구를 고르시오.

We're almost there, and your hard work is about to ____________.

① pay for
② pay off

Daily Test 35

정답 p.457

A 우리말은 영어로, 영어는 우리말로 쓰시오.

01 풍경, 경치; 조경하다 ____________
02 구성 요소, 부품 ____________
03 청소년; 청소년기의 ____________
04 장난, 못된 짓 ____________
05 용어, 기간, 학기; 일컫다 ____________
06 필수[전제] 조건 ____________
07 명성 있는, 일류의 ____________
08 include ____________
09 detest ____________
10 feat ____________
11 gratify ____________
12 stink ____________
13 botanist ____________
14 predator ____________

B 우리말과 일치하도록 빈칸에 알맞은 단어 또는 어구를 쓰시오.

서술형

01 It's wise to discuss attitudes to c__________ living before jointly moving in.
공동으로 입주하기 전에 공동생활에 대한 태도를 논의하는 것이 현명하다.

02 The man t__________ some money into my hand and told me to drive him to the airport.
그 남자는 내 손에 약간의 돈을 찔러 넣으며 자신을 공항까지 데려다 달라고 했다.

03 Let's hope all the harsh training our team went through will p__________ __________.
우리 팀이 겪었던 혹독한 훈련이 모두 결실을 맺기를 바랍시다.

C 각 단어의 유의어 또는 반의어를 쓰시오.

01 형 brief 유의 c__________
02 동 rebuild 반의 d__________
03 형 stubborn 반의 c__________
04 형 jealous 유의 e__________
05 동 enchant 유의 f__________
06 동 outlaw 반의 l__________
07 형 intrinsic 반의 e__________
08 동 infect 유의 c__________

수능에 더 강해지는 TEST DAY 31-35

A

다음 짝 지어진 두 단어의 관계가 같도록 빈칸에 알맞은 단어를 <보기>에서 골라 쓰시오.

<보기>	substantial	recession	affirmative	precise

1 infect : infection = recede : ______________

2 negative : ______________ = imminent : distant

3 utilitarian : practical = accurate : ______________

4 substance : ______________ = monument : monumental

B

다음 문장에서 밑줄 친 어휘의 유의어를 고르시오.

1 There will be a brief lecture on the program prior to the performance. 기출

① linear ② concise ③ mature

2 People at the refugee camp had to withstand hunger.

① endure ② tremble ③ dispatch

3 As children watch their parents, they replicate their behaviors.

① radiate ② enchant ③ copy

4 He tried to intimidate his opponents by using strong negative language.

① threaten ② donate ③ conceal

정답 p. 457

C
서술형

다음 빈칸에 알맞은 단어를 <보기>에서 골라 쓰시오. (필요시 형태를 바꿀 것)

<보기>	deplete	escalate	envision	staple

1 The total costs have been ______________ by about 20 percent.

2 Bread was such a ______________ part of the diet of the poor.

3 They ______________ producing enough solar panels by 2050 to supply half the world's energy. 기출 응용

4 If the present generations continue to ______________ resources, future generations will suffer.

D

각 네모 안에서 문맥에 맞는 말을 고르시오.

1 Business owners want to [cut down on / look down on] the expenses of maintaining an office space.

2 Computers easily [resist / yield] important predictions about complex phenomena. 기출

3 The teacher will [access / assess] the assignment using a checklist.

4 The [predators / prey] hunt and eat animals as a source of nutrition.

5 We teach our members effective techniques in our training [facility / faculty].

VOCA CLEAR

DAY 36

시험에 더 강해지는 어휘

1401

forbid

[fərbíd]

동 1. 금지하다 2. (못 하게) 막다

She was **forbidden** by the Nazi Party to exhibit her artwork in Germany. 기출 응용

그녀는 나치당으로부터 독일에서 자신의 작품을 전시하는 것을 금지당했다.

유의 **prohibit** 동 금지하다

반의 **permit** 동 허락하다

숙어 **forbid A to-v** A가 ~하는 것을 금지하다

1402

revenue

[révənjùː]

명 1. 수입, 수익 2. 세입

Since 2005, Internet ad **revenues** have noticeably increased.

2005년 이후로 인터넷 광고 수익이 눈에 띄게 증가했다.

수능표현 +

revenue and expenditure 세입과 세출

internal revenue 내국세 수입

유의 **profit** 명 수익

receipts 명 수입(금)

income 명 소득, 수입

1403

static

[stǽtik]

형 정적인, 고정된

He saw ideas as dynamic and able to interact with one another rather than **static**. 기출 응용

그는 아이디어가 정적이기보다는 역동적이고 서로 상호 작용 할 수 있다고 보았다.

유의 **fixed** 형 고정된

stationary 형 정지한, 움직이지 않는

반의 **dynamic** 형 역동적인

1404

obvious

[ɑ́ːbviəs]

형 명백한, 분명한

If you are telling the truth, the details of what happened are **obvious**. 기출

만약 여러분이 진실을 말하고 있다면, 일어난 일의 세부 내용은 분명하다.

파생 **obviously** 부 명백하게, 분명히

유의 **evident** 형 명백한, 분명한

apparent 형 분명한

clear 형 명백한

1405

distort

[distɔ́ːrt]

동 1. 비틀다 2. 왜곡하다

Some artists exaggerate the size or **distort** the shape of the human image.

일부 예술가들은 인간상의 크기를 과장하거나 형태를 왜곡한다.

파생 **distortion** 명 왜곡, 뒤틀림

유의 **twist** 동 비틀다

misrepresent 동 잘못 전달하다

1406

barrier
[bǽriər]

명 장애물, 장벽

Language **barriers** reduce the opportunities for contact between different populations. 기출
언어 장벽이 서로 다른 집단 간의 접촉 기회를 줄인다.

수능표현 +

language barrier 언어 장벽
sound barrier 음속 장벽

유의 **obstacle** 명 장애물
wall 명 장벽, 장애

1407 다의어

pupil
[pjú:pəl]

명 1. 학생, 제자 2. 동공, 눈동자

The teacher asked the **pupil** to show how these answers were obtained. 기출 응용
교사는 그 학생에게 어떻게 해서 이 답들이 얻어졌는지를 보여 달라고 요청했다.

The **pupil** controls the amount of light that enters the eye.
동공은 눈에 들어오는 빛의 양을 조절한다.

파생 **pupilage** 명 미성년(기), 수습 기간
유의 **student** 명 학생

1408

indulge
[indʌ́ldʒ]

동 1. 탐닉하다, 빠지다 2. 충족시키다

While studying, he **indulged** himself in school music activities.
공부하는 동안 그는 학교 음악 활동에 빠졌다.

파생 **indulgence** 명 탐닉
indulgent 형 탐닉하는
숙어 **indulge in** ~에 탐닉하다

1409

affirm
[əfə́:rm]

동 1. 단언[확언]하다 2. 확인하다

He has never publicly **affirmed** his political viewpoint.
그는 자신의 정치적 견해를 공개적으로 단언한 적이 없다.

파생 **affirmation** 명 확언, 단언, 확인
affirmative 형 긍정의
유의 **confirm** 동 확증[확정]하다

1410

symptom
[símptəm]

명 1. 증상 2. 징후, 조짐

Flu **symptoms** include fever and headaches.
독감의 증상은 발열과 두통을 포함한다.

유의 **sign** 명 기미, 조짐
indication 명 암시, 조짐

1411

imperative
[impérətiv]

형 1. 필수의 2. 명령적인 명 1. 긴급한 일 2. 명령

It is **imperative** that we support single parents.
우리는 한 부모를 지원해야 한다.

유의 **vital** 형 필수적인
반의 **unnecessary** 형 불필요한

1412

appropriate
[əpróupriət]

형 적절한, 알맞은

Please wear clothing **appropriate** for the weather conditions. 기출
날씨 상황에 적절한 옷을 입으세요.

파생 **appropriately** 부 적당하게, 알맞게
유의 **suitable** 형 적당한
반의 **inappropriate** 형 부적절한

1413

censorship
[sénsərʃìp]

명 검열

Media **censorship** may help protect children from exposure to violence.
미디어 검열은 아이들이 폭력에 노출되는 것을 막는 데 도움이 될 수 있다.

파생 **censor** 명 검열관 동 검열하다
숙어 **censorship of** ~에 대한 검열

1414

propel
[prəpél]

동 나아가게 하다, 추진하다

The octopus **propelled** itself forward in the water.
문어는 물속에서 앞으로 나아갔다. 기출 응용

파생 **propeller** 명 (헬리콥터의) 프로펠러
유의 **push** 동 밀고 나아가다
drive 동 추진시키다

1415

domain
[douméin]

명 1. (지식·활동 등의) 분야, 영역 2. 영토, 소유지

Knowledge about letter sounds was specific to the **domain** of reading. 기출
철자 소리에 관한 지식은 읽기 영역에 한정되어 있었다.

수능표현 +

public domain 공유
(저작권에 상관없이 누구나 이용 가능한 부문)

유의 **area** 명 분야
field 명 분야
realm 명 영역, 범위

1416

applause
[əplɔ́ːz]

명 박수 (갈채)

The pianist's performance drew thunderous **applause**.
그 피아니스트의 연주는 우레와 같은 박수를 이끌어 냈다.

파생 **applaud** 동 박수를 치다
유의 **ovation** 명 (열렬한) 박수

1417

radical
[rǽdikəl]

형 1. 급진적인, 과격한 2. 근본적인

They suggested **radical** reform of the education system.
그들은 교육 제도의 급진적인 개혁을 제안했다.

파생 **radically** 부 급진적으로
반의 **conservative** 형 보수적인

1418

assist

[əsíst]

동 돕다, 보조하다 명 (스포츠) 어시스트

The teenagers **assisted** a senior citizen who needed help.
그 십 대들은 도움이 필요했던 노인을 도와주었다.

파생 **assistance** 명 도움, 보조
assistant 명 형 보조(의)
유의 **aid** 동 돕다 명 도움, 원조
반의 **hinder** 동 방해하다

1419 다의어

decline

[dikláin]

동 1. 감소하다, 쇠퇴하다 2. 거절하다
명 감소, 하락, 쇠퇴

When people have less pleasure in life, their work performance actually **declines.** 기출 응용
인생에서의 즐거움이 적어지면 업무 성과는 실제로 떨어진다.

He **declined** an invitation to take part in the opening event.
그는 개장 행사에 참석해 달라는 초대를 거절했다.

유의 **decrease** 동 감소하다
refuse 동 거절[거부]하다
반의 **rise** 동 오르다, 상승하다
accept 동 받아들이다
숙어 **decline in[of]** ~의 감소

1420

clue

[klu:]

명 단서, 실마리

Clues to past environmental change are well preserved in many different kinds of rocks. 기출
과거의 환경 변화에 대한 단서들은 많은 다른 종류의 암석들에 잘 보존되어 있다.

유의 **hint** 명 단서, 암시
숙어 **get a clue to**
~의 단서를 잡다

1421

vital

[váitəl]

형 1. 필수적인 2. 생명의 3. 활기찬

Green vegetables are packed with **vital** nutrients such as vitamin A. 기출
녹색 채소는 비타민 A와 같은 필수 영양소로 가득 차 있다.

수능표현 +

vital power[energy] 활력
vital sign 활력 징후
vital clue 중요한 단서

파생 **vitalize** 동 활력을 주다
vitality 명 활력
유의 **essential** 형 필수적인
숙어 **vital for** ~에 필수적인

1422

exist

[igzíst]

동 1. 존재하다, 실재하다 2. 살아가다

Photographs did a good job of representing things as they **existed** in the world. 기출
사진은 사물을 세상에 존재하는 그대로 잘 표현해 냈다.

파생 **existence** 명 존재
existing 형 기존의
유의 **live** 동 살다

1423

concise
[kənsáis]

형 간결한, 간명한

The title of a report should be clear and **concise**.
보고서의 제목은 명확하고 간결해야 한다.

파생 **concisely** 부 간결하게
유의 **brief** 형 간결한
반의 **lengthy** 형 장황한, 지루한

1424

volunteer
[vɑ̀:ləntíər]

명 지원자, 자원봉사자 동 자원하다

She was looking for **volunteers** to work in a fair she was organizing. 기출
그녀는 자신이 조직하고 있는 전시회에서 일할 자원봉사자들을 찾고 있었다.

수능표현 +
volunteer work 자원 봉사 활동

파생 **voluntary** 형 자발적인
숙어 **volunteer for** ~에 지원하다

1425

spoil
[spɔil]

동 1. 망치다, 상하게 하다 2. 버릇없게 만들다

Errors in using people's names can **spoil** business dealings. 기출
사람들의 이름을 사용하는 데 실수가 있으면 사업 거래를 망칠 수 있다.

파생 **spoiler** 명 망치는 사람, 스포일러
유의 **ruin** 동 망치다
decay 동 썩게 만들다

1426

masterpiece
[mǽstərpì:s]

명 걸작, 명작

It was his practice to hear the public's opinions of his **masterpieces**. 기출
그의 걸작에 대한 대중의 평가를 듣는 것이 그의 관행이었다.

유의 **masterwork** 명 걸작
classic 명 걸작, 명작

1427

glance
[glæns]

동 1. 힐끗 보다 2. 대충 훑어보다 명 힐끗 봄

As she **glanced** up, she was amazed by what she saw. 기출 응용
그녀가 힐끗 올려다 보았을 때, 그녀가 본 것에 놀랐다.

유의 **glimpse** 동 힐끗 보다 명 힐끗 봄
scan 동 훑어보다
숙어 **glance at** ~을 힐끗 보다
at a glance 한눈에

1428

transplant
[trænsplǽnt]

동 이식하다, 옮겨 심다 명 이식

The doctor successfully **transplanted** the liver into the patient.
의사는 환자에게 간을 성공적으로 이식했다.

수능표현 +
organ transplant 장기 이식

파생 **transplantation** 명 이식 (수술)
유의 **implant** 동 심다, 이식하다

1429

forefather
[fɔ́ːrfɑ̀ːðər]

명 선조, 조상

His designs are rooted in the tradition of his Native American **forefathers**. 기출
그의 디자인은 자신의 북미 원주민 조상의 전통에 뿌리를 두고 있다.

유의 ancestor 명 조상, 선조
반의 descendant 명 자손, 후예

1430

martial
[mɑ́ːrʃəl]

형 1. 싸움의, 전쟁의 2. 군대의

Spartan soldiers trained only to obtain **martial** skills.
스파르타의 병사들은 오직 무술 기술을 습득하기 위해 훈련했다.

수능표현 +

martial art 무술
martial music 군악

유의 military 형 군대의

1431

elevate
[éləvèit]

동 1. (들어) 올리다, 높이다 2. 승진시키다

A high-fat diet can **elevate** blood pressure.
고지방 식단은 혈압을 높일 수 있다.

파생 elevation 명 승진, 고도
유의 raise 동 올리다
promote 동 승진시키다
반의 lower 동 낮추다

1432

reconcile
[rékənsàil]

동 1. 화해시키다 2. 일치시키다, 조화시키다

She **reconciled** the two friends who had been angry at each other.
그녀는 서로에게 화가 났던 두 친구를 화해시켰다.

파생 reconciliation 명 화해, 조화
유의 reunite 동 화해시키다
harmonize 동 일치시키다
숙어 reconcile with ~와 화해하다

1433

stack
[stæk]

명 1. 더미, 무더기 2. 많음, 다량 동 쌓아올리다

They rated how good the scissors were at cutting out shapes from a **stack** of 200 sheets of paper.
그들은 가위가 200장의 종이 더미에서 모양을 잘라 만드는 데 얼마나 좋은지 평가했다. 기출 응용

유의 pile 명 더미 동 쌓다

1434

hay
[hei]

명 건초, 말린 풀

The farmer put a pile of **hay** for his horses in a cart.
농부는 말들을 위한 건초 더미를 수레에 담았다.

유의 straw 명 짚
haystack 명 건초 더미

수능 혼동 어휘

1435

distinguish [distíŋgwiʃ]

동 구별하다, 식별하다

Language is one of the primary features that **distinguishes** humans from other animals. 기출
언어는 인간을 다른 동물과 구별하는 주요 특징 중 하나이다.

1436

extinguish [ikstíŋgwiʃ]

동 (불을) 끄다, 소멸시키다

The firefighters successfully **extinguished** the fire.
소방관들은 성공적으로 불을 껐다.

1437

property [prá:pərti]

명 1. 재산, 소유물 2. 부동산 3. ((-s)) 특성, 속성

Authors have rights to their intellectual **property** during their lifetimes. 기출
작가는 평생 동안 자신들의 지적 재산에 대한 권리를 갖는다.

수능표현 +

public property 공공 재산
lost property 분실물

1438

poverty [pá:vərti]

명 가난, 빈곤

People may live differently according to their wealth or **poverty**. 기출 응용
사람들은 그들의 부나 가난에 따라 다르게 살 수 있다.

수능 UP

Q1.
둘 중 알맞은 단어를 고르시오.
It can be difficult to **[distinguish / extinguish]** between inventions and discoveries.

Q2.
둘 중 알맞은 단어를 고르시오.
Government efforts are needed to tackle rising unemployment and **[property / poverty]**.

수능 필수 숙어

1439

hit on[upon]

~을 (우연히) 생각해 내다

It **hit upon** me to teach her to read English in return for all she had taught me. 기출
그녀가 나에게 가르쳐 주었던 모든 것에 대한 답례로 그녀에게 영어 읽기를 가르쳐 줘야겠다는 생각이 떠올랐다.

1440

catch on

이해하다, 파악하다

Although this activity might seem complicated, students **catch on** quickly.
이 활동이 복잡해 보일지 모르지만, 학생들은 금방 이해한다.

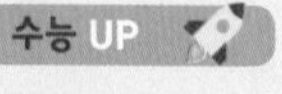

Q3.
빈칸에 알맞은 어구를 고르시오.

The work that I received from her was simple, and I soon ____________.

① hit on
② caught on

Daily Test 36

정답 p.458

A 우리말은 영어로, 영어는 우리말로 쓰시오.

01 돕다, 보조하다 ______________

02 학생, 동공 ______________

03 단언하다, 확인하다 ______________

04 단서, 실마리 ______________

05 증상, 징후, 조짐 ______________

06 박수 (갈채) ______________

07 이식하다, 옮겨 심다 ______________

08 extinguish ______________

09 censorship ______________

10 reconcile ______________

11 indulge ______________

12 distort ______________

13 martial ______________

14 propel ______________

B 우리말과 일치하도록 빈칸에 알맞은 단어 또는 어구를 쓰시오.

서술형

01 They discussed the company's expenses and dwindling r__________. 기출
그들은 회사의 지출과 줄어드는 수익에 대해 의논했다.

02 It is i__________ that the title should be included on the first page of the report.
보고서의 첫 페이지에 제목이 포함되어야 하는 것은 필수적이다.

03 Though he had just joined the company, he was able to c__________ __________ quickly.
입사한 지 얼마 되지 않았지만 그는 일을 빠르게 파악할 수 있었다.

C 각 단어의 유의어 또는 반의어를 쓰시오.

01 형 static 반의 d______________

02 형 appropriate 반의 i______________

03 명 barrier 유의 o______________

04 동 spoil 유의 r______________

05 형 concise 유의 b______________

06 동 elevate 반의 l______________

07 형 radical 반의 c______________

08 명 forefather 유의 a______________

VOCA CLEAR

DAY 37

시험에 더 강해지는 어휘

1441

ruin
[rú(:)in]

동 망치다, 파괴하다
명 1. 붕괴, 파괴 2. ((-s)) 폐허, 유적

Unexpected rain completely **ruined** the picnic.
예상치 못한 비가 소풍을 완전히 망쳤다.

유의 **spoil** 동 망치다
destroy 동 파괴하다
숙어 **in ruins** 폐허가[엉망이] 된

1442

heal
[hiːl]

동 치료하다, 낫게 하다

It will take a long time to **heal** the burn.
그 화상을 치료하는 데 오랜 시간이 걸릴 것이다.

파생 **healing** 명 치유
유의 **cure** 동 치료하다
반의 **injure** 동 상처를 입히다
숙어 **heal A of B**
A에게서 B(라는 병)를 치료하다

1443

device
[diváis]

명 1. 장치, 기기 2. 고안, 방책

Audio **devices** may only be used with headphones in this garden. 기출 응용
이 정원에서 음향 기기는 헤드폰과 함께 사용해야만 한다.

수능표현 +

mobile device 모바일 장치
electronic device 전자 기기

파생 **devise** 동 고안하다
유의 **gadget** 명 장치, 고안(품)

1444

intense
[inténs]

형 극심한, 강렬한

On the day of an **intense** workout, eight to ten hours of sleep is recommended.
격렬한 운동을 하는 날에는 8시간에서 10시간의 수면이 권장된다.

파생 **intensify** 동 심화시키다
intensity 명 강렬함, 강도
intensive 형 집중적인
유의 **severe** 형 극심한
extreme 형 극도의

1445

provide
[prəváid]

동 제공[공급]하다, 주다

We will be able to **provide** care for 100 kids in our community. 기출
우리는 우리 지역 사회의 100명의 아동에게 돌봄을 제공할 수 있을 것이다.

파생 **provision** 명 공급, 제공
유의 **offer** 동 제공하다
supply 동 공급하다
숙어 **provide A with B**
A에게 B를 제공하다

1446

tablet
[tǽblit]

명 1. (금속·나무·돌 등의) 판 2. 정제, 알약

Philosophers regarded memory as a soft wax **tablet** that would preserve anything imprinted on it. 기출
철학자들은 기억이란 그 위에 찍힌 것은 어느 것이나 보존하게 될 밀랍을 칠한 무른 판이라고 여겼다.

유의 **pill** 명 정제, 알약

1447

longevity
[lɑːndʒévəti]

명 1. 장수, 오래 삶 2. 수명

Regular exercise and a healthy diet contribute to **longevity**.
규칙적인 운동과 건강한 식단이 장수에 기여한다.

1448

inscribe
[inskráib]

동 (비석 등에) 새기다, 쓰다

The winner of this contest will receive a trophy **inscribed** with their name.
이 대회의 우승자는 이름이 새겨진 트로피를 받게 될 것이다.

파생 **inscription** 명 새겨진 글
유의 **engrave** 동 새기다
숙어 **inscribe A with B** A에 B를 써넣다

1449

punish
[pʌ́niʃ]

동 처벌하다, 벌주다

People treat children in a variety of ways: care for them, **punish** them, teach them. 기출
사람들은 돌보고, 벌주고, 가르치는 등 아이들을 다양한 방법으로 대한다.

수능표현 +

capital punishment 사형
corporal punishment 체벌

파생 **punishment** 명 처벌
유의 **penalize** 동 처벌하다
숙어 **punish A for B** B에 대해 A를 처벌하다

1450

vast
[væst]

형 막대한, 방대한

When a habitat disappears, a **vast** number of species disappear as well. 기출 응용
서식지가 한 곳 사라지면, 막대한 수의 종 또한 사라진다.

파생 **vastly** 부 대단히, 엄청나게
유의 **huge** 형 거대한
enormous 형 막대한
반의 **tiny** 형 작은

1451

physics
[fíziks]

명 물리학

In **physics**, scientists invent models to explain the universe. 기출 응용
물리학에서 과학자들은 우주를 설명하기 위한 모델을 고안한다.

파생 **physical** 형 물리적인, 신체의

1452

irony
[áiərəni]

명 1. 아이러니, 역설적인 것 2. 반어법, 비꼼

The **irony** is that when you are getting too much sleep, you work less productively.
아이러니한 것은 너무 잠을 많이 자면 덜 생산적으로 일한다는 것이다.

파생 **ironic** 형 반어적인, 역설적인, 비꼬는

1453

magnificent
[mægnífisənt]

형 1. 장엄한 2. 훌륭한, 멋진

The city's unique architecture and street lights create a **magnificent** view at night.
그 도시의 독특한 건축물과 가로등은 밤에 멋진 광경을 만들어 낸다.

파생 **magnificently** 부 장엄하게, 훌륭하게
유의 **majestic** 형 장엄한, 웅장한
splendid 형 훌륭한, 웅장한

1454

sight
[sait]

명 1. 시력, 시야 2. 봄 3. 광경, 풍경

The artist lost her **sight** but refused to let her blindness hold her back.
그 화가는 시력을 잃었지만 눈이 멀었다는 것이 그녀를 저지하도록 두지 않았다.

유의 **vision** 명 시력, 시야
eyesight 명 시력
숙어 **at the sight of** ~을 보고
at first sight 처음에, 첫눈에

1455

extrinsic
[ekstrínzik]

형 외적인, 외부의

Negative effects of **extrinsic** motivators such as grades have been documented. 기출
성적과 같은 외적인 동기 부여의 부정적 영향이 문서화되었다.

반의 **intrinsic** 형 내적인, 내부의
숙어 **extrinsic to** ~와 관계없는

1456

recur
[rikə́ːr]

동 재발하다, 반복되다

Themes are concepts that **recur** throughout a piece of writing.
주제는 하나의 글에 처음부터 끝까지 반복해 나타나는 개념이다.

파생 **recurring** 형 반복되는
recurrent 형 반복되는, 재발한
유의 **reoccur** 동 재발생하다
repeat 동 반복하다

1457

display
[displéi]

동 전시[진열]하다, 보여 주다 명 전시

Stores began to **display** lots of brown clothes in their windows. 기출 응용
가게들은 진열창에 많은 갈색 의류를 진열하기 시작했다.

유의 **exhibit** 동 전시하다
show 동 보여 주다
반의 **conceal** 동 숨기다

1458

frighten
[fráitən]

동 겁먹게 하다, 놀라게 하다

She **frightened** him by screaming in his face.
그녀는 그의 면전에서 비명을 질러 그를 겁먹게 했다.

파생 **frightened** 형 겁먹은
frightening 형 무섭게 하는
유의 **scare** 동 무섭게 하다
반의 **reassure** 동 안심시키다

1459

sophomore
[sɑ́:fəmɔ̀:r]

명 (대학 · 고등학교의) 2학년생

Paul entered a university last year, and he is a **sophomore** now.
Paul은 작년에 대학에 입학했고 이제 2학년이다.

1460

greed
[gri:d]

명 탐욕, 욕심

A large majority of people wanted society to move away from **greed.** 기출
대다수의 사람들은 사회가 탐욕에서 벗어나기를 원했다.

파생 **greedy** 형 욕심 많은
유의 **avarice** 명 탐욕
반의 **generosity** 명 후함, 관대함

1461

financial
[fainǽnʃəl]

형 재정의, 금융의

We will set up a scholarship fund for students with special **financial** needs. 기출 응용
우리는 특별한 재정적 도움이 필요한 학생들을 위해 장학 기금을 마련할 것이다.

수능표현 +

financial crisis 금융 위기
financial assistance 재정 지원

파생 **finance** 명 자금, 재정
financially 부 재정적으로
유의 **fiscal** 형 (국가) 재정의

1462

claim
[kleim]

동 1. 주장하다 2. 요구[청구]하다 명 주장, 요구[청구]

We live in an age of interaction, and yet we are **claiming** to be more "lonely" than ever before. 기출 응용
우리는 상호 작용의 시대에 살면서도 이전보다 더 '외롭다'고 주장하고 있다.

유의 **assert** 동 주장하다
demand 동 요구하다
insist 동 주장하다

1463

anecdote
[ǽnikdòut]

명 일화, 비화

Anecdotes can be a useful tool when making a speech.
일화는 연설을 할 때 유용한 도구가 될 수 있다.

유의 **story** 명 이야기
episode 명 사건, 에피소드

1464

comprise

[kəmpráiz]

동 1. ~로 구성되다 2. 구성하다, 차지하다

The collection **comprises** nearly 1,500 works of art.
그 전집은 거의 1,500여 점의 예술 작품으로 구성되어 있다.

유의 **consist of** ~로 구성되다
make up 구성하다

1465

particle

[pá:rtikl]

명 1. 입자, 미립자 2. 극소량, 티끌

Dog wastes can transfer infectious **particles** to other dogs or even to people. 기출 응용
개의 배설물은 감염성 입자를 다른 개나 심지어 사람에게 옮길 수 있다.

수능표현 +

elementary particle 소립자
particles of dust 먼지 입자들, 분진

유의 **bit** 명 조각
fragment 명 조각, 파편
숙어 **a particle of** 극히 적은 양의, 티끌만큼의

1466 다의어

current

[kə́:rənt]

형 1. 현재의, 지금의 2. 통용되는
명 1. 흐름 2. 경향, 추세 3. 해류, 전류

Go beyond the boundaries of your **current** experience and explore new territory. 기출 응용
현재의 경험의 경계를 넘어서 새로운 영역을 탐구하라.

The little leaf was flying, moving up and down with the air **currents**.
그 작은 잎이 공기의 흐름에 따라 위아래로 움직이며 날고 있었다.

By mixing ocean water, **currents** keep water-temperature changes to a minimum. 기출
해수를 혼합시킴으로써 해류는 수온 변화를 최소로 유지한다.

파생 **currency** 명 통화, 통용
currently 부 현재, 지금
유의 **present** 형 현재의
flow 명 흐름
반의 **past** 형 지나간, 과거의

1467

deflect

[diflékt]

동 1. 방향을 바꾸다[틀다] 2. 피하다, 모면하다

The ball **deflected** off the bat and hit him.
공이 배트를 맞고 꺾이면서 그를 쳤다.

파생 **deflection** 명 굴절, 꺾임
유의 **divert** 동 방향을 바꾸게 하다
turn aside 벗어나다

1468

opportunity

[àːpərtjúːnəti]

명 기회

Team sports provide an **opportunity** for students to enjoy working together. 기출
팀 스포츠는 학생들이 함께 일하는 것을 즐길 수 있는 기회를 제공한다.

유의 **chance** 명 기회
possibility 명 기회[가능성]
숙어 **opportunity to-v** ~할 기회

1469

catastrophe
[kətǽstrəfi]

명 큰 재해, 재난, 대참사

The geologists warned of the **catastrophe** that the earthquake could cause.
지질학자들은 지진이 야기할 수 있는 재앙에 대해 경고했다.

파생 **catastrophic** 형 큰 재앙의, 비극적인
유의 **disaster** 명 재난, 대참사
calamity 명 참사, 재앙

1470

swing
[swiŋ]

동 흔들다, 흔들리다 명 1. 흔들림 2. 그네

He nervously **swung** his body from side to side during his speech.
그는 연설하는 동안 초조하게 몸을 좌우로 흔들었다.

유의 **sway** 동 흔들다, 흔들리다

1471

budget
[bʌ́dʒit]

명 예산(안) 동 예산을 세우다 형 저가의, 저렴한

I found out that you are considering cutting the **budget** of the theater. 기출 응용
저는 귀하께서 극장의 예산 삭감을 고려 중이라는 것을 알게 되었습니다.

수능표현 +

low-budget film 저예산 영화
budget revenue 세입, 세수
national budget 국가 예산

유의 **budgetary** 형 예산의

1472

affluent
[ǽfluənt]

형 부유한, 풍부한

Affluent countries have low rates of poverty.
부유한 국가들은 빈곤율이 낮다.

파생 **affluence** 명 풍족, 부유
유의 **prosperous** 형 번창한
wealthy 형 부유한
반의 **impoverished** 형 빈곤한

1473

stuck
[stʌk]

형 꼼짝 못 하는, 갇힌

People don't care about traffic unless they are **stuck** in it. 기출
사람들은 교통 체증에 갇히지 않는 한 그것을 신경 쓰지 않는다.

파생 **stick** 동 꼼짝 못 하게 하다
유의 **jammed** 형 꼼짝도 하지 않는
숙어 **be stuck in** ~에 갇히다[꼼짝 못 하게 되다]

1474

reproach
[ripróutʃ]

동 꾸짖다, 비난하다 명 비난, 책망

He **reproached** himself for saying such foolish things.
그는 그런 어리석은 말을 한 자신을 비난했다.

유의 **rebuke** 동 꾸짖다
reprimand 동 질책하다

수능 혼동 어휘

1475

immigrate [íməgrèit]

동 이민 오다, 이주해 오다

My family **immigrated** to the United States when I was two.
우리 가족은 내가 두 살 때 미국으로 이민을 왔다.

1476

emigrate [éməgrèit]

동 이민 가다, 이주해 가다

He was born in England and **emigrated** to the United States at age 18. 기출 응용
그는 영국에서 태어나 18세에 미국으로 이민을 갔다.

1477

migrate [máigreit]

동 1. 이주하다 2. (새·동물이) 이동하다

Some species of birds **migrate** south for the winter.
몇몇 종의 새들은 겨울을 나기 위해 남쪽으로 이주한다.

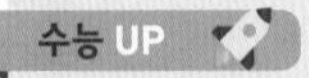

Q1.
셋 중 알맞은 단어를 고르시오.
In early March, the first of the **[immigrating / emigrating / migrating]** hawks returned to the mountain.

수능 필수 숙어

1478

answer for

~에 대해 책임지다

The government has a great deal to **answer for** in spreading violence in society.
정부는 사회의 폭력 확산에 대해 상당한 책임이 있다.

1479

ask for

~을 요구하다, ~을 요청하다

I would like to **ask for** a refund of the price difference. 기출
가격 차이에 대한 환불을 요청하고 싶습니다.

1480

apply for

~을 신청하다, ~에 지원하다

Why don't you **apply for** an internship? 기출
인턴십에 지원해 보는 게 어때?

Q2.
빈칸에 알맞은 어구를 고르시오.

I'm very excited, but I want to ______________ more time before I accept the position.

① answer for
② ask for
③ apply for

Daily Test 37

정답 p.458

A 우리말은 영어로, 영어는 우리말로 쓰시오.

01 치료하다, 낫게 하다 ________

02 장치, 기기, 고안 ________

03 판, 알약 ________

04 장수, 수명 ________

05 2학년생 ________

06 현재의, 통용되는; 흐름 ________

07 일화, 비화 ________

08 irony ________

09 reproach ________

10 particle ________

11 intense ________

12 catastrophe ________

13 recur ________

14 deflect ________

B 우리말과 일치하도록 빈칸에 알맞은 단어 또는 어구를 쓰시오.

서술형

01 A football game is c________ of exactly sixty minutes of play. 기출
미식축구 시합은 정확히 60분의 경기 진행으로 구성된다.

02 They are s________ in a pattern of doing the same things every day. 기출 응용
그들은 매일 똑같은 일을 하는 패턴에 갇혀 있다.

03 She a________ ________ four universities and was accepted by all of them.
그녀는 4개 대학에 지원했고 모든 대학에서 합격했다.

C 각 단어의 유의어 또는 반의어를 쓰시오.

01 명 greed 반의 g________

02 동 swing 유의 s________

03 동 punish 유의 p________

04 동 display 반의 c________

05 형 extrinsic 반의 i________

06 동 frighten 반의 r________

07 형 financial 유의 f________

08 동 inscribe 유의 e________

VOCA CLEAR

DAY 38

시험에 더 강해지는 어휘

1481

primate
[práimèit]

명 영장류

Humans and other **primates** live in groups. 기출 응용
인간과 다른 영장류들은 무리를 지어 산다.

파생 **primatologist** 명 영장류 동물학자

1482

choir
[kwáiər]

명 합창단, 성가대

Whenever the **choir** sang, she mouthed the words.
합창단이 노래를 할 때마다 그녀는 가사를 입 모양으로만 말했다. 기출

수능표현 +
school choir 학교 합창단
choir practice 합창 연습

파생 **choral** 형 합창의
유의 **chorus** 명 후렴, 합창단

1483

supernatural
[sù:pərnǽtʃərəl]

형 초자연적인

Some **supernatural** phenomena cannot be explained by science.
일부 초자연 현상은 과학으로 설명될 수 없다.

파생 **supernaturally** 부 초자연적으로, 불가사의하게
유의 **paranormal** 형 초자연적인, 불가사의한

1484

relieve
[rilí:v]

동 1. 완화하다, 경감하다 2. 안심시키다

Taking a trip is a great way to **relieve** stress. 기출
여행을 하는 것은 스트레스를 완화하는 좋은 방법이다.

파생 **relief** 명 안도, 완화
relieved 형 안도하는
유의 **alleviate** 동 완화하다
숙어 **relieve A of B** A에게서 B를 덜어 주다

1485

recollect
[rèkəlékt]

동 회상하다, 기억해 내다

I do not **recollect** what happened at the meeting.
나는 그 회의에서 무슨 일이 있었는지 기억나지 않는다.

파생 **recollection** 명 기억(력)
유의 **recall** 동 기억해 내다
remember 동 기억나다

1486

ordinary
[ɔ́:rdənèri]

형 1. 보통의, 일상적인 2. 평범한

Poetic language is richer in imagery than **ordinary** language. 기출 응용
시적 언어는 일상의 언어보다 비유적 표현이 더 풍부하다.

유의 **common** 형 흔한, 평범한
normal 형 보통의
반의 **extraordinary** 형 비범한

1487

interior
[intíriər]

명 내부 형 내부의

The **interior** of the building is designed to bring people together.
그 빌딩의 내부는 사람들을 하나로 모을 수 있도록 디자인되어 있다.

유의 internal 형 내부의
반의 exterior 형 외부의

1488 다의어

conceive
[kənsíːv]

동 1. (생각 등을) 마음에 품다, 상상하다 2. 임신하다

In August of 1860 in England, he **conceived** the idea for his novel. 기출 응용
1860년 8월 영국에서 그는 그의 소설에 대한 아이디어를 구상했다.

Emma **conceived** a girl and will give birth to her next month.
Emma는 딸을 임신했는데 다음 달에 아이를 낳을 예정이다.

파생 conception 명 개념, 구상, (난소의) 수정
conceivable 형 상상할 수 있는, 가능한
유의 imagine 동 상상하다
visualize 동 그려 보다, 상상하다

1489

ancestor
[ǽnsestər]

명 조상, 선조

During the Stone Age, our **ancestor**'s tools were made of flint, wood, and bone. 기출
석기 시대에 우리 조상의 연장은 부싯돌, 나무, 뼈로 만들어졌다.

파생 ancestral 형 조상의
유의 forefather 명 조상, 선조
반의 descendant 명 자손

1490

mental
[méntəl]

형 정신의, 마음의

Diet affects the physical and **mental** development of children.
식습관은 아이들의 신체적, 정신적 발달에 영향을 미친다

파생 mentality 명 사고방식
유의 psychological 형 정신의, 심리학적인

1491

subside
[səbsáid]

동 1. 가라앉다, 진정되다 2. (물이) 빠지다 3. 내려앉다

Citizens were told to stay home until the storm **subsided**.
시민들은 폭풍이 가라앉을 때까지 집에 있으라는 말을 들었다.

유의 calm down 진정되다
die down 차츰 잦아들다
sink 동 가라앉다

1492

allergic
[ələ́ːrdʒik]

형 알레르기가 있는, 알레르기(성)의

People lose their lives from **allergic** reactions to common bee stings. 기출
사람들은 흔한 벌 쏘임에 대한 알레르기 반응 때문에 목숨을 잃는다.

파생 allergy 명 알레르기
숙어 allergic to ~에 대해 알레르기가 있는, ~을 몹시 싫어하는

1493

delegate
[déləgət]

명 대표자, 사절 동 [déligèit] (권한을) 위임하다

Delegates from over 100 countries will attend the meeting.
100개국 이상의 대표들이 회의에 참석할 것이다.

파생 **delegation** 명 대표단, 위임
유의 **representative** 명 대표(자), 대리인
숙어 **delegate A to B** A를 B로 위임하다

1494

plow
[plau]

동 (쟁기로) 갈다, 경작하다 명 쟁기

Intensive labor is required for **plowing** and harvesting crops. 기출 응용
밭을 갈고 곡식을 수확하는 데 집중적인 노동력이 필요하다.

1495

evoke
[ivóuk]

동 일깨우다, (기억 등을) 환기시키다

The music could be replayed years later to **evoke** memories. 기출 응용
그 음악은 몇 년 후에 다시 연주되어 기억을 일깨울 수 있다.

파생 **evocation** 명 환기, 유발
유의 **arouse** 동 자극하다, 환기시키다

1496

bullet
[búlit]

명 총알, 탄환

Several different forces act on a **bullet** when it travels in the air.
총알이 공중으로 이동할 때 여러 가지 다른 힘이 총알에 작용한다.

수능표현 +
magic bullet 마법의 탄환, 특효약
rubber bullet 고무탄

파생 **bulletproof** 형 방탄의

1497

moisture
[mɔ́istʃər]

명 수분, 습기

Some trees draw **moisture** and nutrients from the air. 기출 응용
어떤 나무들은 공기에서 수분과 양분을 이끌어 낸다.

파생 **moisturize** 동 수분을 제공하다
moist 형 촉촉한
유의 **humidity** 명 습기, 습도
반의 **dryness** 명 건조

1498

improve
[imprúːv]

동 향상시키다, 개선하다

People are likely to adopt innovations only if they **improve** their existing habits. 기출 응용
사람들은 기존 습관을 개선할 경우에만 혁신을 받아들일 것 같다.

파생 **improvement** 명 향상
유의 **enhance** 동 향상시키다
upgrade 동 개선하다

1499

differentiate
[dìfərénʃièit]

동 1. 구별하다, 구분 짓다 2. 차별하다

Sometimes it is hard to **differentiate** reality from an illusion.
때때로 현실과 환상을 구별하기가 어렵다.

파생 **differentiation** 명 구별, 차별
유의 **distinguish** 동 구별하다
숙어 **differentiate A from B** A와 B를 구별하다

1500 다의어

suit
[suːt]

명 1. 정장, 한 벌 2. 소송
동 1. (기호·조건 등에) 맞다, 적합하다 2. 어울리다

I am dressed in a charcoal color **suit** with a matching tie. 기출
나는 짙은 회색 정장을 차려입고, 그에 어울리는 넥타이를 매고 있다.

The fired worker filed a **suit** against the company.
해고된 근로자는 회사를 상대로 소송을 제기했다.

Choose the time that **suits** you best, and contact us by October 20. 기출
자신에게 가장 적합한 시간을 선택하여, 10월 20일까지 저희에게 연락 주세요.

파생 **suitable** 형 적절한
유의 **lawsuit** 명 소송, 고소
숙어 **file (a) suit against** ~을 상대로 하여 소송을 일으키다
be suited to ~에 적합하다

1501

costly
[kɔ́(ː)stli]

형 값비싼, 손실이 큰

Costly organic methods do not help increase food production.
비용이 많이 드는 유기농법은 식량 생산을 늘리는 데 도움이 되지 않는다.

파생 **cost** 명 동 비용(이 들다)
유의 **expensive** 형 비싼
반의 **inexpensive** 형 비싸지 않은

1502

overcome
[òuvərkʌ́m]

동 극복하다, 이겨 내다

Technologies allow people to partially **overcome** their local geography. 기출
기술은 사람들이 그들 지역의 지형을 부분적으로 극복하게 해 준다.

유의 **get over** 극복하다
beat 동 이기다
defeat 동 패배시키다

1503

tackle
[tǽkl]

동 1. (힘든 문제와) 씨름하다 2. ((스포츠)) 태클을 걸다
명 1. 도구 2. (축구의) 태클

The speed with which computers **tackle** multiple tasks feeds the illusion that everything happens together. 기출 응용
컴퓨터가 다수의 일을 처리하는 속도는 모든 것이 동시에 일어난다는 착각을 일으킨다.

유의 **confront** 동 (문제에) 맞서다
deal with ~을 다루다

1504

groan
[groun]

동 신음 소리를 내다 명 신음 (소리)

When I heard him **groaning** in his sleep, I began to worry about him.
그가 자면서 신음하는 것을 들었을 때 나는 그가 걱정되기 시작했다.

유의 **moan** 명동 신음(하다)

1505

execute
[éksikjùːt]

동 1. 처형하다 2. 실행하다

The prisoners were **executed** by hanging.
죄수들은 교수형으로 처형당했다.

파생 **execution** 명 처형, 실행
executive 명 중역, 경영진 형 경영의
유의 **implement** 동 실행하다
carry out 수행하다

1506

wrench
[rentʃ]

동 1. 확 비틀다, 잡아떼다 2. 삐다
명 1. 비틀기 2. 왜곡 3. 렌치, 스패너

The policeman **wrenched** the gun away from the shooter.
경찰관은 저격범으로부터 총을 비틀어 떼어 냈다.

파생 **wrenching** 형 비통한, 고통스러운
유의 **jerk** 동 확 비틀다
sprain 동 삐다

1507

efficient
[ifíʃənt]

형 1. 효율적인, 능률적인 2. 유능한

Industrialization led to more **efficient** transportation of factory products to consumers. 기출
산업화는 공장 제품이 소비자에게 더 효율적으로 운송되도록 했다.

수능표현 +

time-efficient 시간상 효율적인
energy-efficient 연료 효율이 좋은

파생 **efficiency** 명 효율성
efficiently 부 효율적으로
유의 **effective** 형 효과적인
competent 형 능력이 있는
반의 **inefficient** 형 비효율적인

1508

form
[fɔːrm]

명 1. 형태, 유형 2. 서식 동 형성하다

Many participants take part in recreation as a **form** of relaxation. 기출
많은 참가자들이 휴식의 한 형태로 레크리에이션에 참여한다.

파생 **formation** 명 형성
formal 형 형식적인, 격식의
formative 형 형성[발달]에 중요한

1509

manufacture
[mæ̀njəfǽktʃər]

동 제조하다, 생산하다
명 1. 제조, 생산 2. ((-s)) 제품

3D printing made it easier to **manufacture** necessary parts.
3D 프린팅은 필요한 부품을 쉽게 제작할 수 있게 했다.

파생 **manufacturer** 명 제조업자[업체]
유의 **mass-produce** 동 대량 생산하다

1510

preoccupied

[priɑ́ːkjəpàid]

형 몰두한, 사로잡힌

I didn't hear you come in because I was **preoccupied** with getting ready for my trip.
나는 여행 준비에 몰두해서 네가 들어오는 소리를 못 들었다.

파생 preoccupy 동 뇌리를 사로잡다
유의 absorbed 형 몰두한
숙어 preoccupied with ~에 집착하는

1511

sphere

[sfiər]

명 1. 영역, 범위 2. 구체, 천체

Digital media enables us to learn about a world that goes beyond the **sphere** of our daily lives. 기출 응용
디지털 미디어는 우리가 일상생활의 영역을 넘어서는 세계에 대해 배울 수 있게 해 준다.

수능표현 +

political sphere 정치권

유의 field 명 분야, 영역
globe 명 구체, 지구본
숙어 in the sphere of ~의 범위(내)에서

1512

deny

[dinái]

동 1. 부정[부인]하다 2. 거부하다

Someone who just heard bad news tends initially to **deny** what happened. 기출 응용
나쁜 소식을 막 들은 어떤 사람은 처음에는 발생한 일을 부정하는 경향이 있다.

파생 denial 명 부인, 거부
유의 refute 동 부인[논박]하다
reject 동 거절하다
반의 admit 동 인정하다

1513

inferior

[infíriər]

형 1. (~보다) 열등한 2. 낮은, 하급의 명 하급자

Children who feel **inferior** to other children are likely to be less confident.
다른 아이들에 비해 열등하다고 느끼는 아이들은 자신감이 줄어들기 쉽다.

파생 inferiority 명 열등함
유의 subordinate 형 하급의
반의 superior 형 (~보다) 우수한
숙어 inferior to ~보다 열등한

1514

household

[háushòuld]

명 가구, 가정, 세대 형 가정의

The graph shows the division of labor in **households** where both parents work full-time. 기출
그래프는 부모가 모두 전일제로 일하는 가구의 노동 분담을 보여 준다.

수능표현 +

household chore 가사, 집안일
household item 가정용품

유의 family 명 가족, 가정
domestic 형 가정의

수능 혼동 어휘

1515

moderate
[mɑ́:dərət]

형 1. 알맞은, 적당한 2. 보통의, 중간의

Moderate amounts of stress can have a positive effect.
적당한 양의 스트레스는 긍정적인 효과를 줄 수 있다.

1516

modest
[mɑ́:dist]

형 1. 겸손한 2. 적당한, 수수한

She is very **modest** about her success, and she rarely talks about it.
그녀는 자신의 성공에 대해 매우 겸손하며 그것에 대해 거의 이야기하지 않는다.

1517

anatomy
[ənǽtəmi]

명 1. 해부(학) 2. 해부학적 구조, 조직

Human **anatomy** varies according to gender, age, lifestyle, and other factors. 기출
인체의 해부학적 구조는 성별, 나이, 생활 방식, 그리고 기타 요인에 따라 달라진다.

1518

autonomy
[ɔ:tɑ́:nəmi]

명 1. 자율(성) 2. 자치권

Members of individualist cultures tend to define themselves in terms of **autonomy**. 기출
개인주의 문화의 구성원들은 자율성의 측면에서 스스로를 정의하는 경향이 있다.

수능 UP

Q1.
둘 중 알맞은 단어를 고르시오.
Although he is highly **[moderate / modest]** about his accomplishments, he is a great player.

Q2.
둘 중 알맞은 단어를 고르시오.
All they needed to achieve **[anatomy / autonomy]** was the right leader.

수능 필수 숙어

1519

see off

~을 배웅[전송]하다

I was there to **see** him **off** at the airport when he was leaving for the US.
그가 미국으로 떠날 때 나는 그를 공항에서 배웅하기 위해 그곳에 있었다.

1520

send off

1. ~을 발송하다 2. ~을 퇴장시키다

I **sent off** a copy of the contract this morning.
나는 오늘 아침 계약서 한 부를 발송했다.

수능 UP

Q3.
빈칸에 알맞은 어구를 고르시오.

I added a short message before I ____________ the parcel.

① saw off
② sent off

Daily Test 38

정답 p.458

A 우리말은 영어로, 영어는 우리말로 쓰시오.

01 영장류 ____________

02 (쟁기로) 갈다; 쟁기 ____________

03 마음에 품다, 임신하다 ____________

04 초자연적인 ____________

05 알레르기가 있는 ____________

06 몰두한, 사로잡힌 ____________

07 해부(학) ____________

08 delegate ____________

09 modest ____________

10 recollect ____________

11 execute ____________

12 household ____________

13 sphere ____________

14 evoke ____________

B 우리말과 일치하도록 빈칸에 알맞은 단어 또는 어구를 쓰시오.

서술형

01 When the applause s__________, Zukerman picked up his own violin. 기출
박수가 잦아들자 Zukerman은 자신의 바이올린을 집어 들었다.

02 A negative response is a most difficult handicap to o__________. 기출
부정적인 반응은 극복해야 할 하나의 아주 어려운 장애물이다.

03 The referee s__________ __________ him for breaking his opponent's nose with a violent play.
심판은 폭력적인 플레이로 상대 선수의 코를 부러뜨린 그를 퇴장시켰다.

C 각 단어의 유의어 또는 반의어를 쓰시오.

01 동 groan 유의 m__________

02 형 ordinary 반의 e__________

03 형 efficient 반의 i__________

04 동 deny 반의 a__________

05 형 inferior 반의 s__________

06 명 moisture 반의 d__________

07 동 relieve 유의 a__________

08 명 ancestor 유의 f__________

VOCA CLEAR

DAY 39

시험에 더 강해지는 어휘

1521

stem

[stem]

명 줄기 동 생기다, 유래하다

The clover had four leaves on just one **stem**. 기출 응용
그 클로버는 줄기 하나에 4개의 잎을 가지고 있었다.

유의 **stalk** 명 줄기
originate 동 유래하다
숙어 **stem from** ~에서 비롯되다

1522

bloom

[bluːm]

동 꽃이 피다 명 1. 꽃(이 핌) 2. 한창(때)

After it rains, desert plants grow rapidly and **bloom**.
비가 온 후 사막 식물들은 빠르게 자라고 꽃이 핀다.

파생 **blooming** 형 활짝 핀, 한창인
유의 **blossom** 명 동 꽃(이 피다)

1523

colony

[kɑ́ːləni]

명 1. 식민지 2. (동식물의) 군체, 군집

Former British **colonies** include India, Pakistan, and Kenya.
영국의 옛 식민지로는 인도, 파키스탄, 케냐가 있다.

파생 **colonize** 동 식민지로 만들다
colonial 형 식민지의
유의 **territory** 명 보호령

1524

hybrid

[háibrid]

명 잡종, 혼합(물) 형 잡종의, 혼성된

This dress is a **hybrid** of Korean and Chinese traditional styles.
이 드레스는 한국과 중국 전통 스타일의 혼합이다.

수능표현 +

hybrid car 하이브리드 자동차

유의 **crossbreed** 명 잡종
mixture 명 혼합물
반의 **purebred** 명 형 순종(의)

1525

extraordinary

[ikstrɔ́ːrdənèri]

형 1. 비범한, 비상한 2. 엄청난, 놀라운

They now recognized her **extraordinary** passion as a bird-watcher. 기출
그들은 이제 조류 관찰자로서의 그녀의 대단한 열정을 인정했다.

파생 **extraordinarily** 부 비상하게, 엄청나게
유의 **remarkable** 형 비범한
incredible 형 놀라운
반의 **ordinary** 형 평범한

1526

shrink

[ʃriŋk]

동 1. 줄어들다, 오그라들다 2. 감소하다

The new sweater **shrunk** after the first wash.
새 스웨터는 첫 번째 세탁 후 줄어들었다.

유의 **contract** 동 수축하다
decrease 동 감소하다
반의 **grow** 동 커지다, 늘어나다
숙어 **shrink from** ~을 꺼리다

1527

interfere
[ìntərfíər]

동 1. 방해하다 2. 간섭하다, 개입하다

Stress can **interfere** with concentration and memory.
스트레스는 집중과 기억을 방해할 수 있다.

파생 **interference** 명 방해, 간섭, 개입
유의 **hinder** 동 방해하다
intervene 동 개입하다
숙어 **interfere with** ~을 방해하다

1528

precise
[prisáis]

형 정확한, 정밀한

When dealing with contracts, concepts need to be as **precise** as possible. 기출
계약서를 다룰 때 개념들은 가능한 한 정확해야 한다.

파생 **precision** 명 정확, 정밀
유의 **exact** 형 정확한
meticulous 형 꼼꼼한
반의 **vague** 형 막연한, 모호한

1529

circumstance
[sə́:rkəmstæ̀ns]

명 1. 상황, 환경 2. ((-s)) (경제적) 형편

The boundary between good and bad depends on the **circumstances**. 기출 응용
선과 악의 경계는 상황에 따라 달라진다.

수능표현 +

financial circumstances 재정 형편
personal circumstances 개인 형편

유의 **situation** 명 상황, 환경
condition 명 상황, 사정
숙어 **in[under] no circumstances** 무슨 일이 있어도, 어떤 경우에도

1530

compensate
[kɑ́:mpənsèit]

동 1. 보상하다 2. 보충하다

Workers are not always **compensated** for their contributions. 기출
근로자들이 항상 그들의 기여에 대해 보상받는 것은 아니다.

파생 **compensation** 명 보상(금)
유의 **make up for** ~을 보상하다
숙어 **compensate for** ~에 대해 보상하다

1531

discourse
[dískɔ:rs]

명 담화, 담론 동 [diskɔ́:rs] 이야기하다, 담화하다

Neighbors took part in a lively **discourse** at the community meeting
이웃 사람들은 주민 회의에서 활발한 담화에 참여했다.

수능표현 +

academic discourse 학문적 담론
public discourse 공개 담론
intellectual discourse 지식인 담론

유의 **conversation** 명 대화
discussion 명 토론

1532

parliament
[pɑ́ːrləmənt]

명 1. 의회, 국회 2. ((P~)) 영국 의회

The bill has to be passed by **Parliament** by March 31.
그 법안은 3월 31일까지 의회를 통과해야 한다.

파생 parliamentary 형 의회의
유의 Congress 명 (미국) 의회

1533

demonstrate
[démənstrèit]

동 1. 보여 주다, 증명하다 2. 시위하다

Join our annual Young Filmmakers Contest, and **demonstrate** your filmmaking skills! 기출
매년 열리는 '젊은 영화 제작자 대회'에 참가하여 여러분의 영화 제작 기술을 보여 주세요!

파생 demonstration 명 설명, 시위
유의 illustrate 동 예증하다
protest 동 항의하다

1534

judge
[dʒʌdʒ]

동 1. 판단하다 2. 재판하다, 심판하다 명 1. 판사 2. 심판

Your artwork will be **judged** by our panel, as well as popular vote. 기출
여러분의 예술 작품은 인기 투표뿐만 아니라 심사 위원단에 의해 심사를 받을 것이다.

파생 judgment 명 판단(력), 심판, 판결
judgmental 형 판단의
숙어 judge by ~로 판단하다

1535

formula
[fɔ́ːrmjələ]

명 1. 공식, -식 2. 방식, 법칙

A fundamental component in mathematics is **formulas.** 기출 응용
수학의 기본적인 구성 요소는 공식이다.

수능표현 +
mathematical formula 수학 공식

파생 formulation 명 공식화
formulaic 형 정형화된
유의 principle 명 법칙, 원칙

1536

rigid
[rídʒid]

형 1. 엄격한, 융통성 없는 2. 뻣뻣한, 잘 휘지 않는

The **rigid** social control required to hold an empire together was not beneficial to science. 기출
제국을 하나로 뭉치게 하는 데 필요한 엄격한 사회 통제는 과학에 도움이 되지 않았다.

파생 rigidity 명 강직, 엄격
유의 strict 형 엄격한
inflexible 형 융통성 없는, 뻣뻣한
반의 flexible 형 융통성 있는

1537

province
[prɑ́ːvins]

명 1. 지방 2. (행정 단위) 주, 도 3. 범위, 분야

We will be able to buy fresh products from seven other **provinces.** 기출
우리는 일곱 개의 다른 지방에서 온 신선한 제품들을 살 수 있을 것이다.

파생 provincial 형 주(지방)의
유의 region 명 지방, 지역
district 명 지역, 지구

1538

agency
[éidʒənsi]

명 1. 대리점, 대행사 2. 기관, 단체

An advertising **agency** provides all sorts of marketing services.
광고 대행사는 모든 종류의 마케팅 서비스를 제공한다.

수능표현 +

advertising agency 광고 대행사
nonprofit agency 비영리 기구

파생 **agent** 명 대리인, 중개상

1539 다의어

general
[dʒénərəl]

형 1. 일반적[보편적]인 2. 개괄적[대략적]인 명 장군

There has been a **general** belief that sport is a way of reducing violence. 기출
스포츠는 폭력을 줄이는 하나의 방법이라는 일반적인 믿음이 있어 왔다.

The viewers have a **general** idea of how the story will play out.
시청자들은 이야기가 어떻게 전개될지 대략적인 생각을 가지고 있다.

He fought in the Vietnam War and became a four-star **general** several years later.
그는 베트남 전쟁에 참전했고 몇 년 후 4성 장군이 되었다.

유의 **widespread** 형 널리 보급된, 일반적인
universal 형 보편적인
반의 **specific** 형 구체적인
숙어 **in general** 일반적으로

1540

innovation
[ìnəvéiʃən]

명 1. 혁신, 쇄신 2. 새로 도입한 것

Genre mixing has been used for decades, so you cannot call it an **innovation**.
장르 혼합은 몇십 년간 사용되어 왔기 때문에 그것을 혁신이라 부를 수는 없다.

파생 **innovate** 동 혁신하다
innovative 형 혁신적인
유의 **novelty** 명 신선함, 참신함

1541

alleviate
[əlíːvièit]

동 (고통 등을) 완화하다, 덜다

This pill won't cure the disease, but it will **alleviate** the pain.
이 알약은 병을 낫게 하지는 않지만 고통을 완화시켜 줄 것이다.

파생 **alleviation** 명 경감, 완화
유의 **ease** 동 완화하다
relieve 동 완화하다

1542

misplace
[mispléis]

동 잘못 두다, 둔 곳을 잊다

I'm not sure whether I have lost or **misplaced** the book.
내가 그 책을 잃어버린 건지 아니면 둔 곳을 잊은 건지 모르겠다.

파생 **misplacement** 명 잘못 두기, 오해
유의 **mislay** 동 잘못 두다

1543

material
[mətíriəl]

명 1. 자료 2. 재료, 물질 3. 직물, 천
형 물질의, 물질적인

The film director has as his **material**, the finished, recorded celluloid. 기출 응용
영화감독은 완성되고 녹화된 영화 필름을 자신의 자료로 갖게 된다.

수능표현 +
raw material 원료, 원자재

파생 materialize 동 구체화되다, 나타나다
유의 substance 명 물질
physical 형 물질적인
반의 spiritual 형 정신적인

1544

kidnap
[kídnæp]

동 납치[유괴]하다 명 유괴

If someone is threatening to **kidnap** your children, call the police immediately.
만약 누군가가 여러분의 아이들을 납치하겠다고 위협한다면, 즉시 경찰에 신고하라.

파생 kidnapper 명 유괴범
유의 abduct 동 유괴하다

1545

symbolic
[simbá:lik]

형 상징적인

The Catholic Church used **symbolic** images to educate people.
가톨릭 교회는 사람들을 교육하기 위해 상징적 이미지를 사용했다.

파생 symbolize 동 상징하다
symbol 명 상징
숙어 be symbolic of ~을 상징하다[나타내다]

1546

annual
[ǽnjuəl]

형 매년의, 연간의

Join our seventh **annual** baking contest and show off your baking skills. 기출
우리의 일곱 번째 연례 제빵 대회에 참가해서 여러분의 제빵 기술을 뽐내 주세요.

수능표현 +
annual income 연간 소득
annual report 연례 보고서

파생 annually 부 매년, 해마다
유의 yearly 형 매년의, 연간의

1547

transit
[trǽnsit]

명 1. 운송, 수송 2. 통과, 통행 동 통과[통행]하다

The **transit** of goods across the country has become an important issue.
국가 간 상품 수송은 중요한 문제가 되었다.

파생 transition 명 이행, 변화
유의 transport 명 수송
숙어 in transit 운송 중에

1548

outcome
[áutkʌ̀m]

명 결과

Experts warn of the worst possible **outcome** from AI misuse.
전문가들은 인공 지능 오용으로 인해 나타날 수 있는 최악의 결과에 대해 경고한다.

유의 consequence 명 결과
result 명 결과

1549

informal
[infɔ́ːrməl]

형 1. 비공식적인 2. 격식을 차리지 않는

Tourism creates job opportunities in both the formal and **informal** sectors. 기출 응용
관광업은 공식적 그리고 비공식적 분야 모두에서 일자리를 창출한다.

유의 **unofficial** 형 비공식적인
casual 형 격식을 차리지 않는
반의 **formal** 형 공식적인, 격식을 차린

1550

eventually
[ivéntʃuəli]

부 결국, 마침내

Raw data is transformed into information and **eventually** into knowledge. 기출 응용
미가공 데이터는 정보로 변환되고 결국 지식으로 변환된다.

파생 **eventual** 형 최종의
유의 **finally** 부 마침내
in the end 마침내
after all 결국에는

1551

rush
[rʌʃ]

동 1. 돌진하다, 급하게 가다 2. 갑자기 나타나다
명 1. 돌진, 급히 움직임 2. 쇄도 3. 혼잡

Marvin **rushed** over to the barn and saw that it was covered in flames. 기출 응용
Marvin은 마구간으로 황급히 달려갔고 그것이 화염에 휩싸인 것을 보았다.

수능표현+
rush hour (출퇴근) 혼잡 시간대, 러시아워

숙어 **rush into**
급하게[무모하게] ~하다

1552

clumsy
[klʌ́mzi]

형 서투른, 어설픈

Quantifying units of time is a considerably **clumsier** operation. 기출
시간의 단위를 수량화하는 것은 상당히 더 서투른 작업이다.

파생 **clumsiness** 명 서투름
유의 **awkward** 형 서투른
반의 **skillful** 형 숙련된

1553

rebel
[rɪbél]

동 1. 반란을 일으키다 2. 반항[저항]하다 명 [rébəl] 반역자

The army **rebelled** against the government.
군대가 정부에 반란을 일으켰다.

파생 **rebellion** 명 반란, 반항
rebellious 형 반항적인, 저항하는
유의 **revolt** 동 반란을 일으키다
숙어 **rebel against**
~에 대해 반란을 일으키다

1554

sewage
[súːidʒ]

명 하수, 오물

Untreated **sewage** contains bacteria that can spread diseases.
처리되지 않은 하수에는 질병을 퍼뜨릴 수 있는 박테리아가 포함되어 있다.

수능표현+
sewage disposal 하수 처리

유의 **wastewater** 명 폐수, 하수

수능 혼동 어휘

1555

stationary
[stéiʃənèri]

형 움직이지 않는, 정지된

When firing at a **stationary** target, you must aim higher than you would at a moving target.
정지된 표적에 발사할 때는 움직이는 표적을 향해 발사할 때보다 더 높게 조준해야 한다.

1556

stationery
[stéiʃənèri]

명 문방구, 문구류

Stationery such as pens or pencils is kept in the first drawer.
펜이나 연필과 같은 문구류는 첫 번째 서랍에 보관되어 있다.

수능 UP

Q1.
둘 중 알맞은 단어를 고르시오.
Aristotle thought that the earth was **[stationary / stationery]** and that the sun moved around the earth.

1557

numerous
[njú:mərəs]

형 수많은, 다수의

He taught at **numerous** institutions from 1943 on, including Harvard University and MIT. 기출
그는 1943년부터 계속 Harvard 대학교와 MIT를 포함해 수많은 기관에서 가르쳤다.

1558

numerical
[nju:mérikəl]

형 수의, 숫자로 나타낸

Sort the numbers in **numerical** order.
숫자들을 수의 순서대로 정렬하라.

수능표현 +

numerical data 숫자로 나타낸 데이터
numerical value 수치

Q2.
둘 중 알맞은 단어를 고르시오.
The result is expressed as a **[numerous / numerical]** score from 1 to 100.

수능 필수 숙어

1559

call on[upon]

1. 요청하다, 시키다 2. 방문하다

The teacher **called on** Billy to read a sentence from the board. 기출
선생님은 Billy에게 칠판의 문장을 읽게 했다.

1560

call off

취소하다, 철회하다

The manager had to **call off** the meeting due to a family emergency.
매니저는 급한 집안일로 회의를 취소해야 했다.

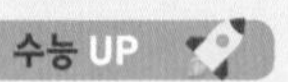

Q3.
빈칸에 알맞은 어구를 고르시오.

They ______ the Council to adopt the decision without delay.

① call on
② call off

Daily Test 39

정답 p.459

A 우리말은 영어로, 영어는 우리말로 쓰시오.

01 줄기; 유래하다 ____________

02 증명하다, 시위하다 ____________

03 공식, 방식 ____________

04 식민지, 군체, 군집 ____________

05 오그라들다, 감소하다 ____________

06 반란을 일으키다 ____________

07 담화; 이야기하다 ____________

08 outcome ____________

09 parliament ____________

10 innovation ____________

11 alleviate ____________

12 kidnap ____________

13 sewage ____________

14 stationary ____________

B 우리말과 일치하도록 빈칸에 알맞은 단어 또는 어구를 쓰시오.

서술형

01 People are entitled to be c____________ when they are injured by others' carelessness.

사람들은 다른 사람의 부주의로 인해 부상을 입었을 때 보상받을 권리가 있다.

02 The name of the main character in the novel has a very s____________ importance to the story.

소설 속 주인공의 이름은 이야기에 매우 상징적인 중요성을 가지고 있다.

03 The students were disappointed with the school's decision to c____________ ____________ the museum tour.

학생들은 박물관 견학을 취소하기로 한 학교의 결정에 실망했다.

C 각 단어의 유의어 또는 반의어를 쓰시오.

01 동 bloom 유의 b____________

02 명 hybrid 반의 p____________

03 동 interfere 유의 h____________

04 형 clumsy 유의 a____________

05 형 rigid 반의 f____________

06 형 precise 반의 v____________

07 동 misplace 유의 m____________

08 형 annual 유의 y____________

VOCA CLEAR

DAY 40

1561

surge
[səːrdʒ]

동 1. 급등하다 2. 밀려오다 명 1. 급등 2. 쇄도

The price of oil **surged** to its highest level since March.
유가가 3월 이후 최고치까지 치솟았다.

1562

abstract
[ǽbstrækt]

형 추상적인 명 개요
동 [æbstrǽkt] 요약하다

Koko, a female gorilla, understands **abstract** words like "love." 기출 응용
암컷 고릴라인 Koko는 '사랑'과 같은 추상적인 단어를 이해한다.

수능표현 +

abstract painting 추상화
abstract thought 추상적인[비현실적인] 생각

1563

laboratory
[lǽbrətɔ̀ːri]

명 실험실, 연구실

You must follow basic safety rules when in the **laboratory**.
실험실에 있을 때는 기본 안전 수칙을 따라야 한다.

수능표현 +

language laboratory 어학 실습실

1564

slight
[slait]

형 약간의, 미미한

I knew any **slight** movement might make the deadly snake strike. 기출
나는 약간만 움직여도 그 치명적인 뱀이 공격할 수 있다는 것을 알았다.

1565

multitask
[mʌltitǽsk]

동 동시에 여러 가지 일을 하다

Effective coaches focus on a single task instead of trying to **multitask**. 기출 응용
유능한 코치는 동시에 여러 가지 일을 하려고 하는 대신에 하나의 과제에 초점을 맞춘다.

시험에 더 강해지는 어휘

- 유의 **leap** 동 급등[급증]하다
  rush 명 쇄도
- 파생 **abstraction** 명 추상, 마음이 쏠려 있음
- 유의 **summary** 명 요약, 개요
- 반의 **concrete** 형 구체적인
- 숙어 **in the abstract** 추상적으로
- 파생 **slightly** 부 약간, 조금
- 유의 **trivial** 형 사소한
- 파생 **multitasking** 명 다중 작업

1566

procedure
[prəsíːdʒər]

명 절차, 방법

It is important for the employees to follow the exact **procedure**.
직원들이 정확한 절차를 따르는 것이 중요하다.

파생 proceed 동 진행하다, 나아가다
유의 process 명 절차, 과정

1567

novelty
[nάvəlti]

명 참신함, 새로움 형 진기한

Novelty and freshness are central to creativity. 기출
참신함과 새로움은 창의력에 있어서 중요하다.

파생 novel 형 새로운, 진기한
유의 originality 명 독창성
freshness 명 새로움

1568

analyze
[ǽnəlàiz]

동 분석하다

Computer programs can **analyze** data and extract information from them. 기출
컴퓨터 프로그램은 데이터를 분석하고 그것에서 정보를 추출할 수 있다.

파생 analysis 명 분석
analytic 형 분석적인

1569

dilemma
[dilémə]

명 딜레마, 궁지

The **dilemma** was that her desire was in conflict with her judgment. 기출 응용
그녀의 욕망이 판단과 상충된다는 것이 딜레마였다.

숙어 be in a dilemma
진퇴양난이다

1570 다의어

promote
[prəmóut]

동 1. 촉진[고취]하다, 장려하다 2. 승진시키다 3. 홍보하다

WWF tries to **promote** awareness of wildlife conservation.
WWF는 야생 동물 보호에 대한 인식을 고취시키기 위해 노력한다.

Ken was **promoted** to the position of project manager.
Ken은 프로젝트 책임자의 직위로 승진했다.

We will post an ad **promoting** the flea market on the notice board.
우리는 벼룩시장을 홍보하는 광고를 게시판에 게시할 것이다.

파생 promotion 명 승진, 홍보
유의 encourage 동 장려하다
publicize 동 홍보하다
반의 demote 동 강등시키다

1571

indispensable
[ìndispénsəbl]

형 없어서는 안 되는, 필수적인

Smartphones have become **indispensable** to our lives.
스마트폰은 우리 삶에 없어서는 안 되는 것이 되었다.

유의 essential 형 필수적인
vital 형 필수적인

1572

ballot
[bǽlət]

명 (무기명) 투표, 투표용지 동 투표하다

The committee decided to elect their president by **ballot**.
위원회는 회장을 투표로 선출하기로 결정했다.

유의 **vote** 명 동 투표(를 하다)
poll 명 투표(수)

1573

rational
[rǽʃənəl]

형 이성적인, 합리적인

No **rational** person would believe those lies.
이성적인 사람이라면 그런 거짓말을 믿지 않을 것이다.

파생 **rationalize** 동 합리화하다
유의 **reasonable** 형 합리적인
반의 **irrational** 형 비이성적인

1574

disrupt
[dìsrʌ́pt]

동 1. 방해하다, 혼란에 빠뜨리다 2. 붕괴[분열]시키다

Terrorist attacks will **disrupt** the economy and your security. 기출
테러리스트들의 공격은 경제와 안보를 혼란에 빠뜨릴 것이다.

수능표현 +

disrupt one's family 가정을 파괴하다
disrupt the ecosystem 생태계를 교란시키다

파생 **disruption** 명 붕괴, 분열, 혼란, 두절
유의 **disturb** 동 방해하다
interrupt 동 방해하다

1575

exemplify
[igzémpləfài]

동 (좋은) 예가 되다, 예를 들다

The boy who returned her bag **exemplifies** honesty.
그녀의 가방을 돌려준 소년이 정직함의 좋은 예가 된다.

파생 **exemplification** 명 예증, 실례
유의 **illustrate** 동 예증하다

1576

slope
[sloup]

명 비탈, 경사(면) 동 경사지다, 기울어지다

Skiers determine whether the **slope** is too steep for them to try. 기출 응용
스키 선수들은 그 경사가 그들이 시도하기에 너무 가파른지 여부를 결정한다.

유의 **incline** 명 동 경사(지다)
slant 동 기울어지다
tilt 명 경사 동 기울다

1577

humble
[hʌ́mbl]

형 1. 미천한, 보잘것없는 2. 겸손한

Jeremy was a **humble** man who cleaned the floors of the king. 기출
Jeremy는 왕의 (궁궐) 바닥을 청소하는 보잘것없는 사람이었다.

유의 **modest** 형 겸손한
반의 **arrogant** 형 오만한
숙어 **in a humble way** 겸허하게

1578

postpone
[poustpóun]

동 연기하다, 미루다

If you're not available, I'll **postpone** the appointment.
네가 시간이 안 되면 약속을 연기할게.

유의 **delay** 동 연기하다
put off 연기하다
반의 **bring forward** 앞당기다

1579

susceptible
[səséptəbl]

형 1. 영향받기 쉬운, 취약한 2. 민감한, 예민한

Elderly people are more **susceptible** to viruses.
노인들은 바이러스에 더 취약하다.

유의 **vulnerable** 형 취약한, 상처받기 쉬운
숙어 **susceptible to** ~에 민감한, ~에 걸리기 쉬운

1580

derive
[diráiv]

동 1. 유래하다, 파생하다 2. 얻다, 끌어내다

Major long-term threats to deep-sea fishes **derive** from trends of global climate change. 기출
심해 어류에 대한 장기적인 주요 위협은 지구 기후 변화의 추세에서 비롯된다.

파생 **derivation** 명 유래, 유도
유의 **originate** 동 유래하다
obtain 동 얻다
숙어 **derive from** ~에서 유래하다

1581

foundation
[faundéiʃən]

명 1. 기초, 토대 2. 재단 3. 설립

Healthy living in individuals lays the **foundation** for a healthy society. 기출 응용
개인의 건강한 삶은 건강한 사회를 위한 토대가 된다.

파생 **found** 동 세우다, 설립하다
유의 **basis** 명 기초, 토대

1582

crisis
[kráisis]

명 위기, 고비

When photography came along in the 19th century, painting was thrown into **crisis**. 기출 응용
사진술이 19세기에 나타났을 때, 회화는 위기에 빠졌다.

수능표현 +

economic crisis 경제 위기
climate crisis 기후 위기
identity crisis 정체성 위기

유의 **emergency** 명 비상사태
숙어 **in crisis** 위기에 처한

1583

antibody
[ǽntibὰdi]

명 항체

Antibodies are proteins produced by the immune system.
항체는 면역 체계에 의해 생성된 단백질이다.

1584

organize
[ɔ́ːrgənàiz]

동 1. 조직하다, 구성하다 2. 정리하다

The campaign was **organized** by the environmentalists.
이 캠페인은 환경 운동가들에 의해 조직되었다.

파생 **organization** 명 조직, 단체, 구성
organized 형 조직적인, 정리된
유의 **arrange** 동 정리하다

1585

expose
[ikspóuz]

동 1. 노출시키다, 드러내다 2. 폭로하다

She **exposed** her arms and showed off the marks on her skin. 기출 응용
그녀는 팔을 드러내고 피부에 있는 상처 자국을 자랑했다.

파생 **exposure** 명 노출, 폭로
유의 **reveal** 동 드러내다
uncover 동 폭로하다
반의 **cover** 동 감추다, 숨기다
숙어 **be exposed to** ~에 노출되다

1586

chemistry
[kémistri]

명 1. 화학 2. (사람 사이의) 화학 반응

Chemistry is essential for meeting our basic needs of food, health, and clean air.
화학은 음식, 건강, 깨끗한 공기에 대한 우리의 기본적인 필요를 충족시키는 데 필수적이다.

파생 **chemical** 명 화학 물질 형 화학의, 화학적인

1587

textile
[tékstail]

명 직물, 옷감 형 직물의, 방직의

Textiles and clothing have functions that go beyond just protecting the body. 기출
직물과 의류는 단순히 신체를 보호하는 것 이상의 기능을 갖는다.

수능표현 +
textile industry 섬유 산업

유의 **fabric** 명 직물, 천

1588

compatible
[kəmpǽtəbl]

형 1. 양립할 수 있는 2. 호환 가능한

A clean environment can be **compatible** with economic growth.
깨끗한 환경은 경제 성장과 양립할 수 있다.

파생 **compatibility** 명 양립 가능성, 호환성
반의 **incompatible** 형 양립할 수 없는
숙어 **compatible with** ~와 양립할 수 있는

1589

growl
[graul]

동 으르렁거리다

To her surprise the bear stopped, though he still **growled**. 기출
놀랍게도 비록 그 곰은 여전히 으르렁거렸지만 동작을 멈췄다.

유의 **snarl** 동 으르렁거리다

1590

hesitate
[hézitèit]

동 주저하다, 망설이다

At first, he **hesitated** to tell his friend about the news. 기출
처음에 그는 친구에게 그 소식을 말하기를 주저했다.

파생 hesitation 명 주저
hesitant 형 망설이는
유의 be reluctant 꺼리다
숙어 hesitate to-v ~하기를 주저하다

1591 다의어

due
[djuː]

형 1. ~로 인한 2. 지불 기일이 된 3. (~할) 예정인

I had to walk in the middle of the street **due** to the lack of sidewalks. 기출 응용
인도가 부족해서 나는 길 한가운데를 걸어야 했다.

The entire bill should be repaid by the **due** date.
청구서 전액은 만기일 내에 상환되어야 한다.

I need to turn in my essay now because it is **due** today.
내 에세이는 오늘 마감 예정이기 때문에 지금 제출해야 한다.

유의 expected 형 예정된
payable 형 지불해야 할
숙어 due to ~로 인해

1592

influence
[ínfluəns]

명 영향 동 영향을 끼치다

It is hard for everyone to have the same amount of **influence** on decisions. 기출 응용
결정에 있어 모든 사람들이 같은 정도의 영향을 끼치기는 어렵다.

파생 influential 형 영향력 있는
influencer 명 영향력 있는 사람
유의 effect 명 영향
affect 동 영향을 미치다

1593

ascend
[əsénd]

동 오르다, 올라가다

The cable car **ascends** about 1,000 meters to the top of the hill.
케이블카는 언덕 정상까지 약 1천 미터 올라간다.

파생 ascendant 명 우세 형 상승하는
ascent 명 오르기, 상승
반의 descend 동 내려가다

1594

rehabilitate
[rìːhəbílitèit]

동 1. 재활 치료를 하다 2. 갱생시키다 3. 명예를 회복시키다

The hospital plans to **rehabilitate** soldiers who were injured in the war.
병원은 전쟁에서 부상을 입은 군인들에게 재활 치료를 할 계획이다.

수능표현+
economic rehabilitation 경제 재건

파생 rehabilitation 명 사회 복귀, 갱생, 명예 회복
유의 rebuild 동 (희망 등을) 재건하다, 되찾다

수능 혼동 어휘

1595

explode
[iksplóud]

동 1. 폭발하다 2. (감정이) 격발하다

In 1993, during the Bosnian civil war, a bomb **exploded** in the courtyard. 기출
1993년 보스니아 내전 당시 안뜰에서 폭탄이 폭발했다.

1596

explore
[ikspl5:r]

동 1. 탐험하다 2. 탐구하다

I've always wanted to **explore** the Amazon, the unknown and mysterious world. 기출
나는 항상 미지의 신비로운 세계인 아마존강을 탐험하고 싶었다.

1597

exploit
[ikspl5it]

동 착취하다, (부당하게) 이용하다 명 위업, 공적

Employers will be able to **exploit** workers if they are not legally controlled. 기출
만약 고용주들이 법적으로 제약을 받지 않는다면 노동자를 착취할 수 있을 것이다.

수능 UP

Q1.
셋 중 알맞은 단어를 고르시오.
The factory used to **[explode / explore / exploit]** kids from low-income neighborhoods.

수능 필수 숙어

1598

break up with

~와 결별하다, ~와 갈라서다

I decided to **break up with** my boyfriend.
나는 남자친구와 헤어지기로 했다.

1599

come up with

1. ~을 생각해 내다 2. 내놓다, 제시하다

She needs to **come up with** some appealing campaign promises. 기출
그녀는 호소력 있는 선거 공약을 좀 생각해 낼 필요가 있다.

1600

come down with

(병에) 걸리다

He **came down with** an illness before the game, leading him to miss the contest.
그는 경기 전에 병에 걸려 대회에 불참했다.

Q2.
빈칸에 알맞은 어구를 고르시오.

The government will __________ a plan to improve the quality of education.

① break up with
② come up with
③ come down with

Daily Test 40

정답 p.459

A 우리말은 영어로, 영어는 우리말로 쓰시오.

01 없어서는 안 되는 ________

02 재활 치료를 하다 ________

03 분석하다 ________

04 딜레마, 궁지 ________

05 투표, 투표용지 ________

06 비탈, 경사(면) ________

07 항체 ________

08 procedure ________

09 exploit ________

10 surge ________

11 postpone ________

12 expose ________

13 hesitate ________

14 chemistry ________

B 우리말과 일치하도록 빈칸에 알맞은 단어 또는 어구를 쓰시오.

서술형

01 Unfortunately she bought a recharger that was not c ________ with her smartphone.
안타깝게도 그녀는 자신의 스마트폰과 호환되지 않는 충전기를 구입했다.

02 Your eyes are s ________ to damage from intense sunlight.
여러분의 눈은 강렬한 햇빛으로부터 손상을 입기 쉽다.

03 Children often c ________ ________ ________ creative interpretations of the plot when they read books. 기출
아이들은 종종 책을 읽으면서 창의적으로 줄거리의 해석을 생각해 낸다.

C 각 단어의 유의어 또는 반의어를 쓰시오.

01 형 abstract 반의 c ________

02 동 organize 유의 a ________

03 명 novelty 유의 o ________

04 동 exemplify 유의 i ________

05 동 growl 유의 s ________

06 형 rational 반의 i ________

07 명 textile 유의 f ________

08 동 ascend 반의 d ________

수능에 더 강해지는 TEST DAY 36-40

A

다음 짝 지어진 두 단어의 관계가 같도록 빈칸에 알맞은 단어를 <보기>에서 골라 쓰시오.

<보기>	illustrate	divert	concrete	mentality

1 clumsy : skillful = abstract : ______________

2 demonstrate : ______________ = parliament : congress

3 efficient : efficiency = mental : ______________

4 deflect : ______________ = reproach : rebuke

B

다음 문장에서 밑줄 친 어휘의 유의어를 고르시오.

1 The company's annual revenue rose to $8.8 billion.

① clue ② income ③ applause

2 They observed the creature's amazing bone structure and magnificent coat. 기출

① ordinary ② current ③ splendid

3 These pills may help relieve the pain associated with headaches.

① migrate ② differentiate ③ alleviate

4 We could have avoided this unfortunate outcome if we had told the truth.

① consequence ② opportunity ③ budget

정답 p. 459

C

서술형

다음 빈칸에 알맞은 단어를 <보기>에서 골라 쓰시오. (필요시 형태를 바꿀 것)

<보기>	rational	affluent	distort	reconcile

1 We want to believe that our brains sort through information in the most ______________ way possible. 기출

2 In the ______________ Western countries some significant inequalities are likely to remain.

3 The pair were ______________ after the wife apologized to the husband.

4 Do not try to ______________ the truth by giving incorrect information.

D

각 네모 안에서 문맥에 맞는 말을 고르시오.

1 The bomb will [explode / exploit] in several minutes.

2 He tried to [distinguish / extinguish] the flames, but all efforts failed.

3 The citizens [called on / called off] the city to take a measure to improve the quality of tap water.

4 We could observe the turtle carefully because it remained [stationary / stationery] for a long time.

5 Equality of opportunity is [susceptible / compatible] with unequal rewards.

VOCA CLEAR

DAY 41

시험에 더 강해지는 어휘

1601

archive
[á:rkaiv]

명 1. 기록 보관소 2. (데이터 등의) 보관, 보존
동 보관하다

Researchers search **archives** of photographs to get information. 기출 응용
연구자들은 정보를 얻기 위해 사진 기록보관소를 검색한다.

파생 archiving 명 파일 보관
archival 형 기록 보관소의
유의 depository 명 보관소

1602

complicated
[ká:mpləkèitid]

형 복잡한

The road has a lot of twists and turns, and is very irregular and **complicated.** 기출 응용
그 길은 여러 차례 구부러지고 방향이 바뀌며, 매우 불규칙하고 복잡하다.

파생 complicate 동 복잡하게 만들다
유의 complex 형 복잡한
반의 simple 형 간단한, 단순한

1603

publish
[pʌ́bliʃ]

동 1. 출판[발행]하다 2. 발표[공표]하다

His book has been **published** in four languages worldwide.
그의 책은 전 세계에 4개 언어로 출판되어 왔다.

파생 publication 명 출판(물)
publisher 명 출판사
유의 issue 동 발행하다
announce 동 발표하다

1604

benefit
[bénəfit]

명 1. 혜택, 이득 2. 보조금 동 이익[이득]을 얻다

Advertisers gain huge **benefits** from the price competition between the numerous broadcasting stations. 기출 응용
광고주들은 수많은 방송국들 간의 가격 경쟁으로부터 큰 이익을 얻는다.

수능표현 +

child benefit 육아 수당
unemployment benefit 실업 수당

파생 beneficial 형 유익한
유의 profit 명 이득, 이익
advantage 명 이득, 이점
숙어 benefit from[by] ~로부터 혜택을 입다

1605

renewal
[rinjú:əl]

명 1. 재개 2. 갱신, 연장

The two leaders met to discuss the **renewal** of diplomatic relations.
두 정상은 국교 재개를 논의하기 위해 만났다.

파생 renew 동 재개[갱신]하다
유의 resumption 명 재개
extension 명 연장

1606

entrust
[intrʌ́st]

동 위임하다, 맡기다

Parents are **entrusted** to teach culturally appropriate behaviors and values. 기출 응용
부모들은 문화적으로 적절한 행동과 가치를 가르치는 일을 맡는다.

파생 **entrustment** 명 위탁
유의 **delegate** 동 위임하다
숙어 **entrust A with B**
A에게 B를 맡기다

1607

irritated
[íritèitid]

형 1. 짜증 난 2. (피부 등이) 자극받은

I was **irritated** that he didn't put in any effort to get good grades.
나는 그가 좋은 성적을 받기 위해 어떠한 노력도 하지 않았다는 것에 짜증이 났다.

파생 **irritate** 동 짜증 나게 하다, 자극하다
irritating 형 짜증 나게 하는, 자극하는
유의 **annoyed** 형 짜증이 난

1608 다의어

commission
[kəmíʃən]

명 1. 위원회 2. 수수료 3. 위임, 의뢰 동 의뢰하다

The government set up a **commission** to protect the environment.
정부는 환경을 보호하기 위한 위원회를 설립했다.

This travel booking website charges a 3% **commission** on each booking.
이 여행 예약 웹사이트는 예약 건당 3%의 수수료를 부과한다.

She was **commissioned** to paint the official portrait of the president.
그녀는 대통령의 공식 초상화를 그려 달라는 의뢰를 받았다.

파생 **commissioned** 형 임명된, 권한이 있는
유의 **committee** 명 위원회
fee 명 수수료, 요금

1609

persuade
[pərswéid]

동 설득하다, 납득시키다

It took a long time to **persuade** her to join our team.
그녀가 우리 팀에 합류하도록 설득하는 데 오랜 시간이 걸렸다.

파생 **persuasion** 명 설득
persuasive 형 설득력 있는
유의 **convince** 동 납득시키다
숙어 **persuade A to-v**
A가 ~하도록 설득하다

1610

divine
[diváin]

형 신의, 신성한

In primitive societies, misfortunes were thought of as **divine** punishment.
원시 사회에서 불행은 신의 벌로 여겨졌다.

수능표현 +
divine right 당연한 권리, 왕권신수설

파생 **divinity** 명 신성, 신
유의 **sacred** 형 성스러운, 신성한

1611

invoke
[invóuk]

동 1. (법·규칙 등을) 발동하다, 적용하다 2. 호소하다
3. (느낌·상상을) 불러일으키다

The relevant parts of the labor laws will be **invoked** to protect the employees.
직원들을 보호하기 위해 노동법의 관련 부분이 적용될 것이다.

파생 **invocation** 명 (법의) 발동
유의 **apply** 동 적용하다
implement 동 시행하다
appeal 동 호소하다

1612

tact
[tækt]

명 1. 재치, 기지 2. 요령

To handle delicate situations, one needs great **tact** and communication skills.
미묘한 상황을 처리하려면 뛰어난 재치와 의사소통 기술이 필요하다.

파생 **tactic** 명 전략, 전술
tactful 형 재치 있는

1613

personal
[pə́rsənəl]

형 1. 개인의, 사적인 2. 본인의, 직접[몸소] 하는

Somebody accessed his **personal** information and stole his credit card number. 기출 응용
누군가가 그의 개인 정보에 접속해서 신용카드 번호를 훔쳤다.

수능표현 +

personal interview 개인[직접] 면접

파생 **personality** 명 성격, 인격
유의 **private** 형 사적인
반의 **public** 형 공공의

1614

function
[fʌ́ŋkʃən]

명 기능, 역할 동 기능하다, 작동하다

Creativity is a whole-brain **function**, drawing on many diverse areas of the brain. 기출
창의성은 뇌의 많은 다양한 영역을 이용하는 뇌 전체의 기능이다.

파생 **functional** 형 기능적인, 작동하는
반의 **malfunction** 명 고장
숙어 **function as** ~로서 기능하다

1615

reclaim
[rikléim]

동 1. 되찾다 2. 교화하다 3. 개간[간척]하다

The bakers are looking to **reclaim** some of the flavors of old-fashioned breads. 기출 응용
제빵사들은 옛날 방식의 빵 맛을 되찾을 방법을 생각해 보고 있다.

수능표현 +

baggage claim[reclaim] (공항의) 수하물 찾는 곳

파생 **reclamation** 명 교화, 개간, 간척
유의 **regain** 동 되찾다
retrieve 동 되찾다

1616

hedge
[hedʒ]

명 1. 울타리 2. 제한, 장벽 3. 손실 방지책
동 1. 둘러싸다 2. 제한하다

The yard is surrounded by a tall **hedge**.
그 마당은 높은 울타리에 둘러싸여 있다.

유의 **fence** 명 울타리
surround 동 둘러싸다
confine 동 제한하다

1617

overestimate
[òuvəréstəmeit]

동 과대평가하다

Too often, we **overestimate** the risk of trying something new.
너무 자주, 우리는 새로운 것을 시도하는 것의 위험을 과대평가한다.

파생 overestimation 명 과대평가
유의 overrate 동 과대평가하다
반의 underestimate 동 과소평가하다

1618

deed
[di:d]

명 1. 행위, 행동 2. 업적

Children must be taught to perform good **deeds** for their own sake. 기출
아이들은 자신을 위해 선행을 하도록 가르침을 받아야 한다.

유의 act 명 행위, 행동
performance 명 업적

1619

straightforward
[strèitfɔ́:rwərd]

형 1. 솔직한 2. 직접의 3. 간단한, 쉬운

If you are late, apologize in a **straightforward** way with a brief reason.
만약 여러분이 늦는다면 간단한 이유와 함께 솔직하게 사과하세요.

유의 honest 형 솔직한
easy 형 쉬운

1620

purpose
[pə́:rpəs]

명 목적, 의도

The **purpose** of the workshop is to promote teamwork.
이 워크숍의 목적은 팀워크를 장려하는 것이다.

파생 purposely 부 고의로
유의 objective 명 목적
intention 명 의도
숙어 on purpose 고의로

1621

fuse
[fju:z]

동 1. 융합되다[시키다] 2. 용해되다 명 (전기) 퓨즈

The chef **fused** two different styles of cooking to make a new dish.
그 요리사는 새로운 요리를 만들기 위해 두 가지 다른 방식의 요리법을 융합시켰다.

파생 fusion 명 융합
유의 combine 동 결합하다
숙어 fuse with ~와 융합하다

1622

launch
[lɔ:ntʃ]

동 1. 시작[착수]하다 2. 출시하다 3. (로켓 등을) 발사하다
명 1. 시작 2. 출시 3. 발사

We need to **launch** a campaign to raise awareness of climate change.
우리는 기후 변화에 대한 인식을 높이기 위한 캠페인을 시작해야 한다.

수능표현 +
launch a rocket into space 우주로 로켓을 발사하다

파생 launching 명 착수, 개시, 개업
유의 initiate 동 개시하다
start 동 시작하다

1623

attract
[ətrǽkt]

동 (주의·관심 등을) 끌다, 끌어당기다, 매혹하다

Tourists are **attracted** by the endless white sandy beaches and clear water.
관광객은 끝없는 하얀 모래사장과 맑은 물에 이끌린다.

파생 **attraction** 명 매력
attractive 형 매력적인
유의 **allure** 동 매혹하다
반의 **repel** 동 퇴짜 놓다

1624

local
[lóukəl]

형 1. 지역의 2. 현지의 명 주민, 현지인

Purchasing **local** produce improves the local economy. 기출
지역 농산물을 구입하는 것은 지역 경제를 개선한다.

수능표현 +
local time 현지 시간

파생 **location** 명 위치, 지역
유의 **regional** 형 지방의
native 명 원주민, 현지인

1625

pastime
[pǽstàim]

명 오락, 취미, 기분 전환

Going to the movies was his favorite **pastime**.
영화를 보러 가는 것이 그가 가장 좋아하는 취미였다.

유의 **hobby** 명 취미
숙어 **as[for] a pastime**
장난으로, 심심풀이로

1626

seize
[siːz]

동 1. 꽉 잡다 2. 장악하다 3. 체포하다

The king **seized** the young man by the shoulder.
왕은 젊은이의 어깨를 꽉 잡았다. 기출 응용

파생 **seizure** 명 장악, 점령
유의 **grab** 동 쥐다, 붙잡다
arrest 동 체포하다

1627

protein
[próutiːn]

명 단백질

About one billion people rely on fish as their main source of animal **protein**. 기출
약 10억 명의 사람들이 동물성 단백질의 주요 공급원으로 어류에 의존한다.

수능표현 +
protein-rich foods 단백질이 풍부한 음식
vegetable protein 식물성 단백질

1628

mechanical
[məkǽnikəl]

형 1. 기계의, 기계로 만든 2. 역학의
3. (사람의 행동이) 기계적인

Robots are **mechanical** creatures that we make in a laboratory. 기출
로봇은 우리가 실험실에서 만드는 기계로 된 창조물이다.

파생 **mechanic** 명 정비공, 역학
mechanism 명 기계 장치, 방법, 구조[기제]

1629

dwell
[dwel]

동 1. 거주하다, 살다 2. (어떤 상태에) 머무르다

The Maasai used to be a nomadic tribe, but they now **dwell** in permanent huts.
마사이족은 유목 민족이었지만, 이제 그들은 영구적인 오두막집에 산다.

파생 **dwelling** 명 주거(지), 주택
dweller 명 거주자
유의 **reside** 동 거주하다
숙어 **dwell on** ~을 깊이 생각하다

1630

influenza
[ìnfluénzə]

명 유행성 감기, 독감

A flu shot is the best way to prevent **influenza.**
독감 예방 주사는 독감을 막기 위한 가장 좋은 방법이다.

수능표현 +
avian influenza 조류 독감

1631

surgeon
[sə́ːrdʒən]

명 외과 의사

The first heart transplant was performed by a South African **surgeon** in 1967. 기출
최초의 심장 이식은 1967년 남아프리카의 외과 의사에 의해 시행되었다.

파생 **surgery** 명 수술
surgical 형 외과의, 수술의

1632

astonished
[əstɑ́niʃt]

형 깜짝 놀란

I was **astonished** by how clearly I could hear every word they were saying. 기출
나는 그들이 하고 있는 모든 말을 내가 얼마나 똑똑히 들을 수 있었는지에 깜짝 놀랐다.

파생 **astonish** 동 깜짝 놀라게 하다
astonishing 형 정말 놀라운, 믿기 힘든
유의 **amazed** 형 대단히 놀란
숙어 **astonished at[by]** ~에 깜짝 놀란

1633

offend
[əfénd]

동 1. 기분을 상하게 하다 2. 위반하다

His words **offended** many of the committee members at the meeting.
그의 말은 회의에 참가한 많은 위원회 위원들의 기분을 상하게 했다.

파생 **offense** 명 위법 행위, 모욕
offensive 형 불쾌한, 모욕적인
유의 **insult** 동 모욕하다
provoke 동 화나게 하다
반의 **delight** 동 매우 기쁘게 하다

1634

chase
[tʃeis]

동 뒤쫓다, 추격하다 명 추격

There were fans and reporters **chasing** after the singer everywhere he went.
그 가수가 가는 곳마다 그 가수를 쫓고 있는 팬과 기자들이 있었다.

유의 **pursue** 동 추적하다
pursuit 명 추적, 추격
숙어 **chase after** ~을 쫓다

수능 혼동 어휘

1635

adapt [ədǽpt]

동 1. 적응하다 2. 조정하다 3. 각색하다

Roman law evolved dramatically over time, continuously **adapting** to new circumstances. 기출
로마법은 계속해서 새로운 환경에 적응하면서 시간의 흐름에 따라 극적으로 발달했다.

1636

adopt [ədɑ́:pt]

동 1. (정책 등을) 채택하다 2. 입양하다

Consumers **adopt** values that match the general requirements of the economy. 기출
소비자는 경제의 일반 요건에 부응하는 가치를 채택한다.

1637

compliment [kɑ́:mpləment]

동 칭찬하다 명 [kɑ́:mpləmənt] 칭찬, 찬사

The teacher **complimented** him on his outstanding writing skills.
선생님은 그의 뛰어난 글쓰기 기술에 대해 그를 칭찬했다.

1638

complement [kɑ́:mpləment]

동 보완하다, 보충하다 명 [kɑ́:mpləmənt] 보충(물)

They worked together because their strengths **complemented** one another.
그들은 각자의 강점이 서로를 보완해 주었기 때문에 함께 일했다.

수능 UP

Q1.
둘 중 알맞은 단어를 고르시오.
Employees were forced to **[adapt / adopt]** to the new work environment.

Q2.
둘 중 알맞은 단어를 고르시오.
He used images to **[compliment / complement]** the text.

수능 필수 숙어

1639

lay out

1. 펼치다 2. 배치하다

To play this game, **lay out** the cards in a row from left to right.
이 게임을 하려면 카드를 왼쪽에서 오른쪽으로 일렬로 펼쳐라.

1640

lay off

(정리) 해고하다

The restaurant had to **lay off** most of its staff due to financial concerns.
그 식당은 재정적인 문제로 직원 대부분을 해고해야 했다.

수능 UP

Q3.
빈칸에 알맞은 어구를 고르시오.

The budget cuts mean the company will have to ______ their employees.

① lay out
② lay off

Daily Test 41

정답 p.460

A 우리말은 영어로, 영어는 우리말로 쓰시오.

01 기록 보관소; 보관하다 ________

02 울타리, 장벽; 제한하다 ________

03 솔직한, 직접의, 간단한 ________

04 위원회, 수수료, 위임 ________

05 행위, 행동, 업적 ________

06 과대평가하다 ________

07 (법·규칙 등을) 발동하다 ________

08 tact ________

09 renewal ________

10 adapt ________

11 influenza ________

12 astonished ________

13 reclaim ________

14 complement ________

B 우리말과 일치하도록 빈칸에 알맞은 단어 또는 어구를 쓰시오.

서술형

01 What you are saying can be problematic because it may o________ the law.
당신이 말하는 것은 법을 위반할 수 있기 때문에 문제가 될 수 있다.

02 The different ideas of the members f________ into one big plan.
회원들의 다양한 생각들은 하나의 큰 계획으로 융합되었다.

03 Helen's company l________ ________ 30 employees due to the decline in profits.
Helen의 회사는 수익 감소로 인해 30명의 직원을 해고했다.

C 각 단어의 유의어 또는 반의어를 쓰시오.

01 형 irritated 유의 a________

02 동 persuade 유의 c________

03 형 divine 유의 s________

04 명 function 반의 m________

05 형 personal 반의 p________

06 동 entrust 유의 d________

07 동 dwell 유의 r________

08 동 chase 유의 p________

VOCA CLEAR

DAY 42

1641

transform
[trænsfɔ́ːrm]

동 1. 변형시키다 2. 완전히 바꾸다

This facility **transforms** waste into energy.
이 시설은 폐기물을 에너지로 변형시킨다.

시험에 더 강해지는 어휘

파생 **transformation** 명 변형
유의 **convert** 동 전환시키다
숙어 **transform A into B** A를 B로 변형시키다

1642 다의어

reflect
[riflékt]

동 1. (열·빛 등을) 반사하다 2. (거울 등에) 비추다 3. 반영하다, 나타내다 4. 숙고하다

The mirror will **reflect** light and make spaces appear larger than they are.
거울은 빛을 반사해서 공간을 원래보다 더 크게 보이게 할 것이다.

The prices **reflect** the interaction of supply and demand.
가격은 물건에 대한 수요와 공급의 상호 작용을 반영한다.

He **reflected** on what she had just said.
그는 그녀가 방금 말했던 것을 깊이 생각해 보았다.

파생 **reflection** 명 반사, 비친 상, 반영
reflective 형 빛을 반사하는, 반영하는, 사색적인
반의 **absorb** 동 흡수하다
숙어 **reflect on** ~을 숙고하다

1643

surface
[sə́ːrfis]

명 표면, 수면 형 표면의, 외관의, 피상적인

The **surface** of the earth is different from place to place. 기출
지표면은 지역마다 다르다.

유의 **superficial** 형 피상[표면]적인

1644

oxygen
[ɑ́ːksidʒən]

명 산소

Slow-flowing, warm-water streams contain less **oxygen** than rapidly moving, cool streams. 기출
천천히 흐르는 따뜻한 개울은 빠르게 움직이는 찬 개울보다 산소를 덜 포함하고 있다.

파생 **oxygenic** 형 산소의

1645

spiral
[spáiərəl]

명 1. 나선(형) 2. 소용돌이 형 나선(형)의

A **spiral** is a curve that winds around a fixed middle point.
나선형은 고정된 중앙의 점 주위를 감는 곡선이다.

유의 **helical** 형 나선(형)의

1646

terminology

[tə̀ːrmənɑ́lədʒi]

명 (전문) 용어

The use of unfamiliar scientific **terminology** interrupts understanding.
익숙하지 않은 과학 전문 용어의 사용이 이해를 가로막는다.

수능표현 +

medical terminology 의학 용어

파생 **terminological** 형 용어상의
유의 **term** 명 용어

1647

afford

[əfɔ́ːrd]

동 1. ~할 여유가 되다 2. 제공하다

Your donations will help support children who cannot **afford** to buy books. 기출 응용
여러분의 기부는 책을 살 여유가 없는 아이들을 지원하는 데 도움이 될 것입니다.

파생 **affordable** 형 (가격이) 알맞은, 감당할 수 있는
숙어 **cannot afford to-v** ~할 여유가 없다

1648

cosmopolitan

[kɑ̀ːzməpɑ́ːlitən]

형 세계적인, 국제적인 명 세계인

Cosmopolitan networks can be huge, while local networks tend to be small. 기출 응용
지역 네트워크가 규모가 작은 경향이 있는 반면, 국제 네트워크는 규모가 매우 클 수 있다.

파생 **cosmopolitanism** 명 세계주의, 세계 시민주의

1649

fatigue

[fətíːg]

명 피로, 피곤

Fatigue has a bad influence on our ability to make good decisions.
피로는 좋은 결정을 내리기 위한 우리의 능력에 악영향을 미친다.

수능표현 +

physical and mental fatigue 신체적 및 정신적 피로

파생 **fatigued** 형 피로한
유의 **exhaustion** 명 탈진, 기진맥진
tiredness 명 피로, 권태
반의 **vigor** 명 활기, 활력

1650

linger

[líŋgər]

동 (아쉬운 듯이) 남아 있다, 오래 머물다

After the game, many fans **lingered** to celebrate.
경기가 끝난 후 많은 팬들이 축하하기 위해 머물렀다.

파생 **lingering** 형 오래 끄는[가는]
숙어 **linger on** 맴돌다, 머뭇거리다

1651

mislead

[mislíːd]

동 1. 잘못 인도하다 2. 속이다, 오해하게 하다

I was completely **misled** by a confusing traffic signal.
나는 헷갈리는 교통 신호에 의해 완전히 잘못 인도되었다.

파생 **misleading** 형 오해의 소지가 있는
유의 **deceive** 동 속이다

1652

commute
[kəmjúːt]

동 통근하다 명 통근, 통근 거리[시간]

The percentages of people who **commuted** by walking were the same in both cities. 기출 응용
걸어서 통근하는 사람들의 비율은 두 도시에서 똑같았다.

파생 **commuter** 명 통근자
숙어 **commute to** ~로 통근하다

1653

route
[ruːt]

명 1. 길, 경로, 노선 2. 방법

The navigation app on your smartphone will tell you the best **route** to the airport. 기출 응용
스마트폰에 있는 내비게이션 앱이 공항까지의 최적 경로를 여러분에게 알려 줄 것이다.

유의 **path** 명 길, 통로
way 명 방법
숙어 **en route** (어디로 가는) 도중에

1654

territory
[téritɔ̀ːri]

명 1. 지역, 영토 2. 영역

Invading another nation's **territory** is likely to cause a war.
다른 나라의 영토를 침범하는 것은 전쟁을 야기할 수 있다.

파생 **territorial** 형 영토의
유의 **region** 명 지역
domain 명 영토, 영역

1655

humid
[hjúːmid]

형 습한, 눅눅한

It was so hot and **humid** that I could not enjoy the tour fully. 기출 응용
너무 덥고 습해서 나는 관광을 완전히 즐길 수 없었다.

파생 **humidity** 명 습도
유의 **damp** 형 축축한, 눅눅한
반의 **dry** 형 건조한

1656

brutal
[brúːtəl]

형 1. 잔혹한, 야만적인 2. (날씨·비평이) 혹독한

The prisoner was said to be **brutal** and cruel.
그 죄수는 잔혹하고 잔인하다고 했다.

수능표현 +
brutal massacre 잔혹한 대학살

파생 **brutality** 명 잔인성
유의 **cruel** 형 잔인한
savage 형 야만적인
harsh 형 혹독한

1657

agriculture
[ǽgrəkʌ̀ltʃər]

명 농업

Humans switched from hunting and gathering to a settled lifestyle based on **agriculture**. 기출 응용
인간은 수렵과 채집에서 농업에 기초한 정착 생활로 옮겨 갔다.

수능표현 +
fire agriculture 화전 농업
intensive agriculture 집약 농업

파생 **agricultural** 형 농업의, 농사의
유의 **farming** 명 농업

1658

startle
[stɑ́ːrtl]

동 깜짝 놀라게 하다

Please turn off the flash on your camera, as it can **startle** the animals. 기출 응용
동물을 놀라게 할 수 있으므로 카메라에 플래시를 꺼 주세요.

파생 **startled** 형 놀란
유의 **shock** 동 깜짝 놀라게 하다
숙어 **be startled at[by]** ~에 깜짝 놀라다

1659

probe
[proub]

동 1. 탐사하다 2. 조사하다, 캐묻다
명 1. (철저한) 조사 2. 탐사용 로켓

Scientists want to **probe** the deepest parts of the oceans.
과학자들은 바다의 가장 깊은 부분을 탐사하기를 원한다.

수능표현 +
space probe 우주 탐사 로켓

유의 **explore** 동 탐사하다
examine 동 조사하다
investigate 동 조사하다

1660

kneel
[niːl]

동 무릎을 꿇다

The thirsty traveler **kneeled** down in front of the oasis and drank some water.
목마른 나그네는 오아시스 앞에 무릎을 꿇고 물을 좀 마셨다.

파생 **knee** 명 무릎
숙어 **kneel down** 꿇어 앉다
kneel (down) to ~에 무릎을 꿇다, ~에게 간청하다

1661

counterpart
[káuntərpɑ̀ːrt]

명 상대, 대응 관계에 있는 사람[것]

The foreign minister will hold talks with his Russian **counterpart**.
외무 장관은 러시아측 상대(외무 장관)와 회담을 가질 것이다.

유의 **equivalent** 명 상당[대응]하는 것
숙어 **a counterpart to** ~의 대응물

1662

reluctant
[rilʌ́ktənt]

형 꺼리는, 마음이 내키지 않는

Kids are not **reluctant** to tell one another how they feel. 기출 응용
아이들은 자신의 감정을 서로에게 말하기를 꺼리지 않는다.

파생 **reluctantly** 부 마지못해
유의 **unwilling** 형 꺼리는
숙어 **be reluctant to-v** ~하는 것을 꺼리다

1663

descent
[disént]

명 1. 하강, 하락 2. 혈통, 출신

I watched the sun's **descent** in a cloudless sky. 기출
나는 구름 한 점 없는 하늘에서 태양의 하강을 지켜보았다.

파생 **descend** 동 내려오다
descendant 명 자손
반의 **ascent** 명 올라감, 상승

1664

ingenious
[indʒíːnjəs]

형 1. 기발한, 독창적인 2. 영리한, 재능 있는

The mother came up with an **ingenious** way to get her kids to help with chores.
어머니는 자녀들이 집안일을 돕게 하는 기발한 방법을 생각해 냈다.

파생 **ingenuity** 명 기발한 재주, 독창성
유의 **original** 형 독창적인
creative 형 창의적인

1665 다의어

plot
[plɑt]

명 1. 줄거리, 구상 2. 음모 3. 작은 땅 조각
동 1. 줄거리를 짜다 2. 음모를 꾸미다

The **plot** of the movie was too complex for audiences to understand.
그 영화의 줄거리는 너무 복잡해서 관객들이 이해할 수 없었다.

The man became deeply involved in a **plot** to kill the king.
그 남자는 왕을 죽이려는 음모에 깊이 관여했다.

He owns a small **plot** of land near La Serena in northern Chile.
그는 칠레 북부의 La Serena 근처에 작은 땅을 소유하고 있다.

유의 **storyline** 명 줄거리
conspiracy 명 음모
conspire 동 음모를 꾸미다

1666

specific
[spisífik]

형 1. 구체적인, 명확한 2. 특정한

If you are offering help, make your offer **specific.** 기출
만약 여러분이 도움을 제안하는 것이라면, 제안을 구체적으로 하라.

파생 **specify** 동 명시하다
specification 명 설명서, 명세서, 세목, 내역
유의 **detailed** 형 상세한
precise 형 명확한
particular 형 특정한

1667

disclose
[disklóuz]

동 폭로하다, 드러내다

Steven was hesitant at first but soon **disclosed** his secret. 기출
Steven은 처음에는 망설였지만 곧 그의 비밀을 폭로했다.

파생 **disclosure** 명 폭로
유의 **reveal** 동 드러내다
반의 **conceal** 동 숨기다

1668

crush
[krʌʃ]

동 1. 으깨다, 눌러 부수다 2. 진압하다

They had to abandon their ship when the ice **crushed** it. 기출 응용
얼음이 배를 눌러 부수었을 때 그들은 그것을 버려야 했다.

유의 **squash** 동 으깨다
put down 진압하다
숙어 **crush into**
으깨어 ~로 만들다

1669

allot
[əlɑ́ːt]

동 할당[배당]하다

A portion of the road is **allotted** for cyclists.
도로의 일부는 자전거를 타는 사람들에게 할당되어 있다.

파생 **allotment** 명 할당, 배당
유의 **allocate** 동 할당하다
assign 동 할당하다

1670

interact
[ìntərǽkt]

동 1. 소통하다, 교류하다 2. 상호작용 하다

The bank grouped employees into teams of about twenty, but they didn't **interact** much. 기출
그 은행은 직원을 약 20명을 한 팀으로 조직했지만, 그들은 많이 소통하지 않았다.

파생 **interaction** 명 소통, 상호작용
interactive 형 상호작용을 하는
숙어 **interact with** ~와 상호작용 하다

1671

prompt
[prɑːmpt]

형 즉각적인, 신속한 동 촉발하다, 유도하다

Prompt action is necessary to minimize damage caused by the accident.
사고로 야기된 피해를 최소화하기 위해 즉각적인 조치가 필요하다.

파생 **promptly** 부 즉시
유의 **immediate** 형 즉각적인
provoke 동 촉발하다

1672

eternal
[itə́ːrnəl]

형 영원한, 끊임없는

A quest for the **eternal** truth is behind all science and religion.
영원한 진리에 대한 탐구는 모든 과학과 종교의 이면에 있다.

파생 **eternity** 명 영원
유의 **everlasting** 형 영원한
permanent 형 영구적인
반의 **temporary** 형 일시적인

1673

supervise
[súːpərvàiz]

동 감독하다, 관리하다

An experienced director will **supervise** the construction of the railways.
노련한 관리자가 철도 공사를 감독할 것이다.

파생 **supervision** 명 감독, 관리, 지도
supervisor 명 감독관
유의 **oversee** 동 감독하다
manage 동 관리하다

1674

aspect
[ǽspekt]

명 1. 측면, 면 2. 양상

Climate and weather affect every **aspect** of our lives.
기후와 날씨는 우리 삶의 모든 면에 영향을 미친다.

수능표현 +
functional aspect 기능적 측면

유의 **side** 명 측면, 면
facet 명 측면, 양상

수능 혼동 어휘

1675

fraction
[frǽkʃən]

명 1. 일부, 부분 2. ((수학)) 분수

Most humans use only a small **fraction** of their total brainpower.
대부분의 인간은 그들의 전체 지력 중 아주 적은 부분만 사용한다.

1676

friction
[fríkʃən]

명 1. 마찰(력) 2. 충돌, 불화

When you ride a bike, **friction** between the tires and the road generates heat.
자전거를 탈 때 타이어와 도로 사이의 마찰이 열을 발생시킨다.

수능 UP

Q1.
둘 중 알맞은 단어를 고르시오.
His entire life flashed before his eyes in a **[fraction / friction]** of a second.

1677

intellectual
[ìntəléktʃuəl]

형 지능의, 지적인 명 지식인

Many scientists do, in fact, act out of pure **intellectual** curiosity. 기출
많은 과학자들은 사실 순수한 지적 호기심에서 행동한다.

수능표현 +

intellectual property rights 지적 재산권

1678

intelligent
[intélidʒənt]

형 1. 총명한, 똑똑한 2. ((컴퓨터)) 지능적인

Only **intelligent** people can understand this concept.
총명한 사람들만이 이 개념을 이해할 수 있다.

Q2.
둘 중 알맞은 단어를 고르시오.
This is a highly **[intellectual / intelligent]** novel about a serious subject.

수능 필수 숙어

1679

wait on

시중을 들다

The waiter is so well trained that he would be able to **wait on** the queen.
그 종업원은 훈련이 잘되어 있어서 여왕의 시중도 들 수 있을 것이다.

1680

wait for

~을 기다리다

Chris patiently **waited for** the reporter to complete his interview with the player. 기출 응용
Chris는 기자가 선수와의 인터뷰를 끝마치기를 끈기 있게 기다렸다.

Q3.
빈칸에 알맞은 어구를 고르시오.

I had to ________ the water to boil before I could use it to make a cup of tea.

① wait on
② wait for

Daily Test 42

정답 p.460

A 우리말은 영어로, 영어는 우리말로 쓰시오.

01 무릎을 꿇다 ____________

02 잔혹한, (날씨가) 혹독한 ____________

03 세계적인; 세계인 ____________

04 잘못 인도하다 ____________

05 탐사하다; 탐사용 로켓 ____________

06 통근하다; 통근 ____________

07 나선(형); 나선(형)의 ____________

08 agriculture ____________

09 startle ____________

10 terminology ____________

11 counterpart ____________

12 linger ____________

13 supervise ____________

14 friction ____________

B 우리말과 일치하도록 빈칸에 알맞은 단어 또는 어구를 쓰시오.

서술형

01 The company produces high quality products at a price the customer can a____________.

그 회사는 고객이 감당할 수 있는 가격으로 고품질의 제품을 생산한다.

02 In hot weather, it's good to wear light-colored clothing to r____________ the heat.

더운 날씨에는 열을 반사하도록 밝은 색상의 옷을 입는 것이 좋다.

03 The waiter's manner of w____________ ____________ the customers was perfect.

손님을 시중드는 종업원의 태도는 완벽했다.

C 각 단어의 유의어 또는 반의어를 쓰시오.

01 형 humid 반의 d____________

02 명 fatigue 유의 e____________

03 형 eternal 반의 t____________

04 형 reluctant 유의 u____________

05 명 descent 반의 a____________

06 동 crush 유의 s____________

07 형 ingenious 유의 o____________

08 동 disclose 반의 c____________

VOCA CLEAR

DAY 43

1681

resource
[ríːsɔːrs]

명 1. 자원, 물자 2. 재료

Developing countries tend to depend on their natural **resources**.
개발 도상국들은 그들의 천연자원에 의존하는 경향이 있다.

수능표현 +

natural resources 천연자원
human resources 인적 자원

시험에 더 강해지는 어휘

파생 **resourceful** 형 지략이 있는
유의 **supplies** 명 물자
source 명 원천, 자료

1682

fundamental
[fʌ̀ndəméntəl]

형 1. 근본[본질]적인 2. 핵심적인, 필수적인

A **fundamental** trait of human nature is its incredible capacity for adaptation. 기출
인간 본성의 근본적인 특성은 그것의 놀라운 적응력이다.

유의 **basic** 형 근본적인
essential 형 필수적인
숙어 **fundamental to** ~에 핵심적인

1683

uphold
[ʌphóuld]

동 1. 지지하다, 옹호하다 2. 받들다, 지탱하다

The social scientist was searching for evidence that would **uphold** her theory.
그 사회 과학자는 자신의 이론을 지지할 증거를 찾고 있었다.

유의 **support** 동 지지하다, 지탱하다

1684

expense
[ikspéns]

명 비용, 돈

Inflation pushed up costs far beyond their expected **expenses**. 기출
인플레이션으로 인해 경비가 예상 비용을 훨씬 초과했다.

파생 **expensive** 형 비싼
유의 **cost** 명 비용
expenditure 명 지출, 비용
숙어 **at the expense of** ~을 희생하여

1685

achieve
[ətʃíːv]

동 성취하다, 이루다

By having strong imagery control, she could help herself **achieve** her goal. 기출
강력한 이미지 콘트롤을 통해 그녀는 자신의 목표를 이루는 데 스스로 도움을 줄 수 있었다.

파생 **achievement** 명 업적, 성취
유의 **accomplish** 동 성취하다
반의 **fail** 동 실패하다

1686

setback
[sétbæk]

명 좌절, 차질, 방해

When we experience life's **setbacks** and feel down, we look for friendship. 기출 응용
인생의 좌절을 경험하고 우울함을 느낄 때, 우리는 우정을 찾는다.

수능표현 +
economic setback 경기 침체

유의 **hindrance** 명 방해
interruption 명 방해

1687

insane
[inséin]

형 제정신이 아닌, 미친

The idea of building a house on a cliff sounds **insane** to me.
절벽 위에 집을 짓겠다는 생각은 나에게는 제정신이 아닌 것으로 들린다.

파생 **insanity** 명 정신 이상
유의 **mad** 형 미친, 정신 나간
out of one's mind 제정신이 아닌
반의 **sane** 형 제정신의

1688

earn
[əːrn]

동 1. 돈을 벌다 2. (명성·평판 등을) 얻다

He **earned** a higher income at the cost of working longer hours. 기출 응용
그는 장시간 노동을 하는 대가로 더 높은 수입을 얻었다.

파생 **earning** 명 획득
유의 **gain** 동 얻다
숙어 **earn a living** 생계를 꾸리다

1689

deduce
[didjúːs]

동 추론하다, 연역하다

We can **deduce** someone's character from his or her actions.
우리는 행동을 통해 그 사람의 성격을 추론할 수 있다.

파생 **deduction** 명 추론, 연역
deductive 형 연역적인
유의 **infer** 동 추론하다

1690

behalf
[bihǽf]

명 1. 이익 2. 지지

The students collected money on **behalf** of the orphanage.
학생들은 고아원을 위해 돈을 모았다.

숙어 **on behalf of** ~을 대신하여[위해서]

1691

aviation
[èiviéiʃən]

명 비행(술), 항공(술)

The Wright brothers were **aviation** pioneers who invented the first successful airplane.
라이트 형제는 최초의 성공적인 비행기를 발명한 항공술의 개척자였다.

유의 **flight** 명 비행
aeronautics 명 항공술

1692

superior
[supíriər]

형 뛰어난, 우수한, 상급의 명 윗사람, 상급자

This model is technically **superior** to its earlier models.
이 모델은 이전 모델들보다 기술적으로 우수하다.

파생 **superiority** 명 우월, 우위
반의 **inferior** 형 열등한, 하위의 명 하급자
숙어 **superior to** ~보다 우월한

1693

prolong
[prəlɔ́ːŋ]

동 (시간·공간적으로) 연장하다, 연기하다

Scientists are trying to find the key to **prolonging** human life.
과학자들은 인간의 생명 연장의 비결을 발견하려고 노력하고 있다.

파생 **prolonged** 형 오래 끄는, 장기적인
유의 **extend** 동 연장하다
반의 **shorten** 동 단축하다

1694

charity
[tʃǽrəti]

명 1. 자선 (단체) 2. 너그러움, 자비심

All proceeds will be donated to a local **charity** that helps homeless people. 기출 응용
모든 수익금은 노숙자를 돕는 지역 자선 단체에 기부될 것이다.

수능표현 +
local charity 지역 자선 단체

파생 **charitable** 형 자선의, 너그러운

1695

enterprise
[éntərpràiz]

명 1. 기업, 회사 2. (모험적인) 대규모 사업

He is working as a manager in an international business **enterprise**.
그는 한 국제 기업에서 관리자로 일하고 있다.

유의 **corporation** 명 회사
firm 명 회사
venture 명 벤처 (사업), (사업상의) 모험

1696

diagnose
[dáiəgnòus]

동 진단하다

Amy learned that her mother had been **diagnosed** with a serious illness. 기출
Amy는 어머니가 중병으로 진단받았다는 것을 알았다.

파생 **diagnosis** 명 진단
숙어 **be diagnosed with** ~라는 병으로 진단받다

1697

conflict
[kɑ́ːnflikt]

명 갈등, 충돌 동 [kənflíkt] 대립하다, 충돌하다

Decreased communication can cause increased misunderstandings and **conflict**. 기출 응용
의사소통이 줄면 오해와 갈등이 늘어날 수 있다.

유의 **dispute** 명 분쟁, 논란
숙어 **in conflict with** ~와의 갈등 상황에 있는

1698

medieval
[mìːdiíːvəl]

형 중세의, 중세풍의

The **medieval** church played an active role in the government.
중세 교회는 정치에서 적극적인 역할을 했다.

수능표현 +

medieval age 중세 시대
medieval art 중세 미술

1699

reign
[rein]

명 통치 (기간) 동 통치하다, 지배하다

This novel is set in 1898, during the **reign** of Queen Victoria.
이 소설은 빅토리아 여왕의 통치 기간인 1898년을 배경으로 한다.

유의 **rule** 동 통치하다, 지배하다
숙어 **under the reign of** ~의 통치하에

1700

frown
[fraun]

동 얼굴[눈살]을 찌푸리다 명 찌푸림

Those who were forced to smile felt happier than those who were forced to **frown.** 기출 응용
억지로 미소짓게 된 사람들은 억지로 얼굴을 찌푸리게 된 사람들보다 더 행복하다고 느꼈다.

유의 **scowl** 동 얼굴을 찌푸리다
숙어 **frown at** ~을 향해 눈살을 찌푸리다

1701

nomadic
[noumǽdik]

형 유목 (생활)의, 방랑의

Early human societies were **nomadic** and based on hunting and gathering. 기출 응용
초기 인간 사회는 유목 생활이었고 사냥과 채집에 기반을 두었다.

파생 **nomad** 명 유목민
유의 **wandering** 형 방랑하는
반의 **settled** 형 정착한

1702 다의어

toll
[toul]

명 1. 사용료, 통행료 2. 사상자 수 동 (요금을) 징수하다

To get there, she had to go over a bridge paying a **toll** of $2.5. 기출
그곳에 도착하기 위해 그녀는 2.5달러의 통행료를 내고 다리를 건너야 했다.

The death **toll** of the plane crash rose from 2 to 25.
그 비행기 추락 사고의 사망자 수는 2명에서 25명으로 증가했다.

Tolling the most congested areas is not a practicable solution.
가장 혼잡한 지역들에 통행료를 징수하는 것이 실행 가능한 해결책은 아니다.

수능표현 +

highway[motorway] toll 고속도로 통행료
death toll 사망자 수

유의 **charge** 명 요금
fee 명 납부금, 요금

1703

stroll
[stroul]

동 산책하다, 한가로이 거닐다 명 산책

Many locals spend time **strolling** around Lake Geneva.
많은 현지인들이 Geneva 호수 주변을 산책하며 시간을 보낸다.

파생 **stroller** 명 거니는 사람, 유모차
유의 **walk** 동 산책하다

1704

drought
[draut]

명 가뭄

Some areas could experience **droughts** because of the low rainfall. 기출 응용
일부 지역은 강수량이 적기 때문에 가뭄을 겪을 수 있다.

반의 **flood** 명 홍수

1705

adjacent
[ədʒéisənt]

형 인접한, 가까운

Clients were told to wait in the meeting room **adjacent** to the reception area.
의뢰인들은 접수처에 인접한 회의실에서 기다리라는 말을 들었다.

파생 **adjacency** 명 인접, 이웃
유의 **adjoining** 형 인접한
neighboring 형 인근의
숙어 **adjacent to** ~에 인접한

1706

rural
[rúrəl]

형 시골의, 지방의

Many people raised in **rural** areas later move to the city. 기출 응용
시골 지역에서 성장한 많은 사람들이 후에 도시로 이주한다.

수능표현 +
rural life 전원 생활

유의 **country** 형 시골의
반의 **urban** 형 도시의

1707

guidance
[gáidəns]

명 지도, 안내

Our trainers offer free expert **guidance** on how to stay in shape.
저희 트레이너들은 건강한 몸을 유지하는 법에 대한 전문적인 지도를 무료로 제공합니다.

파생 **guide** 명 안내(서), 안내인 동 안내하다

1708

shift
[ʃift]

동 1. 바꾸다 2. 이동하다 명 1. 변화 2. 교대 근무

After the storm, the direction of the wind **shifted**.
폭풍 후에 바람의 방향이 바뀌었다.

수능표현 +
night shift 야간 근무조
paradigm shift 패러다임(인식 체계) 전환

유의 **alter** 동 바꾸다
change 동 바꾸다 명 변화

1709

confer
[kənfə́ːr]

동 1. 협의하다, 상의하다 2. 수여하다

You can **confer** with your instructor about your grades after class.
여러분의 성적에 관해 수업이 끝난 후 강사와 상의할 수 있습니다.

파생 **conference** 명 학회, 회의
유의 **consult** 동 상의하다
bestow 동 수여하다
숙어 **confer with** ~와 상의하다

1710

potential
[pəténʃəl]

형 잠재적인, 가능성이 있는 명 잠재력, 가능성

The news dealt with the **potential** problem of organic mercury in fish. 기출 응용
뉴스는 물고기에 들어 있는 유기 수은의 잠재적 문제에 대해 다뤘다.

파생 **potent** 형 강한, 강력한
유의 **possibility** 명 가능성

1711

vertical
[və́ːrtikəl]

형 수직의, 세로의

This drone is capable of **vertical** takeoff and landing. 기출 응용
이 드론은 수직 이착륙이 가능하다.

파생 **verticality** 명 수직성
유의 **upright** 형 수직의, 똑바로 선
반의 **horizontal** 형 수평의

1712

invest
[invést]

동 1. 투자하다 2. (시간·노력 등을) 들이다

The reason most people **invest** is so that they can enjoy retirement. 기출 응용
대부분의 사람들이 투자를 하는 이유는 은퇴를 즐기기 위해서이다.

파생 **investment** 명 투자
investor 명 투자자
숙어 **invest in** ~에 투자하다

1713

outbreak
[áutbrèik]

명 1. (전쟁·질병 등의) 발생, 발발 2. 급증

The war led to **outbreaks** of infectious diseases.
그 전쟁은 전염병의 발발로 이어졌다.

수능표현 +
the outbreak of war 전쟁의 발발

유의 **occurrence** 명 발생

1714

scribble
[skríbl]

동 1. 갈겨쓰다 2. 낙서하다 명 갈겨쓴 글씨

She found some words **scribbled** on the back of the paper.
그녀는 종이 뒷면에서 갈겨쓴 몇 글자를 발견했다.

유의 **scrawl** 동 갈겨쓰다, 낙서하다

수능 혼동 어휘

1715

confirm
[kənfə́:rm]

동 1. 확인하다 2. 승인[인증]하다

The research has **confirmed** the importance of touch for babies. 기출 응용
그 연구는 아기들에 대한 접촉의 중요성을 확인했다.

1716

conform
[kənfɔ́:rm]

동 1. 따르다, 순응하다 2. (~에) 일치시키다

He is angry over the fact that no one seems to **conform** to his way of thinking. 기출 응용
그는 아무도 자신의 사고방식을 따르지 않는 것 같다는 사실에 화가 나 있다.

1717

fertile
[fə́:rtəl]

형 1. 비옥한, 기름진 2. 가임의

Fruit grows easily in the **fertile** soil.
과일은 비옥한 토양에서 쉽게 자란다.

수능표현 +

the Fertile Crescent 비옥한 초승달 지대 (나일강, 티그리스강과 페르시아만을 잇는 반월형의 고대 농업 지대)

1718

futile
[fjú:təl]

형 헛된, 소용없는

Michael's **futile** attempts to open the door only increased his panic. 기출
문을 열려는 Michael의 헛된 시도는 그의 공황 상태만 가중시켰다.

수능 UP

Q1.
둘 중 알맞은 단어를 고르시오.
The schools were told to **[confirm / conform]** to the new curriculum.

Q2.
둘 중 알맞은 단어를 고르시오.
The villages were located along the river, where the soil was moist and **[fertile / futile]**.

수능 필수 숙어

1719

may as well

~하는 편이 낫다

The airport bus is expensive, so we **might as well** take a taxi.
공항 버스가 비싸서 우리는 택시를 타는 게 낫겠다.

1720

may well

(~하는 것도) 당연하다, 무리가 아니다

He trained hard, so he **may well** win the race.
열심히 훈련했기 때문에 그가 경주에서 이기는 것이 당연하다.

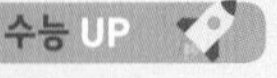

Q3.
빈칸에 알맞은 어구를 고르시오.

She doesn't understand the situation, so she ________ be wrong.

① may as well
② may well

Daily Test 43

정답 p.460

A 우리말은 영어로, 영어는 우리말로 쓰시오.

01 협의하다, 수여하다 ________

02 좌절, 차질, 방해 ________

03 비행(술), 항공(술) ________

04 기업, 대규모 사업 ________

05 진단하다 ________

06 갈등; 대립하다 ________

07 통치 (기간) ________

08 medieval ________

09 frown ________

10 adjacent ________

11 stroll ________

12 drought ________

13 scribble ________

14 futile ________

B 우리말과 일치하도록 빈칸에 알맞은 단어 또는 어구를 쓰시오.

서술형

01 We are now witnessing a f__________ shift in our resource demands.
우리는 이제 자원 수요에 있어서 근본적인 변화를 목격하고 있다.

02 There are no reports on the death t__________ in the fire incident.
그 화재 사고의 사망자 수에 대한 보도는 아직 전해지지 않고 있다.

03 Her fancy dress m__________ __________ attract people's attention.
그녀의 화려한 드레스가 사람들의 시선을 끈 것도 당연하다.

C 각 단어의 유의어 또는 반의어를 쓰시오.

01 명 outbreak 유의 o________

02 형 rural 반의 u________

03 동 deduce 유의 i________

04 동 prolong 유의 e________

05 형 insane 반의 s________

06 형 nomadic 반의 s________

07 동 uphold 유의 s________

08 형 vertical 반의 h________

VOCA CLEAR

DAY 44

시험에 더 강해지는 어휘

1721

accomplish
[əkɑ́:mpliʃ]

동 이루다, 성취하다, 완수하다

She successfully **accomplished** all of her tasks.
그녀는 그녀의 모든 과업을 성공적으로 완수했다.

수능표현

scientific accomplishment 과학적 업적[성과]

파생 accomplishment 명 업적, 완수
유의 achieve 동 성취하다
realize 동 (목표 등을) 달성하다
반의 fail 동 이루지 못하다

1722

congestion
[kəndʒéstʃən]

명 혼잡, 정체

Dependence on automobile travel contributes to traffic **congestion**. 기출
자동차를 통한 이동에 의존하는 것은 교통 혼잡의 원인이 된다.

파생 congest 동 혼잡하게 하다
유의 jam 명 혼잡, 체증

1723

steep
[sti:p]

형 1. 가파른, 비탈진 2. 급격한

The hill's slope is **steep** enough for us to gain some speed.
그 언덕의 경사는 속도가 약간 붙을 만큼 가파르다.

유의 sheer 형 가파른
sharp 형 가파른, 급격한
반의 gradual 형 완만한

1724

representative
[rèprizéntətiv]

명 대표자, 대리인 형 대표하는

Representatives from 100 universities were there to provide information on academic programs. 기출 응용
100개 대학의 대표들이 학업 프로그램에 대한 정보를 제공하기 위해 모였다.

수능표현

sales representative 영업 담당자, 판매 대리인
customer service representative 고객 서비스 상담원(CSR)

파생 represent 동 대표하다
유의 delegate 명 대표(자)
agent 명 대리인

1725

flee
[fli:]

동 달아나다, 도망가다

Deer **fled** as soon as they spotted the wolves in the forest.
사슴들은 숲에서 늑대들을 발견하자마자 도망쳤다.

유의 run away 달아나다
숙어 flee from ~로부터 달아나다

1726

rust
[rʌst]

명 녹 동 녹슬다, 부식시키다

Painting protects against **rust** by preventing water from reaching the metal.
도장은 물이 금속에 닿는 것을 막음으로써 녹을 방지한다.

파생 **rusty** 형 녹슨
유의 **corrosion** 명 부식
corrode 동 부식시키다

1727

ideal
[aidí(:)əl]

형 이상적인 명 이상

The **ideal** sound quality varies in step with technological and cultural changes. 기출
이상적인 음질은 기술적, 문화적 변화에 맞춰 달라진다.

파생 **idealize** 동 이상화하다
idealistic 형 이상주의적인
숙어 **ideal for** ~에 이상적인

1728

legacy
[légəsi]

명 유산, 유물

I received a message that my great aunt had left me an unexpected **legacy**.
증조할머니가 나에게 뜻밖의 유산을 남겼다는 전갈을 받았다.

유의 **inheritance** 명 유산

1729

cherish
[tʃériʃ]

동 소중히 여기다, 간직하다

We fail to **cherish** what we have due to the busyness of life.
우리는 바쁜 생활로 인해 우리가 가진 것을 소중히 여기지 못한다.

파생 **cherishable** 형 소중히 간직할 만한
유의 **treasure** 동 소중히 여기다

1730

despise
[dispáiz]

동 경멸[멸시]하다

Even views that you **despise** deserve to be heard.
네가 경멸하는 견해조차도 들어 볼 가치가 있다. 기출

유의 **scorn** 동 경멸[멸시]하다
look down on 얕보다
반의 **admire** 동 존경하다, 칭찬하다

1731

welfare
[wélfɛər]

명 1. 행복, 안녕 2. 복지

The child's guardian is there to promote her **welfare**.
그 아이의 후견인은 아이의 행복을 증진시키기 위해 있다.

수능표현+

welfare state 복지 국가
welfare budget 복지 예산

유의 **well-being** 명 행복, 복지

1732

arbitrary
[ɑ́ːrbitrèri]

형 1. 임의의, 제멋대로인 2. 독단적인

The city made an **arbitrary** decision to close the local library.
시는 지역 도서관을 폐쇄하기로 독단적인 결정을 내렸다.

유의 random 형 되는 대로의, 임의의
반의 logical 형 논리적인

1733

complete
[kəmplíːt]

형 1. 완전한, 완벽한 2. 완료된 동 완료하다

The road for **complete** acceptance of women in sports was a hard one. 기출 응용
스포츠에서 여성을 완전히 받아들이기까지 그 길은 험난했다.

파생 completion 명 완료, 완성
completely 부 완전히, 전적으로
반의 incomplete 형 불완전한

1734

tow
[tou]

동 견인하다, 끌다 명 견인

Any car found in a no-parking zone will be **towed**.
주차금지 구역에서 발견되는 어떤 차량이든 견인될 것이다.

숙어 in tow 뒤에 데리고

1735

dismiss
[dismís]

동 1. 묵살하다 2. 해고하다 3. 해산시키다

We tend to **dismiss** information that doesn't confirm our beliefs. 기출 응용
우리는 우리의 신념을 확신시켜 주지 않는 정보는 묵살하는 경향이 있다.

파생 dismissal 명 묵살, 해고
유의 disregard 동 묵살하다
discharge 동 해고하다
반의 hire 동 고용하다

1736 다의어

settle
[sétl]

동 1. 해결하다 2. 정착하다 3. 진정하다[시키다]

Both sides tried to find ways to **settle** the dispute.
양측은 분쟁을 해결하기 위한 방법을 찾으려고 노력했다.

Some city dwellers get tired of urban life and decide to **settle** in the countryside. 기출 응용
일부 도시 거주자들은 도시 생활에 지쳐 시골에 정착하기로 결심한다.

I had to run out of the concert hall to **settle** down.
나는 진정하기 위해 콘서트장 밖으로 뛰쳐나가야 했다. 기출

파생 settlement 명 해결, 정착
settler 명 정착민
유의 resolve 동 해결하다
calm down 진정하다

1737

proportion
[prəpɔ́ːrʃən]

명 1. 비율, 부분 2. 균형, 조화 3. 비례

Latin Americans account for the second largest **proportion** of the U.S. population.
라틴 아메리카인들은 미국 인구에서 두 번째로 큰 비중을 차지하고 있다.

파생 proportional 형 비례하는
유의 ratio 명 비율, 비
balance 명 균형
숙어 in proportion to ~에 비례하여

1738

domesticated
[dəméstikèitid]

형 1. 길든, 길들여진 2. 가정적인

Cattle were **domesticated** not only for their meat or skin but also as work animals for agriculture.
소는 고기나 가죽을 위해서 뿐만 아니라 농사일을 하는 동물로 길들여졌다.

수능표현 +
domesticated[domestic] animals 가축

파생 domesticate 동 길들이다, 재배하다
유의 tame 형 길들여진

1739

ingenuity
[ìndʒənjúːəti]

명 창의력, 고안력, 독창성

The motor of our **ingenuity** is the question, "Does it have to be like this?" 기출
우리의 독창성의 동력은 '이래야만 하는가?'라는 의문이다.

파생 ingenious 형 기발한
유의 creativity 명 창의력
originality 명 독창성

1740

encompass
[inkʌ́mpəs]

동 1. 포함하다, 포괄하다 2. 둘러싸다

The project group **encompasses** medical experts from eight countries.
그 프로젝트 그룹은 8개국의 의학 전문가들을 포함하고 있다.

유의 include 동 포함하다
surround 동 둘러싸다
반의 exclude 동 배제하다

1741

bilingual
[bailíŋgwəl]

형 이중 언어를 사용하는 명 이중 언어 사용자

As globalization advances, more people become **bilingual**.
세계화가 진행됨에 따라 더 많은 사람들이 이중 언어를 사용하게 된다.

파생 bilingualism 명 이중 언어를 사용하는 능력

1742

reform
[rifɔ́ːrm]

동 개혁하다, 개선하다 명 개혁, 개선

The government tried to **reform** the healthcare system.
정부는 의료 시스템을 개혁하려고 노력했다.

파생 reformation 명 개혁, 개선
유의 improve 동 개선하다

1743

string
[striŋ]

명 1. 끈, 줄 2. 일련, 한 줄 동 묶다, 죽 꿰다

The man was carrying a large box tied up with strong **string**.
그 남자는 튼튼한 끈으로 묶인 커다란 상자를 나르고 있었다.

수능표현 +
string quartet 현악 4중주

숙어 a string of 일련의

1744

surplus
[sə́ːrplʌs]

명 1. 과잉, 잉여 2. 흑자 형 과잉의, 여분의

As rice consumption falls in Korea, there is now a **surplus** of rice.
한국에서는 쌀 소비량이 떨어지면서 쌀이 현재 남아돌고 있다.

유의 excess 명형 과잉(의)
반의 deficit 명 적자

1745 다의어

odd
[ɑːd]

형 1. 이상한, 특이한 2. 홀수의 3. 외짝의

When a child's use of a word strikes us as **odd**, we correct it. 기출 응용
아이의 단어 사용이 이상하게 느껴질 때, 우리는 그것을 고쳐 준다.

This elevator stops on the **odd** floors only.
이 엘리베이터는 홀수층에만 멈춘다.

My 5-year-old son was wearing **odd** socks: one was green, the other was red.
나의 다섯 살배기 아들은 짝짝이로 양말을 신고 있었는데, 한쪽은 초록색, 다른 한쪽은 빨간색이었다.

수능표현+
odd number 홀수 (↔ even number 짝수)

파생 oddly 부 이상하게도
유의 peculiar 형 이상한, 기이한
eccentric 형 별난, 기이한
반의 normal 형 보통의

1746

warranty
[wɔ́(ː)rənti]

명 보증(서)

The product **warranty** says they'll repair or replace anything that breaks.
제품 보증서에는 깨진 물건은 수리하거나 교체해 준다고 되어 있다.

파생 warrant 명 담보 물건
유의 guarantee 명 보증(서)
숙어 under warranty (상품이) 보증기간 중인

1747

mock
[mɑk]

동 조롱하다, 놀리다 형 가짜의, 모조의

Bob was worried that Jason might be **mocked** by the other kids. 기출
Bob은 Jason이 다른 아이들에게 조롱당할까 봐 걱정했다.

파생 mockery 명 조롱, 조소, 엉터리
mocking 형 비웃는
유의 tease 동 놀리다
ridicule 동 조롱하다

1748

paddle
[pǽdl]

동 노를 젓다 명 노

I jumped on my surfboard and **paddled** out. 기출
나는 서핑보드에 뛰어올라 노를 저어 나갔다.

유의 oar 명 노

1749

intend
[inténd]

동 의도하다, ~할 작정이다

We can tell what is **intended** just by seeing the words that are used.
우리는 사용된 단어를 보는 것만으로도 무엇이 의도되었는지 알 수 있다.

파생 intention 명 의도, 목적
intent 명 의도 형 몰두하는
숙어 intend to-v
~할 의향이다[작정이다]

1750

disgust
[disgʌ́st]

명 혐오감, 역겨움 동 혐오감을 주다, 역겹게 하다

The painting made people feel **disgust** and anger.
그 그림은 사람들에게 혐오감과 분노를 느끼게 했다.

파생 disgusting
형 혐오스러운, 역겨운
유의 distaste 명 혐오
aversion 명 혐오
숙어 disgust at[with]
~에 대한 혐오

1751

premature
[prìːmətjúər]

형 1. 시기상조의, 너무 이른 2. 조산한

His **premature** death at the age of 40 left everybody in shock.
나이 마흔에 그의 이른 죽음은 모두를 충격에 빠지게 만들었다.

수능표현 +
premature baby 조산아

유의 early 형 이른, 빠른
untimely 형 시기상조의

1752

shrug
[ʃrʌg]

동 (어깨를) 으쓱하다

He **shrugged** to show that he didn't care about the rumor.
그는 그 소문에 대해 신경 쓰지 않는다는 것을 보여 주기 위해 어깨를 으쓱했다.

숙어 with a shrug
어깨를 으쓱하며

1753

flood
[flʌd]

명 홍수 동 범람하다, 물에 잠기게 하다

The **flood** caused a lot of damage to my home.
홍수로 우리 집이 많은 피해를 입었다. 기출 응용

파생 flooded 형 물에 잠긴, 침수된
반의 drought 명 가뭄

1754

violate
[váiəlèit]

동 1. 위반하다 2. 침해하다

She was fined $30 for **violating** the speed limit.
그녀는 속도 제한 위반으로 30달러의 벌금을 물었다.

수능표현 +
violate traffic regulations 교통 규칙을 위반하다
violate human rights 인권을 침해하다

파생 violation 명 위반, 침해
유의 infringe 동 위반하다, 침해하다
반의 obey 동 준수하다

수능 혼동 어휘

1755

population
[pά:pjəléiʃən]

명 인구, 주민

In the Industrial Era our **population** exploded. 기출
산업화 시대에 우리의 인구는 폭발적으로 증가했다.

수능표현 +

decline in population 인구 감소
population growth 인구 증가

1756

popularity
[pὰ:pjəlǽrəti]

명 인기, 대중성

The rising **popularity** of electric scooters is due to their convenience. 기출 응용
전동 스쿠터의 인기가 높아진 것은 그것의 편리함 때문이다.

1757

invaluable
[invǽljuəbl]

형 매우 귀중한, 매우 유용한

A liberal arts education can be **invaluable** for many careers. 기출
교양 교육은 많은 직업에 매우 유용할 수 있다.

1758

valueless
[vǽljulis]

형 가치 없는, 하찮은

People thought his opinion was **valueless**, so no one listened to him.
사람들은 그의 의견이 가치 없다고 생각해서 아무도 그의 말을 듣지 않았다.

수능 UP

Q1.
둘 중 알맞은 단어를 고르시오.
The movie's **[population / popularity]** was mostly due to its plot.

Q2.
둘 중 알맞은 단어를 고르시오.
This sleeping bag is **[invaluable / valueless]** when you sleep outdoors, as it will preserve your body heat.

수능 필수 숙어

1759

now that

~이므로, ~이기 때문에

Now that he is retired, he looks forward to spending his free time with his family.
그는 은퇴를 했으므로 여가 시간을 가족과 함께 보내기를 고대하고 있다.

1760

in that

~라는 점에서

Our space on the Earth is limited **in that** we have to give up the underwater world. 기출 응용
지구상에서의 우리의 공간은 우리가 수중 세계를 포기해야 한다는 점에서 제한적이다.

Q3.
빈칸에 알맞은 어구를 고르시오.

__________ you know which foods cause tooth decay, you can eat a tooth-healthy diet.

① Now that
② In that

Daily Test 44

정답 p.461

A 우리말은 영어로, 영어는 우리말로 쓰시오.

01 혼잡, 정체 ____________

02 대표자; 대표하는 ____________

03 비율, 균형, 비례 ____________

04 길들여진, 가정적인 ____________

05 (어깨를) 으쓱하다 ____________

06 이상한, 홀수의 ____________

07 해결하다, 정착하다 ____________

08 encompass ____________

09 cherish ____________

10 invaluable ____________

11 arbitrary ____________

12 flee ____________

13 legacy ____________

14 premature ____________

B 우리말과 일치하도록 빈칸에 알맞은 단어 또는 어구를 쓰시오.

서술형

01 The car that had been damaged in the crash was t__________ on the spot.
충돌 사고로 파손된 그 차는 현장에서 견인되었다.

02 He was d__________ from his job because of his poor performance.
그는 실적 부진으로 직장에서 해고되었다.

03 Human beings are different from animals __________ t__________ we can perceive the passage of time.
인간은 시간의 경과를 인지할 수 있다는 점에서 동물과 다르다.

C 각 단어의 유의어 또는 반의어를 쓰시오.

01 명 welfare 유의 w__________

02 형 complete 반의 i__________

03 동 rust 유의 c__________

04 동 despise 반의 a__________

05 명 ingenuity 유의 c__________

06 명 warranty 유의 g__________

07 명 surplus 반의 d__________

08 동 violate 반의 o__________

VOCA CLEAR

DAY 45

시험에 더 강해지는 어휘

1761

dispose

[dispóuz]

동 1. 처리하다 2. 배치하다 3. ~의 경향을 갖게 하다

These days, less waste is being **disposed** of in landfills. 기출 응용

최근, 더 적은 양의 폐기물이 쓰레기 매립지에서 처리되고 있다.

파생 **disposal** 명 처리, 처분

disposition 명 배치, 기질, 성향

숙어 **dispose of** ~을 처리하다, 없애다

1762 다의어

contain

[kəntéin]

동 1. 포함하다, 함유하다 2. (감정을) 억누르다, 억제하다

To capture people's attention, commercials tend to **contain** humorous elements. 기출 응용

사람들의 관심을 사로잡기 위해, 광고 방송은 재미있는 요소들을 포함하는 경향이 있다.

How can you **contain** your anger and control your emotions when you feel upset?

너는 속상할 때 어떻게 화를 억누르고 감정을 조절할 수 있니?

파생 **container** 명 용기, 그릇

유의 **include** 동 포함하다

restrain 동 억제하다

숙어 **contain oneself** 자제하다

1763

epidemic

[èpidémik]

명 유행병, 유행성 (전염병) 형 유행성의

Vaccines control **epidemics** but have not eliminated them. 기출

백신은 전염병을 통제하지만 그것을 없애지는 못했다.

유의 **plague** 명 전염병

pandemic 명 전국[전 세계]적 유행병 형 전국[전 세계]적으로 유행하는

1764

germ

[dʒəːrm]

명 세균, 미생물

Keeping your feet dry will reduce the amount of **germs** and bacteria living on them. 기출 응용

발을 건조하게 유지하는 것이 그것들에 서식하고 있는 세균과 박테리아의 양을 감소시킬 것이다.

유의 **microbe** 명 미생물, 세균

virus 명 바이러스

bacterium 명 박테리아

1765

stout

[staut]

형 1. 통통한, 뚱뚱한 2. (물건이) 튼튼한

Contrary to her expectation, he was a **stout**, middle-aged man.

그녀의 예상과 반대로 그는 뚱뚱한 중년의 남자였다.

유의 **plump** 형 통통한

sturdy 형 튼튼한

반의 **slender** 형 날씬한

slim 형 호리호리한

1766

debt
[det]

명 빚, 부채

I made a schedule for paying off my $2,000 **debt**.
나는 2천 달러의 빚을 갚기 위한 일정을 짰다.

파생 **indebted** 형 부채가 있는, 감사하는
숙어 **in debt** 빚을 진

1767

sum
[sʌm]

명 총합, 합계
동 1. 합계가 ~이 되다 2. 요약하다

Our slogan was "The whole is greater than the **sum** of its parts." 기출 응용
우리의 슬로건은 '전체는 부분의 총합보다 더 크다'였다.

유의 **total** 명 합계
숙어 **to sum up** 요컨대, 요약하면

1768

reasonable
[ríːzənəbl]

형 1. 합리적인, 타당한 2. 비싸지 않은, 적정한

Reasonable people generally solve problems in a step-by-step manner. 기출
합리적인 사람들은 단계별로 문제를 해결한다.

수능표현 +
reasonable price 적정한 가격

파생 **reason** 명 근거, 이성 동 추리하다
유의 **rational** 형 합리적인
반의 **unreasonable** 형 불합리한, 부당한

1769

currency
[kə́ːrənsi]

명 1. 통화, 화폐 2. 통용, 유통

The foreign **currency** exchange rate has increased significantly.
외화 환율이 상당히 올랐다.

파생 **current** 형 통용되는, 현재의
유의 **money** 명 돈

1770

utilize
[júːtəlàiz]

동 활용하다, 이용하다

Lawyers **utilize** information selectively to support their arguments. 기출 응용
변호사들은 자신의 주장을 뒷받침하기 위해 선택적으로 정보를 활용한다.

파생 **utilization** 명 이용, 활용
utility 명 공익사업, 유용성
유의 **use** 동 이용하다

1771

inseparable
[insépərəbl]

형 떼어 낼 수 없는, 분리할 수 없는

We believe personal freedom is **inseparable** from social justice.
우리는 개인의 자유는 사회 정의와 분리할 수 없는 관계라고 믿는다.

유의 **indivisible** 형 나눌 수 없는, 불가분의
반의 **separable** 형 분리될 수 있는

1772

continent
[kɑ́ːntənənt]

명 1. 대륙, 육지, 본토 2. (영국에서 본) 유럽 대륙

The first humans took a northerly route to leave the African **continent.** 기출
최초의 인류는 아프리카 대륙을 떠나기 위해 북쪽으로 가는 길을 택했다.

파생 **continental** 형 유럽 대륙의
유의 **mainland** 명 본토

1773

liberate
[líbərèit]

동 해방시키다, 자유롭게 하다

It is true in a sense that advances in technology have **liberated** humans from hard labor.
기술의 발전이 인간을 힘든 노동으로부터 해방시켰다는 것은 어느 정도 사실이다.

파생 **liberation** 명 해방, 석방
liberal 명 자유주의자 형 자유주의의
유의 **release** 동 석방하다
free 동 자유롭게 하다
반의 **imprison** 동 수감하다

1774

internal
[intə́ːrnəl]

형 1. 내부의 2. 내면의 3. 국내의

Residents are not allowed to change the **internal** structure of the building.
거주자들이 건물의 내부 구조를 변경하는 것은 허용되지 않는다.

수능표현 +
internal organ 장기
internal dialogue 내적 대화

파생 **internalize** 동 내면화하다
유의 **inner** 형 내부의, 내면의
반의 **external** 형 외부의

1775

patch
[pætʃ]

명 1. (덧댄) 조각 2. 좁은 땅
동 (헝겊 조각 등으로) 덧대다

She sewed **patches** on the elbows of the jacket.
그녀는 재킷 팔꿈치에 헝겊 조각을 꿰맸다.

파생 **patchy** 형 군데군데 있는
유의 **scrap** 명 조각
plot 명 좁은 땅
mend 동 옷을 깁다

1776

orchard
[ɔ́ːrtʃərd]

명 과수원

This juice is made with fresh apples grown at a local **orchard.**
이 주스는 지역 과수원에서 재배된 신선한 사과로 만들어진다.

1777

translate
[trænsléit]

동 1. 번역하다, 통역하다 2. 바꾸다, 옮기다

He managed to **translate** his jokes for the American audience. 기출
그는 미국 청중들을 위해 자신의 농담을 번역하는 것을 해낼 수 있었다.

파생 **translation** 명 번역, 통역
숙어 **translate A into B** A를 B로 옮기다[번역하다]

1778

pronounce
[prənáuns]

동 1. 발음하다 2. 선언하다

Did I **pronounce** your name correctly?
제가 당신의 이름을 정확하게 발음했나요?

파생 pronunciation 명 발음
pronouncement 명 선언
유의 declare 동 선언하다

1779

vocation
[voukéiʃən]

명 1. 직업, 천직 2. 소명 (의식), 사명감

It is very important to choose the **vocation** that suits you best. 기출
여러분에게 가장 적합한 직업을 선택하는 것은 매우 중요하다.

파생 vocational 형 직업과 관련된
유의 profession 명 직업
calling 명 천직, 소명 (의식)

1780

collective
[kəléktiv]

형 집단의, 공동의 명 집단, 공동체

Politics is a unique **collective** activity that is directed at certain common goals. 기출
정치란 특정한 공동의 목표를 향한 독특한 집단 활동이다.

수능표현 +

collective activity 집단 활동
collective intelligence 집단 지성
collective wisdom 공동의 지혜

파생 collect 동 모으다
collection 명 수집품
유의 joint 형 공동의
반의 individual 형 개별의
separate 형 개별적인

1781

recognize
[rékəgnàiz]

동 1. 알아보다, 인지하다 2. 인정[승인]하다

Sometimes we **recognize** and understand information but can't recall it when we need it. 기출 응용
이따금씩 우리는 정보를 인식하고 이해하지만, 우리가 그것을 필요로 할 때 기억해 내지 못한다.

파생 recognition 명 인식, 인정
유의 perceive 동 인지하다
acknowledge 동 인정하다

1782

cite
[sait]

동 1. (이유·예를) 들다 2. 인용하다

The professor **cited** three main reasons teenagers misbehave.
그 교수는 십 대들이 비행을 저지르는 세 가지 주된 이유를 들었다.

파생 citation 명 인용(구)
유의 quote 동 인용하다

1783

shatter
[ʃǽtər]

동 1. 산산이 부수다 2. 엄청난 충격을 주다

The mirror **shattered** into pieces when it hit the floor.
거울이 바닥에 떨어졌을 때 산산조각이 났다.

파생 shattered 형 충격을 받은
유의 break 동 깨다, 부수다
smash 동 박살내다

1784

acknowledge
[əknɑ́lidʒ]

동 1. 인정하다, 승인하다 2. (물건의) 수령을 전하다

Wood is a material that is widely **acknowledged** to be environmentally friendly. 기출
목재는 환경친화적이라고 널리 인정받고 있는 자재이다.

파생 **acknowledgment** 명 승인, 접수 통지
acknowledged 형 인정된, 정평 있는
유의 **recognize** 동 인정하다
반의 **deny** 동 부인하다

1785

barrel
[bǽrəl]

명 통, 배럴

Oak **barrels** were first used to transport wine across the Atlantic Ocean to the U.S.
오크 통은 와인을 대서양을 넘어 미국으로 운반하는 데 처음 사용되었다.

유의 **cask** 명 (술을 담아 두는 나무로 된) 통

1786 다의어

mold
[mould]

명 1. 틀, 거푸집 2. 곰팡이
동 1. (틀에 넣어) 만들다 2. (성격을) 형성하다

Pour the heated soap into the **mold** and allow it to completely harden.
틀에 가열된 비누를 붓고 그것이 완전히 굳을 때까지 두어라.

A lot of **mold** can grow in your home during the rainy season.
장마철에는 여러분의 집에 많은 곰팡이가 생길 수 있다.

Mix wheat flour with water and **mold** it into shapes.
밀가루와 물을 섞어 틀에 넣어 모양을 만들어라.

유의 **cast** 명 거푸집 동 주조하다
form 동 만들어 내다
숙어 **mold A into B** A를 B로 만들다

1787

solid
[sɑ́lid]

형 1. 고체의, 단단한 2. 견고한, 튼튼한 3. 확실한 명 고체

She was told not to have **solid** food on the day of the surgery.
그녀는 수술날 고형식을 먹지 말라고 들었다.

수능표현 +
solid waste 고형 폐기물
solid evidence 확실한 증거

파생 **solidify** 동 굳어지다
solidity 명 견고함
유의 **hard** 형 단단한
firm 형 단단한, 견고한
reliable 형 확실한, 믿음이 가는
반의 **soft** 형 부드러운

1788

flexible
[fléksəbl]

형 1. 유연한, 구부리기 쉬운 2. 융통성 있는

Because they are highly **flexible**, penguins can move skillfully in cramped spaces. 기출 응용
펭귄은 매우 유연하기 때문에 비좁은 공간에서 능숙하게 움직일 수 있다.

파생 **flexibility** 명 유연성, 융통성
유의 **adaptable** 형 융통성 있는
반의 **inflexible** 형 경직된, 융통성 없는

1789

declare
[diklέər]

동 1. 선언[포고]하다 2. (소득·과세품을) 신고하다

The expert said it is too early to **declare** the economic crisis over.
그 전문가는 경제 위기가 끝났다고 선언하기에는 너무 이르다고 말했다.

파생 **declaration** 명 선언, 진술, 신고서
유의 **proclaim** 동 선언하다

1790

essential
[isénʃəl]

형 필수적인, 본질적인 명 필수적인 것, 핵심 사항

To go into the museum, it is **essential** to wear clothing that covers your knees. 기출 응용
박물관에 들어가기 위해서는 무릎을 덮는 옷을 입는 것이 필수적이다.

파생 **essence** 명 본질, 정수
유의 **vital** 형 필수적인
숙어 **essential to[for]** ~에 필수적인

1791

adore
[ədɔ́:r]

동 아주 좋아하다, 흠모하다

If you take pictures of your children, they will feel that they are **adored** by you. 기출 응용
여러분이 자녀의 사진을 찍어주면, 그들은 여러분에 의해 무척 사랑받고 있음을 느끼게 될 것이다.

파생 **adoration** 명 흠모, 경배
adorable 형 사랑스러운

1792

tragedy
[trǽdʒidi]

명 1. 비극 2. 비극 작품

The love of Romeo and Juliet ended in **tragedy**.
Romeo와 Juliet의 사랑은 비극으로 끝났다.

파생 **tragic** 형 비극적인
반의 **comedy** 명 희극

1793

request
[rikwést]

명 요청, 요구 동 요청[요구]하다

Only surf lessons or tutoring are available upon **request**. 기출 응용
요청 시 서핑 수업 또는 개인 교습만도 가능합니다.

파생 **require** 동 요구하다
유의 **ask for** 요청하다
demand 동 요구하다
숙어 **request for** ~에 대한 요청
on[upon] request 신청[청구]하는 대로, 곧

1794

bare
[bɛər]

형 1. 벌거벗은, 맨- 2. 가까스로의

Janet assembled a desk with her **bare** hands.
Janet은 맨손으로 책상을 조립했다.

수능표현 +

with bare hands 맨손으로
in bare feet 맨발로

파생 **barely** 부 간신히

수능 혼동 어휘

1795

ambiguous
[æmbígjuəs]

형 **애매한, 모호한**

Phrases in a contract can be **ambiguous** if they are read alone.
계약서의 문구는 단독으로 읽는 경우 모호할 수 있다.

1796

ambitious
[æmbíʃəs]

형 **야심을 품은, 야심적인**

The businessman continuously tried to realize his **ambitious** dream.
사업가는 자신의 야심 있는 꿈을 실현하고자 계속 노력했다.

1797

convince
[kənvíns]

동 **1. 확신시키다, 납득시키다 2. 설득하다**

In an argument you try to **convince** others of your side of the issue. 기출 응용
논쟁에서 여러분은 다른 사람들에게 쟁점에 관한 여러분의 입장을 납득시키려고 한다.

1798

conviction
[kənvíkʃən]

명 **1. 신념, 확신 2. 유죄 선고[판결]**

Convictions that may have once been true and useful may change. 기출
한때는 진실되고 유용했을지도 모르는 신념이 바뀔 수도 있다.

수능 UP

Q1.
둘 중 알맞은 단어를 고르시오.
An **[ambiguous / ambitious]** term is one whose context does not clearly indicate which meaning is intended.

Q2.
둘 중 알맞은 단어를 고르시오.
He nodded, as if he was trying to **[convince / conviction]** himself.

수능 필수 숙어

1799

fill out

작성하다, 기입하다

Please **fill out** the form to register for the course.
수강 신청을 하려면 그 양식을 작성해 주세요.

1800

give out

1. 나누어 주다 2. (빛·열을) 내다, 발산하다

The charity **gives out** scholarships to young people who are experiencing financial difficulties.
그 자선 단체는 재정적으로 어려움을 겪고 있는 젊은이들에게 장학금을 나누어 준다.

Q3.
빈칸에 알맞은 어구를 고르시오.

They were asked to ________ a detailed questionnaire on how they were feeling.

① fill out
② give out

Daily Test 45

정답 p.461

A 우리말은 영어로, 영어는 우리말로 쓰시오.

01 유행병; 유행성의 ____________
02 번역하다, 옮기다 ____________
03 벌거벗은, 가까스로의 ____________
04 활용하다, 이용하다 ____________
05 거푸집, 곰팡이 ____________
06 처리하다, 배치하다 ____________
07 직업, 소명 (의식) ____________
08 currency ____________
09 liberate ____________
10 stout ____________
11 pronounce ____________
12 adore ____________
13 shatter ____________
14 ambiguous ____________

B 우리말과 일치하도록 빈칸에 알맞은 단어 또는 어구를 쓰시오.

서술형

01 We can change a s__________ into a liquid by raising the temperature.
우리는 온도를 올림으로써 고체를 액체로 바꿀 수 있다.

02 The report c__________ examples of accidents involving the poison gas.
보고서는 유독 가스와 관련된 사고의 예를 인용했다.

03 The church g__________ __________ specially decorated eggs to celebrate Easter.
교회는 부활절을 축하하기 위해 특별히 장식된 달걀을 나눠 주었다.

C 각 단어의 유의어 또는 반의어를 쓰시오.

01 명 tragedy 반의 c____________
02 명 sum 유의 t____________
03 동 request 유의 d____________
04 동 recognize 유의 p____________
05 형 internal 반의 e____________
06 형 collective 유의 j____________
07 형 essential 유의 v____________
08 형 flexible 반의 i____________

수능에 더 강해지는 TEST DAY 41-45

A

다음 짝 지어진 두 단어의 관계가 같도록 빈칸에 알맞은 단어를 <보기>에서 골라 쓰시오.

<보기>	insult	urban	reformation	ascent

1 personal : private = offend : ______________

2 descent : ______________ = eternal : temporary

3 intend: intention = reform : ______________

4 rural : ______________ = vertical : horizontal

B

다음 문장에서 밑줄 친 어휘의 유의어를 고르시오.

1 No jury would uphold your conduct or the intent of your conduct.

① recognize ② support ③ invest

2 Investigations into the economics of information encompass a variety of categories. 기출

① include ② exclude ③ utilize

3 A reasonable person would approach the situation with caution and sensibly take action.

① bilingual ② potential ③ rational

4 Food intake is essential for the survival of every living organism.

① ingenious ② brutal ③ vital

정답 p. 461

C

다음 빈칸에 알맞은 단어를 <보기>에서 골라 쓰시오. (필요시 형태를 바꿀 것)

<보기>	persuade	fundamental	reluctant	domesticated

1 He is ______________ to behave in an appropriate way, yet his actions may be insincere. 기출

2 Some people are ______________ to admit their own mistakes.

3 To solve this problem, a ______________ change in policy is needed.

4 The dog was the first animal in history to become a ______________ animal, a pet.

D

각 네모 안에서 문맥에 맞는 말을 고르시오.

1 His reply was so [ambiguous / ambitious] that I'm not sure whether or not he agreed with me.

2 I wish to express my gratitude for the [invaluable / valueless] comments from you.

3 The [fertile / futile] land of Egypt along the Nile River was good for growing crops.

4 Hidden in the sand, the angel shark [waits for / waits on] a small fish to approach. 기출

5 To motivate your child, give a great [compliment / complement] and then continue to talk about it.

VOCA CLEAR

DAY 46

시험에 더 강해지는 어휘

1801

split
[split]

동 나뉘다, 분열시키다 명 틈, 분열

Groups with an even number of members may **split** into halves. 기출
구성원의 수가 짝수인 집단은 반으로 나뉠지도 모른다.

유의 divide 동 나누다
숙어 split into ~로 나뉘다[분열하다]

1802

dissent
[disént]

명 반대 (의견) 동 반대하다

Under his dictatorship, political **dissent** was not tolerated.
그의 독재 정권하에서 정치적 반대는 용납되지 않았다.

유의 opposition 명 반대
반의 consent 명 동 동의(하다)
assent 명 동 찬성(하다)

1803

committee
[kəmíti]

명 위원회

Committee members will vote on the proposal.
위원회의 위원들은 그 제안에 대해 투표할 예정이다.

수능표현 +
the Nobel committee 노벨상 위원회

유의 commission 명 위원회

1804

presume
[prizú:m]

동 1. 추정하다 2. 여기다, 간주하다

You speak of your dad in the past tense, so I **presume** he has passed away.
당신이 아버지에 대해 과거형으로 말씀하시니 그분이 돌아가신 것으로 추정되는군요.

파생 presumption 명 추정
presumably 부 짐작컨데
유의 assume 동 추정하다

1805

frontier
[frʌntíər]

명 1. 국경, 접경 2. 한계 3. 미개척지[분야]

The river marks the **frontier** between the two countries.
그 강은 두 나라 사이의 국경을 나타낸다.

유의 border 명 국경선, 경계
boundary 명 경계

1806

illustrate
[íləstrèit]

동 1. 설명하다, 예증하다 2. 삽화를 넣다

We will show an example that **illustrates** the limits of his theory.
우리는 그의 이론의 한계를 설명하는 예를 보여 줄 것이다.

파생 **illustration** 명 삽화, 도해, 실례
유의 **demonstrate** 동 예증하다

1807 다의어

stock
[stɑk]

명 1. 재고(품) 2. 비축, 저장 3. 주식, 채권 4. 가축
동 들여놓다, 비축하다

The store has a good **stock** of winter gear.
가게에는 겨울용품 재고가 많이 있다.

The U.S. **stock** markets dropped sharply again on Monday.
월요일에 미국 주식 시장이 다시 큰 폭으로 하락했다.

Not many stores **stock** a wide range of wines.
다양한 와인을 갖춰 놓은 매장이 많지 않다.

수능표현 +

stock market 주식 시장
stock exchange 증권 거래소
stocks and shares 채권과 주식

유의 **inventory** 명 재고
livestock 명 가축
store 동 비축하다
숙어 **in stock** 비축되어, 재고로

1808

entangle
[intǽŋgl]

동 얽히게 하다, 걸려들게 하다

She washed away the seaweed that had **entangled** the octopus. 기출 응용
그녀는 문어를 얽어맨 해초를 씻어 냈다.

파생 **tangle** 명 얽힌 것
반의 **disentangle** 동 풀어 주다
숙어 **entangle A in B** A를 B에 얽히게 하다

1809

accept
[əksépt]

동 1. 받아들이다, 수락하다 2. 인정하다

I would be honored if you would **accept** this invitation. 기출
귀하가 이 초대를 수락한다면 영광일 것입니다.

파생 **acceptance** 명 수락, 용인, 받아들임
acceptable 형 용인되는
유의 **receive** 동 받아들이다
반의 **refuse** 동 거절하다

1810

flavor
[fléivər]

명 1. 맛, 풍미 2. 양념, 향신료 동 맛을 내다

Taste should be called **flavor** perception because it uses multiple senses. 기출 응용
맛은 여러 감각을 사용하기 때문에 맛 지각이라고 불려야 한다.

유의 **taste** 명 맛
savor 명 맛, 풍미, 향미
flavoring 명 양념, 맛 내기

1811

nuclear
[njúːkliər]

형 원자력의, 핵의

Nuclear energy is one of the most efficient methods of producing electricity.
원자력 에너지는 전기를 생산하는 가장 효율적인 방법 중 하나이다.

수능표현 +
nuclear power 원자력
nuclear plant 원자력 발전소
nuclear weapon 핵무기

파생 nucleus 명 핵

1812

sanction
[sǽŋkʃən]

명 1. 제재 (조치) 2. 재가, 승인 동 허가하다

The United Nations has imposed **sanctions** on Iran.
국제 연합은 이란에 제재를 가했다.

유의 approval 명 인정, 승인
authorization 명 허가[인가]
반의 forbid 동 금지하다

1813

destroy
[distrɔ́i]

동 파괴하다

Tsunamis can **destroy** buildings and cities, tossing cars around easily. 기출
쓰나미는 건물과 도시를 파괴할 수 있고, 쉽게 차를 나뒹굴게 할 수 있다.

파생 destruction 명 파괴
destructive 형 파괴적인
유의 ruin 동 파멸시키다
devastate 동 황폐시키다
반의 construct 동 건설하다

1814

transcend
[trænsénd]

동 초월하다, 능가하다

The artist's sculpture **transcends** race and language. 기출 응용
그 화가의 조각은 인종과 언어를 초월한다.

파생 transcendence 명 초월
transcendent 형 초월하는, 탁월한
유의 surpass 동 능가하다
exceed 동 넘다, 초월하다

1815

minimal
[mínəməl]

형 최소의, 아주 적은

In Finland and Norway, people believe inequality should be **minimal**. 기출 응용
핀란드와 노르웨이에서 사람들은 불평등이 최소여야 한다고 믿는다.

파생 minimum 명 형 최소(의)
반의 maximal 형 최대의
숙어 at minimal cost
최소 비용으로

1816

burrow
[bə́ːrou]

동 1. 굴을 파다 2. 파고들다, 몰두하다 명 1. 굴 2. 은신처

Earthworms **burrow** into soil and allow water to enter.
지렁이는 땅에 굴을 파서 물이 들어오도록 한다.

유의 dig 동 굴을 파다
숙어 burrow into
~을 파고들다

1817

experiment
[ikspérəmənt]

명 실험 동 [ekspérəmènt] 실험하다

In 2011, Micah Edelson and his colleagues conducted an interesting **experiment**. 기출
2011년 Micah Edelson과 그의 동료들은 흥미로운 실험을 했다.

파생 experimental 형 실험적인, 실험의
유의 test 명 동 테스트(하다)
research 명 연구, 조사
숙어 experiment on ~에 관한 실험

1818

instance
[ínstəns]

명 사례, 경우

The report describes several **instances** of violence.
그 보고서는 폭력의 몇 가지 사례를 설명한다.

유의 example 명 예, 예시
occasion 명 경우
숙어 in the first instance 우선, 먼저

1819

condense
[kəndéns]

동 1. 응결하다, 농축하다 2. (글·정보를) 압축하다

Condense the syrup by boiling it for several minutes.
시럽을 몇 분 동안 끓여서 농축시켜라.

수능표현 +
condense a gas into a liquid 기체를 액체로 응축하다

파생 condensation 명 응축, 응결
condensed 형 응축한, 간결한
유의 concentrate 동 농축시키다
compress 동 압축하다
반의 expand 동 팽창시키다

1820

realize
[rí(:)əlàiz]

동 1. 깨닫다 2. (꿈·목표 등을) 실현하다

He **realized** that there were more important things than being rich. 기출
그는 부유해지는 것보다 더 중요한 것이 있다는 것을 깨달았다.

파생 realization 명 깨달음, 실현
유의 find 동 깨닫다, 알다
fulfill 동 실현하다

1821

personality
[pə̀rsənǽləti]

명 성격, 개성

She is now free to let her enthusiastic **personality** come out. 기출
그녀는 이제 자신의 열정적인 성격이 자유롭게 표출되도록 한다.

파생 personal 형 개인적인
유의 character 명 성격, 인성
disposition 명 기질, 성향

1822

dynamic
[dainǽmik]

형 1. 역동적인 2. 활발한
명 1. 원동력 2. ((-s)) 역학, 동력학

During this **dynamic** exercise, you should move as fast as possible.
이 역동적인 운동을 하면서 여러분은 가능한 한 빨리 움직여야 한다.

유의 energetic 형 활동적인
active 형 활발한
반의 static 형 정적인

1823

apt
[æpt]

형 1. ~하기 쉬운, ~하는 경향이 있는 2. 적절한

Cats are **apt** to develop different diseases than other species do.
고양이는 다른 종들과는 다른 병에 걸리기 쉽다.

유의 liable 형 ~하기 쉬운
prone 형 ~하기 쉬운
appropriate 형 적절한
숙어 be apt to-v
~하기 쉽다, ~하는 경향이 있다

1824

undermine
[ʌ̀ndərmáin]

동 약화시키다, 훼손하다

Because habitats are being **undermined**, food sources are disappearing. 기출
서식지가 훼손되고 있기 때문에 식량원이 사라지고 있다.

유의 weaken 동 약화시키다
반의 reinforce 동 강화하다
strengthen 동 증강시키다

1825

severe
[sivíər]

형 1. 심각한, 극심한 2. 엄한, 가혹한

Some children have **severe** learning difficulties.
어떤 아이들은 심각한 학습 장애가 있다.

파생 severely 부 심하게, 엄하게
유의 serious 형 심각한
harsh 형 혹독한

1826 다의어

commit
[kəmít]

동 1. 범하다, 저지르다 2. 전념하다, 헌신하다 3. 약속하다 4. 위탁하다, 맡기다

The man is in prison for **committing** a cyber crime.
그 남자는 사이버 범죄를 저지른 혐의로 수감 중이다.

Felix **committed** himself to studying no matter where he was. 기출
Felix는 어디에 있든지 공부에 전념했다.

The children were **committed** to the care of their grandparents.
그 아이들은 조부모님의 보호를 받도록 맡겨졌다.

파생 commitment 명 약속, 전념, 헌신
숙어 commit a crime
범죄를 저지르다
commit oneself to
~에 전념하다

1827

reckless
[réklis]

형 무모한, 부주의한, 난폭한

Reckless driving may be considered a crime.
난폭 운전은 범죄로 간주될 수 있다.

파생 recklessly 부 무모하게
유의 careless 형 부주의한
반의 cautious 형 조심성 있는

1828

rally
[rǽli]

명 1. 집회, 대회 2. 랠리, 자동차 경주
동 결집하다, 단결하다

The citizens gathered for a **rally** against terrorism.
테러에 반대하는 집회를 위해 시민들이 모였다.

유의 gathering 명 집회
assemble 동 모이다
반의 disperse 동 해산하다

1829

decisive
[disáisiv]

형 1. 결정적인 2. 결단력 있는, 단호한

The director played a **decisive** role in the decision-making process.
그 임원은 의사 결정 과정에서 결정적인 역할을 했다.

파생 decide 동 결정[결심]하다
유의 crucial 형 결정적인
resolute 형 단호한
반의 indecisive 형 우유부단한

1830

offspring
[ɔ́(:)fsprìŋ]

명 1. 자식, 자손 2. (동물의) 새끼

Parents and their **offspring** look similar but are not identical.
부모와 그들의 자식은 비슷해 보이지만 똑같지는 않다.

유의 descendant 명 자손
young 명 새끼

1831

policy
[pɑ́lisi]

명 정책, 방침

The government will announce new anti-racist **policies**.
정부는 새로운 인종 차별 방지 정책을 발표할 것이다.

수능표현 +
education policy 교육 정책
monetary policy 통화 정책

유의 plan 명 방침, 계획
action 명 조치, 방책

1832

visible
[vízəbl]

형 1. 눈에 보이는 2. 뚜렷한, 명백한

Beauty is only possible where an object has **visible** parts. 기출
아름다움은 물체에 가시적인 부분이 있어야만 가능하다.

파생 visibility 명 가시성
유의 apparent 형 분명한
noticeable 형 뚜렷한
반의 invisible 형 눈에 보이지 않는

1833

enable
[inéibl]

동 ~할 수 있게 하다, 가능하게 하다

Studying nuclear physics would **enable** them to develop nuclear weapons. 기출
핵물리학을 공부하는 것은 그들이 핵무기를 개발할 수 있게 해 줄 것이다.

유의 allow 동 허락하다
반의 prevent 동 막다, 방해하다
숙어 enable A to-v
A로 하여금 ~할 수 있게 하다

1834

surmount
[sərmáunt]

동 1. 극복하다 2. 오르다, 타고 넘다

Difficulties can be **surmounted** by exercising patience.
인내심을 발휘하면 어려움을 극복할 수 있다.

유의 overcome 동 극복하다
get over 극복하다

수능 혼동 어휘

1835

expire
[ikspáiər]

동 (기간이) 만료되다, 끝나다

When the patent on a drug **expires**, other companies quickly enter the market. 기출
약에 대한 특허 시효가 만료될 때, 다른 회사들은 재빨리 시장에 진입한다.

1836

inspire
[inspáiər]

동 고무하다, 영감을 주다

Her speech **inspired** her students to follow their dreams.
그녀의 연설은 그녀의 학생들이 자신들의 꿈을 따라가도록 고무했다.

1837

aspire
[əspáiər]

동 열망하다, 바라다

Many students **aspire** to pursue a career in medicine.
많은 학생들은 의학 분야의 직업을 찾기를 열망한다.

수능 UP

Q1.
셋 중 알맞은 단어를 고르시오.
People today **[expire / inspire / aspire]** to fame and wealth rather than traditional skilled occupations.

수능 필수 숙어

1838

do away with ~을 없애다, ~을 폐지하다

Abundant timber would **do away with** the need to import wood from abroad. 기출 응용
목재가 풍부하면 해외에서 목재를 수입할 필요를 없앨 수 있을 것이다.

1839

keep up with ~에 뒤지지 않다

Our country should **keep up with** other countries in improving education. 기출 응용
우리나라는 교육 개선에 있어서 다른 나라들에 뒤지지 않아야 한다.

1840

put up with ~을 참다, ~을 견디다, ~을 인내하다

I cannot **put up with** his bad manners any longer.
나는 그의 무례한 태도를 더 이상 참을 수 없다.

Q2.
빈칸에 알맞은 어구를 고르시오.

In the contest, he not only __________ the professionals but also impressed all the judges.

① did away with
② kept up with
③ put up with

Daily Test 46

정답 p.462

A 우리말은 영어로, 영어는 우리말로 쓰시오.

01 심각한, 극심한, 엄한 ____________
02 성격, 개성 ____________
03 눈에 보이는, 뚜렷한 ____________
04 제재 (조치), 재가 ____________
05 극복하다, 오르다 ____________
06 실험; 실험하다 ____________
07 사례, 경우 ____________
08 condense ____________
09 split ____________
10 entangle ____________
11 minimal ____________
12 offspring ____________
13 reckless ____________
14 expire ____________

B 우리말과 일치하도록 빈칸에 알맞은 단어 또는 어구를 쓰시오.

서술형

01 Monica has a talent for using the specific to i__________ the universal.
Monica는 보편적인 것을 설명하기 위해 특정한 것을 이용하는 재능이 있다.

02 After losing this d__________ battle, the general was forced to concede.
이 결정적인 전투에서 패한 후 장군은 패배를 인정할 수밖에 없었다.

03 The airport could not k__________ __________ __________ the increase in air traffic.
그 공항은 증가하는 항공 교통을 따라잡을 수 없었다.

C 각 단어의 유의어 또는 반의어를 쓰시오.

01 명 dissent 반의 c____________
02 동 accept 유의 r____________
03 동 presume 유의 a____________
04 동 burrow 유의 d____________
05 동 transcend 유의 s____________
06 형 dynamic 반의 s____________
07 동 undermine 반의 r____________
08 명 flavor 유의 t____________

VOCA CLEAR

DAY 47

시험에 더 강해지는 어휘

1841

detract

[ditrǽkt]

동 1. (주의를) 딴 데로 돌리다 2. (가치 등을) 떨어뜨리다

Music does not **detract** my attention from the work.
음악은 나의 주의를 일에서 딴 데로 돌리도록 하지 않는다.

유의 **divert** 동 (주의를) 딴 데로 돌리다
숙어 **detract from** ~을 손상시키다

1842

adverse

[ædvə́:rs]

형 1. 부정적인 2. 역[반대]의 3. 불리한

People had ignored the warning signs, and **adverse** situations occurred as a result. 기출 응용
사람들은 경고 징후를 무시했고, 그 결과 부정적인 상황이 발생했다.

수능표현 +

adverse conditions 악조건
adverse effect 역효과

파생 **adversary** 명 적수, 상대방
adversity 명 역경
유의 **negative** 형 부정적인
unfavorable 형 불리한, 부정적인

1843

indicate

[índəkèit]

동 1. 가리키다, 나타내다 2. 암시하다

The statistics **indicate** that the average age of video gamers is rising by one year each year. 기출
통계는 비디오 게임을 하는 사람들의 평균 연령이 매년 한 살씩 증가하고 있다는 것을 나타낸다.

파생 **indication** 명 암시, 표시
indicator 명 지표
indicative 형 나타내는, 시사하는
유의 **imply** 동 내포하다, 암시하다

1844

revolt

[rivóult]

명 반란, 봉기, 저항 동 반란을 일으키다

The peasants rose in **revolt** against the king.
농민들은 왕에 대항하여 반란을 일으켰다.

수능표현 +

armed revolt 무장 폭동[반란]

파생 **revolution** 명 혁명
유의 **rebellion** 명 반란
uprising 명 반란, 봉기
rebel 동 반란을 일으키다
숙어 **raise a revolt** 민란을 일으키다

1845

lord

[lɔ:rd]

명 1. 주인, 지배자 2. (봉건) 영주 3. 왕의 호칭

The **lords** in the castle did not know how ordinary people lived.
성의 영주들은 보통 사람들이 어떻게 사는지 몰랐다.

1846

era
[í(:)rə]

명 시대, 시기

We are living in an **era** of skyrocketing fuel costs. 기출
우리는 치솟는 연료비의 시대에 살고 있다.

수능표현 +

the industrial era 산업 시대
the post-war era 전후 시대

유의 **period** 명 시기, 기간
epoch 명 시대

1847

barren
[bǽrən]

형 불모의, 메마른, 척박한

Pollution from fish waste created huge **barren** underwater deserts. 기출
어류 폐기물로 인한 오염은 거대한 불모의 해저 사막을 만들었다.

유의 **infertile** 형 불모의
desolate 형 황량한, 황폐한
반의 **fertile** 형 비옥한

1848

drift
[drift]

동 표류하다, 떠다니다 명 이동, 표류

An empty boat was **drifting** aimlessly on the river.
빈 배 한 척이 강 위에 목적 없이 떠다니고 있었다.

파생 **adrift** 형 표류하는
유의 **float** 동 뜨다
movement 명 움직임

1849

transport
[trænspɔ́ːrt]

동 수송하다, 운반하다 명 [trǽnspɔːrt] 수송

The train **transports** people to the different sections of the zoo. 기출 응용
그 열차는 사람들을 동물원의 다른 구역으로 수송한다.

파생 **transportation** 명 수송 (수단)
transportable 형 수송 가능한
유의 **convey** 동 운반하다

1850

urban
[ə́ːrbən]

형 도시의

Urban agriculture can add greenery to cities. 기출
도시 농업은 도시에 푸르름을 더할 수 있다.

파생 **urbanize** 동 도시화하다
유의 **metropolitan** 형 대도시의, 수도의
반의 **rural** 형 시골의, 지방의

1851

hire
[haiər]

동 고용하다

Cleveland Amory became the youngest editor ever **hired** by *The Saturday Evening Post*. 기출 응용
Cleveland Amory는 Saturday Evening Post지에 의해 고용된 최연소 편집자가 되었다.

파생 **hired** 형 고용된, 임대의
유의 **employ** 동 고용하다
반의 **fire** 동 해고하다

1852

firsthand
[fə́ːrsthǽnd]

부 직접, 바로 형 직접의, 직접 얻은

He had an opportunity to learn soccer skills **firsthand** from a famous coach.
그는 유명 코치로부터 직접 축구 기술을 배울 수 있는 기회를 얻었다.

수능표현+
firsthand experience 직접 경험

유의 **directly** 부 직접, 바로
반의 **secondhand** 부 간접으로 형 간접의

1853

dedicate
[dédəkèit]

동 1. 전념[헌신]하다 2. 헌정하다, 바치다

Coachman died in 2014, after she had **dedicated** her life to education. 기출
Coachman은 그녀의 삶을 교육에 바친 후 2014년에 세상을 떠났다.

파생 **dedication** 명 전념, 헌신
dedicated 형 헌신적인
유의 **devote** 동 바치다, 쏟다
숙어 **dedicate A to B** A를 B에 바치다

1854

spin
[spin]

동 1. 돌리다, 회전하다 2. (실을) 잣다 명 회전

The helicopter was **spinning** out of control.
헬리콥터가 통제 불능 상태로 회전하고 있었다.

유의 **revolve** 동 돌다, 회전하다

1855

consensus
[kənsénsəs]

명 합의, 의견 일치

Group members are trying to minimize conflict and reach a **consensus**. 기출 응용
그룹 회원들은 갈등을 최소화하고 합의에 도달하기 위해 노력하고 있다.

수능표현+
national consensus 국민적 합의
general consensus 전반적인 합의[의견]

유의 **agreement** 명 합의, 일치, 동의
consent 명 동의, 허락
반의 **disagreement** 명 의견 충돌, 불일치
숙어 **reach a consensus** 합의에 이르다

1856

respective
[rispéktiv]

형 각자의, 각각의

The animals were in their **respective** cages. 기출 응용
동물들은 각자의 우리에 있었다.

파생 **respectively** 부 각자, 각각
유의 **individual** 형 개개의, 개별의

1857

gourmet
[gúərmei]

명 미식가

He is such a **gourmet** that he spends most of his money on delicious food.
그는 미식가라서 돈의 대부분을 맛있는 음식을 사는 데 쓴다.

유의 **epicure** 명 미식가

1858

provoke

[prəvóuk]

동 불러일으키다, 유발하다

Contemporary art often **provokes** the question: "But is it art?" 기출 응용
현대 미술은 종종 '하지만 그것이 예술인가?'라는 질문을 불러일으킨다.

파생 **provocation** 명 도발, 자극
provocative 형 도발적인, 자극적인
유의 **cause** 동 야기하다
trigger 동 촉발시키다

1859 다의어

regard

[rigá:rd]

동 1. (~로) 여기다, 간주하다 2. 존중[중시]하다
명 1. 고려, 관심 2. 존경

He is **regarded** as one of the most celebrated photographers of the 20th century. 기출 응용
그는 20세기의 가장 유명한 사진작가 중 한 명으로 여겨진다.

W.B.Yeats is highly **regarded** as a great poet.
W.B.Yeats는 위대한 시인으로 매우 존경받는다.

Sidewalks were designed with little **regard** for the disabled.
인도는 장애인에 대한 고려가 거의 없이 설계되었다.

파생 **regardless** 부 개의치 않고
반의 **disregard** 명 동 무시(하다)
숙어 **with regard to** ~에 관해서는
regardless of ~에 상관없이

1860

contrary

[kántreri]

형 반대되는, 반대의 명 반대되는 것

Some people adhere to their broken hypotheses, turning a blind eye to **contrary** evidence. 기출 응용
어떤 이들은 반대되는 증거를 외면하며 자신들의 무너진 가설에 집착한다.

유의 **opposite** 형 반대의
숙어 **contrary to** ~와 반대인
on the contrary 그와는 반대로

1861

earthquake

[ə́:rθkwèik]

명 지진

The power plant had been built to endure the worst past historical **earthquake**. 기출 응용
그 발전소는 과거 역사상 최악의 지진에 견딜 수 있도록 건설되었다.

1862

doctrine

[dáktrin]

명 1. 교리, 신조 2. 주의, 정책

His lecture was based on the Christian **doctrine** of creation.
그의 강의는 창조에 관한 기독교 교리에 기반했다.

유의 **creed** 명 교리, 신조
principle 명 원칙, 주의, 신조

1863

enlarge
[inlάːrdʒ]

동 확대하다, 확장하다

Leisure time was **enlarged** by union campaigns.
노조 운동으로 여가 시간이 확대되었다. 기출

파생 **enlargement** 명 확대, 확장
유의 **magnify** 동 확대하다
expand 동 확대[확장]하다
반의 **reduce** 동 줄이다, 축소하다

1864

sympathy
[símpəθi]

명 1. 동정(심), 연민 2. 공감

You may show **sympathy** by expressing your concern in words. 기출
여러분은 말로 염려를 표현함으로써 동정을 표할 수 있다.

파생 **sympathize** 동 동정하다
sympathetic 형 동정 어린, 동조하는
유의 **compassion** 명 동정심
pity 명 연민, 동정

1865

miserable
[mízərəbl]

형 1. 비참한, 불행한 2. 초라한, 형편 없는

If you see any child living in **miserable** conditions, inform us here.
만약 여러분이 비참한 환경에서 살고 있는 아이를 본다면, 여기 있는 저희에게 알려 주십시오.

파생 **misery** 명 고통, 빈곤
유의 **wretched** 형 비참한, 가련한

1866

bully
[búli]

명 (약자를) 괴롭히는 사람 동 괴롭히다

Stand up to the **bully** and fight back.
괴롭히는 사람과 맞서 싸워라.

수능표현 +

cyberbullying 인터넷상의 따돌림, 사이버 폭력

파생 **bullying** 명 약자 괴롭히기
유의 **harass** 동 괴롭히다

1867

announce
[ənáuns]

동 발표하다, 알리다

Winners of the contest will be **announced** on the school website. 기출 응용
대회 우승자는 학교 웹사이트에 발표될 것이다.

파생 **announcement** 명 발표
announcer 명 방송 진행자
유의 **inform** 동 알리다
declare 동 선언하다

1868

interpersonal
[ìntərpə́ːrsənəl]

형 대인 관계에 관련된, 인간 사이에 일어나는

Interpersonal argumentation has a place in our everyday conflicts. 기출
사람 간의 논쟁은 우리의 일상적인 갈등에 존재한다.

1869

patrol
[pətróul]

명 순찰(대) 동 순찰을 돌다

The police officer was on **patrol** when he smelled smoke.
그 경찰관은 순찰을 하던 중에 연기 냄새를 맡았다.

숙어 **on patrol** 순찰 근무중

1870

spear
[spiər]

명 창 동 창으로 찌르다

One hundred thousand years ago, humans used to hunt big animals using **spears**.
10만 년 전에 인간은 창을 이용하여 큰 동물을 사냥하곤 했다.

반의 **shield** 명 방패

1871

maximize
[mǽksəmàiz]

동 최대화하다, 극대화하다

When you choose a product, you try to **maximize** your enjoyment. 기출 응용
여러분은 제품을 선택할 때 자신의 즐거움을 극대화하려고 한다.

수능표현 +
maximize profits 이익을 극대화하다

파생 **maximum** 명 형 최고(의), 최대(의)
반의 **minimize** 동 최소화하다

1872

weigh
[wei]

동 1. 무게가 ~이다 2. 무게를 달다

It is 13 meters long, 2 meters tall, and **weighs** 6.4 tons. 기출
그것은 길이가 13미터, 높이는 2미터, 무게는 6.4톤이다.

파생 **weight** 명 무게, 체중

1873

streamlined
[stríːmlàind]

형 1. 유선형의 2. 간결한, 간소화된

Fish have bodies that are **streamlined** and smooth.
물고기는 유선형이면서 매끈한 몸체를 가지고 있다. 기출

파생 **streamline** 동 유선형으로 하다, 간소화[능률화]하다

1874

outfit
[áutfit]

명 복장, 장비 동 (복장·장비를) 갖추어 주다

I thought his **outfit** looked out of place at the event.
나는 그의 복장이 행사에 어울리지 않는다고 생각했다. 기출 응용

유의 **kit** 명 (특정 활동용) 복장
equip 동 장비를 갖추다

수능 혼동 어휘

1875

pasture
[pǽstʃər]

명 초원, 목초지

In summer she spends weeks on the high **pastures** cutting hay. 기출
여름에 그녀는 고지대의 초원에서 건초를 깎으며 몇 주를 보낸다.

1876

posture
[pástʃər]

명 1. 자세 2. 태도

Bad **posture** can cause increased pain in your neck.
나쁜 자세는 목에 더 큰 통증을 유발할 수 있다.

수능 UP

Q1.
둘 중 알맞은 단어를 고르시오.
Despite her advanced age, the woman has perfect **[pasture / posture]**.

1877

contemplate
[kántəmplèit]

동 1. 고려하다, 생각하다 2. 심사숙고하다

She began to **contemplate** moving to Hawaii to begin a new life.
그녀는 새로운 삶을 시작하기 위해 하와이로 이사하는 것을 고려하기 시작했다.

1878

contempt
[kəntémpt]

명 경멸, 멸시, 무시

People looked on their rude behavior with **contempt**.
사람들은 그들의 무례한 행동을 경멸스럽게 보았다.

Q2.
둘 중 알맞은 단어를 고르시오.
Since it was hot outside, they **[contemplated / contempt]** going back inside.

수능 필수 숙어

1879

speak for

~을 대변[변호]하다

The lawyer tries to **speak for** people who don't have a voice.
그 변호사는 발언권이 없는 사람들을 대변하려고 한다.

1880

stand for

~을 상징하다

The heart-shaped symbol **stands for** the word "love" in our culture. 기출
하트 모양의 상징은 우리 문화에서 '사랑'이라는 단어를 나타낸다.

Q3.
빈칸에 알맞은 어구를 고르시오.

> The letters XL ________ "extra large" in the clothing industry.

① speak for
② stand for

Daily Test 47

정답 p.462

A 우리말은 영어로, 영어는 우리말로 쓰시오.

01 불모의, 메마른, 척박한 ______________

02 표류하다; 표류 ______________

03 직접, 바로; 직접의 ______________

04 돌리다, 회전하다; 회전 ______________

05 반란, 봉기, 저항 ______________

06 대인 관계에 관련된 ______________

07 교리, 신조 ______________

08 adverse ______________

09 provoke ______________

10 gourmet ______________

11 bully ______________

12 respective ______________

13 spear ______________

14 contemplate ______________

B 우리말과 일치하도록 빈칸에 알맞은 단어 또는 어구를 쓰시오.

서술형

01 Long skid marks on the pavement i__________ the driver had attempted to brake.
노면의 긴 스키드 마크는 운전자가 제동하려고 시도했음을 나타냈다.

02 Sea otters are furry and sleek aquatic mammals with s__________ bodies.
해달은 유선형의 몸을 가진 털이 많고 날렵한 수생 포유류이다.

03 I think my reference letters s__________ __________ my abilities as an engineer.
제 추천서는 엔지니어로서의 제 능력을 대변한다고 생각합니다.

C 각 단어의 유의어 또는 반의어를 쓰시오.

01 동 detract 유의 d______________

02 동 announce 유의 d______________

03 형 urban 반의 r______________

04 동 hire 반의 f______________

05 동 dedicate 유의 d______________

06 명 consensus 반의 d______________

07 형 contrary 유의 o______________

08 명 sympathy 유의 c______________

VOCA CLEAR

DAY 48

➕ 시험에 더 강해지는 어휘

1881

framework
[fréimwə̀ːrk]

명 1. 뼈대, 틀 2. 체제, 구조

Brain research provides a **framework** for understanding how the brain works. 기출 응용
뇌 연구는 뇌가 어떻게 작동하는지를 이해하기 위한 틀을 제공한다.

수능표현 ➕

legal framework 법률 체계, 법적 토대

유의 **frame** 명 뼈대
structure 명 구조

1882

realm
[relm]

명 1. 영역, 범위 2. 왕국

Tourism also takes place in the **realm** of the imagination. 기출 응용
관광은 상상의 영역에서도 일어난다.

유의 **field** 명 영역
kingdom 명 왕국
숙어 **in the realm of**
~의 영역에서

1883

liable
[láiəbl]

형 1. ~하기 쉬운, ~할 것 같은 2. 법적 책임이 있는

We are more **liable** to make the wrong decision when we are upset.
우리는 화가 났을 때 잘못된 결정을 내리기 더 쉽다.

파생 **liability** 명 책임, 부채
유의 **prone** 형 ~하기 쉬운
숙어 **be liable to-v**
~하기 쉽다, 걸핏하면 ~하다
be liable for
~에 책임이 있다

1884

intrude
[intrúːd]

동 1. 침입하다, 침해하다 2. 방해하다

Documentary viewers almost feel as if they are **intruding** on a real life situation.
다큐멘터리 시청자들은 거의 그들이 실제 상황에 침범하고 있는 것처럼 느낀다.

파생 **intrusion** 명 침범
intrusive 형 거슬리는
유의 **invade** 동 침입[침범]하다
interfere 동 방해하다

1885

reduce
[ridjúːs]

동 줄이다, 줄다

The world is struggling to **reduce** its reliance on fossil fuels. 기출
세계는 화석 연료에 대한 의존을 줄이고자 노력하고 있다.

파생 **reduction** 명 감소
유의 **cut** 동 줄이다, 삭감하다
diminish 동 줄이다

1886

amplify
[ǽmpləfài]

동 1. 확대하다, 증폭시키다 2. 상술하다

Information technologies may **amplify** existing prejudices and misconceptions. 기출
정보 기술은 기존의 편견과 오해를 증폭시킬지도 모른다.

파생 **amplification** 명 확대, 증폭, 부연
ample 형 충분한, 풍부한
유의 **magnify** 동 확대하다
elaborate 동 상술하다

1887

witness
[wítnis]

명 목격자, 증인 동 1. 목격하다 2. 증언하다

The **witness** to the murder gave evidence at the trial.
그 살인 사건의 증인이 재판에서 증언했다.

유의 **observer** 명 목격자
observe 동 목격하다
testify 동 증언하다

1888

insomnia
[insámniə]

명 불면증

Daylight can help people who suffer from **insomnia**.
햇빛은 불면증으로 고통받는 사람들을 도울 수 있다.

유의 **sleeplessness** 명 불면증

1889

compromise
[kámprəmàiz]

동 타협하다, 절충하다 명 타협, 절충

The government was unwilling to **compromise** with the terrorists.
정부는 테러리스트들과 타협하기를 꺼렸다.

유의 **negotiate** 동 협상하다
숙어 **compromise with** ~와 타협하다

1890

deforestation
[di:fɔ̀:ristéiʃən]

명 삼림 벌채

Deforestation left the soil exposed to harsh weather. 기출
삼림 벌채는 토양이 혹독한 날씨에 노출되게 했다.

수능표현 +

tropical deforestation 열대(지방)의 삼림 벌채

반의 **reforestation** 명 숲 되살리기, 조림(造林)

1891

mere
[miər]

형 단순한, 순전한, 단지 ~에 불과한

The "**mere** act" of writing helps writers make their ideas clearer. 기출 응용
글쓰기라는 '단순한 행위'는 작가가 자신의 생각을 더 명확하게 하는 것을 도와준다.

파생 **merely** 부 한낱, 그저
유의 **simple** 형 단순한

1892

narrative
[nǽrətiv]

명 1. 이야기 2. 설화 문학 형 이야기(체)의

He gave a **narrative** of what happened to his family.
그는 그의 가족에게 일어난 일에 대해 이야기했다.

파생 **narration** 명 이야기 진행하기, 내레이션
유의 **story** 명 이야기
account 명 (전후) 이야기

1893

international
[ìntərnǽʃənəl]

형 국제의, 국제적인

Rules of **international** trade mainly benefit rich countries. 기출 응용
국제 무역 규칙은 주로 부유한 나라에 도움이 된다.

유의 **global** 형 세계적인
worldwide 형 세계적인
반의 **domestic** 형 국내의

1894

awe
[ɔː]

명 경외감 동 경외심을 갖게 하다

The reporters listened to her story with **awe** and respect.
기자들은 경외심과 존경심을 가지고 그녀의 이야기를 경청했다.

파생 **awesome** 형 멋진
awful 형 끔찍한
숙어 **be in awe of** ~을 경외하다

1895

choke
[tʃouk]

동 1. 숨이 막히다, 질식시키다 2. 메우다, 막다
명 질식

Young children can easily **choke** on everyday objects.
어린 아이들은 일상용품으로 쉽게 질식할 수 있다.

유의 **suffocate** 동 숨이 막히게 하다

1896

branch
[bræntʃ]

명 1. 나뭇가지 2. 분점, 지사 동 나뉘다, 갈라지다

Hoping he hadn't seen me, I hid under the low-hanging **branches.** 기출
그가 나를 보지 못했기를 바라며 나는 낮게 내려앉은 나뭇가지 아래 숨었다.

유의 **limb** 명 나뭇가지

1897 다의어

stable
[stéibl]

형 1. 안정적인 2. 차분한, 안정된 명 마구간

Nursing is considered a **stable** profession in the U.S.
간호직은 미국에서 안정적인 직업으로 여겨진다.

He has a **stable** personality and is trustworthy.
그는 차분한 성격을 가지고 있고 신뢰할 수 있다.

The boy could get two horses from the **stable.**
소년은 마구간에서 말 두 마리를 데려올 수 있었다.

파생 **stability** 명 안정(감)
유의 **steady** 형 안정된, 꾸준한
balanced 형 안정된
반의 **unstable** 형 불안정한

1898

casualty
[kǽʒjuəlti]

명 사상자, 희생자

The hospital was told to prepare for **casualties** from the explosion.
병원은 폭발로 인한 사상자에 대비하라는 지시를 받았다.

유의 **victim** 명 희생자
반의 **survivor** 명 생존자

1899

patience
[péiʃəns]

명 인내, 참을성, 끈기

We endured the wait for the signal to change with **patience.** 기출 응용
우리는 인내심을 가지고 신호가 바뀌기를 기다렸다.

파생 **patient** 명 환자 형 인내심이 있는
유의 **endurance** 명 인내
tolerance 명 인내, 아량
반의 **impatience** 명 성급함

1900

admire
[ədmáiər]

동 1. 존경하다 2. 감탄하다

Great scientists that we **admire** are not concerned with results but with the next questions. 기출 응용
우리가 존경하는 위대한 과학자들은 결과가 아니라 다음 질문들에 관심이 있다.

파생 **admiration** 명 존경, 감탄
유의 **respect** 동 존경하다
반의 **despise** 동 경멸하다
숙어 **admire A for B**
B 때문에 A를 존경하다

1901

prehistoric
[prìːhistɔ́(ː)rik]

형 선사 시대의

The estimated maximum life expectancy for **prehistoric** humans was 35 years. 기출 응용
선사 시대 인간의 최대 기대 수명은 35년이었다.

수능표현 +
prehistoric times 선사 시대
prehistoric remains 선사 시대 유적

파생 **prehistory** 명 선사 시대
유의 **primitive** 형 원시 사회의
반의 **modern** 형 현대의, 근대의

1902

outstanding
[àutstǽndiŋ]

형 뛰어난, 두드러진

His **outstanding** speech inspired many people.
그의 뛰어난 연설은 많은 사람들에게 영감을 주었다.

유의 **exceptional** 형 특출한
prominent 형 두드러진
반의 **ordinary** 형 평범한

1903

disprove
[disprúːv]

동 틀렸음을 증명하다, 논박하다

Galileo **disproved** the idea that heavier objects fall faster than lighter ones.
갈릴레오는 무거운 물체가 가벼운 물체보다 더 빨리 낙하한다는 생각이 틀렸음을 증명했다.

유의 **refute** 동 논박하다
반의 **prove** 동 (~임을) 증명하다

1904

conspicuous [kənspíkjuəs]

형 눈에 잘 띄는, 잘 보이는, 튀는

His energetic behavior made him **conspicuous** at the party.
그의 활기찬 행동은 파티에서 그를 돋보이게 했다.

유의 **prominent** 형 눈에 잘 띄는
clear 형 또렷한
반의 **inconspicuous** 형 눈에 띄지 않는

1905

gender [dʒéndər]

명 성, 성별

Due to technology, the difference in labor productivity between the two **genders** will narrow.
기술로 인해 두 성별의 노동 생산성 차이가 좁혀질 것이다. 기출 응용

수능표현 +

gender bias 성 편견
gender discrimination 성차별

1906

subdue [səbdjúː]

동 1. 진압하다 2. (감정을) 가라앉히다

The firefighters raced to **subdue** the forest fires before the winds picked up.
소방관들은 바람이 거세지기 전에 산불을 진압하려고 달려갔다.

파생 **subdued** 형 가라앉은, 은은한
유의 **defeat** 동 패배시키다
suppress 동 억누르다

1907

slaughter [slɔ́ːtər]

명 1. 도살 2. 대량 학살 동 1. 도살하다 2. 학살하다

The new regulations on animal **slaughter** seek to minimize pain and suffering.
동물 도축에 관한 새로운 규정은 고통과 괴로움을 최소화하는 것을 추구한다.

유의 **massacre** 명 대학살
butcher 동 학살하다

1908

devote [divóut]

동 (시간·노력 등을) 바치다, 쏟다

About one-third of the human brain is **devoted** to vision. 기출
인간 뇌의 약 3분의 1이 시각에 할애되고 있다.

파생 **devotion** 명 헌신, 전념
유의 **dedicate** 동 헌신[전념]하다
숙어 **devote oneself to** ~에 전념[몰두]하다
devote A to B A를 B에 바치다

1909

stare [stεər]

동 응시하다, 빤히 쳐다보다 명 응시

He ignored the dust flying and **stared** without blinking. 기출
그는 먼지가 날리는 것을 무시하고 눈도 깜빡이지 않고 응시했다.

유의 **gaze** 동 응시하다
숙어 **stare at** ~을 응시하다

1910

righteous
[ráitʃəs]

형 1. (도덕적으로) 옳은, 바른 2. 당연한, 마땅한

We expect public figures to be morally **righteous**.
우리는 공인들이 도덕적으로 올바르기를 기대한다.

파생 **righteousness** 명 정의, 정직, 당연
유의 **virtuous** 형 도덕적인, 고결한

1911 다의어

compound
[kámpaund]

명 화합물, 혼합물, 복합체 형 합성[복합]의
동 [kəmpáund] 1. 악화시키다 2. 구성되다

Plants generate hundreds of **compounds** to protect themselves. 기출
식물은 스스로를 보호하기 위해 수백 가지의 화합물을 생성한다.

A **compound** sentence joins two or more independent clauses.
복문은 두 개 이상의 절을 결합시킨다.

A lack of exercise can actually **compound** many negative emotions. 기출
운동 부족은 실제로 많은 부정적인 감정을 악화시킬 수 있다.

유의 **mixture** 명 혼합물[혼합체]
composite 명 합성물 형 합성의, 복합의
complex 형 합성[복합]의

1912

strip
[strip]

동 1. (옷을) 벗다[벗기다] 2. 빼앗다, 박탈하다
명 가느다란 조각

He removed his shoes and **stripped** off his wet socks.
그는 신발을 벗고 젖은 양말을 벗었다.

유의 **undress** 동 옷을 벗다[벗기다]
deprive 동 빼앗다
숙어 **a strip of** ~의 조각

1913

underlie
[ʌ̀ndərlái]

동 기저를 이루다, 기초가 되다

The principles that **underlie** the policy include the right to privacy.
그 정책의 기저를 이루는 원칙에는 사생활권이 포함된다.

파생 **underlying** 형 근본적인, 밑에 있는

1914

pretend
[priténd]

동 ~인 척하다, 가장하다

When we ran into each other at school, she **pretended** not to recognize me.
학교에서 서로 우연히 마주쳤을 때, 그녀는 나를 알아보지 못한 척했다.

수능표현+
pretend play (소꿉놀이 같은) 가상 놀이

파생 **pretension** 명 허세, 가식
pretentious 형 가식적인
숙어 **pretend to-v** ~인 체하다

수능 혼동 어휘

1915

vain
[vein]

형 1. 헛된, 소용없는 2. 허영심이 강한

She kept the light on in the **vain** hope that her son would come back.
그녀는 아들이 돌아올 것이라는 헛된 희망으로 불을 켜 두었다.

1916

vein
[vein]

명 1. 혈관, 정맥 2. 잎맥

It could have been the adrenaline pumping through my **veins**. 기출
그것은 나의 정맥을 통해 주입되는 아드레날린 때문일 수도 있었다.

1917

immoral
[imɔ́(:)rəl]

형 비도덕적인, 부도덕한

It's **immoral** to subject people to armed attacks.
사람들이 무력 공격을 받게 하는 것은 비도덕적이다.

1918

immortal
[imɔ́:rtəl]

형 불멸의, 죽지 않는

Socrates thought that the soul is **immortal**.
소크라테스는 영혼이 불멸한다고 생각했다.

수능 UP

Q1.
둘 중 알맞은 단어를 고르시오.
She took a deep breath and tried in **[vain / vein]** to stop trembling.

Q2.
둘 중 알맞은 단어를 고르시오.
Humans are not **[immoral / immortal]**, so they eventually die.

수능 필수 숙어

1919

for the sake of

~을 위해서, ~ 때문에

The window glass would be placed with the thicker side down **for the sake of** stability. 기출 응용
유리창은 안정성을 위해 더 두꺼운 쪽을 아래로 향하게 놓일 것이다.

1920

get in the way of

방해되다

Never let greed **get in the way of** reaching your goals.
탐욕이 목표를 이루는 데 방해가 되지 않도록 하라.

수능 UP

Q3.
빈칸에 알맞은 어구를 고르시오.

Our biases ___________ understanding human behavior.

① for the sake of
② get in the way of

Daily Test 48

정답 p.462

A 우리말은 영어로, 영어는 우리말로 쓰시오.

01 국제의, 국제적인 ________

02 확대하다, 증폭시키다 ________

03 화합물; 합성[복합]의 ________

04 나뭇가지, 분점; 나뉘다 ________

05 사상자, 희생자 ________

06 불멸의, 죽지 않는 ________

07 진압하다, 가라앉히다 ________

08 framework ________

09 insomnia ________

10 realm ________

11 outstanding ________

12 intrude ________

13 awe ________

14 disprove ________

B 우리말과 일치하도록 빈칸에 알맞은 단어 또는 어구를 쓰시오.

서술형

01 After several hours of discussions, they managed to reach a c________.
몇 시간의 토론 끝에 그들은 타협에 도달할 수 있었다.

02 Through our ears we gain access to vibration, which u________ everything around us. 기출
귀를 통해서 우리는 우리 주변에 모든 것의 기저에 있는 진동에 접근하게 된다.

03 The man wouldn't allow emotions to g________ ________ ________ ________ ________ him doing his job.
그 남자는 자신의 일을 하는 데 감정이 방해가 되는 것을 용납하지 않으려 했다.

C 각 단어의 유의어 또는 반의어를 쓰시오.

01 동 reduce 유의 c________

02 동 devote 유의 d________

03 동 admire 반의 d________

04 동 choke 유의 s________

05 명 patience 반의 i________

06 명 narrative 유의 a________

07 형 stable 유의 s________

08 명 slaughter 유의 m________

VOCA CLEAR

DAY 49

시험에 더 강해지는 어휘

1921

debris
[dəbríː]

명 1. 잔해, 파편 2. 쓰레기

A fisherman caught a piece of the airship's **debris** in his net. 기출
한 어부가 비행선의 잔해 한 조각을 그물로 잡았다.

유의 **wreckage** 명 잔해
fragment 명 파편
rubbish 명 쓰레기

1922

blur
[bləːr]

동 흐리게 만들다 명 흐림, 흐릿한 것

Some structures **blur** distinctions between indoor and outdoor spaces.
어떤 구조는 실내와 실외 공간의 구분을 흐릿하게 만든다.

파생 **blurred** 형 흐릿한, 희미한
blurry 형 흐릿한, 모호한
유의 **dim** 동 흐리게 하다

1923

suburb
[sʌ́bəːrb]

명 교외, 근교

Cleaner air makes the **suburbs** a healthier place to live.
더 깨끗한 공기는 교외를 더 살기 좋은 곳으로 만든다.

파생 **suburban** 형 교외의
유의 **outskirts** 명 변두리, 교외

1924 다의어

apply
[əplái]

동 1. 신청[지원]하다 2. 적용[응용]하다
3. (화장품 등을) 바르다

I decided to **apply** to the local college to pursue further study. 기출
나는 더 공부하기 위해 지역에 있는 대학에 지원하기로 결정했다.

Gratitude is one of the easiest of principles to **apply** to your life. 기출 응용
감사는 여러분의 삶에 적용하기에 가장 쉬운 원칙 중 하나이다.

Apply the cream to your face and neck using your fingertips.
손가락 끝을 이용하여 얼굴과 목에 크림을 바르시오.

파생 **application** 명 지원, 적용, 바르기
applicant 명 지원자
숙어 **apply for[to]** ~에 지원하다[적용되다]
apply A to B A를 B에 바르다

1925

border
[bɔ́ːrdər]

명 1. 국경, 경계 2. 가장자리 동 (국경·경계를) 접하다

Citizenship requires not only **borders** in space but also **borders** in time. 기출
시민권은 공간적 경계뿐만 아니라 시간적 경계도 필요로 한다.

유의 **boundary** 명 경계
frontier 명 국경, 경계
숙어 **border on** ~에 접하다

1926

expedition
[èkspidíʃən]

명 탐험(대), 원정(대)

The first eight **expeditions** to Everest were British. 기출
에베레스트에 간 첫 여덟 팀의 원정대는 영국인들이었다.

유의 exploration 명 탐사, 탐험

1927

consequence
[kɑ́nsəkwèns]

명 1. 결과 2. 중요성

The failure to detect spoiled or toxic food can have deadly **consequences**. 기출
상한 음식이나 독성이 있는 음식을 찾아내지 못하면 치명적인 결과를 초래할 수 있다.

유의 result 명 결과
significance 명 중요성
숙어 as a consequence 그 결과로

1928

wither
[wíðər]

동 1. 시들다, 말라 죽다 2. 약해지다, 쇠퇴하다

The plants **withered** in the hot sandy soil.
그 식물들은 뜨거운 모래땅에서 시들었다.

파생 withered 형 말라 죽은, 메마른, 쇠약한
반의 flourish 동 번성하다

1929

confine
[kənfáin]

동 1. 제한[국한]하다 2. 가두다, 감금하다

The activities will be **confined** to daytime hours.
그 활동들은 낮 시간에만 국한될 것이다.

파생 confinement 명 감금
유의 restrict 동 제한하다
숙어 be confined to ~로 국한되다

1930

typical
[típikəl]

형 1. 전형적인, 대표적인 2. 보통의, 일반적인

A stuffy nose is a **typical** symptom of a cold. 기출
코가 막히는 것은 감기의 전형적인 증상이다.

수능표현 +
typical example 전형적인 예
typical symptom 전형적인 증상

유의 representative 형 대표적인
normal 형 보통의
반의 atypical 형 이례적인
unusual 형 특이한
숙어 typical of ~을 대표하는

1931

rubbish
[rʌ́biʃ]

명 쓰레기, 폐물

Tons of **rubbish** was left for volunteers to clean up after the festival.
축제 후에 자원봉사자들이 치울 많은 쓰레기가 남아 있다.

유의 garbage 명 쓰레기
trash 명 쓰레기
waste 명 폐기물

1932

stern
[stəːrn]

형 1. 엄격한, 단호한 2. 심각한

His **stern** look had melted from his face, and there was a smile on his lips. 기출
그의 근엄한 표정이 얼굴에서 사라졌고 입술에는 미소가 번져 있었다.

유의 **strict** 형 엄격한
serious 형 심각한
반의 **lenient** 형 관대한

1933

outburst
[áutbə̀ːrst]

명 1. 분출, 폭발 2. 급격한 증가

I had a sudden **outburst** of anger and yelled at him.
나는 갑자기 화가 폭발해서 그에게 소리를 질렀다.

유의 **explosion** 명 폭발
surge 명 급상승

1934

notable
[nóutəbl]

형 주목할 만한, 유명한

The prize is awarded to individuals who have made **notable** achievements.
그 상은 주목할 만한 업적을 남긴 사람에게 수여된다.

파생 **notably** 부 특히, 현저히
유의 **remarkable** 형 주목할 만한
숙어 **notable for** ~로 유명한

1935 다의어

scale
[skeil]

명 1. 규모, 등급 2. 저울, 눈금 3. 축척, 비율

Traditional family-run farms were small in **scale**.
전통적인 가족 운영 농장은 소규모였다. 기출 응용

Whenever you stand on a **scale**, you are measuring your weight. 기출 응용
여러분이 저울에 서 있을 때마다 무게를 측정하고 있는 중이다.

I got a large-**scale** map of the island from the tourist information office.
나는 관광 안내소에서 그 섬의 대축척 지도를 얻었다.

유의 **magnitude** 명 정도, 규모
proportion 명 비율

1936

insist
[insíst]

동 1. 주장하다 2. 고집하다

She **insisted** that we reduce our electricity consumption by half.
그녀는 우리가 전기 소비를 반으로 줄여야 한다고 주장했다.

파생 **insistence** 명 고집, 주장
유의 **assert** 동 주장하다
persist 동 고집하다
숙어 **insist on v-ing** 계속 ~하다

1937

via
[váiə]

전 1. ~을 경유해서 2. ~을 통해서[매개로]

We are flying to New York **via** Denver.
우리는 Denver를 경유해서 New York으로 비행한다.

유의 **by way of** ~을 경유하여
through 전 ~을 통해서

1938

consecutive
[kənsékjətiv]

형 연이은, 연속적인

He gave up his weekend and worked for seven **consecutive** days.
그는 주말을 포기하고 7일 연속으로 일했다.

수능표현 +

consecutive numbers 일련[연속] 번호
three consecutive years 3년 연속

파생 **consecutively** 부 연속하여
유의 **successive** 형 연속하는
sequential 형 연속하는, 순차적인

1939

fulfill
[fulfíl]

동 1. 달성하다 2. 이행하다 3. 충족시키다

Parenthood is the most obvious opportunity to **fulfill** their desire to care for others. 기출 응용
부모가 되는 것은 다른 사람을 보살피려는 욕구를 달성할 수 있는 가장 분명한 기회이다.

파생 **fulfillment** 명 달성, 이행, 충족
fulfilling 형 성취감을 주는
유의 **achieve** 동 달성하다
satisfy 동 충족시키다

1940

intricate
[íntrəkit]

형 복잡한, 뒤얽힌

The **intricate** patterns of these designs were created by a Native American artist.
이러한 디자인의 복잡한 패턴은 미국 원주민 예술가에 의해 만들어졌다.

파생 **intricacy** 명 복잡성
유의 **complicated** 형 복잡한
complex 형 복잡한
반의 **simple** 형 단순한

1941

decrease
[dikríːs]

동 감소하다, 줄(이)다 명 감소

The number of highway deaths **decreased** from roughly 51,000 in 1966 to 42,000 in 2000. 기출
고속 도로 사망자 수는 1966년 약 5만1천 명에서 2000년 4만2천 명으로 감소했다.

유의 **decline** 동 감소하다
reduction 명 감소
반의 **increase** 명 동 증가(하다)
숙어 **decrease from A to B** A에서 B로 감소하다
decrease in ~의 감소

1942

occur
[əkə́ːr]

동 1. 발생하다, 일어나다 2. (생각이) 떠오르다

An unknown error has **occurred** during the processing of your request.
요청을 처리하는 동안 알 수 없는 오류가 발생했습니다.

파생 **occurrence** 명 발생
유의 **happen** 동 발생하다
숙어 **occur to** ~에게 생각이 떠오르다

1943

aggravate
[ǽgrəvèit]

동 1. 악화시키다 2. 짜증나게 하다

The problems between the two nations have been **aggravated** by a lack of communication.
양국 간의 문제는 소통의 부재로 악화되었다.

파생 aggravation 명 악화
유의 worsen 동 악화시키다
irritate 동 짜증나게 하다
반의 improve 동 개선되다

1944

organic
[ɔːrgǽnik]

형 1. 유기농의 2. 유기체[물]의

Poland showed a reduction in **organic** farming area in 2017 compared to 2012. 기출
폴란드는 2012년에 비해 2017년에 유기농 농업 지역의 감소를 보였다.

파생 organ 명 장기[기관]
반의 inorganic 형 무기물의

1945

polish
[páliʃ]

동 닦다, 광을 내다 명 광택(제)

Sherman took the football home and **polished** it till it shone. 기출 응용
Sherman은 축구공을 집으로 가져가 빛이 날 때까지 닦았다.

파생 polished 형 광이 나는
유의 shine 동 광택을 내다
gloss 명 광택(제), 윤

1946

freshwater
[freʃwɔ́ːtər]

형 민물[담수]의

Freshwater dolphins will escort me on the river. 기출
민물 돌고래가 강에서 나를 호위할 것이다.

반의 saltwater 형 바닷물의

1947

personnel
[pə̀ːrsənél]

명 1. 인원, 직원 2. 인사과

The country decided to send medical **personnel** to the area that had been hit hardest by the tsunami.
그 나라는 지진 해일로 가장 큰 피해를 입은 지역에 의료진을 보내기로 결정했다.

수능표현+
personnel management 인사 관리

유의 human resources 인사과

1948

literally
[lítərəli]

부 1. 문자[말] 그대로 2. 실제로

When you read this poem, you're not supposed to take the words **literally**.
이 시를 읽을 때 그 단어를 문자 그대로 받아들이면 안 된다.

수능표현+
literal translation 직역

파생 literal 형 문자 그대로의
유의 factually 부 실제로
exactly 부 정확히

1949

refer
[rifə́ːr]

동 1. 언급하다 2. 지칭하다 3. 참조하다

He was careful not to **refer** to the name of the company.
그는 회사의 이름을 언급하지 않으려고 조심했다.

파생 **reference** 명 언급
유의 **mention** 동 언급하다
숙어 **refer to** 언급[참조]하다

1950

disregard
[dìsrigáːrd]

동 무시하다, 경시하다 명 무시, 경시

That lazy man **disregards** anything that requires putting in extra time. 기출 응용
그 게으른 남자는 시간을 더 써야 하는 것은 무엇이든 무시한다.

유의 **ignore** 동 무시하다
neglect 동 무시하다
반의 **regard** 동 존중하다, 중요시하다 명 관심, 고려

1951

sway
[swei]

동 1. 흔들리다[흔들다] 2. 동요시키다 명 흔들림, 진동

The old bridge **swayed** dangerously in the wind.
오래된 다리는 바람에 위험하게 흔들렸다.

유의 **swing** 동 흔들리다
fluctuation 명 변동, 동요
숙어 **hold sway in** ~을 지배하다

1952

plausible
[plɔ́ːzəbl]

형 타당한 것 같은, 그럴듯한

Consider whether other **plausible** options are being ignored. 기출
다른 타당한 선택 사항들이 무시되고 있는지 고려해 보라.

파생 **plausibility** 명 그럴듯함, 타당성
유의 **reasonable** 형 타당한
반의 **implausible** 형 믿기 어려운

1953

affair
[əfέər]

명 문제, 일, 사건

The lawyer has an interest in international **affairs**.
그 변호사는 국제 문제에 관심이 있다.

수능표현 +

personal affairs 개인 사정
public affairs 사회 문제
current affairs 시사

유의 **matter** 명 문제, 일, 사건
business 명 사건, 일
event 명 사건, 일

1954

maternal
[mətə́ːrnəl]

형 어머니의, 모성의

It may take new mothers a few days to feel their **maternal** instincts.
초보 엄마들이 모성 본능을 느끼는 데는 며칠이 걸릴지도 모른다.

파생 **maternity** 명 모성, 어머니다움
반의 **paternal** 명 부성의

수능 혼동 어휘

1955

famine [fǽmin]

명 기근, 굶주림

Famine and civil war threaten people in sub-Saharan Africa. 기출

기근과 내전은 사하라 이남 아프리카 사람들을 위협한다.

1956

feminine [fémənin]

형 여성의, 여성스러운

The color pink is often considered to be **feminine**, while blue is considered masculine.

분홍색은 종종 여성적인 것으로 간주되고 파란색은 남성적인 것으로 간주된다.

1957

subject [sʌ́bdʒikt]

명 1. 주제 2. 과목, 학과 3. 피실험자 4. 국민, 신하
형 (영향을) 받는 동 [səbdʒékt] 지배하다

The editor posts his opinions on a wide array of **subjects**: movies, politics, and sports. 기출 응용

그 편집자는 영화, 정치, 스포츠 등 다양한 주제에 대한 그의 의견을 게시한다.

1958

subjective [səbdʒéktiv]

형 주관적인, 주관의

The distinctions between crime and heroism become **subjective** in a novel. 기출

소설에서는 범죄와 영웅주의의 구별이 주관적이 된다.

수능 UP

Q1.
둘 중 알맞은 단어를 고르시오.

Agricultural societies experience **[famine / feminine]** when droughts, fires, or earthquakes devastate their crops.

Q2.
둘 중 알맞은 단어를 고르시오.

Personal memories are **[subject / subjective]** and involve multiple emotional processes.

수능 필수 숙어

1959

come down to

1. 요약되다 2. 결국 ~에 이르다

The whole story **comes down to** the conflict between the characters.

전체 이야기는 등장인물들 간의 갈등으로 요약된다.

1960

come up to

~까지 달하다[이르다]

To my disappointment, the movie didn't **come up to** my expectations.

실망스럽게도 그 영화는 내 기대에 미치지 못했다.

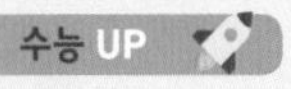

Q3.
빈칸에 알맞은 어구를 고르시오.

I don't respect people who do not ________ my standards.

① come down to
② come up to

Daily Test 49

정답 p.463

A 우리말은 영어로, 영어는 우리말로 쓰시오.

01 잔해, 파편, 쓰레기 ________
02 결과, 중요성 ________
03 시들다, 약해지다 ________
04 흐리게 만들다 ________
05 주제, 과목; 지배하다 ________
06 분출, 폭발, 급격한 증가 ________
07 규모, 등급, 저울, 축척 ________
08 consecutive ________
09 polish ________
10 personnel ________
11 literally ________
12 refer ________
13 sway ________
14 stern ________

B 우리말과 일치하도록 빈칸에 알맞은 단어 또는 어구를 쓰시오.

서술형

01 Make sure the surface is completely dry before a________ the final coat of paint.
최종 페인트를 바르기 전에 표면이 완전히 건조되었는지 확인하십시오.

02 Hieroglyphics were very i________ and must have taken a very long time to write.
상형 문자는 매우 복잡해서 쓰는 데 틀림없이 매우 오랜 시간이 걸렸을 것이다.

03 We c________ ________ ________ the question of what quality management is to be based on.
우리는 결국 품질 관리가 무엇을 기반으로 해야 하는지에 대한 질문에 이른다.

C 각 단어의 유의어 또는 반의어를 쓰시오.

01 형 notable 유의 r________
02 동 fulfill 유의 a________
03 명 rubbish 유의 t________
04 동 confine 유의 r________
05 형 typical 반의 a________
06 동 aggravate 반의 i________
07 형 plausible 반의 i________
08 형 maternal 반의 p________

VOCA CLEAR

DAY 50

➕ 시험에 더 강해지는 어휘

1961

pollute
[pəlúːt]

동 오염시키다, 더럽히다

Technology produced automobiles that **pollute** the air. 기출
기술은 공기를 오염시키는 자동차를 생산했다.

파생 pollution 명 오염 (물질)
polluted 형 오염된
유의 contaminate 동 오염시키다
반의 purify 동 정화하다

1962

damp
[dæmp]

형 축축한, 습기찬 명 습기, 축축함

A boy riding a bicycle slipped on the **damp** wooden surface. 기출
자전거를 탄 소년이 축축한 나무 표면에 미끄러졌다.

파생 dampen 동 적시다
유의 moist 형 습한
wet 형 젖은
반의 dry 형 마른, 건조한

1963

gear
[giər]

명 1. 도구, 장비 2. 톱니바퀴, 기어 3. 복장

We provide an actual scuba diving experience in full scuba **gear**.
저희는 완전한 스쿠버 장비를 갖추고 실제 스쿠버 다이빙 경험을 할 수 있게 합니다.

수능표현 ➕
camping gear 캠핑 장비
climbing gear 등산 장비

파생 geared 형 (~에 맞도록) 설계된, 준비된
유의 tool 명 도구
equipment 명 장비

1964

chore
[tʃɔːr]

명 허드렛일, (집안)일

After going through her routine **chores** as a nanny, Melanie took a break. 기출 응용
유모로서 일상적인 집안일을 마치고 난 후, Melanie는 쉬었다.

유의 task 명 과업
duty 명 의무, 본분
숙어 do chores 허드렛일을 하다

1965

symmetry
[símətri]

명 1. 대칭 2. 균형

The perfect **symmetry** of the building gives a sense of visual balance.
건물의 완벽한 대칭은 시각적으로 균형감을 준다.

파생 symmetrical 형 대칭적인
반의 asymmetry 명 비대칭, 불균형

1966

endow
[endáu]

동 1. 기부하다 2. (재능 등을) 부여하다

The millionaire decided to **endow** a scholarship.
그 백만장자는 장학금을 기부하기로 결정했다.

파생 endowment 명 기부
유의 donate 동 기부하다
숙어 be endowed with ~을 타고나다

1967

arctic
[á:rktik]

형 북극의 명 북극 (지방)

Global warming has increased the rate of melting ice in the **Arctic** regions.
지구 온난화는 북극 지역에서 얼음이 녹는 속도를 증가시켰다.

수능표현+
Arctic[Antarctic] Circle 북극권[남극권] 한계선

유의 polar 형 북극[남극]의, 극지의
반의 antarctic 형 남극의

1968

support
[səpɔ́:rt]

동 1. 지지[지원]하다 2. 부양하다 3. 뒷받침하다
명 1. 지지, 후원 2. 부양

We should **support** one another in the pursuit of our goals. 기출 응용
우리는 목표를 추구할 때 서로를 지지해야 한다.

파생 supporter 명 지지자
supportive 형 지원하는
유의 back up 지원[지지]하다
숙어 in support of ~을 지지하여

1969

inhale
[inhéil]

동 (숨을) 들이쉬다, 들이마시다

Our lungs expand as we **inhale**.
우리의 폐는 우리가 (숨을) 들이쉴 때 팽창한다.

파생 inhalation 명 흡입
유의 breathe in 들이마시다
반의 exhale 동 (숨을) 내쉬다

1970

legal
[lí:gəl]

형 1. 법률의, 법률상의 2. 합법적인

In order to give you good **legal** advice, your lawyer must know all the facts.
좋은 법률 상담을 해 주기 위해서 여러분의 변호사는 모든 사실을 알고 있어야 한다.

수능표현+
legal rights 법적 권리
legal advice 법률 상담

파생 legalize 동 합법화하다
legally 부 합법적으로
유의 legitimate 형 합법적인
반의 illegal 형 불법의

1971

overall
[òuvərɔ́:l]

형 전체의, 전반적인 부 전반적으로, 대체로

The aesthetic quality of the image is extremely important to the **overall** quality of a film. 기출 응용
영상의 미적 질은 영화의 전반적인 질에 매우 중요하다.

유의 by and large 대체로
in general 보통, 대개

1972

distress
[distrés]

명 1. 고통, 괴로움 2. 곤경 동 고통스럽게 하다

When we cannot set healthy limits, it causes **distress** in our relationships. 기출 응용
건강한 한계를 설정할 수 없을 때, 그것은 관계에 고통을 야기한다.

파생 **distressed** 형 괴로워하는
유의 **hardship** 명 어려움, 곤란
숙어 **in distress** 괴로워서

1973

trek
[trek]

명 오지 여행, 트레킹[도보 여행]

He watched a film about the Himalayas and went on a **trek** to Nepal.
그는 히말라야에 관한 영화를 보고 네팔로 오지 여행을 떠났다.

파생 **trekking** 명 여행, 트레킹[등산]
유의 **hike** 명 하이킹[도보 여행]

1974

scratch
[skrætʃ]

동 1. 긁다, 할퀴다 2. 근근이 살다 명 긁힘, 찰과상

Scratching bug bites can cause them to bleed.
벌레에 물린 곳을 긁으면 피가 날 수 있다.

숙어 **from scratch** 맨 처음부터
scratch out a living 근근이 살아가다

1975

cure
[kjuər]

동 치료하다, 해결하다 명 치료(법), 해결(책)

The doctor informed me that I had a disease that no one knew how to **cure**. 기출
의사는 내가 아무도 치료하는 방법을 모르는 질병에 걸렸다고 나에게 알려주었다.

수능표현 +
cure-all 만병통치약 (=panacea)

유의 **heal** 동 낫게 하다
remedy 명 치료(약)
숙어 **cure A of B** A를 B라는 병으로부터 낫게 하다
cure for ~에 대한 치료

1976

recommend
[rèkəménd]

동 1. 추천하다 2. 권장하다

His history professor had **recommended** this field trip to the class. 기출
그의 역사 교수님은 학생들에게 이 현장 학습을 추천했다.

파생 **recommendation** 명 추천
유의 **suggest** 동 추천[제안]하다

1977

biosphere
[báiəsfiər]

명 생물권

The **biosphere** of the earth changes as a result of pollution.
지구의 생물권은 오염의 결과로 변한다.

1978

stunned
[stʌnd]

형 크게 놀란

I was **stunned** by his unexpected request.
나는 그의 뜻밖의 요청에 크게 놀랐다.

파생 **stun** 동 (크게) 놀라게 하다
stunning 형 깜짝 놀랄
유의 **astonished** 형 깜짝 놀란

1979

radioactive
[rèidiouǽktiv]

형 방사능의, 방사성의

Thousands of tons of **radioactive** waste were generated by nuclear power plants.
수천 톤의 방사성 폐기물이 원자력 발전소에서 발생했다.

수능표현 +
radioactive material 방사성 물질
radioactive waste 방사성 폐기물

1980

align
[əláin]

동 1. (나란히) 정렬시키다 2. 조정[조절]하다

The books are **aligned** on the shelf.
그 책들은 선반에 정렬되어 있다.

파생 **alignment** 명 정렬, 제휴, 조정
유의 **line up** 일렬로 세우다
숙어 **align oneself with** ~와 제휴하다

1981

myth
[miθ]

명 1. 신화 2. 근거 없는 믿음, 통념

Most cultures and countries have their own creation **myths**.
대부분의 문화와 국가는 그들만의 창조 신화를 가지고 있다.

파생 **mythology** 명 신화(학)
mythical 형 신화에 나오는
유의 **legend** 명 전설
fallacy 명 틀린 생각

1982

decode
[diːkóud]

동 1. (암호 등을) 해독하다 2. 이해하다, 알아듣다

In the game, the children had to **decode** the message first.
게임에서 아이들은 먼저 메시지를 해독해야 했다.

유의 **decipher** 동 해독하다
interpret 동 이해하다
반의 **encode** 동 암호로 바꾸다

1983

fluid
[flúː(ː)id]

명 유체, 유동체 형 1. 유동체의 2. 유동적인

Cats adapt to the shape of the box they sit in similarly to what **fluids** such as water do. 기출 응용
고양이는 물과 같은 유체가 하는 것과 비슷하게 자신이 들어가 있는 상자 모양에 맞춘다.

유의 **liquid** 명 액체, 유체 형 액체의, 유동체의
반의 **solid** 명 형 고체(의)

1984

consent
[kənsént]

명 동의, 합의 동 동의하다, 합의하다

The customer has given his or her **consent** to receive marketing messages. 기출
고객은 마케팅 메시지를 수신하는 데에 동의했다.

수능표현+
consent form 동의서[양식]

유의 approval 명 찬성, 동의
반의 refusal 명 거부
숙어 consent to ~에 대한 동의

1985

capable
[kéipəbl]

형 할 수 있는, 유능한

The current level of artificial intelligence is not **capable** of having a meaningful conversation.
현재 인공 지능의 수준은 의미 있는 대화를 할 수 없다.

파생 capability 명 능력, 역량
유의 competent 형 유능한
skilled 형 숙련된
반의 incapable 형 무능한, 할 수 없는

1986

itch
[itʃ]

명 가려움 동 1. 가렵다 2. (~하고 싶어) 못 견디다

It is natural to rub or scratch at an **itch**.
가려운 부분을 문지르거나 긁는 것은 자연스러운 일이다.

파생 itchy 형 가려운
숙어 have an itch to-v ~하고 싶어 몸이 근질근질하다

1987

undo
[ʌndúː]

동 1. 원상태로 돌리다 2. 풀다, 열다

You may **undo** the changes to the file if you want.
원하는 경우 파일의 변경 내용을 원상태로 돌릴 수 있다.

유의 restore 동 복구하다
unfasten 동 풀다
반의 do up 채우다[잠그다]

1988

pitfall
[pítfɔːl]

명 위험, 덫

My parents warned me about the **pitfalls** of slacking off during my first year of college.
부모님은 대학 1학년 때 게으름을 피우는 것의 위험성에 대해 경고하셨다.

유의 danger 명 위험
trap 명 덫

1989

acquire
[əkwáiər]

동 습득하다, 획득하다, 얻다

Stressful events sometimes force people to develop new skills and **acquire** new strengths. 기출
스트레스를 주는 사건들은 때때로 사람들이 새로운 기술을 개발하고 새로운 강점을 습득하게 한다.

수능표현+
acquire knowledge 지식을 습득하다

파생 acquisition 명 습득
acquired 형 습득한, 후천적인
유의 obtain 동 얻다
gain 동 얻다

1990

falsify
[fɔ́:lsəfài]

동 위조하다, (사실을) 속이다

The manager tried to **falsify** the signature of a client on the document.
지배인은 서류상의 의뢰인 서명을 위조하려고 했다.

파생 **falsification** 명 위조
false 형 가짜의, 틀린
유의 **forge** 동 위조하다

1991 다의어

spare
[spɛər]

형 남는, 여분의 명 여분, 예비품
동 1. (시간·돈 등을) 할애하다 2. 아끼다

Most people keep a **spare** tire in the trunk of their car.
대부분의 사람들은 여분의 타이어를 차 트렁크에 보관한다.

We would be grateful if you could **spare** a few minutes to share your opinions. 기출
몇 분을 할애해 당신의 의견을 나눠 주시면 감사하겠습니다.

He **spared** no effort in helping his father regain his health.
그는 그의 아버지가 건강을 되찾도록 돕는 데 노력을 아끼지 않았다.

파생 **sparing** 형 아끼는, 인색한
유의 **extra** 형 여분의

1992

layout
[léiàut]

명 배치, 설계, 구획

This keyboard **layout** maximizes finger movement instead of minimizing it. 기출 응용
이 키보드 배치는 손가락 움직임을 최소화하는 것이 아니라 최대화한다.

파생 **lay out** 설계[계획]하다
유의 **arrangement** 명 배치, 배열
design 명 설계

1993

refund
[rí:fʌnd]

명 환불, 반환 동 [rifʌ́nd] 환불하다, 반환하다

A full **refund** will be provided if you cancel two weeks before the camp starts. 기출
캠프 시작 2주 전에 취소하면 전액을 환불받을 것이다.

수능표현 +

full refund 전액 환불
tax refund 세금 환급

유의 **reimburse** 동 배상[변제]하다
숙어 **get a refund** 환불받다

1994

march
[mɑ:rtʃ]

동 행진하다, 행군하다 명 행진, 행군

Farmers **marched** through the streets to protest against low grain prices.
농부들은 낮은 곡물 가격에 항의하기 위해 거리를 행진했다.

유의 **parade** 동 행진하다
숙어 **march into** ~로 행진해 들어가다

수능 혼동 어휘

1995

virtual
[vɔ́ːrtʃuəl]

형 1. 가상의 2. 사실상의

Virtual personalities online fulfill our emotional needs artificially. 기출 응용
온라인상의 가상 인물은 우리의 정서적 욕구를 인위적으로 충족한다.

수능표현 +
virtual reality (VR) 가상 현실

1996

virtue
[vɔ́ːrtʃuː]

명 1. 미덕, 선 2. 장점

Though efficiency is a great **virtue**, economic fairness is also crucial. 기출 응용
효율성이 대단한 미덕이지만 경제적 공정성 또한 매우 중요하다.

1997

vice
[vais]

명 1. 악, 악덕 2. 악덕 행위 형 대리의

Gambling is considered a **vice** by some people.
도박은 몇몇 사람들에게는 죄악으로 여겨진다.

수능 UP

Q1.
셋 중 알맞은 단어를 고르시오.
I was young and impatient, so I did not see any **[virtual / virtue / vice]** in waiting.

수능 필수 숙어

1998

all but

거의, 사실상

It is **all but** impossible to reform the old system.
구 체제를 개혁하는 것은 거의 불가능하다.

1999

anything but

~이 결코 아닌

The test might have looked easy, but it was **anything but** easy.
그 시험은 쉬워 보였을지 몰라도 결코 쉽지 않았다.

2000

nothing but

오직, 그저[단지] ~일 뿐인

One may eat **nothing but** a salad for lunch to lose weight.
어떤 사람은 몸무게를 줄이기 위해 점심으로 오직 샐러드만 먹을 수도 있다.

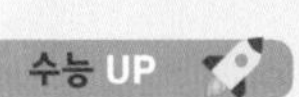

Q2.
빈칸에 알맞은 어구를 고르시오.

The species is classified as endangered and is ________ common.

① anything but
② nothing but

Daily Test 50

정답 p.463

A 우리말은 영어로, 영어는 우리말로 쓰시오.

01 도구, 톱니바퀴, 복장 ____________
02 북극의; 북극 (지방) ____________
03 전체의, 전반적인 ____________
04 긁다, 할퀴다; 긁힘 ____________
05 유체; 유동체의 ____________
06 배치, 설계, 구획 ____________
07 (나란히) 정렬시키다 ____________
08 recommend ____________
09 biosphere ____________
10 stunned ____________
11 radioactive ____________
12 undo ____________
13 itch ____________
14 chore ____________

B 우리말과 일치하도록 빈칸에 알맞은 단어 또는 어구를 쓰시오.

서술형

01 Aaron's parents plan to e____________ a scholarship fund in memory of their son.
Aaron의 부모는 아들을 기리기 위해 장학금을 기부할 계획이다.

02 If anyone can s____________ a couple of hours a week to help out, it would be appreciated.
누구든지 일주일에 한두 시간 정도 할애하여 도움을 주시면 감사하겠습니다.

03 What he showed her was n____________ ____________ flimsy evidence.
그가 그녀에게 보여 준 것은 그저 빈약한 증거에 불과했다.

C 각 단어의 유의어 또는 반의어를 쓰시오.

01 동 pollute 반의 p____________
02 명 symmetry 반의 a____________
03 동 inhale 반의 e____________
04 명 distress 유의 h____________
05 동 cure 유의 h____________
06 동 decode 반의 e____________
07 명 consent 유의 a____________
08 동 falsify 유의 f____________

수능에 더 강해지는 TEST DAY 46-50

A

다음 짝 지어진 두 단어의 관계가 같도록 빈칸에 알맞은 단어를 <보기>에서 골라 쓰시오.

<보기>	lenient	concentrate	acquisition	disagreement

1 stock : inventory = condense : ______________

2 consensus : ______________ = maximize : minimize

3 reduce : reduction = acquire : ______________

4 stern : ______________ = maternal : paternal

B

다음 문장에서 밑줄 친 어휘의 유의어를 고르시오.

1 Bringing up old problems will only aggravate the conflict.

① worsen ② pretend ③ apply

2 Rental fees for curling gear except gloves are included. 기출

① border ② myth ③ equipment

3 As a teacher, she devoted her life to equal opportunity for all in education.

① consented ② dedicated ③ disproved

4 After a series of failures, their self-confidence was seriously undermined.

① weakened ② announced ③ indicated

정답 p. 463

C 서술형

다음 빈칸에 알맞은 단어를 <보기>에서 골라 쓰시오. (필요시 형태를 바꿀 것)

<보기>	adverse	presume	liable	subjective

1 Because liquor bottles were found there, it is ______________ that the man died of alcohol-related issues.

2 Human activities have an ______________ effect on the environment.

3 Attitudes and values are ______________, and they are easily altered to fit our ever-changing circumstances. 기출

4 In stressful situations with multiple interruptions, we are ______________ to make mistakes.

D

각 네모 안에서 문맥에 맞는 말을 고르시오.

1 The current contract will [expire / aspire] in two months.

2 I need to [keep up with / put up with] the pain until the medications start working.

3 She [admires / despises] lying to children and rarely lies to them.

4 [Immoral / Immortal] behaviors can never be justified even if you're stealing a bread to feed a starving child.

5 The plate would be [anything but / nothing but] cheap as it is decorated with real gold.

VOCA CLEAR

수능 지문 주제별 어휘

ANSWERS
정답 및 해설
INDEX

VOCA CLEAR

수능 지문 주제별 어휘

1 성격/태도

긍정

kind	친절한
honest	정직한
generous	관대한
merciful	자비로운
considerate	사려 깊은
modest	겸손한
passionate	열정적인
sociable	사교적인
sympathetic	동정적인
curious	호기심이 많은
humane	인정이 있는
loyal	충실한
faithful	신의 있는
tolerant	관대한
optimistic	낙관적인
benevolent	자애로운
polite	예의 바른, 정중한
unselfish	이타적인
sincere	진실한
frank	솔직한

부정

rude	무례한
impolite	무례한
dishonest	정직하지 않은
cruel	잔인한
greedy	탐욕스러운
mean	심술궂은, 비열한
cunning	교활한
selfish	이기적인
warlike	호전적인
negligent	태만한
jealous	질투심이 많은
childish	유치한
pessimistic	비관적인
stubborn	고집 센
aggressive	공격적인
flattering	아첨하는
irritable	짜증을 잘 내는
picky	까다로운
arrogant	오만한
hostile	적대적인
impatient	조급한
merciless	무자비한
wicked	사악한

2 심경

긍정

amused	즐거운
cheerful	유쾌한
delighted	기쁜
encouraged	고무된
excited	흥분한
grateful	감사하는
expectant	기대하는
pleased	기뻐하는
relaxed	긴장이 풀린
relieved	안도하는
satisfied	만족한

부정

alarmed	놀란, 불안해하는
annoyed	짜증이 난
ashamed	부끄러운
bored	지루해하는
concerned	걱정하는
confused	혼란스러운
depressed	낙담한
disappointed	실망한
discouraged	낙심한
embarrassed	당황한
frightened	겁에 질린
frustrated	좌절한
hopeless	절망한
horrified	겁에 질린
indifferent	무관심한
irritated	짜증이 난
lonely	외로운
miserable	비참한
nervous	긴장한, 불안한
panicked	겁에 질린
painful	괴로운

regretful	후회하는
scared	겁에 질린
shocked	충격을 받은
surprised	놀란
sympathetic	동정하는
terrified	두려워하는
upset	속상한
furious	몹시 화가 난
desperate	절박한, 필사적인

3 분위기

긍정

lively	활기찬
romantic	낭만적인
cheerful	유쾌한
festive	축제 분위기의
humorous	재미있는, 익살맞은
entertaining	재미있는
moving	감동적인
dynamic	역동적인
fantastic	환상적인
impressive	감동적인
mysterious	신비한
calm	고요한
peaceful	평화로운

부정

boring	지루한
cynical	냉소적인
desperate	절망적인
frightening	무서운
gloomy	우울한
horrible	소름 끼치는
monotonous	단조로운, 지루한
tragic	비극적인
tense	긴장된
urgent	긴박한
scary	무서운
uneasy	불안한
anxious	불안한
miserable	비참한
sorrowful	슬픈

4 실용문/도표

annual	연례의, 연간
monthly	월례의, 월간
per	~당, ~마다
participation	참석
enroll	등록하다
sign up for	~에 등록하다
register	등록하다
admission fee	입장료
submission	제출
subscription	구독
increase	증가하다
decrease	감소하다
decline	감소하다
grow	커지다, 증가하다
soar	치솟다, 급증하다
rise	올라가다, 상승하다
growth	성장
gradually	서서히, 점차
steadily	꾸준히
continuously	계속해서
dramatically	극적으로
relatively	상대적으로
extremely	극단적으로
steep	가파른
double	두 배가 되다
triple	세 배가 되다
proportion	비, 비율
larger than	~보다 큰
less than	~이하인
more than	~이상인

5 감각/동작 동사

glance	흘끗 보다
glimpse	흘끗 보다
glare	노려보다, 응시하다
stare	응시하다
sniff	킁킁거리다
sob	흐느껴 울다
yawn	하품하다
sigh	한숨을 쉬다
yell	소리 지르다
grin	방긋 웃다
shudder	몸서리치다
shrug	어깨를 으쓱하다
creep	기다
grab	꽉 쥐다, 가로채다

grip	꽉 잡다
grasp	붙잡다
chase	뒤쫓다
nod	끄덕이다
whisper	속삭이다
crawl	기어가다
roam	걸어 다니다
leap	껑충 뛰다
lean	몸을 구부리다
sip	찔끔찔끔 마시다
blink	깜박거리다
snore	코를 골다
tickle	간지럽게 하다

6 조리법

peel	벗기다
dice	깍둑썰기하다
chop	잘게 썰다
slice	슬라이스로 썰다
grate	강판으로 갈다
mince	다지다
shred	채썰다[찢다]
pour	붓다
mix	섞다
stir	휘젓다
spread	펴 바르다
add	추가하다
knead	치대다
stuff	(속을) 채워 넣다
bake	(빵을) 굽다
roast	(고기를) 굽다
broil	(고기, 생선 등을) 오븐에 굽다
grill	석쇠에 굽다
steam	김으로 찌다
fry	기름에 튀기다
boil	삶다

7 환경

environment	환경
ecosystem	생태계
biodiversity	생물학적 다양성
pollution	오염
pollutant	오염 물질
contaminate	오염시키다
acid rain	산성비
green house effect	온실 효과
global warming	지구 온난화
ozone layer	오존층
glacier melting	해빙
heat wave	폭염
red tide	적조 현상
forest destruction	삼림 파괴
sewage	오수
herbicide	제초제
detergent	세제
pesticide	살충제
oil spill	기름 유출
fossil fuel	화석 연료
carbon dioxide	이산화 탄소
carbon footprint	탄소 발자국
exhaust fume	배기가스
alternative energy	대체 에너지
green belt	개발 제한 구역
radiation	방사능
litter	쓰레기
landfill	쓰레기 매립지
reduce	줄이기
reuse	재사용
recycle	재활용
resource	자원

8 경제

economy	경제
capital	자본
asset	자산
return	배당, 이윤
interest	이자, 이율
deflation	통화 수축
inflation	통화 팽창
reduction	감소, 삭감
depression	대공황, 불경기
stagnation	경기 침체
bankruptcy	파산, 도산
collapse	붕괴, 가격의 폭락
business slump	경기 침체
unemployment	실업
stock	주식
stock exchange	주식 거래[소]
stockholder	주주
dividend	배당금
advance	값이 오르다
decline	값이 내리다

9 기업

employ	고용하다
employer	고용주
employee	피고용인
hire	고용하다
dismiss	해고하다
quit	그만두다
resign	사임하다
retire	퇴직하다
wage	임금
salary	급여
allowance	수당, 용돈
corporation	기업, 회사
incorporate	법인으로 만들다
enterprise	사업, 기업
subsidiary	자회사
merger	합병
acquisition	인수
consortium	컨소시엄, 공동 사업 추진체
contract	계약
deal	거래
discount	할인하다
distribute	유통하다
estimate	견적(을 내다)
ship	발송하다, 선적하다
manufacture	제조하다
offer	제안, 호가
invoice	송장
letter of credit	신용장(L/C)
monopoly	독점, 독점권
assembly line	조립 라인
inventory	재고 목록
warehouse	창고
operating expense	운영비
break-even point	손익 분기점
reasonable price	적정가
retail price	소매가
wholesale price	도매가
invest	투자하다
income	수입, 소득
expense	비용, 지출
incentive	인센티브
globalization	세계화
know-how	전문 기술

10 금융

finance	금융
barter	물물 교환
monetary	화폐의
currency	통화, 화폐
pecuniary	금전의, 재정의
paper money	지폐
credit card	신용카드
check	수표
cash	현금
asset	자산
bond	채권
capital	자본
supply	수요
demand	공급
production	생산
consumption	소비
import	수입
export	수출
goods and service	재화와 용역
net profit	순이익
gross profit	총이익
net income	순수입
fiscal year	회계 연도
deficit	적자
surplus	흑자, 잉여
budget	예산
debt	부채
deposit	맡기다, 보증금
save	저축하다
withdraw	인출하다
balance	잔고
insurance	보험
policy	보험증서, 보험약관
premium	보험료
mortgage	담보대출
creditor	채권자
debtor	채무자
interest	이자
loan	융자
principal	원금
pay off	빚을 갚다
bankrupt	지급 불능의
broker	중개인
buyer	구매자
lease	임대하다
rent	임대료
down payment	계약금, 착수금

11 미디어/언론

broadcast	방송하다
report	보도하다
announce	방송으로 알리다
announcer	아나운서
correspondent	특파원
on (the) air	방송 중인
live	생방송의, 현장 중계의
host	사회자
transmitter	송신기
satellite dish	인공위성 방송 수신기
cable network	유선 텔레비전 방송망
documentary	기록영화, 기록물
sitcom	텔레비전 단막 코미디
soap opera	(일일) 연속극
talk show	토크 쇼
sports event	스포츠 중계
variety shows	버라이어티 쇼
cartoon	만화 영화
commercial	광고 방송
article	글, 기사
columnist	칼럼 기고가
headline	표제
caption	사진 설명 글귀
press conference	기자회견
journalist	기자
public opinion	여론
censorship	언론 검열
circulation	발행 부수
publish	출판하다
edit	편집하다
daily (newspaper)	일간지
tabloid	타블로이드판 신문
subscribe to	~을 구독하다
comic strip	연재만화
caricature	풍자만화
classified ads	항목별 소광고
obituary	부음

12 정부/정치

govern	통치하다
authority	권위 / ((-s)) 당국
tyranny	전제 정치
democracy	민주주의
federal	연방의
republic	공화국
election	선거
vote	투표
poll	여론 조사
candidate	후보
bill	법안
chairman	의장
city council	시의회
enact a law	법률을 제정하다
executive committee	집행 위원회
legislation	입법
proposal	제안, 안
recess	휴회(하다)
the President	대통령
prime minister	수상, 국무총리
Secretary of State	국무장관
bureaucrat	관료
cabinet	내각
Chief Executive	대통령, 정부의 수반
the constitution	헌법
the Supreme Court	대법원
a high court	고등 법원
a district court	지방 법원
prosecution	기소, 소추, 검찰당국
enforce a law	법을 집행하다
local autonomy	지방 자치
summit meeting	정상 회담
diplomat	외교관
embassy	대사관

각국의 국회 이름

the National Assembly (한국의) 국회
Congress (미국의) 의회
the Senate 미국 상원
the House of Representatives 미국 하원
Parliament (영국의) 의회
Diet (일본, 스웨덴, 덴마크의) 국회, 의회
Bundestag 독일 하원
Junta (스페인, 이탈리아의) 의회, 내각

13 범죄/법

criminal	범죄자
victim	피해자
kidnap	납치하다
bribery	뇌물 행사
pickpocket	소매치기
assault	폭행
murder	살인
robbery	강도질
burglary	밤도둑질

theft 도둑질
case 소송(사건)
sue 고소하다
lawsuit 소송
prosecute 기소하다
prosecutor 검사
judge 판사
attorney 변호사
lawyer 변호사
jury 배심원
suspect 용의자
suspicion 혐의
witness 목격자
defendant 피고
plaintiff 원고
trial 재판
verify 입증하다
evidence 증거
verdict 평결
sentence 판결을 내리다
condemn (특히 중형을) 선고하다
convict 유죄를 입증하다
release 석방하다
innocent 결백한
guilty 유죄의
jail 교도소
penalty 형벌
imprison 투옥하다
punishment 벌, 처벌
warrant 영장
arrest 체포하다

14 종교

religion 종교
mythology 신화
theology 신학
legend 전설
superstition 미신
ritual 의식, 예식
worship 예배하다
adore 숭배하다
idolize 우상화하다
sacrifice 희생하다
devote ~을 위해 바치다
dedicate 헌신하다
faith 신뢰, 확신
belief 믿음
creed 신조, 교리
doctrine 교리
dogma 교리, 신조
church 교회
temple 사원, 절
abbey 수도원
cathedral 대성당
mosque 회교 사원
sermon 설교
Scripture (the) 성서, 경전
priest 성직자
clergy (집합적) 성직자
minister 목사
preacher 설교자
missionary 선교사
Pope 로마교황
cardinal 추기경
bishop 주교
monk 수도사, 승려
nun 수녀
saint 성자
prophet 예언자
theologian 신학자
pilgrim 순례자

종교명

Buddhism 불교
Buddhist 불교도
Christianity 기독교
Christian 기독교도
Hinduism 힌두교
Hindu 힌두교도
Islam 이슬람교
Muslim 이슬람교도
Judaism 유대교
Jew 유대인, 유대교도

15 학교

curriculum 교육(교과)과정
extracurricular 교육과정 외의
education 교육
enlightenment 계몽
instruct 가르치다
discipline 훈련
freshman 1학년
sophomore 2학년
junior 3학년
senior 4학년
tuition (fee) 수업료

scholarship	장학금
semester	(1년 2등분) 학기
term	(1년 3등분) 학기
quarter	(1년 4등분) 학기
session	(구분 없이) 학기
transcript	성적 증명서
certificate	졸업 증명서
undergraduate	학부생(대학 재학생)
graduate	대학원생, 대학 졸업생
bachelor	학사
master	석사
doctor	박사
diploma	(대학) 졸업 증서

과목

Korean	국어
biology	생물
physics	물리
chemistry	화학
mathematics	수학
algebra	대수학
geometry	기하학
home economics	가정
history	역사
geography	지리
PE(physical education)	체육
English literature	영문학

16 학문

geography	지리학
geology	지질학
astronomy	천문학
mathematics	수학
physics	물리학
chemistry	화학
biology	생물학
ecology	생태학
medicine	의학
politics	정치학
economics	경제학
sociology	사회학
law	법학
philosophy	철학
ethics	윤리학
aesthetics	미학
pedagogy	교육학
psychology	심리학
anthropology	인류학
archeology	고고학
architecture	건축학
computer science	컴퓨터 공학
statistics	통계학
journalism	언론학
linguistics	언어학
engineering	공학
meteorology	기상학
paleontology	고생물학
botany	식물학
zoology	동물학
primatology	영장류 동물학
anatomy	해부학
hygiene	위생학
mythology	신화학
biotechnology	생명 공학

17 직업

ambassador	대사
athlete	운동선수
chef	요리사
therapist	치료 전문가
architect	건축가
counselor	상담원
consultant	컨설턴트
columnist	칼럼니스트
repairman	수리공
miner	광부
accountant	회계사
carpenter	목수
bricklayer	벽돌공
photographer	사진가
journalist	기자
statesman	정치가
writer/author	작가
pilot	조종사
financial adviser	투자 고문
secretary	비서
sculptor	조각가
editor	편집자
professor	교수
electrician	전기 기사
plumber	배관공
barber	이발사
hairdresser	미용사
cashier	출납원
mechanic	정비공
translator	번역가

firefighter	소방관
salesperson	판매원
pharmacist	약사
physician	내과 의사
surgeon	외과 의사
veterinarian	수의사
interpreter	통역사
landscaper	정원사, 조경사
receptionist	접수원
telemarketer	전화 통신 판매원
security guard	보안 요원
web developer	웹 개발자
real estate agent	부동산 매매 중개인
butcher	정육점 주인
minister	장관, 목사
cashier	출납원
official	공무원
mayor	시장
actor/actress	배우
designer	디자이너
president	대통령
vice-president	부통령
engineer	기술자
manager	경영자

18 질병

disease	질병
immune	면역의
allergic	알레르기의
chronic	만성인
pandemic	전 세계[전국적]적인 유행병
epidemic	전염병
plague	전염병
infection	감염

증상

fever	열
cough	기침
sneeze	재채기하다
feel dizzy	어지럽다
vomit	토하다
itch	가렵다
swell	붓다
fatigue	피로
nausea	메스꺼움
cramp	경련
bruise	타박상
fracture	골절
sprain	접질림
bruise	타박상
headache	두통
toothache	치통
backache	요통
stomachache	위통
acne(= pimple)	여드름
cavity	충치
cold	감기
burn	화상

치료

medicine	약
pill/tablet	알약
capsule	캡슐
dose	(1회의) 복용량
ointment	연고
painkiller	진정제
sedative	진정제
side effect	부작용
injection	주사
drugstore	약국
pharmacy	약국
acupuncture	침술
first aid	응급처치
antidote	해독제
blood transfusion	수혈
check-up	(정기) 건강진단
cure	치료법
diagnosis	진단
prescription	처방
heal	치료하다, 낫다
wound	상처(를 입다)
injure	부상을 입다
injury	상처
hurt	상처
cut	칼에 베인 상처
scar	상처 자국, 흉터
operate	수술하다
recover	회복하다
transplant	이식
hearing aid	보청기
needle	(수술) 바늘
plaster cast	깁스
stethoscope	청진기
thermometer	체온계
wheelchair	휠체어
X-ray	엑스선
anesthesia	마취

aromatherapy	방향 요법
placebo	플라세보, 위약
amputate	신체 부위를 절단하다
incubator	인큐베이터

의사

cardiologist	심장전문의
dermatologist	피부과 의사
orthopedist	정형외과 의사
pediatrician	소아과의사
psychiatrist	정신과 의사
surgeon	외과의사
physician	내과의사
dentist	치과 의사

19 병명

pneumonia	폐렴
flu	유행성 감기
asthma	천식
diabetes	당뇨병
insomnia	불면증
phobia	공포증
leukemia	백혈병
anemia	빈혈증
heatstroke	일사병
cancer	암
tumor	종양
hepatitis	간염
migraine	편두통
smallpox	천연두
chickenpox	수두
cholera	콜레라
measles	홍역
tuberculosis	결핵
pneumonia	폐렴
dengue	뎅기열
malaria	말라리아
heart attack	심장마비
heart disease	심장병
stroke	뇌졸중
high blood pressure	고혈압 (=hypertension)
cholesterol	콜레스테롤
ADHD	주의력 결핍 및 과잉 행동 장애
autism	자폐증
nervous breakdown	신경쇠약
PTSD	외상 후 스트레스 장애
amnesia	기억상실증
dyslexia	난독증
arthritis	관절염
rheumatic	류머티즘의
osteoporosis	골다공증
neurosis	신경증, 노이로제
diarrhea	설사
indigestion	소화불량
malnutrition	영양실조

20 신체

외부

muscle	근육
spine	척추
skeleton	골격
skull	두개골
abdomen	배
limb	팔다리
wrist	손목
joint	관절
thigh	넓적다리

내부

pulse	맥박
blood vessel	혈관
artery	동맥
vein	정맥
cell	세포
gene	유전자
nerve	신경
neuron	뉴런, 신경 세포
organ	장기
brain	뇌
lung	폐
stomach	위
liver	간
heart	심장
kidney	신장
intestine	창자, 장
pancreas	췌장
womb	자궁

21 소화/영양

digest	소화하다
nutrition	영양
consume	먹다, 마시다
chew	씹다
nourish	영양분을 주다
feed	(음식·젖을) 먹이다

overeat	과식하다
bite	깨물다
swallow	삼키다
gulp	꿀꺽 삼키다
sip	홀짝이다
lick	핥다

영양소

carbohydrate	탄수화물
protein	단백질
calcium	칼슘
vitamin	비타민
fat	지방
mineral	미네랄

22 기후

climate	기후
temperature	온도, 기온
thermometer	온도계
hygrometer	습도계
rainfall	강우, 강우량
precipitation	강수, 강수량
tropical	열대의
high[low] pressure	고[저]기압
humid	습기 찬
damp	습기, 습기 찬
moist	축축한
cold	추운
icy	얼음이 언
chilly	서늘한
freezing	어는 듯한
sunny	햇볕이 잘 드는
warm	따뜻한
hot	더운
muggy	후덥지근한
sweltering	푹푹 찌는
cloudy	구름 낀
foggy	안개 낀
hazy	흐릿한
overcast	흐린, 음침한
frosty	서리가 내린
hail	우박
windy	바람이 센
breeze	미풍
blast	강풍
storm	폭풍우
sleet	진눈깨비
thunder	천둥
lightning	번개
rainy	비오는
rainy season	장마
drizzle	이슬비
shower	소나기
yellow dust	황사
fine dust	미세먼지
visibility	가시거리

23 자연 재해

disaster	재해, 재난
earthquake	지진
volcanic eruption	화산 폭발
drought	가뭄
tornado	토네이도
tidal wave	해일
flood	홍수
typhoon	태풍
hurricane	허리케인
cyclone	사이클론
twister	회오리바람
blizzard	눈보라
avalanche	(눈/산)사태

24 지구

earth	육지, 지구
continent	대륙
ocean	해양
sea	바다
gulf	만
strait	해협
desert	사막
hemisphere	반구
tropical	열대(지방)의
South Pole	남극
North Pole	북극
atmosphere	대기
longitude	경도
latitude	위도
equator	적도
ridge	산등성이
peak	산꼭대기
cliff	절벽
plateau	고원

plain 평원
hill 언덕
fountain 샘, 분수
spa 광천, 온천
channel 해협, 수로
tide 조수
ebb 썰물
flow 밀물
horizon 수평선, 지평선
marine 해양의
summit 정상, 산꼭대기
waterfall 폭포
forest 숲
jungle 정글

25 우주

universe 우주
cosmos 우주
galaxy 은하수(=the Milky Way)
star 별, 항성
constellation 성좌, 별자리
astronomer 천문학자
astrology 점성술
moon 달
planet 행성
solar 태양의
solar eclipse 일식
lunar eclipse 월식
meteorite 운석
comet 혜성
satellite 인공위성
orbit 궤도
asteroid 소행성
solar calendar (태)양력
solar energy 태양 에너지
lunar 달의
lunar calendar 달력
spacecraft 우주선
space station 우주 정류장
astronaut 우주비행사
space probe 우주 탐색기
space shuttle 우주 왕복선
revolve 공전하다
rotate 자전하다

태양계

Sun 태양
Mercury 수성
Venus 금성
Earth 지구
Mars 화성
Jupiter 목성
Saturn 토성
Uranus 천왕성
Neptune 해왕성

26 물리/화학

elastic 탄성의
fluid 유동성의
solid 고체의
friction 마찰
float 뜨다
dissolve 용해하다
melt 녹다
evaporate 증발하다
vapor 증기
chemical 화학 물질
reflex 반사 작용
atom 원자
electron 전자
element 원소
oxygen 산소
carbon 탄소
hydrogen 수소
nitrogen 질소
sodium 나트륨
magnesium 마그네슘
sulfur 황
zinc 아연
iron 철
copper 구리
aluminum 알루미늄

27 컴퓨터/인터넷

personal computer 개인용 컴퓨터
laptop computer 노트북 컴퓨터
tablet PC 태블릿 컴퓨터
application 애플리케이션[앱]
clipboard 클립보드
cursor 커서
click 클릭하다
drag 드래그하다

scroll	스크롤하다
copy	복사하다
paste	붙이다
post	게시하다
delete	삭제하다
browse	(인터넷에서) 검색하다
search engine	검색 엔진
social media	소셜 미디어
cyber space	가상 공간[현실]
augmented reality	증강 현실
ubiquitous	어디에나 있는
Internet of Things	사물 인터넷
artificial intelligence	인공 지능

28 문학

literature	문학
author	저자
epic	서사시
plot	줄거리
clue	실마리
folk tale	민담, 설화
character	등장 인물
protagonist	주인공
prose	산문
verse	운문
novel	소설
drama/play	희곡
metaphor	은유
simile	직유
rhyme	압운
context	문맥
paradox	역설

29 예술/공연

performance	공연
aesthetic	미학의
intuition	직관
avant-garde	전위파, 선구자
compose	작곡하다
composition	작곡
note	음표
bar	마디
harmony	화음
rhythm	운율
score	악보
chant	노래
choir	합창단
bass	낮은음
soprano	소프라노
contemporary	동시대의, 현대의
classical	고전주의의
conductor	지휘자
perform	연주하다
concert	음악회
recital	독주회
orchestra	관현악단
opera	오페라
symphony	교향곡
concerto	협주곡
canvas	화폭
ceramics	도자기류
easel	이젤
gallery	화랑
handicraft	수공예
oil painting	유화
watercolor	수채화
perspective	원근법
portrait	초상화
pottery	도기
sculptor	조각가
engrave	새기다
silhouette	윤곽
sketch	밑그림
drawing	소묘, 뎃생
statue	상
style	유파, 양식
masterpiece	걸작
impressionism	인상파
fauvism	야수파
cubism	입체파
expressionism	표현주의
surrealism	초현실주의

VOCA CLEAR

ANSWERS 정답 및 해설

DAY 01

수능 UP p. 16

Q1 interpret **Q2** assert **Q3** ①

Q1 각기 다른 삶의 경험들은 우리가 상황을 다르게 해석하고 있다는 것을 의미한다.
Q2 그는 돈을 훔치지 않았다고 계속해서 주장했다.
Q3 팀에 무슨 일이 생긴다면, 그 프로젝트는 최소 6개월은 지연될 것이다.

Daily Test 01 p. 17

A **01** celebrity **02** overlap **03** foster
04 compartment **05** devastate
06 metabolism **07** spur
08 파산한, 지불 능력이 없는
09 직물, 천, (사회·조직 등의) 구조, 조직
10 동봉하다, 둘러싸다 **11** 입법하다, 법률을 제정하다
12 조종하다, 몰다, (~쪽으로) 이끌다
13 인식의, 인지의 **14** 주장하다, 단언하다
B **01** dismayed **02** collapse **03** set back
C **01** assign **02** associate **03** exciting
04 qualified **05** stimulate **06** minimum
07 dishonesty **08** instant

DAY 02

수능 UP p. 24

Q1 momentary **Q2** omitted **Q3** ①

Q1 그녀는 대답을 하기 전에 잠깐 동안 주저했다.
Q2 그녀의 변호인들은 다른 증거들이 보고서에서 빠졌다고 말했다.
Q3 우리는 지각하는 사람들을 위해 회의를 지연시키지는 않을 것이기 때문에 제시간에 와 주세요.

Daily Test 02 p. 25

A **01** justify **02** thorough **03** ornament
04 erode **05** draft **06** crawl **07** artifact
08 항생제[물질]; 항생(물질)의 **09** 주장하다, 다투다
10 특허(권); 특허를 받다 **11** 기준, 표준, 척도
12 중대한 **13** 원시 사회의, 원시적인; 원시인
14 성가신 사람[것], 골칫거리
B **01** equivalent **02** hold back **03** omit
C **01** sharp **02** wander **03** predator
04 obstruct **05** tiny **06** rejoice **07** cheat
08 adore

DAY 03

수능 UP p. 32

Q1 distribute **Q2** ②

Q1 현대 기술은 수천 명의 사람들에게 즉시 정보를 배포하기 위해 사용될 수 있다.
Q2 아름다운 음악이 있는 저녁을 위해 들러 주세요.

Daily Test 03 p. 33

A **01** bulletin **02** stain **03** anticipate **04** council
05 obesity **06** temporal **07** equality
08 불꽃을 일으키다, 촉발하다; 불꽃
09 단조로운, 지루한 **10** 받을 만하다, 자격이 있다
11 신호, 단서; (시작) 신호를 주다 **12** 쓰레기 매립지
13 토론, 논의; 토론하다, 논의하다
14 ~의 탓[덕분]으로 돌리다; 속성, 자질
B **01** haunted **02** spread **03** abide by
C **01** subsequent **02** distribute **03** loss
04 assure **05** optimistic **06** acknowledge
07 implicit **08** dull

DAY 04

수능 UP p. 40

Q1 variable **Q2** considerable **Q3** ①

Q1 많은 주택 보유자들은 그들의 은행에 주택 융자를 변동 금리에서 고정 금리로 바꿔줄 것을 요청한다.
Q2 인도의 혹독한 날씨는 차량 도장에 상당한 손상을 초래한다.
Q3 그녀가 우연히 들렀을 때, 그녀는 잡담을 하면서 몇 시간씩을 보내곤 했다.

Daily Test 04 p. 41

A **01** tempt **02** elaborate **03** classify
04 wholesale **05** graze **06** entity
07 aggressive **08** 점검[검사]하다, 사찰하다
09 생태계 **10** 장애물, 방해물
11 국내의, 가정의, (동물이) 길들여진
12 보조금, 장려금 **13** 팔다리, 사지, 큰 나뭇가지
14 통찰(력), 이해, 간파
B **01** enforced **02** spilling **03** dropped out of
C **01** blessing **02** liable **03** increase **04** add
05 charge **06** categorize **07** sink
08 abandon

DAY 05

수능 UP p. 48

Q1 consumes **Q2** principle **Q3** ①

Q1 패스트 패션 산업은 엄청난 양의 자원을 소비하고 많은 양의 온실 가스를 내뿜는다.
Q2 시장에는 공급과 수요의 기본 원칙이 있다.
Q3 그 코치는 경기의 막판 취소 가능성을 배제하지 않았다.

Daily Test 05 p. 49

A **01** confess **02** hollow **03** session
04 attorney **05** rub **06** magnitude
07 discrepancy **08** 뇌물; 뇌물을 주다, 매수하다
09 이행[실행]하다; 도구, 기구
10 주요한, 제일의; (단체의) 장, 교장
11 허락하다, 허용하다; 허가(증)
12 놀리다, (짓궂게) 괴롭히다
13 (매스컴의) 관심, 주목, 광고, 홍보 **14** 문학, 문헌
B **01** embrace **02** coordinate **03** rule out
C **01** plentiful **02** plunge **03** abundant
04 energetic **05** accept **06** search
07 abruptly **08** obey

수능에 더 강해지는 TEST DAY 01-05

pp. 50-51

A **1** abruptly **2** fame **3** erosion **4** varied
B **1** ③ **2** ② **3** ① **4** ③
C **1** eligible **2** discrepancy **3** obesity
4 cognitive
D **1** momentary **2** obedient **3** concentrate
4 external **5** came by

A

1 scarce와 abundant는 반의어 관계
2 motivate와 stimulate는 유의어 관계
3 hinder와 hindrance는 동사-명사의 파생어 관계
4 equality와 inequality는 반의어 관계

B

1 그 소설은 너무 지루해서 나는 중간에 읽기를 포기했다.
2 우리 앞에 무슨 일이 일어날지 예측할 수 없었다.
3 적십자는 피해자들에게 물과 음식을 나눠 주었다.
4 그는 나와 함께 있을 때만 그의 진심을 드러낸다.

C

1 18세 이상이면 누구나 이 대회에 참가할 자격이 된다.
2 그는 이상과 현실의 차이를 견딜 수 없었다.
3 연구자들은 비만이 특정 암에 대한 위험을 증가시킬 수 있다고 말한다.
4 적절한 수분 공급은 학습에 중요한 인지 기능을 향상시킬 수 있다.

D

1 그 행동은 매우 순간적이어서 그는 그것을 관찰하지 못했다.
2 그 아이는 부모에게 순종적이고 항상 그들의 말을 잘 듣는다.
3 편안한 환경에 있으면 더 잘 집중할 수 있다.
4 온도는 동물의 행동에 영향을 주는 외부 요소들 중 하나이다.
5 그는 나의 사무실에 들러 서류를 건네주었다.

DAY 06

수능 UP p. 58

Q1 oversee **Q2** crucial **Q3** ②

Q1 그는 입학 절차를 감독할 위원회를 설립하기 위해 회의를 열었다.
Q2 우리는 당신이 이 중대한 결정을 내리기 전에 모든 요소들을 신중히 따져 보기를 바란다.
Q3 당신의 노력은 업무 환경에서 주목받을 긍정적인 변화를 낳을 것이다.

Daily Test 06 p. 59

A **01** inborn **02** crave **03** barter **04** penetrate
05 resent **06** vessel **07** monetary
08 번창[번영]하다, 잘 자라다 **09** 논란, 논쟁
10 어디에나 있는, 아주 흔한 **11** 착수, 시작
12 잠재의식(의) **13** 정권, 제도, 체제
14 정밀 조사, 철저한 검토
B **01** confidential **02** auditory **03** result in
C **01** endanger **02** surpass **03** abandon
04 release **05** promote **06** temporary
07 indecent **08** bear

DAY 07

수능 UP p. 66

Q1 appliance **Q2** ethnic **Q3** ②

Q1 만약 여러분이 전기 제품을 구입한다면, 그것의 에너지 효율을 판단하는 가장 좋은 방법은 라벨을 읽는 것이다.
Q2 지역의 민족 갈등은 점점 더 폭력적으로 변했다.
Q3 나는 런던 근처의 작은 마을에서 태어나고 자랐다.

Daily Test 07 p. 67

A **01** pesticide **02** eminent **03** verdict
04 transaction **05** average **06** measure
07 designate **08** 결론을 내리다, 끝내다
09 상당한, 많은, 실질적인
10 공동의, 합동의; 관절, 연결 부위
11 경작하다, 재배하다, 기르다, 함양하다
12 입장, 태도, 자세
13 어둑한, 흐릿한; 어둑하게 하다, 흐릿해지다
14 적용, 응용, 지원, 신청, 응용 프로그램
B **01** bring up **02** surrender **03** ethnic
C **01** shatter **02** segregate **03** allocate
04 inhabit **05** imprudent **06** admit
07 unconcerned **08** found

DAY 08

수능 UP p. 74

Q1 spacious **Q2** literary **Q3** ①

Q1 저희 호텔은 상상할 수 있는 모든 안락함을 가진 넓고 편안한 호텔 객실을 제공합니다.
Q2 그녀는 부모가 모두 작가였기 때문에 문학적 배경을 가지고 있었다.
Q3 그는 평소와 같이 아이들을 데리러 오후에 학교에 갔다.

Daily Test 08 p. 75

A **01** cease **02** breakdown **03** stature
04 gymnastics **05** artery **06** vacant
07 dimension **08** 크게 놀라게 하다, 기절시키다
09 심미적인, 미의, 미학의; 미학
10 갈망하다, 동경하다 **11** 사직[사임]하다, 사퇴하다
12 (생물 분류상의) 종(種) **13** 신뢰할 만한, 믿을 만한
14 문자 그대로의
B **01** revised **02** features **03** pick out
C **01** calm **02** continue **03** damaged
04 poverty **05** frank **06** convey **07** examine
08 ignore

DAY 09

수능 UP p. 82

Q1 imaginative **Q2** ①

Q1 그는 이야기를 하는 데 있어서 매우 표현력이 풍부하고 활기차며 상상력이 풍부하다.
Q2 만약 음식에 문제가 있다면, 당신은 웨이터를 불러야 한다.

Daily Test 09 p. 83

A **01** majestic **02** hypothesis **03** unanimous
04 seal **05** scope **06** pessimistic **07** circular
08 지위, 신분, 상태 **09** 병력, 군대, 무리
10 기만적인, 속이는 **11** 실험, 시험, 재판
12 대체하다, 교체하다
13 표면적인, 피상적인, 깊이 없는, 얄팍한
14 피할 수 없는, 필연적인
B **01** care for **02** imaginative **03** discern
C **01** expel **02** advance **03** collective
04 attach **05** engross **06** encourage
07 dare **08** modern

DAY 10

수능 UP p. 90

Q1 expelled **Q2** attach **Q3** ②

Q1 Jackson은 많은 수업 결석 때문에 학교에서 퇴학당했다.
Q2 제안서 또는 필수 양식은 Microsoft Word 또는 PDF 형식으로 첨부하십시오.
Q3 우리의 생활 방식에 큰 변화가 곧 일어날 것이다.

Daily Test 10 p. 91

A **01** addict **02** preliminary **03** bypass
04 passage **05** nourish **06** transfer
07 infrastructure **08** 분출하다, (감정을) 터뜨리다
09 인류학 **10** 부패[타락]한, 부패[타락]시키다
11 맡다, 착수하다, 약속[동의]하다
12 열망하는, 열성적인 **13** 매혹하다, 마음을 사로잡다
14 평판, 명성
B **01** vulnerable **02** came across **03** expel
C **01** condense **02** frugal **03** engrave
04 protect **05** specific **06** forbid **07** mix
08 solid

수능에 더 강해지는 TEST DAY 06-10

pp. 92-93

A **1** expand **2** keep **3** occasional **4** candor
B **1** ① **2** ③ **3** ③ **4** ②
C **1** compelled **2** vulnerable **3** penetrate
4 aesthetic
D **1** application **2** integrate **3** crucial
4 care for **5** imaginable

A

1 preliminary와 preparatory는 유의어 관계
2 ubiquitous와 rare는 반의어 관계
3 necessity와 necessary는 명사-형용사의 파생어 관계
4 majestic과 majesty는 형용사-명사의 파생어 관계

B

1 그들은 경쟁에서 불가피한 긴장감에 대처하기 위해 노력했다.
2 그의 옆자리가 비어 있어서 그녀는 그곳에 앉았다.
3 그 책은 저명한 작가들의 단편 소설 몇 개로 구성되어 있다.
4 이 식물들은 일정한 수분을 공급받으면 잘 자란다.

C

1 어제 폭우로 인해 우리는 실내에 있어야만 했다.
2 내부 갈등은 회사를 외부의 위협에 취약하게 만든다.
3 오염된 공기 중의 미세한 입자가 폐 깊숙이 침투할 수 있다.
4 미술 평론가는 예술 작품의 미적 가치를 평가한다.

D

1 장소를 예약하려면 당사 웹 사이트에서 신청 양식을 다운로드하여 이메일로 반송하십시오.
2 그녀는 이민자들이 언어 능력을 개발하고 지역 사회와 통합되도록 도왔다.
3 에너지 바와 같은 것을 주식으로 삼아 살아가는 것은 당신에게 건강에 중요한 섬유질과 비타민을 부족하게 할 수도 있다.
4 어떤 사람들은 아픈 부모님을 돌보기 위해 도시를 떠난다.
5 지금까지 시도된 모든 상상 가능한 방법 중에서 효과적인 방법은 하나뿐이다.

DAY 11

수능 UP p. 100

Q1 absurd **Q2** conscious **Q3** ①

Q1 그 법률에는 말이 안 되는 다소 불합리한 요구 사항들이 포함되어 있다.
Q2 시술 중에 의식이 없는 환자는 열을 느끼지 못할 수 있다.
Q3 이 한국 요리법은 현지인들에 의해 전해 내려오는 음식이다.

Daily Test 11 p. 101

A **01** advocate **02** commend **03** prosper
04 parallel **05** outline **06** account **07** abrupt
08 새끼를 낳다, 번식하다, 사육[재배]하다; 품종
09 내려오다, 하강하다, 유래하다
10 권한, 권력, 권위(자), (정부) 당국
11 위엄, 품위, 존엄성
12 순진한, 천진난만한, 경험이 없는
13 암송하다, 낭독하다 **14** 양심
B **01** hold down **02** fatal **03** collide
C **01** oppose **02** secular **03** extrovert
04 adjust **05** obvious **06** uniform **07** fury
08 distant

DAY 12

수능 UP p. 108

Q1 Calculate **Q2** evolved **Q3** ②

Q1 비용을 계산하여 예산 범위 내에 있는지 여부를 결정해라.
Q2 새들은 수각류라고 불리는 공룡 무리로부터 진화했다.
Q3 그는 길가에 차를 세우고 몇 군데 전화를 걸었다.

Daily Test 12 p. 109

A **01** persist **02** abandon **03** benevolent
04 fluctuate **05** divert **06** conserve
07 sentiment **08** 세관, 관세
09 익명의, (작자) 미상의
10 차지하다, 거주하다, 점령하다 **11** 감사, 고마움
12 (기후가) 온화한, 절제하는 **13** 긴급한, 다급한
14 극복하다, 회복하다
B **01** priority **02** pandemic **03** evolve
C **01** export **02** superficial **03** revolve **04** odd
05 competence **06** gather **07** prove
08 strength

DAY 13

수능 UP p. 116

Q1 delicate **Q2** neural **Q3** ②

Q1 눈은 신체의 가장 섬세한 기관 중 하나이다.
Q2 그들은 명상이 우리의 신경망을 변화시킨다는 증거를 가지고 있다.
Q3 나는 그 아기가 외모와 성격 면에서 엄마를 닮기를 바랐다.

Daily Test 13 p. 117

A **01** accompany **02** recall **03** edge
04 definite **05** contagious **06** conquer
07 bias **08** (법적으로) 유효한, 타당한, 근거 있는
09 세제 **10** 포함하다, 통합시키다, 법인 조직으로 만들다 **11** 발생시키다, 일으키다
12 관습, 집회, 대회, 조약, 협약
13 비정상적인, 이상한 **14** 신경(계)의
B **01** coexist **02** look after **03** deliberate
C **01** lose **02** crucial **03** misuse **04** concept
05 declare **06** assume **07** dismiss
08 majority

DAY 14

수능 UP p. 124

Q1 inhabit **Q2** ①

Q1 산림 관계자들에 따르면, 악어들은 60-70km 길이의 강에서 서식한다고 한다.
Q2 그녀는 그를 뒤쫓으려고 했지만, 그를 잡을 방법이 없었다.

Daily Test 14 p. 125

A **01** evaporate **02** alert **03** canal **04** ban
05 diameter **06** bureaucracy **07** profound

08 생산량, 산출량, 출력
09 정교한, 복잡한, 세련된, 교양 있는
10 이념, 이데올로기 11 외교의, 외교에 능한
12 흐느끼다, 흐느껴 울다; 흐느낌
13 길을 찾다, 항해하다, 조종하다
14 ~의 안부를 묻다
B 01 observe 02 flourish 03 inhibits
C 01 deteriorate 02 modify 03 grow
04 hospitable 05 contaminate 06 inedible
07 comment 08 piece

DAY 15

수능 UP p. 132
Q1 heritage Q2 extinct Q3 ②

Q1 총 10개의 역사적 건물이 국가 유산 목록에 등재되었다.
Q2 지난 5세기 동안 적어도 900종이 멸종되었다.
Q3 그는 공직에 출마할 것임을 분명히 했다.

Daily Test 15 p. 133
A 01 create 02 renowned 03 manuscript
04 diabetes 05 enhance 06 combine
07 install 08 축적하다, 모으다
09 사고[이론]의 틀, 모범, 전형적인 예
10 길들이다, 다스리다; 길들여진
11 (안내·광고용) 소책자 12 시간을 지키는[엄수하는]
13 고난, 어려움 14 본능, 타고난 소질, 직관(력)
B 01 suspended 02 attentive 03 long for
C 01 sensible 02 decode 03 indict 04 swift
05 ambiguous 06 eventual 07 appear
08 span

수능에 더 강해지는 TEST DAY 11-15

pp. 134-135

A 1 attention 2 maintain 3 prejudice
4 validate
B 1 ② 2 ① 3 ③ 4 ③
C 1 intimate 2 discipline 3 trivial 4 observe
D 1 absorbed 2 extinct 3 named after
4 neural 5 upgrade

A
1 punctual과 punctuality는 형용사-명사의 파생어 관계
2 edible과 inedible은 반의어 관계
3 generate와 produce는 유의어 관계
4 definite와 define은 형용사-동사의 파생어 관계

B
1 그의 기분은 뚜렷한 이유 없이 오락가락하는 것 같다.
2 이 책은 여러분이 삶에 필수적인 지식을 얻는 데 도움을 줄 것이다.
3 그는 그녀의 나약함을 경멸한다고 말했다.
4 다양한 문화적 관점에도 불구하고 사람들은 서로 협력한다.

C
1 그 부부의 가장 친한 친구들만 결혼식에 갔다.
2 여러분은 화가 난 상태에서 자녀를 훈육하면 안 된다.
3 사소한 행동으로 보일 수도 있는 것이 타인에게 큰 영향을 미칠지도 모른다.
4 Andrew는 할아버지가 체스하는 것을 관찰하기를 좋아했다.

D
1 두 달 동안 Sally는 새 연구에 지나치게 몰두해 있었다.
2 세계 나무의 적어도 30 퍼센트가 가까운 미래에 멸종 위기에 처해 있다.
3 갓 태어난 여자 아기는 디즈니 공주의 이름을 따서 지어졌다.
4 녹음 기술자들은 신경 회로를 이용함으로써 우리의 뇌를 간지럽히는 특수 효과를 만드는 법을 배웠다.
5 개인 정보를 보호하려면 이전 소프트웨어를 업그레이드해야 한다.

DAY 16

수능 UP p. 142

Q1 Laying **Q2** simulated **Q3** ①

Q1 베개 위에 그녀의 머리를 놓고, 다시 잠들기 위해 노력했다.
Q2 자원 부족과 같은 화성의 환경이 이 공간에서 모의실험될 것 이다.
Q3 그들은 시내에 있는 식당에서 우연히 만났다.

Daily Test 16 p. 143

A **01** burden **02** contemporary **03** deal
04 enormous **05** urge **06** transparent
07 subordinate **08** 부과하다, 강요하다 **09** 유전자
10 조각(품), 조소 **11** 기막히게 좋은, 굉장한
12 참다, 견디다, 용인하다
13 부화하다[시키다], (배·항공기의) 출입구
14 천문학
B **01** abolish **02** sustain **03** talked, into
C **01** imitate **02** unknown **03** own **04** distress
05 chore **06** avenge **07** indistinct
08 contrast

DAY 17

수능 UP p. 150

Q1 precious **Q2** insert **Q3** ①

Q1 그 강도는 어제 샹젤리제 근처의 아주 유명한 보석 가게로부 터 귀금속을 훔쳤다.
Q2 현금으로 지불하는 손님들은 기계에 지폐와 동전을 삽입하면 된다.
Q3 그녀는 사회에 의해 정해진 기준들에 맞추어 살려고 하는 것 에 싫증이 났다.

Daily Test 17 p. 151

A **01** categorize **02** immune **03** engage
04 pedestrian **05** dissolve **06** glare
07 habitat **08** 섬유(질)
09 숙고하다, 곰곰이 생각하다 **10** 교차로, 교차 지점
11 혼동하다, 혼란스럽게 하다
12 민주주의, 민주 국가 **13** 모욕(하다) **14** 상품, 물품
B **01** obsessed **02** legitimate **03** look up to
C **01** poisonous **02** sharp **03** exercise **04** past
05 encourage **06** compact **07** organize
08 indifference

DAY 18

수능 UP p. 158

Q1 submit **Q2** elect **Q3** ②

Q1 개개인은 그들의 재정 능력을 입증하는 원본 자료를 제출해야 한다.
Q2 대통령을 선출하기 위해 투표를 하는 것은 중요한 시민의 의무 이다.
Q3 그 남자는 한동안 우울증을 겪었지만, 마침내 회복되기 시작 했다.

Daily Test 18 p. 159

A **01** impact **02** paradox **03** commerce
04 intervene **05** boundary **06** shed
07 sibling **08** 비난하다, 형을 선고하다
09 생태(계), 생태학 **10** 영양 (섭취)
11 중력, 중대성[심각성] **12** 널리 퍼진, 광범위한
13 떨다, 진동하다, 흔들리다
14 (투표로) 선출하다; 당선된
B **01** patrons **02** break through **03** render
C **01** fake **02** rob **03** surplus **04** release
05 local **06** obvious **07** reduce
08 recognize

DAY 19

수능 UP p. 166

Q1 memorable **Q2** preserve **Q3** ①

Q1 인상적인 도입부 장면은 영화 팬들에게 좋은 첫인상을 줄 수 있다.
Q2 그 프로젝트는 우리의 문화 유산을 보존하는 것을 목표로 하고 있다.
Q3 그녀는 둘째 아기를 임신 중이라고 털어놓았다.

Daily Test 19 p. 167

A **01** perish **02** reverse **03** advent **04** soak
05 flush **06** ground **07** justice
08 돌파구, 타개(책) **09** 재앙, 재난, 재해
10 내재적인, 타고난, 고유의 **11** 지명하다, 임명하다
12 적절한, 충분한 **13** 인내하며 계속하다
14 가혹한, 혹독한, 거친
B **01** animated **02** withdraw **03** take on
C **01** refined **02** borrow **03** obey
04 discourage **05** depict **06** intangible
07 change **08** artificial

DAY 20

수능 UP p. 174

Q1 raise **Q2** ③

Q1 정부는 최고 개인 소득세율을 37%에서 39.6%로 올리는 것을 목표로 하고 있다.
Q2 여러분의 친구가 곤경에 처해 있을 때, 여러분은 그들을 지지해 줄 필요가 있다.

Daily Test 20 p. 175

A **01** attain **02** embed **03** refrain **04** squeeze
05 affection **06** prejudice **07** norm
08 움켜쥐다, 붙잡다, (기회를) 잡다; 움켜잡음
09 상호 간의, 서로의, 공동의
10 화장품; 화장용의, 미용의 **11** 옷, 의류
12 (일련의) 연속, 순서, 차례 **13** 토하다, 게우다
14 최고의, 훌륭한
B **01** fade **02** invade **03** stand up for
C **01** cooperate **02** innocent **03** applicant
04 personal **05** acute **06** ingestion
07 creature **08** worthless

수능에 더 강해지는 TEST DAY 16-20

pp. 176-177

A **1** maintain **2** brutal **3** modern **4** survive
B **1** ① **2** ② **3** ① **4** ①
C **1** tolerate **2** convert **3** contemporary
4 ponder
D **1** Toxic **2** disconnected **3** prominent
4 sign up for **5** adequate

A

1 rot와 decay는 유의어 관계
2 mimic와 imitate는 유의어 관계
3 magnify와 reduce는 반의어 관계
4 resist와 surrender는 반의어 관계

B

1 어머니는 아이의 손을 잡고 뛰기 시작했다.
2 그 연구는 일류 과학자들의 연구에 근거했다.
3 건강한 식단은 심장병을 막는 비결이다.
4 음악은 전통적으로 악기 유형에 의해 분류되어 왔다.

C

1 우리는 빈곤층에 대한 의료 서비스가 더 이상 지연되는 것을 참을 수 없다.
2 인쇄술은 단어를 시각적 물체로 변환하는 것을 가능하게 했다.
3 베수비오 산의 화산 폭발에 대한 동시대의 기록이 있다.
4 선생님은 학생들이 답하기 전에 문제를 곰곰이 생각해 볼 것을 제안했다.

D

1 많은 공장들로부터 나온 독성 물질들이 심각한 대기 오염을 야기했다.
2 전기 요금을 체납해서 전기가 곧 끊기게 될 것이다.
3 오케스트라는 모차르트와 쇼팽과 같은 유명한 작곡가들의 음악을 연주할 예정이다.
4 우리의 프로그램에 관심이 있다면 5월 10일까지 온라인으로 그것을 신청할 수 있다.
5 우리는 예전 집을 사랑했지만, 더 이상 우리의 필요에는 적절하지 않다.

DAY 21

수능 UP p. 184

Q1 district **Q2** proceed **Q3** ①

Q1 월스트리트는 맨해튼의 증권가에 있는 8블록 길이의 거리이다.
Q2 그는 바깥 소음 때문에 발표를 계속 할 수 없었다.
Q3 Jennifer는 그 회사의 최고 경영자를 승계했을 때 매우 기뻤다.

Daily Test 21 p. 185

A **01** polar **02** vow **03** geology **04** exquisite
05 discriminate **06** predecessor **07** resume
08 남자의, 남자다운 **09** 혼자의, 고독한, 외로운
10 (가치·품질 등을) 평가하다, 감정하다
11 제한[한정]하다 **12** 능가하다, 뛰어넘다
13 언어의, 말의, 구두의 **14** ~에 선행하다, ~에 앞서다
B **01** succeeded in **02** tenants **03** distracted
C **01** deduce **02** scorn **03** genuine
04 decelerate **05** urge **06** praise **07** roam
08 durable

DAY 22

수능 UP p. 192

Q1 comparable **Q2** leap **Q3** ②

Q1 밀레니얼 세대는 이전 세대가 비슷한 나이에 그랬던 것보다 더 적은 실질 소득을 가지고 있다.
Q2 두 남자는 불길을 탈출하기 위해 물속으로 뛰어들 수밖에 없었다.
Q3 능숙한 대인 관계는 직장에서의 성공을 가져다줄 수 있다.

Daily Test 22 p. 193

A **01** vehicle **02** privilege **03** address
04 comparative **05** trunk **06** context
07 eloquent **08** 보유하다, 유지하다
09 흥미를 불러일으키다, 음모(를 꾸미다)
10 힘이 드는, 애쓰는, 공들인 **11** 둘러싸다, 에워싸다
12 회의적인, 의심 많은 **13** 고고학
14 윤이 나는, 화려한
B **01** cope **02** cutback **03** set about
C **01** continue **02** biased **03** foster
04 exhausted **05** destine **06** proponent
07 sustain **08** permanent

DAY 23

수능 UP p. 200

Q1 effect **Q2** intuition **Q3** ①

Q1 기후 변화의 자연 발생적인 추진 요인들은 장기적인 지구 온난화에 거의 영향을 주지 않을 것이다.
Q2 나는 무언가가 잘못되었다는 것을 직감했지만 그것을 무시했다.
Q3 진화의 과정들은 모든 수준의 생물학적 조직에서 다양성을 낳는다.

Daily Test 23 p. 201

A **01** strategy **02** weave **03** retreat
04 copyright **05** tension **06** glimpse
07 modify **08** 평형[균형] (상태), (마음의) 평정
09 최고의, 최상의 **10** 깨우치다, 계몽하다
11 연대순의, 발생[시간] 순서로 된
12 위협, 협박, 위험 **13** 분자 **14** 직관(력), 직감
B **01** give way to **02** auction **03** peered
C **01** temporary **02** discord **03** unbelievable
04 savage **05** ambiguous **06** theoretical
07 support **08** abandon

DAY 24

수능 UP p. 208

Q1 expended **Q2** ②

Q1 그녀의 변호사는 재심에서 이기기 위해 모든 노력을 쏟아 부었다.
Q2 우리는 그가 어디서 그 정보를 얻었는지는 확실하지 않았지만 그것이 사실인 것으로 밝혀졌다.

Daily Test 24 p. 209

A **01** accommodate **02** herd **03** superstition
04 initial **05** tribe **06** extend **07** mount
08 상속하다, 물려받다
09 활기를 되찾다, 회복하다, 재공연하다
10 (생각·감정 등을) 전달하다, 나르다, 운반하다
11 향수, 옛날을 그리워함 **12** 철학
13 인공적인, 인조의, 거짓의
14 게걸스레 먹다, 탐독하다
B **01** carried out **02** betrayed **03** adversity
C **01** prose **02** prediction **03** introvert **04** duty
05 impotent **06** vary **07** dismiss
08 inconsistent

DAY 25

수능 UP p. 216

Q1 imitate **Q2** meditate **Q3** ②

Q1 내 여동생은 내 목소리를 완벽하게 흉내 낼 수 있다.
Q2 나는 내가 차분하고 평온한 사람이 될 수 있도록 명상하는 법을 배우려고 노력 중이다.
Q3 야외 활동을 계획할 때 날씨가 반드시 고려되어야 한다.

Daily Test 25 p. 217

A **01** stereotype **02** improvise **03** logic
04 speculate **05** backfire **06** racial
07 simultaneously **08** 혐오, 증오
09 추월하다, 불시에 닥치다 **10** 고문; 고문하다
11 유물, 유적, 나머지, 남은 것
12 과장하다, 지나치게 강조하다
13 기하학, 기하학적 구조
14 시작하다, 개시하다, 입회시키다
B **01** released **02** take, for granted
03 mediated
C **01** connection **02** gulp **03** disapprove
04 permit **05** relate **06** original **07** stack
08 manual

수능에 더 강해지는 TEST DAY 21-25

pp. 218-219

A **1** permanent **2** recede **3** grace **4** object
B **1** ① **2** ② **3** ① **4** ③
C **1** preceded **2** fragile **3** skeptical **4** empirical
D **1** affect **2** apparent **3** expand **4** artificial
5 carry out

A

1 counterfeit와 genuine은 반의어 관계
2 obligation과 oblige는 명사-동사의 파생어 관계
3 racial과 race는 형용사-명사의 파생어 관계
4 examine과 inspect는 유의어 관계

B

1 선생님은 학생들에게 문맥으로부터 단어의 뜻을 추론하라고 말했다.
2 지식을 추구하는 데 영원한 학습자는 계속 탐구하고, 의문을 제기하고, 시험을 하곤 했다.
3 지능과 건강한 습관 사이에 상관관계가 있다고 한다.
4 그는 자신이 되어야 하는 편견 없는 판사보다는 정치인처럼 행동했다.

C

1 저녁식사에 앞서 6시에 피로연이 있었다.
2 당신의 기부로 우리는 취약한 산호초를 보존할 수 있다.
3 학교는 교육 제도에 도입된 변화에 대해 회의적인 것으로 보인다.
4 인상적인 양의 경험적 증거가 그 이론을 뒷받침한다.

D

1 우울증과 불안과 같은 정신 건강 문제들은 여성과 남성 모두에게 영향을 미친다.
2 우리는 이 이론에 대한 더 많은 과학적 증거를 발견한 후에야 역사에 대한 이러한 관점에 많은 결함이 있음이 분명해졌다.
3 인간은 새로운 문화적 도구를 발명함으로써 기능성을 확장하는 능력에 있어서 독특하다.
4 그들은 인공조명을 이용하여 창문이 없는 헛간에서 가축을 길렀다.
5 연구원들은 혈액 샘플에 대한 검사를 수행하기 위해 준비 중이다.

DAY 26

수능 UP p. 226

Q1 substitute **Q2** inflict **Q3** ②

Q1 온라인 회의는 대면 회의를 대체할 수 없다.
Q2 그 정책은 의도치 않게 아프리카인들에게 경제적 피해를 줄 수 있다.
Q3 요약을 작성할 때 불필요한 세부사항은 생략해야 한다.

Daily Test 26 p. 227

A **01** plague **02** immense **03** hierarchy
04 approximate **05** inject **06** pursue
07 disappoint **08** 축약(형)
09 부족, 결핍; 부족하다 **10** 조심하다, 주의하다
11 겪다, 경험하다 **12** 성큼성큼 걷다; 활보, 진보, 진전
13 총~, 총계의, 엄청난, 중대한
14 괴롭히다, 피해를 입히다
B **01** leaked out **02** substitute **03** sociable
C **01** restrain **02** represent **03** abundant
04 subjective **05** abstract **06** inform
07 destroy **08** smooth

DAY 27

수능 UP p. 234

Q1 prescribe **Q2** merge **Q3** ①

Q1 의사는 환자의 혈압을 낮추기 위해 약을 처방해야 했다.
Q2 차는 두 길이 하나로 합쳐지는 교차로에서 멈췄다.
Q3 그들은 그 집을 에워쌌지만 침입하려는 시도는 하지 않았다.

Daily Test 27 p. 235

A **01** indigenous **02** biodiversity **03** glow
04 spectator **05** administer **06** executive
07 shred **08** 위치시키다, 두다, 찾아내다
09 전통 **10** 일치[부합]하다, ~에 해당[상응]하다, 편지를 주고받다
11 (소리를) 내다, 말하다; 완전한, 순전한
12 감촉, 질감, 조직 **13** 처방하다, 규정하다
14 절망; 절망하다
B **01** merge **02** break out **03** entail
C **01** vow **02** extravagant **03** control
04 irrelevant **05** strengthen **06** partial
07 suggest **08** separate

DAY 28

수능 UP p. 242

Q1 aptitude **Q2** ①

Q1 그는 꽤 똑똑했으며 전자와 역학에 특별한 적성을 보였다.
Q2 그 모든 아이들과 부모님이 있어서 우리는 식탁 공간을 많이 차지했다.

Daily Test 28 p. 243

A **01** cosmos **02** linguistic **03** theft **04** instant
05 compress **06** monopoly **07** hospitality
08 삐다, 접질리다 **09** 의제, 안건
10 전자의, 전자 장비와 관련된 **11** 자살
12 빈정대는, 비꼬는, 풍자적인 **13** 소질, 적성
14 개조하다, 보수하다, 혁신[쇄신]하다
B **01** impairs **02** quote **03** end up
C **01** authorize **02** undergo **03** deceive
04 chronic **05** deficiency **06** stock **07** avoid
08 front

DAY 29

수능 UP p. 250

Q1 illuminated **Q2** optimal **Q3** ①

Q1 약간의 녹색 불빛이 그의 앞에 있는 방을 비추었다.
Q2 경기 중 스케이터들이 최적의 위치를 확보하기 위해 안쪽으로 돌진했다.
Q3 Henry는 저녁 파티에 누구를 초대할지 고민하고 있다.

Daily Test 29 p. 251

A **01** constraint **02** innate **03** creed **04** lick
05 shortage **06** utensil **07** ally
08 태도, 자세, 마음가짐

09 시[읍/군]의, 지방 자치제의
10 되찾아 오다, 회수하다 11 유쾌한, 아주 재미있는
12 생각해 내다, 알아내다, 이해하다
13 폭발, 강한 바람; 폭발시키다 14 제거하다, 없애다
B 01 issue 02 triggered 03 optimal
C 01 plummet 02 harmony 03 weaken
04 enrage 05 build 06 outshine 07 enough
08 uneven

DAY 30

수능 UP p. 258

Q1 morale Q2 assemble Q3 ①

Q1 그녀의 작품에 대한 혹평은 그녀의 사기를 떨어뜨릴 것이다.
Q2 그는 연설을 하기 위해 거리의 모든 사람들을 가게 앞에 모으고 싶어했다.
Q3 열대 우림이 불에 타 토종 식물들을 전멸시키고 있다.

Daily Test 30 p. 259

A 01 blueprint 02 entitle 03 cunning 04 spine
05 overthrow 06 brilliant 07 appreciate
08 내다 버리다, 덤핑하다; 쓰레기 하치장
09 고약한, 못된, (맛·냄새가) 불쾌한, 역겨운
10 (몸을) 떨다; 떨림, 오한, 전율
11 정신적 외상, 트라우마 12 적수, 원수
13 탐지[감지]하다, 발견하다 14 알고 있는, 인식하는
B 01 put out 02 impatient 03 hygiene
C 01 dissent 02 safety 03 former 04 deflate
05 dissolve 06 puzzle 07 injure 08 orbit

수능에 더 강해지는 TEST DAY 26-30

pp. 260-261

A 1 experience 2 relative 3 hospitable
4 acquired
B 1 ① 2 ① 3 ② 4 ③
C 1 retrieved 2 hierarchy 3 merged
4 sufficient
D 1 inflate 2 illuminated 3 deterioration 4 take up 5 altitude

A
1 prolific와 fertile은 유의어 관계
2 entire와 partial은 반의어 관계
3 cosmos와 cosmic은 명사-형용사의 파생어 관계
4 savage와 civilized는 반의어 관계

B
1 성취는 원하는 것을 추구하고 얻을 때 온다.
2 그는 검소해서 적정 가격에 꼭 필요한 물건들만 구입한다.
3 그녀는 환경의 자연적 균형을 방해하고 싶지 않았다.
4 그 배우는 수상 소감에 그녀의 영화 속 대사 한 줄을 인용했다.

C
1 그녀는 지하철에 두고 내린 가방을 되찾았다.
2 그 왕은 사회적 계층 구조에서 가장 높은 위치를 차지했다.
3 비슷한 목표를 가지고 있는 두 그룹은 하나로 합쳐졌다.
4 학교에서는 충분한 물을 섭취하는 것을 포함한 건강한 식습관을 장려한다.

D
1 비행기 사고에 대비하여 여러분은 구명조끼를 부풀리는 법을 배워야 한다.
2 불이 마을의 거의 모든 창문을 밝게 비추었다.
3 연구원들은 뇌 기능의 악화를 막기 위한 치료제들을 개발 중에 있다.
4 가족에게 아이의 출생은 종종 사람들이 사진을 취미로 배우기 시작하는 이유이다.
5 조종사는 Louisiana의 예정된 연료 공급소까지 비행하기를 바라면서 비행기의 고도를 낮추었다.

DAY 31

수능 UP p. 268

Q1 proclaimed **Q2** diploma **Q3** ①

Q1 주지사는 카운티에 비상사태를 선포했다.
Q2 그는 고등학교 졸업장 없이 가족을 부양할 일자리를 구하기 어려웠다.
Q3 그 시스템을 도입한 이후로 우리는 서류 작업을 50퍼센트 줄였다.

Daily Test 31 p. 269

A **01** stroke **02** warfare **03** sweep **04** aquatic
05 shortsighted **06** estimate **07** cooperate
08 사기를 꺾다, 의기소침하게 하다
09 바느질하다, 꿰매다
10 (단계적으로) 확대되다, 상승하다
11 조수, 조류, 흐름 **12** 명성
13 진공; 진공청소기로 청소하다
14 선언하다, 선포하다
B **01** dictating **02** bound **03** cut down on
C **01** impress **02** prospect **03** fertilizer
04 tempt **05** scatter **06** selfishness
07 immature **08** retreat

DAY 32

수능 UP p. 276

Q1 facility **Q2** alternative **Q3** ②

Q1 이곳은 알츠하이머 병을 앓고 있는 환자들을 위한 요양 시설이다.
Q2 가장 오래된 천연 감미료인 꿀은 설탕의 좋은 대안이다.
Q3 나는 그가 거리에서 사람들에게 전단지를 나누어 주는 것을 보았다.

Daily Test 32 p. 277

A **01** defeat **02** exhausted **03** cluster
04 phenomenon **05** cohesive **06** dispute
07 grin **08** 궤도; 궤도를 돌다
09 예행연습[리허설]을 하다, 되풀이하다
10 살금살금[몰래] 가다 **11** 신학
12 (직)선의, 길이의, ((수학)) 1차의, 선형의
13 감각, 느낌, 돌풍, 선풍
14 번갈아 하다; 번갈아 하는, 교대의
B **01** precaution **02** envisioned **03** handed out
C **01** principal **02** shiver **03** equipment
04 receive **05** insignificant **06** distant
07 threaten **08** beg

DAY 33

수능 UP p. 284

Q1 sensible **Q2** ③

Q1 최종 결정을 내리기 전에 더 많은 정보가 나올 때까지 기다리는 것이 현명할 것이다.
Q2 운전자들은 연료가 떨어지기 직전일 때, 길가에 차를 세워야 한다.

Daily Test 33 p. 285

A **01** separate **02** chamber **03** literate
04 overwhelm **05** incur **06** sensory
07 fraud **08** 싹이 나다; (새)싹
09 순전한, 순수한, 가파른, 얇은, 비치는
10 본사, 본부 **11** 다듬다, 손질하다
12 실용적인, 공리주의의; 공리주의자
13 생리학, 생리 (기능) **14** 모듈, (교과목) 학습 단위
B **01** contract **02** corporate **03** got out of
C **01** similarity **02** positive **03** deactivate
04 precise **05** exhaust **06** face **07** depict
08 duplicate

DAY 34

수능 UP p. 292

Q1 access **Q2** cultivation **Q3** ②

Q1 내 계정으로 데이터베이스에 접속할 수 있다.
Q2 대부분의 농경 사회에서 사람들은 동물을 키우기보다는 식물 재배에 초점을 맞췄다.
Q3 건강한 식습관은 비타민과 미네랄을 섭취하는 가장 좋은 방법이다.

Daily Test 34 p. 293

A **01** satellite **02** substance **03** atmosphere
04 glide **05** endeavor **06** trail **07** fallacy
08 미리 결정하다, 운명짓다 **09** 좌절한, 낙담한
10 문명 **11** 부패, 부식, 쇠퇴; 부패하다, 썩다
12 견뎌 내다, 버티다
13 전투, 싸움; 싸우다, 전투를 벌이다
14 물을 빼다, 소모시키다; 배수관
B **01** advanced **02** take in **03** stings
C **01** emit **02** nearby **03** tranquil **04** refined
05 remains **06** unaware **07** reveal
08 devise

DAY 35

수능 UP p. 300
Q1 apprehend **Q2** vague **Q3** ②

Q1 용의자가 기차표를 사는 것이 목격되면 경찰은 즉시 그를 체포할 것이다.
Q2 신약을 개발하려는 그의 계획은 혁신적이지만 모호하다.
Q3 거의 다 왔고 네 노력이 결실을 맺을 것이다.

Daily Test 35 p. 301

A **01** landscape **02** component **03** adolescent
04 mischief **05** term **06** prerequisite
07 prestigious **08** 포함하다[시키다]
09 몹시 싫어하다, 혐오하다 **10** 위업, 공적, 재주, 묘기
11 기쁘게 하다, 충족[만족]시키다
12 악취를 풍기다; 악취 **13** 식물학자
14 포식자, 포식 동물, 약탈자
B **01** communal **02** thrust **03** pay off
C **01** concise **02** demolish **03** compliant
04 envious **05** fascinate **06** legalize
07 extrinsic **08** contaminate

수능에 더 강해지는 TEST DAY 31-35

pp. 302-303

A **1** recession **2** affirmative **3** precise
4 substantial
B **1** ② **2** ① **3** ③ **4** ①
C **1** escalated **2** staple **3** envision(envisioned)
4 deplete
D **1** cut down on **2** yield **3** assess **4** predators
5 facility

A
1 infect와 infection은 동사-명사의 파생어 관계
2 imminent와 distant은 반의어 관계
3 utilitarian와 practical은 유의어 관계
4 monument와 monumental은 명사-형용사의 파생어 관계

B
1 공연 전 프로그램에 대한 간단한 강의가 있을 예정이다.
2 난민 캠프에 있던 사람들은 배고픔을 견뎌야 했다.
3 아이들은 부모를 보면서 그들의 행동을 그대로 따라한다.
4 그는 강한 부정적인 언어를 사용하여 상대방을 위협하려고 했다.

C
1 총 비용이 약 20퍼센트 인상되었다.
2 빵은 가난한 사람들의 식생활에서 매우 주된 부분이었다.
3 그들은 2050년까지 전 세계 에너지의 절반을 공급할 수 있는 충분한 태양 전지판을 만들어낼 구상을 하고 있다(했다).
4 현재 세대가 자원을 계속 고갈시킨다면 미래 세대는 어려움을 겪게 될 것이다.

D
1 사업주들은 사무실 공간을 유지하는 비용을 줄이기를 원한다.
2 컴퓨터는 복잡한 현상에 대한 중요한 예측을 쉽게 산출한다.
3 선생님은 체크 리스트를 사용하여 과제를 평가할 것이다.
4 포식자는 동물을 사냥하여 영양의 원천으로 먹는다.
5 우리는 훈련 시설에서 회원들에게 효과적인 기술을 교육한다.

DAY 36

수능 UP p. 310

Q1 distinguish **Q2** poverty **Q3** ②

Q1 발명과 발견을 구별하는 것은 어려울 수 있다.
Q2 증가하는 실업률과 빈곤을 다루기 위해 정부가 노력할 필요가 있다.
Q3 내가 그녀로부터 받은 일은 단순했고, 나는 곧 이해했다.

Daily Test 36 p. 311

A **01** assist **02** pupil **03** affirm **04** clue
05 symptom **06** applause **07** transplant
08 (불을) 끄다, 소멸시키다 **09** 검열
10 화해시키다, 일치시키다, 조화시키다
11 탐닉하다, 빠지다, 충족시키다
12 비틀다, 왜곡하다 **13** 싸움의, 전쟁의, 군대의
14 나아가게 하다, 추진하다
B **01** revenue **02** imperative **03** catch on
C **01** dynamic **02** inappropriate **03** obstacle
04 ruin **05** brief **06** lower **07** conservative
08 ancestor

DAY 37

수능 UP p. 318

Q1 migrating **Q2** ②

Q1 3월 초에 이동한 매들 중 첫 번째 매가 산으로 돌아왔다.
Q2 나는 매우 기쁘지만, 그 자리를 수락하기 전에 시간을 좀 더 요청하고 싶다.

Daily Test 37 p. 319

A **01** heal **02** device **03** tablet **04** longevity
05 sophomore **06** current **07** anecdote
08 아이러니, 역설적인 것, 반어법, 비꼼
09 꾸짖다, 비난하다; 비난, 책망
10 입자, 미립자, 극소량, 티끌 **11** 극심한, 강렬한
12 큰 재해, 재난, 대참사 **13** 재발하다, 반복되다
14 방향을 바꾸다[틀다], 피하다, 모면하다
B **01** comprised **02** stuck **03** applied for
C **01** generosity **02** sway **03** penalize
04 conceal **05** intrinsic **06** reassure
07 fiscal **08** engrave

DAY 38

수능 UP p. 326

Q1 modest **Q2** autonomy **Q3** ②

Q1 그는 그의 업적에 대해 매우 겸손해하지만 훌륭한 선수이다.
Q2 그들이 자치권을 얻기 위해 필요한 것은 올바른 지도자뿐이었다.
Q3 나는 소포를 발송하기 전에 짧은 메시지를 추가했다.

Daily Test 38 p. 327

A **01** primate **02** plow **03** conceive
04 supernatural **05** allergic **06** preoccupied
07 anatomy **08** 대표자, 사절; (권한을) 위임하다
09 겸손한, 적당한, 수수한 **10** 회상하다, 기억해 내다
11 처형하다, 실행하다 **12** 가구, 가정, 세대; 가정의
13 영역, 범위, 구체, 천체
14 일깨우다, (기억 등을) 환기시키다
B **01** subsided **02** overcome **03** sent off
C **01** moan **02** extraordinary **03** alleviate
04 forefather **05** superior **06** dryness
07 inefficient **08** admit

DAY 39

수능 UP p. 334

Q1 stationary **Q2** numerical **Q3** ①

Q1 아리스토텔레스는 지구가 움직이지 않고 태양이 지구 주위를 돈다고 생각했다.
Q2 결과는 1에서 100까지 숫자로 된 점수로 표현된다.
Q3 그들은 의회에 지체 없이 그 결정을 채택해 줄 것을 요청했다.

Daily Test 39 p. 335

A **01** stem **02** demonstrate **03** formula
04 colony **05** shrink **06** rebel **07** discourse
08 결과 **09** 의회, 국회, 영국 의회
10 혁신, 쇄신, 새로 도입한 것
11 (고통 등을) 완화하다, 덜다
12 납치[유괴]하다; 유괴 **13** 하수, 오물
14 움직이지 않는, 정지된
B **01** compensated **02** symbolic **03** call off
C **01** blossom **02** purebred **03** hinder
04 awkward **05** flexible **06** vague **07** mislay
08 yearly

DAY 40

수능 UP p. 342

Q1 exploit **Q2** ②

Q1 그 공장은 저소득 지역의 아이들을 착취하곤 했다.
Q2 정부는 교육의 질을 향상하기 위한 계획을 제시할 것이다.

Daily Test 40 p. 343

A **01** indispensable **02** rehabilitate **03** analyze
04 dilemma **05** ballot **06** slope **07** antibody
08 절차, 방법 **09** 착취하다, (부당하게) 이용하다; 위업, 공적 **10** 급등(하다), 밀려오다; 쇄도
11 연기하다, 미루다
12 노출시키다, 드러내다, 폭로하다
13 주저하다, 망설이다
14 화학, (사람 사이의) 화학 반응
B **01** compatible **02** susceptible
03 come up with
C **01** concrete **02** arrange **03** originality
04 illustrate **05** snarl **06** irrational **07** fabric
08 descend

수능에 더 강해지는 TEST DAY 36-40

pp. 344-345

A **1** concrete **2** illustrate **3** mentality **4** divert
B **1** ② **2** ③ **3** ③ **4** ①
C **1** rational **2** affluent **3** reconciled **4** distort
D **1** explode **2** extinguish **3** called on
4 stationary **5** compatible

A

1 abstract와 concrete는 반의어 관계
2 demonstrate와 illustrate는 유의어 관계
3 mental과 mentality는 형용사-명사의 파생어 관계
4 deflect와 divert는 유의어 관계

B

1 그 회사의 연간 수입은 88억 달러로 상승했다.
2 그들은 그 생물의 놀라운 골격과 아주 멋진 털가죽을 관찰했다.
3 이 알약들은 두통과 관련된 통증을 완화하는 데 도움이 될 수 있다.
4 우리가 진실을 말했더라면 이런 불행한 결과를 피할 수 있었을 것이다.

C

1 우리는 우리의 뇌가 가능한 한 합리적인 방식으로 정보를 분류한다고 믿고 싶어 한다.
2 부유한 서구 국가에서 일부 상당한 불평등이 남아 있을 가능성이 있다.
3 두 사람은 아내가 남편에게 사과한 후 화해했다.
4 잘못된 정보를 줘서 진실을 왜곡하려고 하지 마라.

D

1 폭탄은 몇 분 안에 폭발할 것이다.
2 그는 불길을 끄려고 했지만 모든 노력이 실패했다.
3 시민들은 수돗물 질을 개선하기 위해 대책을 강구해 줄 것을 시에 요청했다.
4 거북이가 오랫동안 움직이지 않아 우리는 그것을 주의 깊게 관찰할 수 있었다.
5 기회의 평등은 불평등한 보상과 양립할 수 있다.

04 unwilling 05 ascent 06 squash
07 original 08 conceal

DAY 41

수능 UP p. 352

Q1 adapt **Q2** complement **Q3** ②

Q1 직원들은 새 업무 환경에 적응해야 했다.
Q2 그는 글을 보완하기 위해 이미지를 사용했다.
Q3 예산 삭감은 그 회사가 직원을 해고해야 될 것이라는 것을 의미한다.

Daily Test 41 p. 353

A **01** archive **02** hedge **03** straightforward
04 commission **05** deed **06** overestimate
07 invoke **08** 재치, 기지, 요령 **09** 재개, 갱신, 연장
10 적응하다, 조정하다, 각색하다
11 유행성 감기, 독감 **12** 깜짝 놀란
13 되찾다, 교화하다, 개간[간척]하다
14 보완하다, 보충하다; 보충(물)
B **01** offend **02** fused **03** laid off
C **01** annoyed **02** convince **03** sacred
04 malfunction **05** public **06** delegate
07 reside **08** pursue

DAY 42

수능 UP p. 360

Q1 fraction **Q2** intellectual **Q3** ②

Q1 그의 삶 전체가 순식간에 그의 눈앞에 스쳐 지나갔다.
Q2 이 소설은 진지한 주제를 다룬 고도의 지적인 소설이다.
Q3 나는 물이 끓기를 기다려야 차를 만들 수 있었다.

Daily Test 42 p. 361

A **01** kneel **02** brutal **03** cosmopolitan
04 mislead **05** probe **06** commute **07** spiral
08 농업 **09** 깜짝 놀라게 하다 **10** (전문) 용어
11 상대, 대응 관계에 있는 사람[것]
12 (아쉬운 듯이) 남아 있다, 오래 머물다
13 감독하다, 관리하다 **14** 마찰(력), 충돌, 불화
B **01** afford **02** reflect **03** waiting on
C **01** dry **02** exhaustion **03** temporary

DAY 43

수능 UP p. 368

Q1 conform **Q2** fertile **Q3** ②

Q1 학교들은 새 교육과정을 따르라는 지시를 받았다.
Q2 마을들은 강을 따라 위치해 있었는데, 그곳은 토양이 촉촉하고 비옥했다.
Q3 그녀가 그 상황을 이해하지 못해서 잘못하는 것도 당연하다.

Daily Test 43 p. 369

A **01** confer **02** setback **03** aviation
04 enterprise **05** diagnose **06** conflict
07 reign **08** 중세의, 중세풍의
09 얼굴[눈살]을 찌푸리다; 찌푸림 **10** 인접한, 가까운
11 산책하다, 한가로이 거닐다; 산책 **12** 가뭄
13 갈겨쓰다, 낙서하다; 갈겨쓴 날씨
14 헛된, 소용없는
B **01** fundamental **02** toll **03** may well
C **01** occurrence **02** urban **03** infer **04** extend
05 sane **06** settled **07** support
08 horizontal

DAY 44

수능 UP p. 376

Q1 popularity **Q2** invaluable **Q2** ①

Q1 그 영화의 인기는 주로 줄거리 덕분이었다.
Q2 이 침낭은 여러분이 야외에서 잠을 잘 때 체온을 유지해 줄 것이기 때문에 매우 유용하다.
Q3 여러분은 어느 음식들이 충치를 야기하는지 알기 때문에 치아 건강에 좋은 식사를 할 수 있다.

Daily Test 44
p. 377

A **01** congestion **02** representative
03 proportion **04** domesticated **05** shrug
06 odd **07** settle
08 포함하다, 포괄하다, 둘러싸다 **09** 소중히 여기다, 간직하다 **10** 매우 귀중한, 매우 유용한
11 임의의, 제멋대로인, 독단적인
12 달아나다, 도망가다 **13** 유산, 유물
14 시기상조의, 너무 이른, 조산한
B **01** towed **02** dismissed **03** in that
C **01** well-being **02** incomplete **03** corrode
04 admire **05** creativity **06** guarantee
07 deficit **08** obey

DAY 45

수능 UP
p. 384

Q1 ambiguous **Q2** convince **Q3** ①

Q1 모호한 용어는 어떤 의미가 의도되는지가 맥락에서 명확하게 나타나지 않는 것이다.
Q2 그는 자신을 납득시키려는 듯이 고개를 끄덕였다.
Q3 그들은 그들의 기분에 대한 상세한 질문지를 작성하도록 요청 받았다.

Daily Test 45
p. 385

A **01** epidemic **02** translate **03** bare **04** utilize
05 mold **06** dispose **07** vocation
08 통화, 화폐, 통용, 유통
09 해방시키다, 자유롭게하다
10 통통한, 뚱뚱한, (물건이) 튼튼한
11 발음하다, 선언하다 **12** 아주 좋아하다, 흠모하다
13 산산이 부수다, 엄청난 충격을 주다
14 애매한, 모호한
B **01** solid **02** cited **03** gave out
C **01** comedy **02** total **03** demand **04** perceive
05 external **06** joint **07** vital **08** inflexible

수능에 더 강해지는 TEST DAY 41-45

pp. 386-387

A **1** insult **2** ascent **3** reformation **4** urban
B **1** ② **2** ① **3** ③ **4** ③
C **1** persuaded **2** reluctant **3** fundamental
4 domesticated
D **1** ambiguous **2** invaluable **3** fertile
4 waits for **5** compliment

A

1 personal과 private는 유의어 관계
2 eternal과 temporary는 반의어 관계
3 intend와 intention은 동사-명사의 파생어 관계
4 vertical과 horizontal은 반의어 관계

B

1 어떤 배심원도 당신의 행동이나 행동의 의도를 지지하지 않을 것이다.
2 정보의 경제학에 대한 탐구는 다양한 범주를 포함한다.
3 합리적인 사람은 조심스럽게 그 상황에 접근하고 현명하게 행동할 것이다.
4 음식 섭취는 모든 생명체의 생존에 필수적이다.

C

1 그가 적절한 방식으로 행동하도록 설득되더라도, 그의 행동은 불성실할 수도 있다.
2 어떤 사람들은 자신의 실수를 인정하기를 꺼린다.
3 이 문제를 해결하기 위해서는 근본적인 정책 변화가 필요하다.
4 개는 역사상 처음으로 길들여진 동물, 즉 애완동물이 되었다.

D

1 그의 답변이 너무 애매해서 그가 나에게 동의했는지 아닌지 잘 모르겠다.
2 저는 귀하의 귀중한 의견에 대해 감사의 마음을 전하고 싶습니다.
3 나일강을 따라 있는 이집트의 비옥한 땅은 작물을 재배하기에 좋았다.
4 전자리상어는 모래 속에 숨어서 작은 물고기가 다가오기를 기다린다.
5 자녀에게 동기를 부여하기 위해서는, 큰 칭찬을 하고 계속 그것에 대해 이야기하라.

DAY 46

수능 UP p. 394

Q1 aspire **Q2** ②

Q1 오늘날의 사람들은 전통적인 숙련된 직업보다는 명예와 부를 열망한다.
Q2 대회에서 그는 전문가들에 뒤지지 않았을 뿐만 아니라 모든 심사위원들에게 깊은 인상을 남겼다.

Daily Test 46 p. 395

A **01** severe **02** personality **03** visible
04 sanction **05** surmount **06** experiment
07 instance
08 응결하다, 농축하다, (글·정보를) 압축하다
09 나뉘다, 분열시키다; 틈, 분열
10 얽히게 하다, 걸려들게 하다 **11** 최소의, 아주 적은
12 자식, 자손, (동물의) 새끼
13 무모한, 부주의한, 난폭한
14 (기간이) 만료되다, 끝나다
B **01** illustrate **02** decisive **03** keep up with
C **01** consent **02** receive **03** assume **04** dig
05 surpass **06** static **07** reinforce **08** taste

DAY 47

수능 UP p. 402

Q1 posture **Q2** contemplated **Q3** ②

Q1 그녀는 고령에도 불구하고 완벽한 자세를 가졌다.
Q2 밖이 더웠기 때문에 그들은 다시 안으로 들어갈까 생각했다.
Q3 XL이라는 글자는 의류 산업에서 '초대형'을 나타낸다.

Daily Test 47 p. 403

A **01** barren **02** drift **03** firsthand **04** spin
05 revolt **06** interpersonal **07** doctrine
08 부정적인, 역[반대]의, 불리한
09 불러일으키다, 유발하다 **10** 미식가
11 (약자를) 괴롭히는 사람; 괴롭히다
12 각자의, 각각의 **13** 창; 창으로 찌르다
14 고려하다, 생각하다, 심사숙고하다
B **01** indicated **02** streamlined **03** speak for
C **01** divert **02** declare **03** rural **04** fire
05 devote **06** disagreement **07** opposite
08 compassion

DAY 48

수능 UP p. 410

Q1 vain **Q2** immortal **Q3** ②

Q1 그녀는 심호흡을 하고 헛되게도 떨림을 멈추려고 애썼다.
Q2 인간은 불멸이 아니므로 결국 죽는다.
Q3 우리의 편견은 인간의 행동을 이해하는 데 방해가 된다.

Daily Test 48 p. 411

A **01** international **02** amplify **03** compound
04 branch **05** casualty **06** immortal
07 subdue **08** 뼈대, 틀, 체제, 구조 **09** 불면증
10 영역, 범위, 왕국 **11** 뛰어난, 두드러진
12 침입하다, 침해하다, 방해하다
13 경외감; 경외심을 갖게 하다
14 틀렸음을 증명하다, 논박하다
B **01** compromise **02** underlies
03 get in the way of
C **01** cut **02** dedicate **03** despise **04** suffocate
05 impatience **06** account **07** steady
08 massacre

DAY 49

수능 UP p. 418

Q1 famine **Q2** subjective **Q3** ②

Q1 농업 사회는 가뭄, 화재 또는 지진이 작물을 황폐화시킬 때 기근을 겪는다.
Q2 개인적인 기억은 주관적이며 다양한 감정적 과정을 수반한다.
Q3 나는 내 기준에 미치지 않는 사람들을 존경하지 않는다.

Daily Test 49 p. 419

A **01** debris **02** consequence **03** wither
04 blur **05** subject **06** outburst **07** scale
08 연이은, 연속적인 **09** 닦다, 광을 내다; 광택(제)
10 인원, 직원, 인사과 **11** 문자[말] 그대로, 실제로
12 언급하다, 지칭하다, 참조하다
13 흔들리다[흔들다], 동요시키다; 흔들림, 진동
14 엄격한, 단호한, 심각한

B **01** applying **02** intricate **03** come down to

C **01** remarkable **02** achieve **03** trash
04 restrict **05** atypical **06** improve
07 implausible **08** paternal

DAY 50

수능 UP p. 426

Q1 virtue **Q2** ①

Q1 나는 어리고 성격이 급했기 때문에 기다리는 것의 미덕이 보이지 않았다.

Q2 이 종은 멸종 위기종으로 분류되며 결코 흔하지 않다.

Daily Test 50 p. 427

A **01** gear **02** arctic **03** overall **04** scratch
05 fluid **06** layout **07** align
08 추천하다, 권장하다 **09** 생물권 **10** 크게 놀란
11 방사능의, 방사성의
12 원상태로 돌리다, 풀다, 열다
13 가려움; 가렵다, 못 견디다 **14** 허드렛일, (집안)일

B **01** endow **02** spare **03** nothing but

C **01** purify **02** asymmetry **03** exhale
04 hardship **05** heal **06** encode **07** approval
08 forge

수능에 더 강해지는 TEST DAY 46-50

pp. 428-429

A **1** concentrate **2** disagreement **3** acquisition
4 lenient

B **1** ① **2** ③ **3** ② **4** ①

C **1** presumed **2** adverse **3** subjective **4** liable

D **1** expire **2** put up with **3** despises
4 Immoral **5** anything but

A

1 stock와 inventory는 유의어 관계
2 maximize와 minimize는 반의어 관계
3 reduce와 reduction은 동사-명사의 파생어 관계
4 maternal와 paternal은 반의어 관계

B

1 오래된 문제를 제기하는 것은 갈등을 악화시킬 뿐이다.
2 장갑을 제외한 컬링 장비 대여료가 포함되어 있다.
3 교사로서 그녀는 교육에 있어 모든 사람에게 평등한 기회를 제공하기 위해 일생을 바쳤다.
4 연속된 실패 후, 그들의 자신감은 심각하게 약화되었다.

C

1 그곳에서 술병이 발견되었으므로, 그 남자는 음주와 관련된 문제로 사망한 것으로 추정된다.
2 인간의 활동은 환경에 악영향을 끼친다.
3 태도나 가치관은 주관적이어서 끊임없이 변화하는 우리의 상황에 맞게 쉽게 바뀐다.
4 여러 번 방해를 받는 스트레스가 많은 상황에서 우리는 실수를 하기 쉽다.

D

1 현재 계약은 두 달 후에 만료될 것이다.
2 약이 효과가 나타날 때까지 나는 고통을 참아야 한다.
3 그녀는 아이들에게 거짓말을 하는 것을 경멸하고 그들에게 거의 거짓말을 하지 않는다.
4 굶주린 아이를 먹이기 위해 빵을 훔친다 해도 부도덕한 행동은 결코 정당화될 수 없다.
5 그 접시는 진짜 금으로 장식되어 있어서 결코 저렴하지 않을 것이다.

VOCA CLEAR

INDEX

A

D

F

G

H

I

J

K

L

W

Y

VOCA CLEAR

시험에 더 강해지는

보카 클리어

미니 단어장

수능편

동아출판

시험에 더 강해지는

미니 단어장

수능편

DAY 01

0001	**eligible**	형 적격의, 자격이 있는
0002	**allocate**	동 할당[배분]하다
0003	**celebrity**	명 1. 유명 인사 2. 명성
0004	**motivate**	동 동기를 부여하다, 자극하다
0005	**bankrupt**	형 파산한, 지불 능력이 없는
0006	**enclose**	동 1. 동봉하다 2. 둘러싸다
0007	**legislate**	동 입법하다, 법률을 제정하다
0008	**post**	동 1. 올리다, 게시하다 2. (우편물을) 발송하다 명 1. 우편 2. 직책, 자리 3. 기둥, 말뚝
0009	**compartment**	명 1. (기차의) 칸막이 객실 2. 칸, 구획
0010	**tedious**	형 지루한, 싫증 나는
0011	**scholar**	명 1. 학자 2. 장학생
0012	**immediate**	형 1. 즉각적인 2. 당면한 3. 직접적인
0013	**integrity**	명 1. 정직, 성실, 고결, 청렴 2. 온전함, 본래의 모습
0014	**dismay**	명 1. 경악 2. 실망 동 1. 경악하게 만들다 2. 크게 실망시키다
0015	**relate**	동 관련이 있다, 관련짓다
0016	**physician**	명 (내과) 의사
0017	**increase**	동 증가하다[시키다] 명 증가, 인상
0018	**entertain**	동 1. 즐겁게 하다 2. 대접하다
0019	**metabolism**	명 신진대사, 대사

0020	**utmost**	형 최고의, 극도의 명 최대한도
0021	**foster**	동 1. 촉진하다, 육성하다 2. 위탁 양육하다 형 양(養)~, 수양~
0022	**spur**	동 1. 자극하다, 원동력이 되다 2. 박차를 가하다 명 1. 자극제, 원동력 2. 박차
0023	**fabric**	명 1. 직물, 천 2. (사회·조직 등의) 구조, 조직
0024	**collapse**	동 1. 붕괴되다, 무너지다 2. (사람이) 쓰러지다 3. 좌절되다, 실패하다 명 1. 붕괴 2. 실패
0025	**pregnant**	형 임신한
0026	**overlap**	동 겹치다, 중복되다 명 겹침, 중복
0027	**vaccine**	명 (예방) 백신
0028	**upright**	형 1. 똑바로 선, 수직의 2. 올바른, 정직한
0029	**steer**	동 1. 조종하다, 몰다 2. (~ 쪽으로) 이끌다
0030	**devastate**	동 1. 황폐화시키다 2. 망연자실하게 하다
0031	**cognitive**	형 인식의, 인지의
0032	**secure**	형 안전한 동 (힘들게) 얻어 내다, 확보하다
0033	**trait**	명 특성, 특징
0034	**beverage**	명 (물이 아닌) 음료, 마실 것
0035	**interpret**	동 1. 해석하다 2. 설명하다 3. 통역하다
0036	**interrupt**	동 1. 방해하다 2. 중단시키다
0037	**assert**	동 주장하다, 단언하다
0038	**asset**	명 자산, 재산
0039	**set back**	저지[방해]하다, 지연시키다
0040	**set forth**	출발하다

DAY 02

0041	**contend**	동 1. 주장하다 2. 다투다
0042	**dull**	형 1. (칼날이) 무딘 2. 둔한 3. 둔탁한 4. 단조로운, 지루한
0043	**hinder**	동 방해[저해]하다, 막다
0044	**antibiotic**	명 항생제, 항생물질 형 항생(물질)의
0045	**gigantic**	형 거대한, 굉장히 큰
0046	**thorough**	형 철저한, 빈틈없는
0047	**prey**	명 1. 먹이, 사냥감 2. 희생자 동 잡아먹다
0048	**reveal**	동 1. 밝히다, 폭로하다 2. 나타내다, 드러내다
0049	**justify**	동 1. 정당화하다 2. 정당성[타당함]을 증명하다
0050	**incident**	명 (특히 불쾌한) 사건
0051	**ornament**	명 장식(품), 장신구 동 장식하다
0052	**constant**	형 1. 끊임없는, 계속되는 2. 일정한, 변함없는
0053	**erode**	동 1. 부식시키다, 침식시키다 2. 약화시키다
0054	**nuisance**	명 성가신 사람[것], 골칫거리
0055	**equivalent**	형 동등한, 상당하는 명 상응하는 것, 등가물
0056	**crawl**	동 기어가다, 서행하다 명 기어가기, 서행
0057	**patent**	명 특허(권) 동 특허를 받다
0058	**induce**	동 1. 유도하다, 설득하다 2. 유발하다
0059	**mourn**	동 슬퍼하다, 애도하다

0060	roam	동 돌아다니다, 배회[방랑]하다
0061	criterion	명 기준, 표준, 척도
0062	social	형 사회의, 사회적인
0063	timber	명 목재, 재목
0064	artifact	명 1. 인공물, 공예품 2. (인공) 유물
0065	prevent	동 1. 막다, 방해하다 2. 예방하다
0066	worship	동 숭배하다, 예배하다 명 숭배, 예배
0067	serve	동 1. 음식을 내다, 식사 시중을 들다 2. 봉사하다, 섬기다 3. 근무[복무]하다 4. 서브를 넣다
0068	draft	명 1. 원고, 초안 2. 징병 동 1. 초안을 작성하다 2. 징집하다
0069	deceive	동 속이다, 기만하다
0070	statistic	명 1. 통계 (자료) 2. ((-s)) 통계학
0071	bundle	명 묶음, 다발, 꾸러미
0072	antique	형 1. 골동품의, 고미술의 2. 옛날의, 오래된 명 골동품
0073	primitive	형 원시 사회의, 원시적인 명 원시인
0074	retail	명 소매 형 소매상의 동 소매로 팔다
0075	momentary	형 순간적인, 잠깐[찰나]의
0076	momentous	형 중대한
0077	emit	동 내(뿜)다, 발산하다, 방출하다
0078	omit	동 빠뜨리다, 생략하다
0079	hold up	1. 지연시키다 2. 버티다, 지탱하다
0080	hold back	1. 저지하다 2. (감정을) 누르다[참다]

DAY 03

0081	bulletin	명 1. 고시, 공고 2. 뉴스 단신, 속보
0082	injure	동 1. 부상을 입히다 2. 손상시키다
0083	prior	형 1. 사전의, 앞의 2. 우선하는
0084	cue	명 신호, 단서 동 (시작) 신호를 주다
0085	haunt	동 1. 계속 떠오르다, 머리에서 떠나지 않다 2. (유령 등이) 출몰하다
0086	anticipate	동 1. 예상하다 2. 기대하다
0087	council	명 1. (지방 자치 단체의) 의회 2. 위원회, 협의회
0088	monotonous	형 단조로운, 지루한
0089	spread	동 1. 펴다, 펼치다 2. 퍼지다 명 확산, 전파
0090	noble	형 1. 고결한, 숭고한 2. 귀족의 명 귀족
0091	peasant	명 농부, 소작농
0092	dispense	동 1. 분배하다, 나누어 주다 2. 조제하다 3. (의무를) 면하다
0093	architecture	명 1. 건축(술), 건축학 2. 건축 양식
0094	landfill	명 쓰레기 매립지
0095	contradict	동 1. 모순되다 2. 반박하다, 부정하다, 반대하다
0096	temporal	형 1. 시간의 2. 세속적인, 현세의
0097	profit	명 수익, 이익 동 이익을 얻다[주다]
0098	remove	동 1. 제거하다, 없애다 2. (옷 등을) 벗다
0099	equality	명 평등, 균등

0100	vivid	[형] 생생한, 선명한
0101	furnish	[동] 1. (가구 등을) 갖추다 2. 제공[공급]하다
0102	spark	[동] 1. 불꽃을 일으키다 2. 촉발하다 [명] 불꽃
0103	explicit	[형] 1. 뚜렷한, 명백한 2. 노골적인
0104	grant	[동] 1. 주다, 수여하다 2. 승인[허락]하다 3. 인정하다 [명] 1. 허가, 인가 2. 보조금
0105	range	[명] 범위, 폭 [동] (범위가 ~에) 이르다
0106	stain	[명] 1. 얼룩, 자국 2. 오점 [동] 얼룩지게 하다
0107	admit	[동] 1. 인정[시인]하다 2. 입장[입학]을 허가하다
0108	deserve	[동] 받을 만하다, 자격이 있다
0109	cynical	[형] 1. 냉소적인 2. 비관[부정]적인
0110	obesity	[명] 비만, 비대
0111	ensure	[동] 확실하게 하다, 보장하다
0112	slave	[명] 노예
0113	debate	[명] 토론, 논의 [동] 토론하다, 논의하다
0114	spontaneous	[형] 1. 자발적인 2. 즉흥적인
0115	attribute	[동] ~의 탓[덕분]으로 돌리다 [명] 속성, 자질
0116	contribute	[동] 1. 기여[공헌]하다 2. 기부하다
0117	distribute	[동] 1. 나누어 주다, 분배하다 2. 분포시키다
0118	abide by	따르다, 준수하다
0119	come by	1. 잠깐 들르다 2. 얻다, 획득하다
0120	get by	1. 지나가다, 통과하다 2. 용케 해내다

DAY 04

0121	**accuse**	동 1. 고발[고소/기소]하다, 혐의를 제기하다 2. 비난하다
0122	**ratio**	명 비율, 비
0123	**firm**	형 단단한, 확고한 명 회사
0124	**tempt**	동 1. 유혹하다, 부추기다 2. 유도[설득]하다
0125	**enforce**	동 1. 집행하다, 시행하다 2. 강요하다
0126	**elaborate**	형 정교한, 공들인 동 1. 정교하게 만들다 2. 상술하다
0127	**penalty**	명 1. 처벌, 벌금 2. 벌칙 3. 불이익
0128	**classify**	동 분류하다, 구분하다
0129	**mortgage**	명 (담보) 대출 동 저당 잡히다
0130	**predict**	동 예측[예언]하다
0131	**dwindle**	동 (점점) 줄어들다
0132	**graze**	동 1. 풀을 뜯다 2. 방목하다
0133	**curse**	명 저주, 욕설 동 저주하다, 욕하다
0134	**domestic**	형 1. 국내의 2. 가정의 3. (동물이) 길들여진
0135	**prone**	형 경향이 있는, 하기 쉬운
0136	**inspect**	동 1. 점검[검사]하다 2. 사찰하다
0137	**rescue**	동 구조하다 명 구조
0138	**ecosystem**	명 생태계
0139	**concentrate**	동 1. 집중하다 2. 농축시키다

0140	obedient	형 순종적인, 복종하는
0141	obstacle	명 장애물, 방해물
0142	float	동 뜨다, 띄우다, 떠다니다 명 부유물
0143	wholesale	형 1. 도매의 2. 대량의
0144	entity	명 실재(물), 독립체
0145	subtract	동 1. 빼다 2. 공제하다
0146	limb	명 1. 팔다리, 사지 2. 큰 나뭇가지
0147	aggressive	형 1. 공격적인 2. 적극적인
0148	vary	동 1. 다르다, 달라지다 2. 바꾸다
0149	cell	명 1. 세포 2. (수도원·교도소의) 작은 방 3. 전지
0150	subsidy	명 보조금, 장려금
0151	deposit	명 1. 예금(액) 2. 보증금[착수금] 3. 퇴적물 동 1. 예금하다 2. 놓다, 두다 3. 퇴적시키다
0152	spill	동 1. 엎지르다, 흘리다 2. 엎질러지다 명 엎지름, 흘림
0153	insight	명 1. 통찰(력) 2. 이해, 간파
0154	solemn	형 엄숙한, 근엄한
0155	various	형 다양한, 여러 가지의
0156	variable	형 가변적인, 변동이 심한 명 변수
0157	considerable	형 상당한, 꽤 많은
0158	considerate	형 사려 깊은, 배려하는
0159	drop in(drop by)	(~에) 들르다
0160	drop out	1. 중퇴하다 2. 빠지다, 손을 떼다

DAY 05

0161	**confess**	동 1. 자백[고백]하다 2. 인정하다
0162	**warehouse**	명 창고
0163	**bribe**	명 뇌물 동 뇌물을 주다, 매수하다
0164	**pioneer**	명 개척자, 선구자 동 개척하다
0165	**abundant**	형 풍부한, 많은
0166	**reject**	동 거절[거부]하다
0167	**article**	명 1. 글, 기사 2. 물품 3. (조약·계약 등의) 조항
0168	**hollow**	형 1. 속이 빈, 텅빈 2. 공허한 3. 오목한, 움푹 팬
0169	**rub**	동 문지르다, 비비다 명 문지르기, 비비기
0170	**soar**	동 1. 치솟다, 급등하다 2. 날아오르다
0171	**literature**	명 1. 문학 2. 문헌
0172	**portable**	형 휴대용의, 들고 다닐 수 있는 명 휴대용 기기
0173	**session**	명 1. 시간, 기간 2. 회기 3. (대학의) 학기
0174	**gradually**	부 점차, 서서히
0175	**unique**	형 1. 유일한 2. 특별한, 독특한
0176	**span**	명 1. (지속) 기간 2. 폭, 너비 3. 범위 동 ~에 걸치다[미치다]
0177	**defy**	동 반항하다, 저항하다
0178	**attorney**	명 1. 변호사 2. (법적) 대리인
0179	**scarce**	형 부족한, 드문

0180	permit	동 허락하다, 허용하다 명 허가(증)
0181	implement	동 이행[실행]하다 명 도구, 기구
0182	crime	명 범죄, 범행
0183	embrace	동 1. 껴안다 2. 받아들이다 명 포옹
0184	oral	형 1. 구두[구술]의 2. 입의
0185	magnitude	명 1. (엄청난) 규모, 중요도 2. 지진 규모 3. 별의 광도
0186	tease	동 1. 놀리다 2. (짓궂게) 괴롭히다
0187	coordinate	동 1. 조직화[편성]하다 2. 조정하다 3. 조화를 이루다 형 대등한, 동등한 명 좌표
0188	discrepancy	명 차이, 불일치, 모순
0189	encounter	동 1. 우연히 만나다, 마주치다 2. 직면하다 명 (뜻밖의) 만남
0190	publicity	명 1. (매스컴의) 관심, 주목 2. 광고, 홍보
0191	complain	동 불평하다, 항의하다
0192	external	형 1. 외부의, 밖의 2. 대외적인, 외국의
0193	vigorous	형 1. 활발한, 격렬한 2. 원기 왕성한
0194	quest	명 탐구, 탐색 동 탐구하다, 탐색하다
0195	assume	동 1. 가정하다, 추정하다 2. (책임·역할을) 맡다
0196	consume	동 1. 소비하다 2. 다 써 버리다 3. 먹다, 마시다
0197	principal	형 주요한, 제일의 명 (단체의) 장, 교장
0198	principle	명 1. 원리, 원칙 2. 주의, 신념
0199	rule out	배제하다, 제외시키다
0200	sort out	1. 분류하다, 정리하다 2. 해결하다

DAY 06

0201	confidential	형 비밀[기밀]의
0202	hazard	명 위험 (요소) 동 위태롭게 하다
0203	adjust	동 1. 조정하다, 맞추다 2. 적응하다
0204	exceed	동 넘다, 초과하다
0205	necessity	명 1. 필수, 필요(성) 2. 필수품
0206	inborn	형 선천적인, 타고난
0207	crave	동 갈망[열망]하다
0208	barter	명 물물 교환 동 물물 교환하다
0209	discard	동 버리다, 폐기하다
0210	pressure	명 압박, 압력 동 압력을 가하다, 강요하다
0211	auditory	형 청각의, 귀의
0212	penetrate	동 1. 관통하다 2. 침투하다 3. 간파하다
0213	monetary	형 1. 통화의, 화폐의 2. 금전의
0214	vessel	명 1. 선박 2. 혈관 3. 그릇, 용기
0215	resent	동 분하게 여기다, 분개하다
0216	permanent	형 영원한, 영구적인
0217	interval	명 1. 간격, 사이 2. (연극·공연의 중간) 휴식 시간
0218	controversy	명 논란, 논쟁
0219	scan	동 자세히 살피다, 훑어보다 명 면밀한 검사, 훑어보기

0220	ubiquitous	형 어디에나 있는, 아주 흔한
0221	thrive	동 번창[번영]하다, 잘 자라다
0222	asthma	명 천식
0223	facilitate	동 1. 용이하게 하다 2. 촉진하다
0224	capture	동 1. 붙잡다, 포획하다 2. 포착하다 3. (관심 등을) 사로잡다
0225	disorder	명 1. 무질서, 혼란 2. (신체) 장애
0226	outset	명 착수, 시작
0227	refuse	동 거절하다, 거부하다
0228	subconscious	형 잠재의식의 명 잠재의식
0229	endure	동 1. 참다, 견디다 2. 지속되다, 오래가다
0230	regime	명 1. 정권 2. 제도, 체제
0231	tend	동 경향이 있다, 하기 쉽다
0232	shield	명 방패 동 1. 보호하다 2. 가리다, 은폐하다
0233	scrutiny	명 정밀 조사, 철저한 검토
0234	decent	형 1. 품위 있는, 예의 바른 2. 적당한, 괜찮은
0235	overlook	동 1. 간과하다 2. 눈감아 주다 3. 내려다보다
0236	oversee	동 감독하다, 감시하다
0237	crucial	형 중대[중요]한, 결정적인
0238	cruel	형 잔혹한, 잔인한
0239	result from	~이 원인이다, ~에서 기인하다
0240	result in	(결과적으로) ~을 낳다[야기하다]

DAY 07

0241	**fragment**	명 파편, 조각 동 부수다[부서지다]
0242	**boost**	동 1. 신장시키다 2. 북돋우다 명 1. 활력, (신장시키는) 힘 2. 격려, 부양책
0243	**average**	형 1. 평균의 2. 보통의, 일반적인 명 평균
0244	**pesticide**	명 농약, 살충제
0245	**qualify**	동 자격을 얻다[주다], 적임으로 하다
0246	**integrate**	동 통합시키다[되다]
0247	**auditorium**	명 1. 강당 2. 객석
0248	**exile**	명 망명, 추방, 유배 동 추방하다
0249	**substantial**	형 1. 상당한, 많은 2. 실질적인
0250	**measure**	동 1. 측정하다, 재다 2. 판단[평가]하다 명 1. 조치, 대책 2. 척도, 기준
0251	**verdict**	명 1. (배심원단의) 평결 2. 판정, 의견
0252	**transaction**	명 1. 거래, 매매 2. (업무) 처리
0253	**establish**	동 1. 설립하다 2. 수립[확립]하다
0254	**spectrum**	명 1. 범위, 영역 2. (빛의) 스펙트럼
0255	**prudent**	형 신중한, 조심성 있는
0256	**assign**	동 1. (일·책임을) 맡기다, 할당하다 2. (사람을) 배치하다
0257	**designate**	동 1. 지정하다 2. 지명하다
0258	**cultivate**	동 1. 경작하다 2. (작물을) 재배하다 3. (소양 등을) 기르다, 함양하다
0259	**indifferent**	형 무관심한

0260	conclude	동 결론을 내리다, 끝내다
0261	occasion	명 1. (특정한) 때, 경우, 기회 2. 행사 3. 원인, 이유
0262	joint	형 공동의, 합동의 명 관절, 연결 부위
0263	surrender	동 1. 항복[굴복]하다 2. 내주다, 포기하다 명 1. 항복[굴복] 2. 양도
0264	critic	명 비평가
0265	appoint	동 1. 임명하다, 지명하다 2. (시간·장소 등을) 정하다
0266	metaphor	명 은유, 비유
0267	eminent	형 1. 저명한 2. 탁월한, 걸출한
0268	reside	동 거주하다, 살다
0269	counterattack	명 역습, 반격 동 역습하다, 반격하다
0270	stance	명 1. 입장, 태도 2. (스포츠 경기에서) 자세
0271	wicked	형 1. 사악한, 못된 2. 짓궂은, 장난기 있는
0272	undergraduate	명 대학생, 학부생
0273	dim	형 어둑한, 흐릿한 동 어둑하게 하다, 흐릿해지다
0274	reward	명 보상, 사례금 동 보상하다
0275	appliance	명 (가정용) 기기, 가전제품
0276	application	명 1. 적용, 응용 2. 지원, 신청 3. 응용 프로그램
0277	ethnic	형 민족의, 종족의
0278	ethic	명 윤리
0279	break up	1. 파하다, 해산하다 2. 중단하다
0280	bring up	1. 양육하다 2. 꺼내다, 불러일으키다

DAY 08

0281	**cease**	동 그만두다, 중지하다
0282	**revise**	동 1. 수정하다, 변경하다 2. (책 등을) 개정하다
0283	**artery**	명 1. 동맥 2. 주요 도로
0284	**frantic**	형 광분한, 제정신이 아닌
0285	**pause**	명 멈춤, 중지 동 잠시 멈추다, 정지시키다
0286	**breakdown**	명 1. 고장, 파손 2. 붕괴, 몰락 3. (신경) 쇠약
0287	**stature**	명 1. 지명도, 위상 2. (사람의) 키
0288	**intact**	형 손상되지 않은, 온전한
0289	**prevail**	동 1. 만연하다, 널리 퍼지다 2. 이기다, 우세하다
0290	**feature**	명 1. 특징, 특색, 특성 2. 이목구비 3. 특집 기사 동 1. 특징으로 삼다 2. (배우를) 주연시키다 3. 특종으로 다루다
0291	**bid**	동 1. (경매에서) 값을 부르다 2. 입찰하다 명 입찰
0292	**gymnastics**	명 체조
0293	**digest**	동 1. 소화하다 2. (완전히) 이해하다 명 요약(문)
0294	**companion**	명 동반자, 동행, 친구
0295	**sovereign**	형 주권을 가진, 자주의 명 군주, 국왕
0296	**conduct**	동 1. 수행하다 2. 지휘하다 3. (열·전기를) 전도하다 명 행위, 수행
0297	**resign**	동 사직[사임]하다, 사퇴하다
0298	**dimension**	명 1. 치수, 크기, 규모 2. 차원
0299	**candid**	형 솔직한, 정직한, 있는 그대로의

0300	stun	동 1. 크게 놀라게 하다 2. 기절시키다
0301	wealth	명 부, 부유함, 재산
0302	aesthetic	형 1. 심미적인, 미의 2. 미학의 명 ((-s)) 미학
0303	transmit	동 1. 전송[송신]하다, 전달하다 2. 전염시키다
0304	labor	명 1. 노동, 근로 2. 수고 3. 분만, 진통 동 노동하다, 애쓰다
0305	yearn	동 갈망하다, 동경하다
0306	neglect	동 무시하다, 소홀히 하다 명 무시, 태만
0307	vacant	형 1. 비어 있는 2. 공석의
0308	species	명 (생물 분류상의) 종(種)
0309	instruction	명 1. 교육, 가르침 2. 지시, 명령 3. 설명(서)
0310	investigate	동 1. 조사하다, 연구하다 2. 수사하다
0311	trustworthy	형 신뢰할 만한, 믿을 만한
0312	survival	명 생존
0313	warn	동 경고하다, 주의를 주다
0314	equipment	명 장비, 용품, 설비
0315	spacious	형 넓은, 널찍한
0316	spatial	형 공간의, 공간적인
0317	literal	형 문자 그대로의
0318	literary	형 문학의, 문학적인
0319	pick up	1. 줍다 2. 태우다, 태우러 가다
0320	pick out	1. 고르다, 집어내다 2. 알아내다, 분간하다

DAY 09

0321	**majestic**	형 위엄 있는, 장엄한
0322	**immerse**	동 1. 몰두[몰입]시키다, 빠져들게 하다 2. 담그다, 적시다
0323	**hypothesis**	명 1. 가설 2. 추정, 추측
0324	**eject**	동 1. 쫓아내다 2. (기계에서) 튀어나오게 하다 3. 내뿜다
0325	**superficial**	형 1. 표면적인, 피상적인 2. 깊이 없는, 얄팍한
0326	**progress**	동 1. 전진[진행]하다 2. 발전[진보]하다 명 1. 전진[진행], 진척 2. 발전[진보]
0327	**bless**	동 1. 축복하다, 은총을 베풀다 2. 감사하다
0328	**seal**	동 1. 봉인하다 2. (밀)봉하다 명 1. 직인, 도장 2. 바다표범, 물개
0329	**inevitable**	형 피할 수 없는, 필연적인
0330	**fossil**	명 화석
0331	**reservoir**	명 1. 저수지 2. 저장소[통] 3. 비축, 보고
0332	**broadcast**	동 방송[방영]하다 명 방송
0333	**circular**	형 1. 원형의 2. 순환하는 명 회보, 회람장
0334	**scope**	명 1. 범위, 영역 2. 여지, 기회
0335	**aisle**	명 통로, 복도
0336	**discern**	동 1. 알아차리다, 포착하다 2. 식별[분간]하다
0337	**pessimistic**	형 비관적인, 염세적인
0338	**troop**	명 1. 병력, 군대 2. 무리
0339	**restrain**	동 억제하다, 억누르다, 저지하다

0340	status	명 1. 지위, 신분 2. 상태
0341	outgrow	동 1. (자라서) ~보다 더 커지다 2. (성장하여) ~에서 벗어나다
0342	graduate	동 졸업하다 명 1. 졸업생, 학사 2. 대학원생
0343	adhere	동 1. 들러붙다, 부착하다 2. 고수하다, 집착하다
0344	trial	명 1. 실험, 시험 2. 재판
0345	venture	동 (위험을 무릅쓰고) 하다[가다] 명 모험(적 사업)
0346	deceitful	형 기만적인, 속이는
0347	compose	동 1. 구성하다 2. 작곡하다, 작문하다
0348	equator	명 적도
0349	ancient	형 1. 고대의 2. 아주 오래된
0350	priest	명 성직자, 신부
0351	replace	동 1. 대체하다 2. 교체하다
0352	individual	명 개인 형 개인의, 각각의
0353	unanimous	형 만장일치의
0354	caution	명 1. 조심 2. 경고, 주의 동 경고하다, 주의시키다
0355	imaginable	형 상상[생각]할 수 있는
0356	imaginary	형 상상의, 가상적인
0357	imaginative	형 상상력이 풍부한, 창의적인
0358	call for	1. ~을 요구하다 2. ~을 필요로 하다 3. ~을 불러내다
0359	care for	1. ~을 돌보다 2. ~을 좋아하다
0360	go for	1. ~을 좋아하다 2. 찬성하다, ~의 편을 들다(↔ go against)

DAY 10

0361	**undertake**	동 1. 맡다, 착수하다 2. 약속[동의]하다
0362	**hydrogen**	명 수소
0363	**preliminary**	형 예비의, 임시의 명 예선, 사전 준비
0364	**dilute**	동 1. 희석하다 2. 약화시키다 형 희석된
0365	**thrifty**	형 검소한, 알뜰한, 절약하는
0366	**bypass**	명 우회 도로 동 우회하다
0367	**determine**	동 결정하다, 결심하다
0368	**passage**	명 1. 통로, 복도 2. 구절, 악절 3. (인체 내의) 도관, 기도
0369	**nourish**	동 1. 영양분을 공급하다 2. (감정·생각 등을) 키우다, 육성하다
0370	**eager**	형 열망하는, 열성적인
0371	**mandate**	명 권한, 명령, 지시 동 1. 명령하다 2. 권한을 주다
0372	**endanger**	동 위험에 빠뜨리다, 위태롭게 하다
0373	**vulnerable**	형 1. 취약한, 연약한 2. ~하기[받기] 쉬운
0374	**isolate**	동 1. 고립시키다, 격리하다 2. 분리하다
0375	**dormitory**	명 기숙사
0376	**transfer**	동 옮기다, 환승하다 명 이동, 환승
0377	**fellow**	명 1. 동료, 친구 2. 녀석 형 동료의
0378	**infrastructure**	명 사회 기반 시설
0379	**carve**	동 1. 조각하다 2. 새기다

0380	generic	형 1. 일반적인, 포괄적인, 총칭의 2. 회사 이름이 붙지 않은
0381	erupt	동 1. 분출하다 2. (감정을) 터뜨리다
0382	succession	명 1. 연속, 계속 2. 계승, 승계
0383	rent	동 임대하다, 빌리다 명 집세, 임대료
0384	swell	동 1. 붓다, 부풀다 2. 증가[팽창]하다 명 1. 큰 물결 2. 융기
0385	anthropology	명 인류학
0386	corrupt	형 부패[타락]한 동 부패[타락]시키다
0387	addict	동 중독시키다 명 중독자
0388	sturdy	형 1. 튼튼한, 견고한 2. 단호한, 확고한
0389	recipient	명 수취인, 수령인
0390	license	명 면허(증), 인가(증) 동 허가하다
0391	keen	형 1. 열망하는, 열정적인 2. 강한, 깊은 3. 예리한, 날카로운
0392	fascinate	동 매혹하다, 마음을 사로잡다
0393	blend	동 1. 섞(이)다, 혼합하다 2. 어울리다 명 혼합(물)
0394	reputation	명 평판, 명성
0395	expel	동 1. 쫓아내다, 퇴출하다 2. 배출[방출]하다
0396	compel	동 강요[강제]하다, ~하게 만들다
0397	attach	동 1. 붙이다, 첨부하다 2. 애착을 갖게 하다 3. 연관되다, 소속시키다
0398	detach	동 떼어 내다, 분리하다
0399	come across (run across)	우연히 마주치다[발견하다]
0400	come about	발생하다, 일어나다

DAY 11

0401	advocate	동 지지하다, 옹호하다 명 1. 지지자, 옹호자 2. 변호사
0402	fatal	형 치명적인
0403	rage	명 분노, 격노 동 몹시 화를 내다
0404	breed	동 1. 새끼를 낳다, 번식하다 2. 사육[재배]하다 명 품종
0405	vegetation	명 초목, 식물
0406	commend	동 1. 칭찬하다 2. 추천하다
0407	estate	명 1. 재산 2. (큰 규모의) 부지, 사유지
0408	intimate	형 1. 친밀한, 친한 2. 밀접한
0409	object	명 1. 물건, 물체 2. 대상 3. 목적, 목표 동 반대하다
0410	descend	동 1. 내려오다, 하강하다 2. 유래하다
0411	coherent	형 일관성 있는, 논리 정연한
0412	prosper	동 번영하다, 번창하다
0413	sacred	형 1. 성스러운, 종교적인 2. 신성시되는
0414	authority	명 1. 권한, 권력, 권위(자) 2. (정부) 당국
0415	introvert	명 내성[내향]적인 사람
0416	transcribe	동 1. 베끼다 2. 고쳐 쓰다, 편곡하다
0417	geography	명 지리(학), 지형
0418	regulate	동 1. 조절하다 2. 규제하다
0419	parallel	형 1. 평행의 2. 유사한[상응하는] 명 1. 평행선 2. 유사, 상응 동 1. 평행을 이루다 2. 유사하다

0420	**dignity**	명 1. 위엄, 품위 2. 존엄성
0421	**manifest**	동 분명히 나타내다, 드러내다 형 명백한, 분명한
0422	**outline**	명 개요, 윤곽 동 개요를 서술하다, 윤곽을 나타내다
0423	**suppress**	동 1. 억누르다, 억제하다 2. 억압하다, 진압하다
0424	**naive**	형 1. 순진한, 천진난만한 2. 경험이 없는
0425	**account**	명 1. 계좌, 계정 2. 설명 3. 이유, 근거 4. (회계) 장부 동 1. 설명하다 2. (비율을) 차지하다
0426	**panic**	명 (갑작스러운) 공포, 공황 상태 동 공황 상태에 빠지다[빠지게 하다]
0427	**diverse**	형 다양한, 가지각색의
0428	**recite**	동 암송하다, 낭독하다
0429	**harvest**	동 수확하다 명 수확(물), 추수
0430	**coincidence**	명 1. 우연의 일치 2. 동시 발생 3. (의견의) 일치
0431	**wage**	명 임금, 급료
0432	**abrupt**	형 1. 갑작스러운, 뜻밖의 2. 퉁명스러운, 무뚝뚝한
0433	**collide**	동 충돌하다, 부딪치다
0434	**strain**	명 1. 긴장, 부담 2. 팽팽함, 잡아당기는 힘 3. 접질림 동 1. 긴장시키다 2. 삐다, 접질리다
0435	**absorb**	동 1. 흡수하다, 빨아들이다 2. 몰두하게 하다
0436	**absurd**	형 터무니없는, 불합리한
0437	**conscious**	형 1. 의식하는, 자각하는 2. 의식이 있는
0438	**conscience**	명 양심
0439	**hand down**	물려주다, 전해 주다
0440	**hold down**	참다, 억제하다

DAY 12

0441	**expertise**	명 전문 지식[기술]
0442	**persist**	동 1. 계속하다 2. 지속되다
0443	**customs**	명 1. 세관 2. 관세
0444	**rotate**	동 1. 회전하다[시키다] 2. 자전하다 3. 교대 근무하다
0445	**peculiar**	형 1. 독특한, 고유의, 특유의 2. 기이한, 이상한
0446	**shallow**	형 1. 얕은 2. 얄팍한, 피상적인
0447	**discipline**	명 1. 훈육, 훈련 2. 규율, 통제 3. 학문 (분야) 동 1. 훈련하다 2. 징계하다
0448	**weird**	형 기이한, 이상한
0449	**priority**	명 우선 사항, 우선(권)
0450	**anonymous**	형 익명의, (작자) 미상의
0451	**import**	동 수입하다 명 수입(품)
0452	**slam**	동 쾅 닫히다, 쾅 닫다
0453	**pandemic**	명 전국적[세계적] 유행병 형 전염병이 전국적[세계적]으로 퍼지는
0454	**demand**	동 요구하다 명 요구, 수요
0455	**benevolent**	형 자애로운, 인정 많은, 친절한
0456	**institute**	명 (교육) 기관, 협회 동 (제도를) 도입[시작]하다
0457	**capacity**	명 1. 용량, 수용력 2. 능력
0458	**occupy**	동 1. 차지하다 2. 거주하다 3. 점령하다
0459	**gratitude**	명 감사, 고마움

0460	fluctuate	동 변동을 거듭하다, 등락하다
0461	abandon	동 1. 버리다, 유기하다 2. 그만두다, 포기하다
0462	drawback	명 결점, 단점, 문제점
0463	divert	동 1. 방향을 바꾸게 하다 2. 주의를 돌리다
0464	temperate	형 1. (기후가) 온화한 2. 절제하는
0465	ray	명 광선, 빛
0466	compete	동 1. 경쟁하다, 겨루다 2. (시합 등에) 참가하다
0467	humanity	명 1. 인류(애) 2. 인간성
0468	scatter	동 1. (흩)뿌리다 2. 흩어지다, 분산시키다
0469	deficient	형 부족한, 결핍된
0470	mammal	명 포유동물
0471	verify	동 1. 증명하다, 입증하다 2. 확인하다
0472	conserve	동 1. 보존[보호]하다 2. (자원 등을) 아껴 쓰다
0473	urgent	형 긴급한, 다급한
0474	sentiment	명 1. 감정, 정서 2. 감상 3. 정에 약함
0475	calculate	동 1. 계산하다, 산출하다 2. 추정하다
0476	circulate	동 1. 순환하다 2. (소문 등이) 퍼지다 3. (화폐 등을) 유통시키다
0477	involve	동 1. 포함[수반]하다 2. 관련시키다 3. 참여시키다
0478	evolve	동 진화하다, 발달하다
0479	get over	1. 극복하다 2. 회복하다
0480	pull over	길 한쪽으로 차를 세우다

DAY 13

0481	**profess**	동 1. 공언하다, 고백하다 2. (사실이 아닌 것을 사실이라고) 주장하다
0482	**curriculum**	명 교육과정
0483	**valid**	형 1. (법적으로) 유효한 2. 타당한, 근거 있는
0484	**obtain**	동 얻다, 획득하다
0485	**minority**	명 소수 (집단)
0486	**accompany**	동 1. 동반[동행]하다 2. 수반하다 3. 반주를 하다
0487	**suspect**	동 의심하다 명 용의자
0488	**edge**	명 1. 끝, 가장자리 2. (칼 등의) 날 3. 유리함, 우위 4. 신랄함, 날카로움 동 테두리를 두르다
0489	**handle**	동 (문제 등을) 다루다, 처리하다 명 손잡이
0490	**detergent**	명 세제
0491	**coexist**	동 공존하다
0492	**trivial**	형 사소한, 하찮은
0493	**empathy**	명 감정 이입, 공감
0494	**incorporate**	동 1. 포함하다, 통합시키다 2. 법인 조직으로 만들다
0495	**refuge**	명 피난처, 도피처
0496	**contagious**	형 전염성의, 전염되는
0497	**abuse**	명 1. 남용, 오용 2. 학대 동 1. 남용하다, 오용하다 2. 학대하다
0498	**recall**	동 1. 기억해 내다, 상기하다 2. 회수하다 명 1. 기억(해 냄) 2. 회수
0499	**federal**	형 연방제의, 연방 정부의

0500	**treat**	동 1. 치료하다 2. 다루다, 대하다 3. 대접하다, 한턱내다 4. 처리하다 명 1. 특별한 것 2. 대접, 한턱내기
0501	**notion**	명 개념, 관념, 생각
0502	**suppose**	동 1. 가정하다 2. 추정[추측]하다
0503	**definite**	형 1. 명확한, 확실한 2. 한정된
0504	**generate**	동 발생시키다, 일으키다
0505	**shelter**	명 보호소, 피난처 동 보호하다, ~에게 피난처를 제공하다
0506	**scorn**	동 경멸하다, 멸시하다 명 경멸, 멸시, 조롱
0507	**convention**	명 1. 관습 2. 집회, 대회 3. 조약, 협약
0508	**recruit**	동 1. 모집하다 2. 징집하다 명 1. 신입 (회원) 2. 신병
0509	**bias**	명 1. 편견, 선입견 2. 성향 동 편견[선입견]을 갖게 하다
0510	**conquer**	동 1. 정복하다 2. 극복하다
0511	**sole**	형 1. 유일한 2. 혼자의, 단독의 명 발바닥
0512	**illusion**	명 1. 착각 2. 환상, 환각
0513	**proficient**	형 능숙한, 숙달된
0514	**abnormal**	형 비정상적인, 이상한
0515	**delicate**	형 1. 연약한 2. 섬세한, 정교한
0516	**deliberate**	형 1. 고의적인 2. 신중한 동 숙고하다
0517	**neutral**	형 1. 중립의, 중립적인 2. 중성의 명 1. 중립 2. 중간색
0518	**neural**	형 신경(계)의
0519	**look after**	~을 돌보다, ~을 보살펴 주다
0520	**take after**	~를 닮다

DAY 14

0521	attempt	명 시도 동 시도하다
0522	hostile	형 1. 적대적인 2. 강력히 반대하는
0523	evaporate	동 1. 증발하다[시키다] 2. 사라지다
0524	output	명 1. 생산량, 산출량 2. ((컴퓨터)) 출력
0525	degrade	동 1. 저하시키다 2. 비하하다
0526	malfunction	명 오작동, 고장 동 제대로 작동하지 않다
0527	counteract	동 1. (무엇의 영향에) 대응하다, 상쇄시키다 2. (약 등의 효력을) 중화하다
0528	alert	형 1. 기민한 2. 경계하는 동 (위험을) 알리다, 경고하다 명 경계 태세
0529	observe	동 1. 관찰하다 2. 목격하다 3. 준수하다 4. (의견을) 말하다
0530	region	명 1. 지역, 지방 2. 영역
0531	sophisticated	형 1. 정교한, 복잡한 2. 세련된, 교양 있는
0532	refine	동 1. 정제하다 2. 다듬다, 개선하다
0533	canal	명 운하, 수로
0534	diminish	동 1. 줄다, 줄어들다 2. 폄하하다
0535	complex	형 복잡한 명 1. 복합 단지 2. 콤플렉스, 강박 관념
0536	ideology	명 이념, 이데올로기
0537	ban	동 금지하다 명 금지
0538	flourish	동 번창하다, 번성하다
0539	segment	명 부분, 조각 동 나누다, 분할하다

0540	**diplomatic**	형 1. 외교의 2. 외교에 능한
0541	**pervade**	동 만연하다, 널리 퍼지다
0542	**vendor**	명 1. 노점상, 행상인 2. (특정 제품의) 판매 회사
0543	**diameter**	명 지름, 직경
0544	**sob**	동 흐느끼다, 흐느껴 울다 명 흐느낌
0545	**ignore**	동 1. 무시하다 2. (사람을) 못 본 척하다
0546	**bureaucracy**	명 1. 관료 제도 2. 관료, 공무원
0547	**alter**	동 바꾸다, 변경하다
0548	**edible**	형 먹을 수 있는, 식용의
0549	**military**	형 군사의, 무력의 명 군대
0550	**ritual**	명 1. (종교) 의식 2. 관례 형 1. 의식의 2. 의례적인
0551	**navigate**	동 1. 길을 찾다 2. 항해하다, 조종하다
0552	**lease**	명 임대차 계약 동 임대하다, 임차하다
0553	**profound**	형 1. 깊은, 심오한 2. (영향·느낌 등이) 엄청난
0554	**remark**	동 1. 언급[발언]하다, 논평하다 명 발언, 논평
0555	**exhibit**	동 1. 전시하다 2. (감정 등을) 보이다 명 전시(품)
0556	**inhibit**	동 억제하다, 못 하게 하다
0557	**inhabit**	동 살다, 거주하다, 서식하다
0558	**go after**	~을 뒤쫓다[따라가다]
0559	**ask after**	~의 안부를 묻다
0560	**name after**	~의 이름을 따서 명명하다

DAY 15

0561	**create**	동 창조하다, 만들어 내다
0562	**faith**	명 1. 믿음, 신뢰 2. 신앙(심)
0563	**discreet**	형 1. 분별 있는 2. 신중한, 조심스러운
0564	**duration**	명 지속, 기간
0565	**rank**	명 등급, 계급 동 (등급·순위를) 차지하다, 매기다
0566	**ultimate**	형 궁극적인, 최후의
0567	**accumulate**	동 축적하다, 모으다
0568	**encode**	동 1. 암호로 바꾸다 2. ((컴퓨터)) 부호화하다
0569	**suspend**	동 1. 잠시 중단[유예]하다 2. 매달다 3. 정직[정학]시키다
0570	**interchange**	명 1. 교환 2. 분기점 동 교환하다
0571	**paradigm**	명 1. 사고[이론]의 틀 2. 모범, 전형적인 예
0572	**attentive**	형 1. 주의를 기울이는 2. 배려하는, 신경을 쓰는
0573	**ceremony**	명 의식, 식
0574	**withhold**	동 1. 보류하다, 유보하다 2. 억누르다
0575	**prosecute**	동 기소하다, 공소하다
0576	**manuscript**	명 1. 원고 2. 필사본
0577	**beneficent**	형 1. 자선심이 많은, 선행을 하는 2. 유익한
0578	**bond**	명 1. 유대, 끈 2. 접착(제) 3. 채권 동 1. 유대를 맺다 2. 접착시키다
0579	**tame**	동 길들이다, 다스리다 형 길들여진

0580	**obscure**	형 모호한, 이해하기 힘든 동 모호하게 하다
0581	**diabetes**	명 당뇨병
0582	**enhance**	동 (지위·가치 등을) 높이다, 향상시키다
0583	**wreck**	명 1. 난파선 2. 잔해 동 망가뜨리다, 파괴하다
0584	**brochure**	명 (안내·광고용) 소책자
0585	**punctual**	형 시간을 지키는[엄수하는]
0586	**vanish**	동 사라지다, 없어지다
0587	**hardship**	명 고난, 어려움
0588	**renowned**	형 유명한, 명성 있는
0589	**install**	동 설치하다, 설비하다
0590	**supplement**	명 보충(물), 추가(물) 동 보충하다, 추가하다
0591	**rapid**	형 빠른, 신속한
0592	**combine**	동 1. 결합하다[시키다] 2. 갖추다, 겸비하다 명 콤바인(예취와 탈곡 기능이 결합된 농기구)
0593	**temper**	명 1. 성질, 기질 2. 화, 노여움 동 완화시키다
0594	**retire**	동 1. 은퇴[퇴직]하다 2. 물러나다
0595	**heritage**	명 (국가·사회의) 유산, 전통[전승]
0596	**heredity**	명 유전(적 특징)
0597	**instinct**	명 1. 본능 2. 타고난 소질, 직관(력)
0598	**extinct**	형 1. 멸종된, 사라진 2. 활동을 멈춘
0599	**long for**	열망하다, 갈망하다
0600	**run for**	1. 입후보하다, 출마하다 2. ~를 부르러 달려가다

DAY 16

0601	distinct	형 1. 뚜렷한, 분명한 2. 뚜렷이 다른, 별개의
0602	similarity	명 유사(성), 닮은 점
0603	abolish	동 (법·제도 등을) 폐지하다
0604	mimic	동 모방하다[흉내 내다] 명 흉내쟁이
0605	errand	명 심부름, 잡일
0606	burden	명 짐, 부담 동 짐[부담]을 지우다
0607	impose	동 1. 부과하다 2. 강요하다
0608	contemporary	형 1. 동시대의 2. 현대의, 당대의 명 동년배[동시대인]
0609	gene	명 유전자
0610	deal	동 1. 다루다, 처리[대처]하다 2. 거래하다 명 1. 거래 2. 대우, 취급
0611	enact	동 1. (법을) 제정하다 2. 상연하다, 연기하다
0612	prominent	형 1. 유명한, 저명한 2. 두드러진, 눈에 잘 띄는
0613	outlook	명 1. 관점, 견해 2. (미래에 대한) 전망 3. 경치, 전망
0614	console	동 위로하다, 위안을 주다
0615	sustain	동 1. 유지[지속]하다 2. 떠받치다, 지탱하다
0616	kin	명 친척, 친족
0617	fabulous	형 기막히게 좋은, 굉장한
0618	rot	동 썩다, 부패하다
0619	charge	동 1. 청구하다, 부담시키다 2. 비난하다, 고소하다 3. 충전하다 명 1. 요금 2. 비난, 고소 3. 책임 4. 충전

0620	**paralyze**	동 1. 마비시키다 2. 무력하게 만들다
0621	**enormous**	형 거대한, 엄청난
0622	**sculpture**	명 조각(품), 조소
0623	**urge**	동 촉구하다 명 욕구, 충동
0624	**tolerate**	동 참다, 견디다, 용인하다
0625	**crew**	명 1. 승무원, 선원 2. 팀, 반, 조
0626	**transparent**	형 1. 투명한 2. 명료한, 알기 쉬운
0627	**possess**	동 1. 소유하다 2. (자질 등을) 지니다 3. 사로잡다
0628	**revenge**	명 복수, 보복 동 복수하다
0629	**subordinate**	형 1. 종속된 2. 부차적인 명 부하, 하급자
0630	**hatch**	동 부화하다[시키다] 명 (배·항공기의) 출입구
0631	**compare**	동 1. 비교하다 2. 비유하다
0632	**violent**	형 1. 폭력적인, 난폭한 2. 격렬한, 맹렬한
0633	**astronomy**	명 천문학
0634	**viewpoint**	명 견해, 관점
0635	**lay**	동 1. 놓다[두다] 2. (알을) 낳다
0636	**lie**	동 1. 눕다, 누워 있다 2. 놓여 있다 3. (어떤 상태로) 있다 4. 거짓말하다 명 거짓말
0637	**stimulate**	동 1. 자극하다 2. 흥미[관심]를 불러일으키다
0638	**simulate**	동 1. 모의실험하다 2. ~한 체하다, 가장하다
0639	**run into**	우연히 만나다
0640	**talk into**	설득해서 ~하게 하다

DAY 17

0641	**categorize**	동 분류하다, 범주에 넣다
0642	**reproduce**	동 1. 재생[재현]하다 2. 복제하다 3. 번식하다
0643	**blunt**	형 1. 무딘, 뭉툭한 2. 직설적인
0644	**fiber**	명 섬유(질)
0645	**obsess**	동 사로잡다, 집착하게 하다
0646	**merchandise**	명 상품, 물품 동 판매하다
0647	**commodity**	명 상품, 물품
0648	**engage**	동 1. 관여[참여]하다 2. 고용하다 3. (주의·관심을) 끌다 4. 약속하다, 약혼하다
0649	**subsequent**	형 1. 다음의, 그 후의 2. 잇따라 일어나는
0650	**ponder**	동 숙고하다, 곰곰이 생각하다
0651	**grasp**	동 1. 꽉 잡다 2. 이해하다, 파악하다 명 1. 꽉 잡기 2. 이해, 파악
0652	**atom**	명 원자
0653	**glare**	동 1. 노려보다 2. 눈부시게 빛나다 명 1. 노려봄 2. 눈부신 빛
0654	**intersection**	명 교차로, 교차 지점
0655	**dissolve**	동 1. 용해되다[시키다] 2. 끝내다 3. 해산시키다
0656	**toxic**	형 유독한, 독성의
0657	**solution**	명 1. 해결책, 해답 2. 용해 3. 용액
0658	**legitimate**	형 1. 합법적인, 정당한 2. 법률(상)의
0659	**pedestrian**	명 보행자 형 보행자의

0660	**confuse**	동 혼동하다, 혼란스럽게 하다
0661	**discourage**	동 1. 의욕을 꺾다 2. (못 하게) 막다, 단념시키다
0662	**parental**	형 부모의, 어버이의
0663	**upcoming**	형 다가오는, 곧 있을
0664	**immune**	형 1. 면역(성)의 2. 영향을 받지 않는 3. 면제된
0665	**scrap**	명 1. 조각 2. 조금 3. 찌꺼기, 폐품 동 폐기하다
0666	**arrange**	동 1. 정리하다, 배열하다 2. 준비[주선]하다 3. 편곡하다
0667	**democracy**	명 1. 민주주의 2. 민주 국가
0668	**exert**	동 1. (압력·영향력을) 가하다, 행사하다 2. (힘 등을) 쓰다, 발휘하다
0669	**habitat**	명 서식지, 거주지
0670	**enthusiasm**	명 1. 열정, 열의 2. 열광
0671	**strive**	동 1. 노력하다, 애쓰다 2. 싸우다, 분투하다
0672	**dense**	형 1. 빽빽한, 밀집한 2. (안개 등이) 짙은
0673	**variety**	명 다양(성)
0674	**scroll**	명 두루마리 동 ((컴퓨터)) 스크롤하다(화면의 내용을 상하[좌우]로 움직이다)
0675	**precious**	형 1. 귀중한, 값비싼 2. 소중한
0676	**previous**	형 앞의, 이전의
0677	**insult**	명 모욕 동 모욕하다
0678	**insert**	동 삽입하다, 끼워 넣다
0679	**live up to**	(기대에) 부응하다, ~에 맞추어 살다
0680	**look up to**	~를 존경하다

DAY 18

0681	condemn	동 1. 비난하다 2. 형을 선고하다
0682	authentic	형 1. 진짜[진품]의 2. 믿을 만한, 확실한
0683	impact	명 영향, 충격 동 영향[충격]을 주다
0684	magnify	동 1. 확대하다 2. 과장하다
0685	paradox	명 역설, 모순, 패러독스
0686	widespread	형 널리 퍼진, 광범위한
0687	amend	동 (법 등을) 개정[수정]하다
0688	ecology	명 생태(계), 생태학
0689	perceive	동 1. 인지[인식]하다 2. (~로) 여기다
0690	factual	형 사실의, 사실에 근거한
0691	patron	명 1. 후원자 2. 단골손님, 고객
0692	deficit	명 1. 적자 2. 부족(액), 결손
0693	civil	형 시민[민간]의
0694	nutrition	명 영양, 영양 섭취
0695	intervene	동 1. 개입하다 2. 끼어들다, 가로막다
0696	resolve	동 1. 해결하다 2. 결심[결의]하다 명 결심, 결의
0697	identify	동 1. 확인하다 2. 식별하다 3. 동일시하다
0698	discharge	동 1. 방출[배출]하다 2. 퇴원[제대/석방]시키다 명 1. 방출[배출] 2. 퇴원, 제대
0699	gravity	명 1. 중력 2. 중대성[심각성]

0700	partial	형 1. 부분적인 2. 편파적인, 불공평한
0701	boundary	명 1. 경계(선) 2. 한계, 한도
0702	guarantee	동 보장[보증]하다 명 보장[보증], 보증서
0703	subtle	형 미묘한, 감지하기 힘든
0704	shed	동 1. 흘리다 2. (잎·껍질 등이) 떨어지다 3. 발산하다 명 창고, 헛간
0705	tissue	명 1. 조직 2. 화장지 3. 얇은 종이
0706	vibrate	동 떨다, 진동하다, 흔들리다
0707	outdated	형 구식의, 시대에 뒤진
0708	cause	동 초래하다, 야기하다 명 1. 원인, 이유 2. 명분
0709	deprive	동 빼앗다, 박탈하다
0710	commerce	명 상업, 무역
0711	avoid	동 1. 피하다 2. 막다
0712	universal	형 1. 보편적인, 일반적인 2. 전 세계적인, 전 우주의
0713	render	동 1. ~하게 만들다 2. 주다, 제공하다 3. 표현하다, 연기[연주]하다
0714	sibling	명 (한 명의) 형제자매
0715	submit	동 1. 제출하다 2. 굴복[항복]하다
0716	summit	명 1. 꼭대기, 정상 2. 정점, 절정 3. 정상 회담
0717	elect	동 (투표로) 선출하다 형 당선된
0718	erect	형 똑바로 선, 일어선 동 세우다, 건립하다
0719	break through	1. 돌파하다 2. 극복하다
0720	go through	1. ~을 겪다 2. ~을 조사하다

DAY 19

0721	**soak**	동 담그다, (흠뻑) 적시다
0722	**crude**	형 1. 가공[정제]하지 않은 2. 조잡한, 거친
0723	**breakthrough**	명 돌파구, 타개(책)
0724	**reverse**	동 뒤바꾸다 명 반대, 역 형 반대[역]의
0725	**phase**	명 1. 단계[시기/국면] 2. 양상
0726	**incentive**	명 자극, 동기, 장려(금) 형 자극적인, 격려하는
0727	**animate**	동 1. 생기를 불어넣다 2. 만화 영화로 제작하다 형 살아 있는, 생물인
0728	**comply**	동 (규칙 등에) 따르다, 준수하다
0729	**disaster**	명 재앙, 재난, 재해
0730	**advent**	명 출현, 도래
0731	**inherent**	형 내재적인, 타고난, 고유의
0732	**disconnect**	동 1. 연결[접속]을 끊다 2. 관계를 끊다
0733	**withdraw**	동 1. 물러나다, 철수하다 2. 철회하다 3. (예금 등을) 인출하다
0734	**loan**	명 대출(금), 융자 동 대출하다, 빌려주다
0735	**characteristic**	명 특징, 특색 형 특유의, 특징적인
0736	**harsh**	형 가혹한, 혹독한, 거친
0737	**perish**	동 죽다, 소멸하다, 사라지다
0738	**describe**	동 서술하다, 묘사하다
0739	**microscope**	명 현미경

0740	nominate	동 지명하다, 임명하다
0741	adequate	형 적절한, 충분한
0742	resist	동 1. 저항하다, 반대하다 2. 참다, 견디다
0743	justice	명 1. 정의, 공정, 정당성 2. 사법, 재판(관)
0744	convert	동 1. 전환시키다, 개조하다 2. 개종하다
0745	synthetic	형 1. 합성한 2. 인조의 3. 종합의
0746	remedy	명 1. 치료(약) 2. 해결책 동 치료하다, 고치다
0747	flush	동 1. 붉어지다, 상기되다 2. (변기의) 물을 내리다 명 1. 홍조 2. (변기의) 물을 내림
0748	ground	명 1. 지면, 땅, 토양 2. (특정 용도를 위한) 장소, -장(場) 3. 근거, 이유 4. 입장, 의견 동 (~에) 근거[기초]를 두다
0749	encourage	동 1. 격려하다, 용기를 북돋우다 2. 장려하다
0750	destination	명 1. 목적[행선]지, 도착지 2. 목적, 용도
0751	underestimate	동 1. 과소평가하다 2. 낮게[적게] 어림하다 명 과소평가
0752	tangible	형 1. 만져서 알 수 있는, 실체적인 2. 명백한
0753	slogan	명 구호, 슬로건
0754	volcano	명 화산
0755	memorable	형 기억할 만한, 인상적인
0756	memorial	명 기념비[물] 형 기념하기 위한, 추모의
0757	preserve	동 1. 보존하다, 지키다 2. 저장하다
0758	persevere	동 인내하며 계속하다
0759	let on	말하다, 털어놓다
0760	take on	맡다, 책임을 지다

DAY 20

0761	**attain**	동 1. 얻다, 달성하다 2. 도달하다
0762	**garment**	명 옷, 의류
0763	**impersonal**	형 1. 인간미 없는 2. 비개인적인
0764	**depict**	동 1. 묘사하다 2. 그리다
0765	**fade**	동 1. 바래다[희미해지다] 2. 서서히 사라지다
0766	**elastic**	형 1. 탄성의, 신축성이 있는 2. 고무로 된
0767	**candidate**	명 1. 후보자 2. 지원자
0768	**collaborate**	동 협력하다, 공동으로 작업하다
0769	**affection**	명 1. 애착, 보살핌 2. 애정
0770	**grab**	동 1. 움켜쥐다, 붙잡다 2. (기회를) 잡다 명 움켜잡음
0771	**embed**	동 1. 박다[끼워 넣다] 2. 깊이 새겨 두다
0772	**vomit**	동 토하다, 게우다
0773	**figure**	명 1. 숫자, 수치 2. 모습, 형상 3. 인물 4. 도표 5. 도형 동 1. 계산하다 2. 판단하다
0774	**mutual**	형 1. 상호 간의 2. 서로의, 공동의
0775	**refrain**	동 삼가다, 자제하다
0776	**basis**	명 1. 근거, 이유 2. 기초, 토대
0777	**cosmetic**	명 화장품 형 화장용의, 미용의
0778	**squeeze**	동 1. 짜내다 2. 꽉 쥐다 3. 압박하다
0779	**worthwhile**	형 (~할) 가치가 있는

0780	pose	동 1. (문제를) 제기하다 2. 자세를 취하다 명 자세
0781	intake	명 섭취, 흡입
0782	sequence	명 1. (일련의) 연속 2. 순서, 차례
0783	drastic	형 급격한, 과감한, 극단적인
0784	invade	동 1. 침략[침입]하다 2. 침해하다
0785	chronic	형 (질병이) 만성적인
0786	prejudice	명 편견 동 편견을 갖게 하다
0787	norm	명 1. 표준, 기준 2. 규범
0788	superb	형 최고의, 훌륭한
0789	organism	명 유기체, (작은) 생물
0790	source	명 1. 원천, 근원 2. 자료, (자료의) 출처
0791	emphasize	동 강조하다, 역설하다
0792	guilty	형 유죄의, 죄책감을 느끼는
0793	terminal	형 1. 말기의, 불치의 2. 끝의 명 터미널
0794	rid	동 1. 제거하다 2. 자유롭게 하다
0795	raise	동 1. 올리다 2. 기르다 3. 모금하다 4. 제기하다 명 임금 인상
0796	rise	동 1. 오르다, 상승하다 2. (해·달이) 뜨다 명 1. 오름, 상승 2. 증가
0797	arise	동 발생하다, 생기다
0798	make up for	~을 보상하다
0799	sign up for	~을 신청하다
0800	stand up for	~을 옹호하다, ~을 지지하다

DAY 21

0801	**document**	명 문서, 서류 동 기록하다
0802	**infer**	동 추론하다, 추측하다
0803	**polar**	형 1. 극지의, 북극[남극]의 2. (전지·자기의) 양극의
0804	**esteem**	명 존중, 존경 동 (중히) 여기다
0805	**criticize**	동 1. 비판[비난]하다 2. 비평하다
0806	**vow**	동 맹세하다, 서약하다 명 맹세, 서약
0807	**accelerate**	동 속도를 높이다, 가속화되다[하다]
0808	**counterfeit**	형 위조의, 가짜의 명 위조품, 가짜
0809	**negotiate**	동 1. 협상[교섭]하다 2. 협정[결정]하다 3. 양도하다, 유통하다 4. 지나다, 빠져나가다
0810	**revolution**	명 1. 혁명 2. 공전, 회전
0811	**foretell**	동 예언하다, 예고하다
0812	**rejoice**	동 크게 기뻐하다
0813	**exquisite**	형 1. 매우 아름다운 2. 정교한
0814	**discriminate**	동 1. 차별하다 2. 구별하다, 식별하다
0815	**solitary**	형 1. 혼자의 2. 고독한, 외로운
0816	**geology**	명 지질학
0817	**predecessor**	명 전임자, 이전의 것
0818	**masculine**	형 남자의, 남자다운
0819	**equate**	동 동일시하다, 균등하게 하다

0820	**resume**	동 재개하다, 다시 시작하다
0821	**sector**	명 부문, 분야, 영역
0822	**wander**	동 1. 배회하다, 방랑하다 2. 산만해지다
0823	**layer**	명 층, 겹 동 층층이 쌓다
0824	**scheme**	명 1. (운영) 계획, 제도 2. 책략 동 1. 계획하다 2. 책략을 꾸미다
0825	**academic**	형 학업[학교]의, 학문의, 학구적인
0826	**impulse**	명 1. 충동 2. 충격, 자극
0827	**evaluate**	동 (가치·품질 등을) 평가하다, 감정하다
0828	**restrict**	동 제한[한정]하다
0829	**verbal**	형 1. 언어의, 말의 2. 구두의
0830	**tenant**	명 세입자, 임차인
0831	**surpass**	동 능가하다, 뛰어넘다
0832	**anniversary**	명 기념일
0833	**fragile**	형 1. 부서지기[깨지기] 쉬운 2. 연약한, 허약한 3. 섬세한
0834	**muscle**	명 근육, 힘
0835	**distract**	동 (주의를) 딴 데로 돌리다, 산만하게 하다
0836	**district**	명 지구, 구역
0837	**proceed**	동 1. 진행하다, 계속되다 2. 나아가다
0838	**precede**	동 ~에 선행하다, ~에 앞서다
0839	**succeed to**	~을 잇다, ~을 물려받다[승계하다]
0840	**succeed in**	~에 성공하다

DAY 22

0841	**cope**	동 대처[대응]하다
0842	**halt**	명 멈춤, 중단 동 멈추다, 중단시키다
0843	**privilege**	명 특권, 특혜 동 특권을 주다
0844	**unbiased**	형 편향되지[편파적이지] 않은, 선입견[편견]이 없는
0845	**nurture**	동 1. 양육하다 2. 육성하다 명 1. 양육 2. 육성
0846	**liquid**	명 액체 형 액체의, 유동성의
0847	**address**	동 1. 연설하다 2. (호칭으로) 부르다 3. 검토하다 명 1. 연설 2. 주소 3. 호칭
0848	**glossy**	형 1. 윤이 나는 2. 화려한
0849	**cutback**	명 축소, 삭감
0850	**doom**	동 (나쁘게) 운명 짓다 명 (좋지 않은) 운명, 파멸
0851	**extract**	동 1. 추출하다 2. 발췌하다 명 1. 추출물 2. 발췌
0852	**misconception**	명 오해
0853	**skeptical**	형 회의적인, 의심 많은
0854	**flaw**	명 결함, 결점, 흠
0855	**retain**	동 보유하다, 유지하다
0856	**bargain**	명 1. (정상가보다) 싸게 사는 물건, 특가품 2. 흥정 동 협상[흥정]하다
0857	**context**	명 1. 문맥 2. (일의) 맥락, 전후 상황
0858	**eloquent**	형 1. 웅변의, 달변의 2. 표현[표정]이 풍부한
0859	**surround**	동 둘러싸다, 에워싸다

0860	vehicle	명 1. 탈것, 차량, 운송 수단 2. 수단, 매개체
0861	painstaking	형 힘이 드는, 애쓰는, 공들인
0862	intrigue	동 1. 흥미를 불러일으키다 2. 음모를 꾸미다 명 음모
0863	slide	동 1. 미끄러지다 2. 내려가다 명 1. 미끄러짐 2. 하락
0864	weary	형 1. 지친, 피곤한 2. 싫증 난 동 지치게 하다
0865	opponent	명 1. 상대, 적수 2. 반대자
0866	maintain	동 1. 유지하다, 지속하다 2. 주장하다
0867	trunk	명 1. 줄기, 몸통 2. 코끼리의 코 3. 여행용 큰 가방
0868	athletic	형 1. 운동의, 운동 경기의 2. (몸이) 탄탄한 명 ((-s)) 운동 경기
0869	examine	동 1. 조사[검토]하다, 검사하다 2. 진찰하다 3. 시험을 보게 하다
0870	consist	동 1. 구성되다 2. (~에) 있다
0871	archaeology	명 고고학
0872	ego	명 1. ((심리)) 자아 2. 자부심, 자존심
0873	temporary	형 일시적인, 임시의
0874	salary	명 급여, 월급
0875	comparable	형 비슷한, 비교할 만한
0876	comparative	형 1. 비교의, 비교를 통한 2. 상대적인
0877	leap	동 1. 뛰다, 도약하다 2. 급증하다 명 1. 도약 2. 급증
0878	reap	동 거두다, 수확하다
0879	set about	시작하다, 착수하다
0880	bring about	~을 야기하다

DAY 23

0881	recess	명 휴회 (기간) 동 휴회하다
0882	dread	동 무서워하다, 두려워하다 명 공포, 두려움
0883	enlighten	동 깨우치다, 계몽하다
0884	perpetual	형 영속하는, 끊임없는
0885	hemisphere	명 반구, 반구체
0886	accord	동 일치하다, 부합하다 명 합의, 협정
0887	concern	동 1. 걱정하게 하다 2. 관련되다 3. 관심을 갖다 명 1. 걱정, 염려 2. 관심(사)
0888	strategy	명 1. 전략 2. 계략, 술수 3.계획
0889	barbarous	형 1. 미개한, 야만스러운 2. 잔혹한, 악랄한
0890	tension	명 1. 긴장 (상태) 2. 팽팽함 동 1. 긴장시키다 2. 팽팽하게 하다
0891	apparent	형 1. 분명한, 명백한 2. 외관상의, 겉보기의
0892	glimpse	동 힐끗 보다 명 힐끗 봄
0893	copyright	명 저작권, 판권 형 저작권 보호를 받는
0894	slip	동 미끄러지다 명 1. 미끄러짐 2. 실수 3. (작은 종이) 조각
0895	impress	동 1. 깊은 인상을 주다 2. 감동시키다
0896	vocal	형 목소리의, 음성의 명 보컬 (부분)
0897	retreat	동 후퇴하다, 물러서다 명 후퇴, 철수
0898	auction	명 경매 동 경매로 팔다
0899	peer	명 동료, 또래 동 응시하다, 자세히 보다

0900	**oppose**	동 반대하다, 대항하다
0901	**incredible**	형 1. 믿을 수 없는 2. (믿기 힘들 만큼) 놀라운, 대단한
0902	**molecule**	명 분자
0903	**supreme**	형 최고의, 최상의
0904	**weave**	동 (실 등을) 짜다, 엮다
0905	**receive**	동 받다, 받아들이다
0906	**desert**	명 사막 형 사막의, 사람이 살지 않는 동 버리다, 떠나다
0907	**empirical**	형 경험에 따른, 실증적인
0908	**chronological**	형 연대순의, 발생[시간] 순서대로 된
0909	**threat**	명 1. 위협, 협박 2. 위험
0910	**protest**	명 항의, 시위 동 항의[반대]하다, 이의를 제기하다
0911	**cancer**	명 암
0912	**modify**	동 1. 수정하다 2. 수식하다, 한정하다
0913	**survey**	명 (설문) 조사 동 조사하다
0914	**equilibrium**	명 1. 평형[균형] (상태) 2. (마음의) 평정
0915	**affect**	동 영향을 미치다
0916	**effect**	명 1. 영향, 효과 2. 결과
0917	**intuition**	명 직관(력), 직감
0918	**tuition**	명 수업료, 등록금
0919	**give rise to**	~을 낳다, ~을 일으키다
0920	**give way to**	~에 굽히다, ~에 항복하다

DAY 24

0921	**accommodate**	동 1. 숙박시키다, 수용하다 2. 적응시키다[하다]
0922	**duty**	명 1. 의무 2. 임무 3. (수출입에 대한) 세금
0923	**native**	형 1. 태어난 곳의 2. 타고난 3. 토박이의 명 1. ~ 출신자 2. 원주민, 토착민
0924	**fund**	명 기금, 자금 동 자금을 대다
0925	**tribe**	명 부족, 종족
0926	**clarify**	동 1. 명백히 하다 2. 정화하다
0927	**gracious**	형 1. 자애로운 2. 품위 있는, 우아한 3. 정중한
0928	**repair**	동 1. 수리[수선]하다 2. 회복하다 명 1. 수리[수선] 2. 회복
0929	**prophecy**	명 예언, 예지력
0930	**electron**	명 전자
0931	**betray**	동 1. 배신[배반]하다 2. 누설하다 3. (무심코) 드러내다
0932	**snap**	동 1. 홱 잡아채다 2. 찰칵 소리내다 명 1. 찰칵하는 소리 2. 스냅 사진
0933	**obligation**	명 의무, 책무
0934	**bear**	동 1. 참다, 견디다 2. (부담·책임을) 지다 3. (무게를) 지탱하다 4. (아이를) 낳다, (열매를) 맺다
0935	**initial**	형 처음의, 초기의 명 머리글자(이니셜)
0936	**nostalgia**	명 향수, 옛날을 그리워함
0937	**devour**	동 1. 게걸스레 먹다 2. 탐독하다
0938	**inherit**	동 상속하다, 물려받다
0939	**superstition**	명 미신

0940	**artificial**	형 1. 인공적인, 인조의 2. 거짓의
0941	**revive**	동 1. 활기를 되찾다, 회복하다 2. 재공연하다
0942	**convey**	동 1. (생각·감정 등을) 전달하다 2. 나르다, 운반하다
0943	**herd**	명 (짐승의) 떼, 무리 동 떼 지어 몰다
0944	**philosophy**	명 철학
0945	**mount**	동 1. 오르다 2. 증가하다 명 산
0946	**stall**	명 1. 가판대, 좌판 2. 마구간 3. 구실, 핑계 동 1. 멈추다 2. 시간을 끌다
0947	**extrovert**	명 외향적인 사람
0948	**differ**	동 1. 다르다 2. 의견이 다르다
0949	**consistent**	형 1. 일관된, 한결같은 2. 일치하는
0950	**verse**	명 1. 운문, 시 2. (시의) 연, (노래의) 절
0951	**employ**	동 1. 고용하다 2. (기술·방법 등을) 이용하다
0952	**adversity**	명 역경, 고난, 불운
0953	**theme**	명 주제, 테마
0954	**potent**	형 1. 강력한, 유력한 2. 효험이 있는
0955	**expand**	동 확대하다, 확장하다, 팽창시키다
0956	**expend**	동 (돈·시간 등을) 쏟다, 들이다
0957	**extend**	동 1. 연장하다 2. 뻗다 3. 확장하다
0958	**carry out**	1. 수행하다 2. 완수하다
0959	**turn out**	~인 것으로 밝혀지다
0960	**work out**	1. 운동하다 2. (일이) 잘 풀리다

DAY 25

0961	**portion**	명 1. 부분[일부] 2. 몫, 1인분 동 분배[할당]하다
0962	**release**	동 1. 석방하다 2. 놓아 주다, 방출하다 3. 발매[개봉/발표]하다 명 1. 석방 2. 방출 3. 발매[개봉/발표]
0963	**stereotype**	명 고정 관념
0964	**overtake**	동 1. 추월하다 2. 불시에 닥치다
0965	**foremost**	형 1. 주요한, 으뜸가는 2. 맨 먼저의 부 맨 먼저
0966	**correlation**	명 연관성, 상관관계
0967	**improvise**	동 (연주·연설 등을) 즉흥적으로 하다
0968	**speculate**	동 1. 추측[짐작]하다 2. 투기하다
0969	**automatic**	형 1. 자동의 2. 무의식적인
0970	**logic**	명 1. 논리(학) 2. 타당성
0971	**backfire**	동 역효과를 낳다
0972	**racial**	형 인종의, 민족의
0973	**hatred**	명 혐오, 증오
0974	**associate**	동 연상하다, 연관 짓다 명 (직장·사업) 동료
0975	**simultaneously**	부 동시에
0976	**version**	명 1. ~판, 버전 2. (개인의) 설명, 견해 3. 개작, 각색
0977	**predominant**	형 1. 우세한, 지배적인 2. 주류를 이루는, 두드러진
0978	**pile**	명 쌓아 놓은 것, 더미 동 쌓아 올리다
0979	**duplicate**	동 복사[복제]하다 형 사본의, 똑같은 명 사본

0980	remains	명 1. 유물, 유적 2. 나머지, 남은 것
0981	torture	명 고문 동 고문하다
0982	intermediate	형 중간의, 중급의 명 중급자
0983	swallow	동 (꿀꺽) 삼키다 명 1. 제비 2. 삼킴
0984	exaggerate	동 과장하다, 지나치게 강조하다
0985	descendant	명 자손, 후예
0986	strict	형 1. 엄격한 2. 엄밀한
0987	approve	동 1. 찬성하다 2. 승인하다
0988	quarter	명 1. 4분의 1 [15분/25센트/분기] 2. 지역, 지구 3. ((-s)) 숙소, 막사
0989	secondhand	형 1. 중고의 2. 간접의
0990	define	동 1. 정의하다, 규정하다 2. (범위 등을) 한정하다
0991	prohibit	동 1. 금지하다 2. ~하지 못하게 하다
0992	geometry	명 1. 기하학 2. 기하학적 구조
0993	cozy	형 아늑한, 편안한
0994	metropolitan	형 주요 도시의, 대도시의, 수도의
0995	imitate	동 모방하다, 흉내 내다
0996	initiate	동 1. 시작하다, 개시하다 2. 입회시키다
0997	mediate	동 중재하다, 조정하다
0998	meditate	동 1. 명상하다, 묵상하다 2. 숙고하다
0999	take ~ for granted	~을 당연하게 여기다
1000	take ~ into account	~을 고려하다, ~을 참작하다

DAY 26

1001	receipt	명 1. 영수증 2. 수령, 인수
1002	spectacular	형 1. 장관을 이루는 2. 화려한, 멋진
1003	pursue	동 1. 추구하다 2. 뒤쫓다, 추적하다
1004	immense	형 엄청난, 거대한, 막대한
1005	hierarchy	명 계층, 계급(제), 위계
1006	embody	동 1. 상징하다, 구현하다 2. 포함하다
1007	approximate	형 대략적인, 근사치의 동 비슷하다, 가깝다
1008	prolific	형 1. 다작하는 2. 다산의 3. 많은, 풍부한
1009	margin	명 1. 여백 2. 가장자리, 끝 3. 수익 4. (득표 등의) 차이
1010	inject	동 주사하다, 주입하다
1011	script	명 1. 대본, 원고 2. 서체, 필적 동 대본을[원고를] 쓰다
1012	objective	형 객관적인 명 목표, 목적
1013	misfortune	명 불운, 불행
1014	command	명 1. 명령 2. 지휘 동 1. 명령하다 2. 지휘하다 3. 지배하다 4. (경치를) 내려다보는 위치를 차지하다
1015	rough	형 1. 거친, 험한 2. 대략적인 3. 힘든
1016	curb	동 제한하다, 억제하다 명 1. 제한[억제]하는 것 2. (도로의) 연석
1017	disappoint	동 실망시키다, 낙담시키다
1018	abbreviation	명 축약(형)
1019	concrete	형 1. 구체적인 2. 콘크리트로 된 명 콘크리트

1020	**lack**	명 부족, 결핍 동 부족하다
1021	**beware**	동 조심하다, 주의하다
1022	**theory**	명 이론, 학설
1023	**undergo**	동 겪다, 경험하다
1024	**stride**	동 성큼성큼 걷다 명 1. 활보 2. 진보, 진전
1025	**tune**	명 1. 곡, 선율 2. (다른 악기와의) 조화 동 1. 조율하다 2. (채널 등을) 맞추다
1026	**sociable**	형 사교적인, 붙임성 있는
1027	**notify**	동 1. 알리다, 통지하다 2. 발표하다, 공시하다
1028	**plague**	명 전염병 동 괴롭히다
1029	**construct**	동 1. 건설하다 2. 구성하다
1030	**struggle**	동 애쓰다, 분투하다 명 노력, 분투
1031	**gross**	형 1. 총~, 총계의 2. 엄청난, 중대한
1032	**reptile**	명 파충류
1033	**degenerate**	동 악화[퇴화]하다, 퇴보하다 형 퇴폐적인, 타락한
1034	**veteran**	명 1. 퇴역 군인 2. 전문가 형 노련한, 경험이 많은
1035	**constitute**	동 1. 구성하다 2. 설립하다, 제정하다
1036	**substitute**	동 대체하다, 대신하다 명 대체물, 대리인
1037	**afflict**	동 괴롭히다, 피해를 입히다
1038	**inflict**	동 가하다, 지우다
1039	**leak out**	누출되다
1040	**leave out**	빼다, ~을 생략하다

DAY 27

1041	indigenous	형 1. 토착의, 그 지역 고유의 2. 타고난
1042	biodiversity	명 생물의 다양성
1043	pledge	동 약속하다, 맹세하다 명 약속, 맹세
1044	frugal	형 검소한, 절약하는
1045	forecast	명 예측, 예보 동 예측하다, 예보하다
1046	glow	동 1. 빛나다, 타다 2. 발개지다 명 1. 불빛 2. 홍조
1047	correspond	동 1. 일치[부합]하다 2.~에 해당[상응]하다 3. 편지를 주고받다
1048	relevant	형 1. 관련 있는 2. 적절한
1049	craft	명 1. 공예, 기술 2. 선박, 비행기 동 공들여 만들다
1050	orient	동 지향하게 하다, 목적에 맞추다 명 동양, 동방
1051	administer	동 1. 관리하다, 운영하다 2. 집행하다
1052	dialect	명 방언, 사투리
1053	locate	동 1. 위치시키다, 두다 2. 찾아내다
1054	entail	동 1. 수반하다, 필요로 하다 2. 함의하다
1055	present	형 1. 현재의 2. 있는, 참석한, 출석한 명 1. 선물 2. 현재 동 1. 증정하다, 주다 2. 제시하다 3. 발표하다
1056	monologue	명 1. 독백 2. 독백 형식의 극
1057	reinforce	동 1. 강화하다, 보강하다 2. 증원하다
1058	horizon	명 수평선, 지평선
1059	despair	명 절망 동 절망하다

1060	**shred**	동 (갈가리) 찢다, 채를 썰다 명 조각, 파편
1061	**entire**	형 1. 전체의 2. 완전한
1062	**executive**	명 1. 임원, 경영진 2. 행정부 형 1. 경영의 2. 행정의
1063	**alley**	명 골목길, 오솔길
1064	**dominate**	동 1. 지배하다 2. 우위를 차지하다
1065	**absolute**	형 1. 절대적인 2. 완전한 명 절대적인 것
1066	**imply**	동 내포하다, 암시하다
1067	**spectator**	명 관중, 구경꾼
1068	**discrete**	형 분리된, 별개의
1069	**utter**	동 (소리를) 내다, 말하다 형 완전한, 순전한
1070	**conversation**	명 대화, 회화
1071	**notice**	동 1. 알아차리다 2. 주목하다 3. 통지하다 명 1. 주목 2. 알림, 통지 3. 게시
1072	**tradition**	명 전통
1073	**paragraph**	명 단락, 문단
1074	**texture**	명 1. 감촉, 질감 2. 조직
1075	**prescribe**	동 1. 처방하다 2. 규정하다
1076	**subscribe**	동 1. 구독하다, 가입하다 2. 기부하다
1077	**merge**	동 합병하다, 합치다
1078	**emerge**	동 나타나다, 드러나다
1079	**break in[into]**	1. 침입하다 2. (대화에) 끼어들다
1080	**break out**	일어나다[발발하다]

DAY 28

1081	**cosmos**	명 ((the -)) 우주
1082	**empower**	동 ~에게 권한을 부여하다, 권력을 위임하다
1083	**govern**	동 통치하다, 지배하다
1084	**linguistic**	형 언어의, 언어학의 명 ((-s)) 언어학
1085	**exhilarating**	형 기분을 북돋우는, 신나는
1086	**theft**	명 절도, 도둑질
1087	**delude**	동 속이다, 착각하게 하다
1088	**instant**	형 1. 즉시의, 즉각적인 2. 인스턴트의 명 순간
1089	**monopoly**	명 독점, 전매
1090	**suicide**	명 자살
1091	**compress**	동 압축하다
1092	**professional**	형 1. 직업(상)의 2. 전문적인, 프로의 명 전문가
1093	**defect**	명 1. 결함, 결점 2. 부족, 결핍 동 (국가·당을) 버리다, (다른 나라·당으로) 도망치다
1094	**colleague**	명 (직장) 동료
1095	**renovate**	동 1. 개조하다, 보수하다 2. 혁신[쇄신]하다
1096	**acute**	형 1. 극심한 2. 예민한 3. (병이) 급성의
1097	**hospitality**	명 1. 환대, 후한 대접 2. 접대
1098	**sprain**	동 삐다, 접질리다
1099	**funeral**	명 장례식 형 장례의

1100	agenda	명 의제, 안건
1101	electronic	형 1. 전자의 2. 전자 장비와 관련된
1102	originate	동 1. 기원하다, 유래하다 2. 발명[고안]하다
1103	quote	동 인용하다, 예로 들다 명 인용문[구]
1104	independent	형 1. 독립된, 독립적인 2. 자립심이 강한
1105	impair	동 손상시키다, 악화시키다
1106	politics	명 1. 정치 2. 정치학
1107	vote	동 투표하다 명 투표
1108	confront	동 1. 직면하다, 맞서다 2. 마주보고 있다
1109	inventory	명 물품 목록, 재고(품)
1110	rear	명 뒤쪽 형 뒤쪽의 동 양육하다, 기르다
1111	suffer	동 1. (고통을) 겪다, 입다 2. (병을) 앓다
1112	nerve	명 1. 신경 2. 긴장, 불안 3. 용기, 배짱
1113	sarcastic	형 빈정대는, 비꼬는, 풍자적인
1114	purchase	동 구입하다, 구매하다 명 구입(품), 구매
1115	altitude	명 (해발) 고도, 고지
1116	aptitude	명 소질, 적성
1117	latitude	명 1. 위도 2. (위도상의) 지역, 지대
1118	take up	1. 차지하다 2. (일·취미 등을) 시작하다
1119	turn up	1. 나타나다 2. (소리 등을) 높이다
1120	end up	결국 ~하게 되다

DAY 29

1121	**constraint**	명 1. 제약 2. 제한, 통제
1122	**innate**	형 타고난, 선천적인
1123	**plunge**	동 1. 급락하다 2. 뛰어들다 명 1. 급락 2. 뛰어듦
1124	**excel**	동 능가하다, 탁월하다
1125	**savage**	형 1. 야만적인, 미개한 2. 잔인한, 난폭한 명 미개인
1126	**creed**	명 신념, (종교의) 교리
1127	**lick**	동 핥다, 핥아먹다
1128	**continue**	동 계속하다, 지속하다
1129	**fare**	명 (교통) 요금, 운임
1130	**trigger**	동 촉발하다, 유발하다 명 1. 방아쇠 2. 계기, 도화선
1131	**issue**	명 1. 문제, 쟁점 2. 발행(물) 동 1. 공표[발표]하다 2. 발행[발부]하다
1132	**shortage**	명 부족, 결핍
1133	**utensil**	명 (가정용) 기구, 도구
1134	**demolish**	동 1. 파괴하다, 무너뜨리다 2. 폐지하다
1135	**force**	동 강요하다, 억지로 ~하게 하다 명 1. 힘 2. 강압, 폭력 3. 병력
1136	**ally**	명 1. 동맹국 2. 협력자 동 (~에 대항하여) 동맹을 맺다, 연합하다
1137	**primary**	형 1. 주요한, 제1의 2. 최초[초기]의 3. 초등의
1138	**react**	동 1. 반응하다 2. 반작용하다
1139	**victim**	명 희생자, 피해자

1140	**municipal**	형 시[읍/군]의, 지방 자치제의
1141	**retrieve**	동 되찾아 오다, 회수하다
1142	**available**	형 1. 이용 가능한 2. 시간이 있는
1143	**discord**	명 1. 불화, 불일치 2. 불협화음
1144	**strengthen**	동 강화하다
1145	**hilarious**	형 유쾌한, 아주 재미있는
1146	**disturb**	동 1. 방해하다 2. 어지럽히다, 혼란케 하다
1147	**outrage**	명 1. 격분, 분개 2. 잔인무도한 일 동 격분하게 만들다
1148	**sufficient**	형 충분한
1149	**petition**	명 청원(서), 탄원(서) 동 청원하다, 탄원하다
1150	**attitude**	명 태도, 자세, 마음가짐
1151	**crop**	명 1. 농작물 2. 수확물 동 자르다, 베다
1152	**manipulate**	동 1. (기계 등을) 다루다, 조작하다 2. (사람·여론을) 조종하다
1153	**flat**	형 1. 평평한, 납작한 2. 바람이 빠진, 펑크 난
1154	**blast**	명 1. 폭발 2. 강한 바람 동 폭발시키다
1155	**eliminate**	동 제거하다, 없애다
1156	**illuminate**	동 밝게 비추다, 조명하다
1157	**optical**	형 1. 시각의, 시력의 2. 광학의, 빛의
1158	**optimal**	형 최상의, 최적의
1159	**figure out**	1. 생각해 내다, 알아내다 2. 이해하다
1160	**make out**	1. 이해하다, 분간하다 2. 작성하다

DAY 30

1161	**blueprint**	명 1. 청사진, 설계도 2. (세밀한) 계획
1162	**entitle**	동 1. 자격[권리]을 주다 2. 제목을 붙이다
1163	**revolve**	동 1. 돌다, 회전하다 2. 공전하다
1164	**latter**	형 후자의, 나중의
1165	**peril**	명 위험, 위기
1166	**spine**	명 1. 척추, 등뼈 2. (동식물의) 가시
1167	**deterioration**	명 악화, 저하, 하락
1168	**surgery**	명 (외과) 수술
1169	**nasty**	형 1. 고약한, 못된 2. (맛·냄새가) 불쾌한, 역겨운
1170	**alienate**	동 1. 멀어지게 만들다 2. 소외감을 느끼게 하다
1171	**congress**	명 1. ((C~)) 미국 의회, 국회 2. (공식적인) 회의
1172	**overthrow**	동 전복시키다, 타도하다 명 전복, 타도
1173	**inflate**	동 1. 부풀리다 2. (물가를) 올리다
1174	**brilliant**	형 1. 뛰어난 2. 빛나는 3. 훌륭한, 멋진
1175	**perspective**	명 1. 관점, 시각 2. 전망, 경치 3. 원근법
1176	**melt**	동 1. 녹다, 녹이다 2. (감정이) 누그러지다
1177	**impatient**	형 1. 참지 못하는, 조급한 2. 짜증 난, 안달하는
1178	**foe**	명 적수, 원수
1179	**cunning**	형 교활한, 간사한, 약삭빠른

1180	dump	동 1. 내다 버리다 2. 덤핑하다 명 쓰레기 하치장
1181	perplex	동 1. 혼란케 하다 2. 당혹하게 하다, 난처하게 하다
1182	require	동 요구하다, 필요로 하다
1183	passive	형 수동적인, 소극적인
1184	shiver	동 (몸을) 떨다 명 떨림, 오한, 전율
1185	trauma	명 정신적 외상, 트라우마
1186	wound	명 상처, 부상 동 상처[부상]를 입히다
1187	appreciate	동 1. 감사하다 2. 감상하다 3. (올바로) 인식하다
1188	detect	동 탐지[감지]하다, 발견하다
1189	scared	형 겁을 먹은, 겁에 질린, 두려운
1190	aware	형 알고 있는, 인식하는
1191	offer	동 1. 제공하다 2. 제안하다 명 1. 제공 2. 제안
1192	assent	명 동의, 찬성 동 동의하다, 찬성하다
1193	remarkable	형 주목할 만한, 놀랄 만한
1194	hygiene	명 위생, 청결
1195	moral	형 도덕의, 도덕적인 명 교훈
1196	morale	명 사기, 의욕
1197	assemble	동 1. 모이다, 모으다 2. 조립하다
1198	resemble	동 ~와 닮다, 비슷하다
1199	wipe out	일소하다, 전멸시키다
1200	put out	(등불·불을) 끄다

DAY 31

1201	fame	명 명성
1202	poetry	명 시, 운문
1203	dictate	동 1. 받아쓰게 하다 2. 명령하다, 지시하다
1204	tide	명 1. 조수(潮水), 조류 2. 흐름
1205	pierce	동 1. 꿰뚫다, 관통하다 2. 구멍을 뚫다
1206	uniform	형 한결같은, 균일한 명 제복, 유니폼
1207	gather	동 모으다, 모이다
1208	probable	형 그럴 듯한, 충분히 가능한
1209	retrospect	명 회상, 회고
1210	extreme	형 극도의, 극단적인 명 극단, 극도
1211	divorce	명 1. 이혼 2. 분리 동 1. 이혼하다 2. 분리시키다
1212	imprint	동 1. 찍다, 인쇄하다 2. 강한 인상을 주다 명 자국, 각인
1213	compost	명 퇴비 동 퇴비를 만들다[주다]
1214	lure	동 꾀다, 유혹하다 명 매력, 미끼
1215	estimate	동 1. 추정하다, 견적하다 2. 평가하다 명 1. 추정, 견적(서) 2. 평가
1216	warfare	명 전쟁, 전투, 교전
1217	inner	형 내부의, 내면의
1218	aquatic	형 물속에서 사는, 수생의
1219	contaminate	동 오염시키다, 더럽히다

1220	thrill	명 전율, 흥분 동 전율하게 하다, 흥분시키다
1221	bound	형 1. 반드시 ~하게 될 2. ~로 향하는 동 (공이) 튀어 오르다, 바운드하다
1222	demoralize	동 사기를 꺾다, 의기소침하게 하다
1223	altruism	명 이타주의, 이타심
1224	cooperate	동 협력하다, 협조하다
1225	mature	형 1. 성숙한, 다 자란 2. 익은, 숙성한 동 성숙해지다, 숙성하다
1226	sew	동 바느질하다, 꿰매다
1227	escalate	동 (단계적으로) 확대되다, 상승하다
1228	grief	명 큰 슬픔, 비탄, 비통
1229	shortsighted	형 1. 근시의 2. 근시안적인
1230	monument	명 기념물, 기념비
1231	stroke	명 1. 뇌졸중 2. (공을 치는) 타법[타격], 스트로크 3. 한번의 동작 동 1. (공을) 치다 2. 쓰다듬다
1232	vacuum	명 진공 동 진공청소기로 청소하다
1233	recede	동 1. 물러나다, 멀어지다 2. 약해지다, 희미해지다
1234	sweep	동 1. (빗자루 등으로) 쓸다, 청소하다 2. 휩쓸다
1235	exclaim	동 외치다, 소리치다
1236	proclaim	동 선언하다, 선포하다
1237	diploma	명 1. 졸업장, 수료증 2. 학위 (증서)
1238	diplomat	명 외교관
1239	cut down on	~을 줄이다
1240	look down on	~을 경시하다, ~을 얕보다

DAY 32

1241	**sensation**	명 1. 감각, 느낌 2. 돌풍, 선풍
1242	**anchor**	동 1. 닻을 내리다 2. 고정시키다 명 1. 닻 2. (뉴스) 앵커
1243	**defeat**	동 패배시키다, 이기다 명 패배
1244	**precaution**	명 1. 예방(책) 2. 조심, 경계
1245	**exhausted**	형 1. 매우 지친 2. 고갈된, 다 써 버린
1246	**dust**	명 먼지, 티끌 동 먼지를 털다
1247	**staple**	형 주된, 주요한 명 1. 주식(主食) 2. 주요 산물
1248	**tremble**	동 떨다, 떨리다 명 떨림
1249	**cluster**	명 1. 무리, 군락 2. (열매의) 송이 동 무리를 이루다
1250	**recover**	동 1. (건강 등을) 회복하다, 되찾다 2. (손실 등을) 메우다
1251	**phenomenon**	명 1. 현상 2. 경이로운 것
1252	**manage**	동 1. 관리하다, 경영하다 2. (간신히) 해내다 3. 다루다, 처리하다
1253	**owe**	동 1. 빚지고 있다 2. 신세를 지다
1254	**cohesive**	형 결속력 있는, 응집성의
1255	**apparatus**	명 1. 기구, 장치 2. (특히 정부의) 조직 3. (신체의) 기관
1256	**dispute**	명 논쟁, 분쟁 동 반박하다, 이의를 제기하다
1257	**dispatch**	동 발송하다, 파견하다 명 1. 발송, 파견 2. 급보
1258	**cost**	명 1. 값, 비용 2. 희생 동 1. (돈·시간·노력이) 들다 2. 희생시키다
1259	**grin**	동 (이를 드러내고) 웃다, 활짝 웃다 명 활짝 웃음

1260	**produce**	동 1. 생산하다 2. 야기하다 3. (새끼를) 낳다 명 생산물, 농산물
1261	**biology**	명 생물학
1262	**orbit**	명 궤도 동 궤도를 돌다
1263	**rehearse**	동 1. 예행연습[리허설]을 하다 2. 되풀이하다
1264	**aim**	명 1. 목표, 목적 2. 겨냥, 조준 동 목표로 하다
1265	**significant**	형 1. 중요한 2. (양·정도가) 상당한
1266	**imminent**	형 임박한, 절박한
1267	**sneak**	동 살금살금[몰래] 가다
1268	**marble**	명 1. 대리석 2. 구슬 형 대리석으로 된
1269	**fort**	명 요새, 보루
1270	**theology**	명 신학
1271	**intimidate**	동 위협하다, 겁을 주다
1272	**envision**	동 마음속에 그리다, 상상하다
1273	**plead**	동 1. 간청하다, 탄원하다 2. 변호하다, 항변하다
1274	**linear**	형 1. (직)선의 2. 길이의 3. ((수학)) 1차의, 선형의
1275	**facility**	명 1. (편의) 시설 2. 쉬움, 용이함
1276	**faculty**	명 1. 교수진 2. 학부 3. 능력, 재능
1277	**alternative**	명 대안 형 대안의, 대체 가능한
1278	**alternate**	동 번갈아 하다 형 번갈아 하는, 교대의
1279	**hand in**	~을 제출하다
1280	**hand out**	~을 나누어 주다, ~을 배포하다

DAY 33

1281	approach	동 다가가다[오다], 접근하다 명 접근(법)
1282	factor	명 요소, 요인
1283	separate	동 분리하다[되다] 형 분리된, 별개의
1284	analogy	명 1. 비유, 유사점 2. 유추
1285	utilitarian	형 실용적인, 공리주의의 명 공리주의자
1286	corporate	형 1. 기업의, 법인의 2. 공동의, 단체의
1287	headquarters	명 본사, 본부
1288	contract	명 계약(서), 협약(서) 동 1. 계약하다 2. 수축하다[시키다] 3. (병에) 걸리다
1289	sheer	형 1. 순전한, 순수한 2. 가파른 3. 얇은, 비치는
1290	activate	동 1. 활성화하다 2. 작동시키다
1291	incur	동 (손실을) 입다, 초래하다
1292	module	명 모듈, (교과목) 학습 단위
1293	generous	형 관대한, 너그러운, 후한
1294	accurate	형 정확한, 정밀한
1295	deplete	동 고갈시키다, 대폭 감소시키다
1296	fraud	명 사기(꾼), 속임
1297	sprout	동 싹이 나다 명 (새)싹
1298	reserve	동 1. 예약하다 2. 비축하다 명 1. 비축(물) 2. 보호 구역
1299	evade	동 피하다, 모면하다

1300	**negative**	형 1. 부정적인 2. 음성의 3. 음의
1301	**overwhelm**	동 1. 압도하다 2. 제압하다
1302	**bay**	명 (바다·호수의) 만
1303	**mass**	명 1. 큰 덩어리 2. 다량, 다수 3. 대중 형 1. 많은, 대량의 2. 대중의
1304	**proper**	형 적절한, 알맞은
1305	**trim**	동 다듬다, 손질하다
1306	**escape**	동 1. 탈출하다, 달아나다 2. 피하다, 면하다 명 탈출, 도망
1307	**portray**	동 1. 그리다, 묘사하다 2. 표현하다
1308	**inward**	형 1. 내적인, 마음의 2. 안의, 내부의 부 안(쪽)으로
1309	**chamber**	명 1. ~실, 방 2. 회의소, 회관 형 실내악의
1310	**literate**	형 1. 읽고 쓸 줄 아는 2. 교양 있는
1311	**storage**	명 1. 저장, 보관 2. 창고, 저장소
1312	**replicate**	동 복제[모사]하다
1313	**physiology**	명 생리학, 생리 (기능)
1314	**dose**	명 복용량, 투여량 동 (약을) 투여하다
1315	**sensible**	형 분별 있는, 현명한
1316	**sensitive**	형 1. 민감한, 예민한 2. 세심한
1317	**sensory**	형 감각의, 지각의
1318	**get out of**	~에서 나오다, ~에서 도망치다
1319	**grow out of**	자라서 ~을 못 입게 되다
1320	**run out of**	다 써 버리다, 동나다

DAY 34

1321	**conceal**	동 숨기다, 감추다
1322	**satellite**	명 위성, 인공위성
1323	**radiate**	동 (빛·열 등을) 방출하다, 내뿜다
1324	**substance**	명 1. 물질 2. 실체 3. 본질, 핵심
1325	**atmosphere**	명 1. 대기(권) 2. (특정 장소의) 공기 3. 분위기
1326	**endeavor**	명 노력, 시도 동 노력하다, 시도하다
1327	**remote**	형 1. 멀리 떨어진, 외딴 2. (시간적으로) 먼
1328	**trail**	명 1. 자국, 자취 2. 오솔길 동 1. (질질) 끌다 2. 추적하다
1329	**displace**	동 1. 옮겨 놓다 2. 대신하다 3. 쫓아내다
1330	**serene**	형 1. 잔잔한, 고요한 2. 차분한 3. 청명한
1331	**advanced**	형 1. 진보한, 선진의 2. 고급의, 상급의
1332	**glide**	동 미끄러지듯 가다, 활주하다 명 미끄러짐, 활주
1333	**predetermine**	동 1. 미리 결정하다 2. 운명짓다
1334	**yield**	동 1. 산출하다 2. 굴복하다 3. 양보하다 명 산출량, 이익
1335	**frustrated**	형 좌절한, 낙담한
1336	**quality**	명 1. 질, 품질 2. 특성 3. 자질, 소질 형 양질의, 고급의
1337	**label**	명 상표, 라벨 동 상표를 붙이다
1338	**drain**	동 1. 물을 빼다 2. 소모시키다 명 배수관
1339	**leak**	동 1. (액체·기체 등이) 새다 2. 누출[유출]하다 명 1. 새는 곳 2. 누출, 유출

1340	**remnant**	명 1. 나머지, 잔여 2. 유물
1341	**oblivious**	형 의식하지 못하는, 잊어버리는
1342	**seek**	동 1. 찾다, 추구하다 2. 노력하다, 시도하다
1343	**fallacy**	명 틀린 생각, 오류
1344	**raw**	형 1. 날것의 2. 가공하지 않은
1345	**imperial**	형 제국의, 황제의
1346	**psychology**	명 심리(학)
1347	**uncover**	동 1. 알아내다, 밝히다 2. 덮개를 열다
1348	**invent**	동 발명하다, 고안하다
1349	**withstand**	동 견뎌 내다, 버티다
1350	**decay**	명 1. 부패, 부식 2. 쇠퇴 동 부패하다, 썩다
1351	**combat**	명 전투, 싸움 동 싸우다, 전투를 벌이다
1352	**balance**	명 1. 균형[평형] 2. 은행 잔고 동 균형을 이루다
1353	**sting**	동 1. 찌르다, 쏘다 2. 따끔거리다, 쓰리다
1354	**psychiatrist**	명 정신과 의사
1355	**access**	명 접근(권) 동 1. 접근하다 2. 접속하다
1356	**assess**	동 1. 평가하다 2. 산정하다
1357	**civilization**	명 문명
1358	**cultivation**	명 1. 경작, 재배 2. 양성, 수련
1359	**turn in**	제출하다
1360	**take in**	~을 섭취하다, ~을 흡수하다

DAY 35

1361	**communal**	형 1. 공동의, 공용의 2. 사회의, 공동체의
1362	**brief**	형 짧은, 간결한 동 간단히 보고하다
1363	**sink**	동 가라앉다, 침몰하다 명 싱크대, 개수대
1364	**rebuild**	동 재건하다, 다시 세우다
1365	**landscape**	명 1. 풍경, 경치 2. 풍경화 동 조경(造景)하다
1366	**component**	명 1. 구성 요소 2. 부품
1367	**stubborn**	형 완고한, 고집 센
1368	**enchant**	동 1. 매혹하다 2. 마법을 걸다
1369	**adolescent**	명 청소년 형 청소년기의
1370	**detest**	동 몹시 싫어하다, 혐오하다
1371	**jealous**	형 질투하는
1372	**dynasty**	명 왕조, 왕가
1373	**copper**	명 구리
1374	**economic**	형 경제(상)의 명 ((-s)) 경제학
1375	**donate**	동 기부[기증]하다
1376	**prerequisite**	명 필수[전제] 조건
1377	**outlaw**	동 불법화하다, 금지하다
1378	**prestigious**	형 명성 있는, 일류의
1379	**mischief**	명 장난, 못된 짓

1380	**include**	동 포함하다[시키다]
1381	**thrust**	동 밀다, 밀치다, 찌르다 명 1. 밀침, 찌르기 2. 요점, 취지
1382	**arch**	동 동그랗게 구부리다[구부러지다] 명 아치형 (구조물)
1383	**statement**	명 1. 진술, 서술 2. 성명(서)
1384	**term**	명 1. 용어 2. 기간 3. 학기 4. 조건 5. 관계, 사이 동 일컫다, 칭하다
1385	**intrinsic**	형 본질적인, 고유한, 내재적인
1386	**sacrifice**	동 1. 희생하다 2. 제물을 바치다 명 1. 희생 2. 제물
1387	**gratify**	동 기쁘게 하다, 충족[만족]시키다
1388	**feat**	명 1. 위업, 공적 2. 재주, 묘기
1389	**wilderness**	명 황야, 황무지
1390	**stink**	동 악취를 풍기다 명 악취
1391	**infect**	동 1. 감염[전염]시키다 2. 오염시키다
1392	**botanist**	명 식물학자
1393	**predator**	명 1. 포식자, 포식 동물 2. 약탈자
1394	**religious**	형 종교의, 종교적인, 신앙심이 깊은
1395	**comprehend**	동 이해하다
1396	**apprehend**	동 1. 체포하다 2. 파악하다
1397	**vague**	형 1. 모호한 2. 희미한 3. 막연한
1398	**vogue**	명 1. 유행, 성행 2. 인기, 호평
1399	**pay for**	대금을 지불하다, 빚을 갚다
1400	**pay off**	1. 성과를 내다, 결실을 맺다 2. 갚다, 청산하다

DAY 36

1401	**forbid**	동 1. 금지하다 2. (못 하게) 막다
1402	**revenue**	명 1. 수입, 수익 2. 세입
1403	**static**	형 정적인, 고정된
1404	**obvious**	형 명백한, 분명한
1405	**distort**	동 1. 비틀다 2. 왜곡하다
1406	**barrier**	명 장애물, 장벽
1407	**pupil**	명 1. 학생, 제자 2. 동공, 눈동자
1408	**indulge**	동 1. 탐닉하다, 빠지다 2. 충족시키다
1409	**affirm**	동 1. 단언[확언]하다 2. 확인하다
1410	**symptom**	명 1. 증상 2. 징후, 조짐
1411	**imperative**	형 1. 필수의 2. 명령적인 명 1. 긴급한 일 2. 명령
1412	**appropriate**	형 적절한, 알맞은
1413	**censorship**	명 검열
1414	**propel**	동 나아가게 하다, 추진하다
1415	**domain**	명 1. (지식·활동 등의) 분야, 영역 2. 영토, 소유지
1416	**applause**	명 박수 (갈채)
1417	**radical**	형 1. 급진적인, 과격한 2. 근본적인
1418	**assist**	동 돕다, 보조하다 명 (스포츠) 어시스트
1419	**decline**	동 1. 감소하다, 쇠퇴하다 2. 거절하다 명 감소, 하락, 쇠퇴

1420	clue	명 단서, 실마리
1421	vital	형 1. 필수적인 2. 생명의 3. 활기찬
1422	exist	동 1. 존재하다, 실재하다 2. 살아가다
1423	concise	형 간결한, 간명한
1424	volunteer	명 지원자, 자원봉사자 동 자원하다
1425	spoil	동 1. 망치다, 상하게 하다 2. 버릇없게 만들다
1426	masterpiece	명 걸작, 명작
1427	glance	동 1. 힐끗 보다 2. 대충 훑어보다 명 힐끗 봄
1428	transplant	동 이식하다, 옮겨 심다 명 이식
1429	forefather	명 선조, 조상
1430	martial	형 1. 싸움의, 전쟁의 2. 군대의
1431	elevate	동 1. (들어) 올리다, 높이다 2. 승진시키다
1432	reconcile	동 1. 화해시키다 2. 일치시키다, 조화시키다
1433	stack	명 1. 더미, 무더기 2. 많음, 다량 동 쌓아올리다
1434	hay	명 건초, 말린 풀
1435	distinguish	동 구별하다, 식별하다
1436	extinguish	동 (불을) 끄다, 소멸시키다
1437	property	명 1. 재산, 소유물 2. 부동산 3. ((-s)) 특성, 속성
1438	poverty	명 가난, 빈곤
1439	hit on[upon]	~을 (우연히) 생각해 내다
1440	catch on	이해하다, 파악하다

DAY 37

1441	**ruin**	동 망치다, 파괴하다 명 1. 붕괴, 파괴 2. ((-s)) 폐허, 유적
1442	**heal**	동 치료하다, 낫게 하다
1443	**device**	명 1. 장치, 기기 2. 고안, 방책
1444	**intense**	형 극심한, 강렬한
1445	**provide**	동 제공[공급]하다, 주다
1446	**tablet**	명 1. (금속·나무·돌 등의) 판 2. 정제, 알약
1447	**longevity**	명 1. 장수, 오래 삶 2. 수명
1448	**inscribe**	동 (비석 등에) 새기다, 쓰다
1449	**punish**	동 처벌하다, 벌주다
1450	**vast**	형 막대한, 방대한
1451	**physics**	명 물리학
1452	**irony**	명 1. 아이러니, 역설적인 것 2. 반어법, 비꼼
1453	**magnificent**	형 1. 장엄한 2. 훌륭한, 멋진
1454	**sight**	명 1. 시력, 시야 2. 봄 3. 광경, 풍경
1455	**extrinsic**	형 외적인, 외부의
1456	**recur**	동 재발하다, 반복되다
1457	**display**	동 전시[진열]하다, 보여 주다 명 전시
1458	**frighten**	동 겁먹게 하다, 놀라게 하다
1459	**sophomore**	명 (대학·고등학교의) 2학년생

1460	**greed**	명 탐욕, 욕심
1461	**financial**	형 재정의, 금융의
1462	**claim**	동 1. 주장하다 2. 요구[청구]하다 명 주장, 요구[청구]
1463	**anecdote**	명 일화, 비화
1464	**comprise**	동 1. ~로 구성되다 2. 구성하다, 차지하다
1465	**particle**	명 1. 입자, 미립자 2. 극소량, 티끌
1466	**current**	형 1. 현재의, 지금의 2. 통용되는 명 1. 흐름 2. 경향, 추세 3. 해류, 전류
1467	**deflect**	동 1. 방향을 바꾸다[틀다] 2. 피하다, 모면하다
1468	**opportunity**	명 기회
1469	**catastrophe**	명 큰 재해, 재난, 대참사
1470	**swing**	동 흔들다, 흔들리다 명 1. 흔들림 2. 그네
1471	**budget**	명 예산(안) 동 예산을 세우다 형 저가의, 저렴한
1472	**affluent**	형 부유한, 풍부한
1473	**stuck**	형 꼼짝 못 하는, 갇힌
1474	**reproach**	동 꾸짖다, 비난하다 명 비난, 책망
1475	**immigrate**	동 이민 오다, 이주해 오다
1476	**emigrate**	동 이민 가다, 이주해 가다
1477	**migrate**	동 1. 이주하다 2. (새·동물이) 이동하다
1478	**answer for**	~에 대해 책임지다
1479	**ask for**	~을 요구하다, ~을 요청하다
1480	**apply for**	~을 신청하다, ~에 지원하다

DAY 38

1481	primate	명 영장류
1482	choir	명 합창단, 성가대
1483	supernatural	형 초자연적인
1484	relieve	동 1. 완화하다, 경감하다 2. 안심시키다
1485	recollect	동 회상하다, 기억해 내다
1486	ordinary	형 1. 보통의, 일상적인 2. 평범한
1487	interior	명 내부 형 내부의
1488	conceive	동 1. (생각 등을) 마음에 품다, 상상하다 2. 임신하다
1489	ancestor	명 조상, 선조
1490	mental	형 정신의, 마음의
1491	subside	동 1. 가라앉다, 진정되다 2. (물이) 빠지다 3. 내려앉다
1492	allergic	형 알레르기가 있는, 알레르기(성)의
1493	delegate	명 대표자, 사절 동 (권한을) 위임하다
1494	plow	동 (쟁기로) 갈다, 경작하다 명 쟁기
1495	evoke	동 일깨우다, (기억 등을) 환기시키다
1496	bullet	명 총알, 탄환
1497	moisture	명 수분, 습기
1498	improve	동 향상시키다, 개선하다
1499	differentiate	동 1. 구별하다, 구분 짓다 2. 차별하다

1500	**suit**	명 1. 정장, 한 벌 2. 소송 동 1. (기호·조건 등에) 맞다, 적합하다 2. 어울리다
1501	**costly**	형 값비싼, 손실이 큰
1502	**overcome**	동 극복하다, 이겨 내다
1503	**tackle**	동 1. (힘든 문제와) 씨름하다 2. ((스포츠)) 태클을 걸다 명 1. 도구 2. (축구의) 태클
1504	**groan**	동 신음 소리를 내다 명 신음 (소리)
1505	**execute**	동 1. 처형하다 2. 실행하다
1506	**wrench**	동 1. 확 비틀다, 잡아떼다 2. 삐다 명 1. 비틀기 2. 왜곡 3. 렌치, 스패너
1507	**efficient**	형 1. 효율적인, 능률적인 2. 유능한
1508	**form**	명 1. 형태, 유형 2. 서식 동 형성하다
1509	**manufacture**	동 제조하다, 생산하다 명 1. 제조, 생산 2. ((-s)) 제품
1510	**preoccupied**	형 몰두한, 사로잡힌
1511	**sphere**	명 1. 영역, 범위 2. 구체, 천체
1512	**deny**	동 1. 부정[부인]하다 2. 거부하다
1513	**inferior**	형 1. (~보다) 열등한 2. 낮은, 하급의 명 하급자
1514	**household**	명 가구, 가정, 세대 형 가정의
1515	**moderate**	형 1. 알맞은, 적당한 2. 보통의, 중간의
1516	**modest**	형 1. 겸손한 2. 적당한, 수수한
1517	**anatomy**	명 1. 해부(학) 2. 해부학적 구조, 조직
1518	**autonomy**	명 1. 자율(성) 2. 자치권
1519	**see off**	~을 배웅[전송]하다
1520	**send off**	1. ~을 발송하다 2. ~을 퇴장시키다

DAY 39

1521	**stem**	명 줄기 동 생기다, 유래하다
1522	**bloom**	동 꽃이 피다 명 1. 꽃(이 핌) 2. 한창(때)
1523	**colony**	명 1. 식민지 2. (동식물의) 군체, 군집
1524	**hybrid**	명 잡종, 혼합(물) 형 잡종의, 혼성된
1525	**extraordinary**	형 1. 비범한, 비상한 2. 엄청난, 놀라운
1526	**shrink**	동 1. 줄어들다, 오그라들다 2. 감소하다
1527	**interfere**	동 1. 방해하다 2. 간섭하다, 개입하다
1528	**precise**	형 정확한, 정밀한
1529	**circumstance**	명 1. 상황, 환경 2. ((-s)) (경제적) 형편
1530	**compensate**	동 1. 보상하다 2. 보충하다
1531	**discourse**	명 담화, 담론 동 이야기하다, 담화하다
1532	**parliament**	명 1. 의회, 국회 2. ((P~)) 영국 의회
1533	**demonstrate**	동 1. 보여 주다, 증명하다 2. 시위하다
1534	**judge**	동 1. 판단하다 2. 재판하다, 심판하다 명 1. 판사 2. 심판
1535	**formula**	명 1. 공식, -식 2. 방식, 법칙
1536	**rigid**	형 1. 엄격한, 융통성 없는 2. 뻣뻣한, 잘 휘지 않는
1537	**province**	명 1. 지방 2. (행정 단위) 주, 도 3. 범위, 분야
1538	**agency**	명 1. 대리점, 대행사 2. 기관, 단체
1539	**general**	형 1. 일반적[보편적]인 2. 개괄적[대략적]인 명 장군

1540	**innovation**	명 1. 혁신, 쇄신 2. 새로 도입한 것
1541	**alleviate**	동 (고통 등을) 완화하다, 덜다
1542	**misplace**	동 잘못 두다, 둔 곳을 잊다
1543	**material**	명 1. 자료 2. 재료, 물질 3. 직물, 천 형 물질의, 물질적인
1544	**kidnap**	동 납치[유괴]하다 명 유괴
1545	**symbolic**	형 상징적인
1546	**annual**	형 매년의, 연간의
1547	**transit**	명 1. 운송, 수송 2. 통과, 통행 동 통과[통행]하다
1548	**outcome**	명 결과
1549	**informal**	형 1. 비공식적인 2. 격식을 차리지 않는
1550	**eventually**	부 결국, 마침내
1551	**rush**	동 1. 돌진하다, 급하게 가다 2. 갑자기 나타나다 명 1. 돌진, 급히 움직임 2. 쇄도 3. 혼잡
1552	**clumsy**	형 서투른, 어설픈
1553	**rebel**	동 1. 반란을 일으키다 2. 반항[저항]하다 명 반역자
1554	**sewage**	명 하수, 오물
1555	**stationary**	형 움직이지 않는, 정지된
1556	**stationery**	명 문방구, 문구류
1557	**numerous**	형 수많은, 다수의
1558	**numerical**	형 수의, 숫자로 나타낸
1559	**call on[upon]**	1. 요청하다, 시키다 2. 방문하다
1560	**call off**	취소하다, 철회하다

DAY 40

1561	**surge**	동 1. 급등하다 2. 밀려오다 명 1. 급등 2. 쇄도
1562	**abstract**	형 추상적인 명 개요 동 요약하다
1563	**laboratory**	명 실험실, 연구실
1564	**slight**	형 약간의, 미미한
1565	**multitask**	동 동시에 여러 가지 일을 하다
1566	**procedure**	명 절차, 방법
1567	**novelty**	명 참신함, 새로움 형 진기한
1568	**analyze**	동 분석하다
1569	**dilemma**	명 딜레마, 궁지
1570	**promote**	동 1. 촉진[고취]하다, 장려하다 2. 승진시키다 3. 홍보하다
1571	**indispensable**	형 없어서는 안 되는, 필수적인
1572	**ballot**	명 (무기명) 투표, 투표용지 동 투표하다
1573	**rational**	형 이성적인, 합리적인
1574	**disrupt**	동 1. 방해하다, 혼란에 빠뜨리다 2. 붕괴[분열]시키다
1575	**exemplify**	동 (좋은) 예가 되다, 예를 들다
1576	**slope**	명 비탈, 경사(면) 동 경사지다, 기울어지다
1577	**humble**	형 1. 미천한, 보잘것없는 2. 겸손한
1578	**postpone**	동 연기하다, 미루다
1579	**susceptible**	형 1. 영향받기 쉬운, 취약한 2. 민감한, 예민한

1580	derive	동 1. 유래하다, 파생하다 2. 얻다, 끌어내다
1581	foundation	명 1. 기초, 토대 2. 재단 3. 설립
1582	crisis	명 위기, 고비
1583	antibody	명 항체
1584	organize	동 1. 조직하다, 구성하다 2. 정리하다
1585	expose	동 1. 노출시키다, 드러내다 2. 폭로하다
1586	chemistry	명 1. 화학 2. (사람 사이의) 화학 반응
1587	textile	명 직물, 옷감 형 직물의, 방직의
1588	compatible	형 1. 양립할 수 있는 2. 호환 가능한
1589	growl	동 으르렁거리다
1590	hesitate	동 주저하다, 망설이다
1591	due	형 1. ~로 인한 2. 지불 기일이 된 3. (~할) 예정인
1592	influence	명 영향 동 영향을 끼치다
1593	ascend	동 오르다, 올라가다
1594	rehabilitate	동 1. 재활 치료를 하다 2. 갱생시키다 3. 명예를 회복시키다
1595	explode	동 1. 폭발하다 2. (감정이) 격발하다
1596	explore	동 1. 탐험하다 2. 탐구하다
1597	exploit	동 착취하다, (부당하게) 이용하다 명 위업, 공적
1598	break up with	~와 결별하다, ~와 갈라서다
1599	come up with	1. ~을 생각해 내다 2. 내놓다, 제시하다
1600	come down with	(병에) 걸리다

DAY 41

1601	**archive**	명 1. 기록 보관소 2. (데이터 등의) 보관, 보존 동 보관하다
1602	**complicated**	형 복잡한
1603	**publish**	동 1. 출판[발행]하다 2. 발표[공표]하다
1604	**benefit**	명 1. 혜택, 이득 2. 보조금 동 이익[이득]을 얻다
1605	**renewal**	명 1. 재개 2. 갱신, 연장
1606	**entrust**	동 위임하다, 맡기다
1607	**irritated**	형 1. 짜증 난 2. (피부 등이) 자극받은
1608	**commission**	명 1. 위원회 2. 수수료 3. 위임, 의뢰 동 의뢰하다
1609	**persuade**	동 설득하다, 납득시키다
1610	**divine**	형 신의, 신성한
1611	**invoke**	동 1. (법·규칙 등을) 발동하다, 적용하다 2. 호소하다 3. (느낌·상상을) 불러일으키다
1612	**tact**	명 1. 재치, 기지 2. 요령
1613	**personal**	형 1. 개인의, 사적인 2. 본인의, 직접[몸소] 하는
1614	**function**	명 기능, 역할 동 기능하다, 작동하다
1615	**reclaim**	동 1. 되찾다 2. 교화하다 3. 개간[간척]하다
1616	**hedge**	명 1. 울타리 2. 제한, 장벽 3. 손실 방지책 동 1. 둘러싸다 2. 제한하다
1617	**overestimate**	동 과대평가하다
1618	**deed**	명 1. 행위, 행동 2. 업적
1619	**straightforward**	형 1. 솔직한 2. 직접의 3. 간단한, 쉬운

1620	**purpose**	명 목적, 의도
1621	**fuse**	동 1. 융합되다[시키다] 2. 용해되다 명 (전기) 퓨즈
1622	**launch**	동 1. 시작[착수]하다 2. 출시하다 3. (로켓 등을) 발사하다 명 1. 시작 2. 출시 3. 발사
1623	**attract**	동 (주의·관심 등을) 끌다, 끌어당기다, 매혹하다
1624	**local**	형 1. 지역의 2. 현지의 명 주민, 현지인
1625	**pastime**	명 오락, 취미, 기분 전환
1626	**seize**	동 1. 꽉 잡다 2. 장악하다 3. 체포하다
1627	**protein**	명 단백질
1628	**mechanical**	형 1. 기계의, 기계로 만든 2. 역학의 3. (사람의 행동이) 기계적인
1629	**dwell**	동 1. 거주하다, 살다 2. (어떤 상태에) 머무르다
1630	**influenza**	명 유행성 감기, 독감(flu)
1631	**surgeon**	명 외과 의사
1632	**astonished**	형 깜짝 놀란
1633	**offend**	동 1. 기분을 상하게 하다 2. 위반하다
1634	**chase**	동 뒤쫓다, 추격하다 명 추격
1635	**adapt**	동 1. 적응하다 2. 조정하다 3. 각색하다
1636	**adopt**	동 1. (정책 등을) 채택하다 2. 입양하다
1637	**compliment**	동 칭찬하다 명 칭찬, 찬사
1638	**complement**	동 보완하다, 보충하다 명 보충(물)
1639	**lay out**	1. 펼치다 2. 배치하다
1640	**lay off**	(정리) 해고하다

DAY 42

1641	**transform**	동 1. 변형시키다 2. 완전히 바꾸다
1642	**reflect**	동 1. (열·빛 등을) 반사하다 2. (거울 등에) 비추다 3. 반영하다, 나타내다 4. 숙고하다
1643	**surface**	명 표면, 수면 형 표면의, 외관의, 피상적인
1644	**oxygen**	명 산소
1645	**spiral**	명 1. 나선(형) 2. 소용돌이 형 나선(형)의
1646	**terminology**	명 (전문) 용어
1647	**afford**	동 1. ~할 여유가 되다 2. 제공하다
1648	**cosmopolitan**	형 세계적인, 국제적인 명 세계인
1649	**fatigue**	명 피로, 피곤
1650	**linger**	동 (아쉬운 듯이) 남아 있다, 오래 머물다
1651	**mislead**	동 1. 잘못 인도하다 2. 속이다, 오해하게 하다
1652	**commute**	동 통근하다 명 통근, 통근 거리[시간]
1653	**route**	명 1. 길, 경로, 노선 2. 방법
1654	**territory**	명 1. 지역, 영토 2. 영역
1655	**humid**	형 습한, 눅눅한
1656	**brutal**	형 1. 잔혹한, 야만적인 2. (날씨·비평이) 혹독한
1657	**agriculture**	명 농업
1658	**startle**	동 깜짝 놀라게 하다
1659	**probe**	동 1. 탐사하다 2. 조사하다, 캐묻다 명 1. (철저한) 조사 2. 탐사용 로켓

1660	**kneel**	동 무릎을 꿇다
1661	**counterpart**	명 상대, 대응 관계에 있는 사람[것]
1662	**reluctant**	형 꺼리는, 마음이 내키지 않는
1663	**descent**	명 1. 하강, 하락 2. 혈통, 출신
1664	**ingenious**	형 1. 기발한, 독창적인 2. 영리한, 재능 있는
1665	**plot**	명 1. 줄거리, 구성 2. 음모 3. 작은 땅 조각 동 1. 줄거리를 짜다 2. 음모를 꾸미다
1666	**specific**	형 1. 구체적인, 명확한 2. 특정한
1667	**disclose**	동 폭로하다, 드러내다
1668	**crush**	동 1. 으깨다, 눌러 부수다 2. 진압하다
1669	**allot**	동 할당[배당]하다
1670	**interact**	동 1. 소통하다, 교류하다 2. 상호작용 하다
1671	**prompt**	형 즉각적인, 신속한 동 촉발하다, 유도하다
1672	**eternal**	형 영원한, 끊임없는
1673	**supervise**	동 감독하다, 관리하다
1674	**aspect**	명 1. 측면, 면 2. 양상
1675	**fraction**	명 1. 일부, 부분 2. ((수학)) 분수
1676	**friction**	명 1. 마찰(력) 2. 충돌, 불화
1677	**intellectual**	형 지능의, 지적인 명 지식인
1678	**intelligent**	형 1. 총명한, 똑똑한 2. ((컴퓨터)) 지능적인
1679	**wait on**	시중을 들다
1680	**wait for**	~을 기다리다

DAY 43

1681	**resource**	명 1. 자원, 물자 2. 재료
1682	**fundamental**	형 1. 근본[본질]적인 2. 핵심적인, 필수적인
1683	**uphold**	동 1. 지지하다, 옹호하다 2. 받들다, 지탱하다
1684	**expense**	명 비용, 돈
1685	**achieve**	동 성취하다, 이루다
1686	**setback**	명 좌절, 차질, 방해
1687	**insane**	형 제정신이 아닌, 미친
1688	**earn**	동 1. 돈을 벌다 2. (명성·평판 등을) 얻다
1689	**deduce**	동 추론하다, 연역하다
1690	**behalf**	명 1. 이익 2. 지지
1691	**aviation**	명 비행(술), 항공(술)
1692	**superior**	형 뛰어난, 우수한, 상급의 명 윗사람, 상급자
1693	**prolong**	동 (시간·공간적으로) 연장하다, 연기하다
1694	**charity**	명 1. 자선 (단체) 2. 너그러움, 자비심
1695	**enterprise**	명 1. 기업, 회사 2. (모험적인) 대규모 사업
1696	**diagnose**	동 진단하다
1697	**conflict**	명 갈등, 충돌 동 대립하다, 충돌하다
1698	**medieval**	형 중세의, 중세풍의
1699	**reign**	명 통치 (기간) 동 통치하다, 지배하다

1700	**frown**	동 얼굴[눈살]을 찌푸리다 명 찌푸림
1701	**nomadic**	형 유목 (생활)의, 방랑의
1702	**toll**	명 1. 사용료, 통행료 2. 사상자 수 동 (요금을) 징수하다
1703	**stroll**	동 산책하다, 한가로이 거닐다 명 산책
1704	**drought**	명 가뭄
1705	**adjacent**	형 인접한, 가까운
1706	**rural**	형 시골의, 지방의
1707	**guidance**	명 지도, 안내
1708	**shift**	동 1. 바꾸다 2. 이동하다 명 1. 변화 2. 교대 근무
1709	**confer**	동 1. 협의하다, 상의하다 2. 수여하다
1710	**potential**	형 잠재적인, 가능성이 있는 명 잠재력, 가능성
1711	**vertical**	형 수직의, 세로의
1712	**invest**	동 1. 투자하다 2. (시간·노력 등을) 들이다
1713	**outbreak**	명 1. (전쟁·질병 등의) 발생, 발발 2. 급증
1714	**scribble**	동 1. 갈겨쓰다 2. 낙서하다 명 갈겨쓴 글씨
1715	**confirm**	동 1. 확인하다 2. 승인[인증]하다
1716	**conform**	동 1. 따르다, 순응하다 2. (~에) 일치시키다
1717	**fertile**	형 1. 비옥한, 기름진 2. 가임의
1718	**futile**	형 헛된, 소용없는
1719	**may as well**	~하는 편이 낫다
1720	**may well**	(~하는 것도) 당연하다, 무리가 아니다

DAY 44

1721	accomplish	동 이루다, 성취하다, 완수하다
1722	congestion	명 혼잡, 정체
1723	steep	형 1. 가파른, 비탈진 2. 급격한
1724	representative	명 대표자, 대리인 형 대표하는
1725	flee	동 달아나다, 도망가다
1726	rust	명 녹 동 녹슬다, 부식시키다
1727	ideal	형 이상적인 명 이상
1728	legacy	명 유산, 유물
1729	cherish	동 소중히 여기다, 간직하다
1730	despise	동 경멸[멸시]하다
1731	welfare	명 1. 행복, 안녕 2. 복지
1732	arbitrary	형 1. 임의의, 제멋대로인 2. 독단적인
1733	complete	형 1. 완전한, 완벽한 2. 완료된 동 완료하다
1734	tow	동 견인하다, 끌다 명 견인
1735	dismiss	동 1. 묵살하다 2. 해고하다 3. 해산시키다
1736	settle	동 1. 해결하다 2. 정착하다 3. 진정하다[시키다]
1737	proportion	명 1. 비율, 부분 2. 균형, 조화 3. 비례
1738	domesticated	형 1. 길든, 길들여진 2. 가정적인
1739	ingenuity	명 창의력, 고안력, 독창성

1740	encompass	동 1. 포함하다, 포괄하다 2. 둘러싸다
1741	bilingual	형 이중 언어를 사용하는 명 이중 언어 사용자
1742	reform	동 개혁하다, 개선하다 명 개혁, 개선
1743	string	명 1. 끈, 줄 2. 일련, 한 줄 동 묶다, 죽 꿰다
1744	surplus	명 1. 과잉, 잉여 2. 흑자 형 과잉의, 여분의
1745	odd	형 1. 이상한, 특이한 2. 홀수의 3. 외짝의
1746	warranty	명 보증(서)
1747	mock	동 조롱하다, 놀리다 형 가짜의, 모조의
1748	paddle	동 노를 젓다 명 노
1749	intend	동 의도하다, ~할 작정이다
1750	disgust	명 혐오감, 역겨움 동 혐오감을 주다, 역겹게 하다
1751	premature	형 1. 시기상조의, 너무 이른 2. 조산한
1752	shrug	동 (어깨를) 으쓱하다
1753	flood	명 홍수 동 범람하다, 물에 잠기게 하다
1754	violate	동 1. 위반하다 2. 침해하다
1755	population	명 인구, 주민
1756	popularity	명 인기, 대중성
1757	invaluable	형 매우 귀중한, 매우 유용한
1758	valueless	형 가치 없는, 하찮은
1759	now that	~이므로, ~이기 때문에
1760	in that	~라는 점에서

DAY 45

1761	**dispose**	동 1. 처리하다 2. 배치하다 3. ~의 경향을 갖게 하다
1762	**contain**	동 1. 포함하다, 함유하다 2. (감정을) 억누르다, 억제하다
1763	**epidemic**	명 유행병, 유행성 (전염병) 형 유행성의
1764	**germ**	명 세균, 미생물
1765	**stout**	형 1. 통통한, 뚱뚱한 2. (물건이) 튼튼한
1766	**debt**	명 빚, 부채
1767	**sum**	명 총합, 합계 동 1. 합계가 ~이 되다 2. 요약하다
1768	**reasonable**	형 1. 합리적인, 타당한 2. 비싸지 않은, 적정한
1769	**currency**	명 1. 통화, 화폐 2. 통용, 유통
1770	**utilize**	동 활용하다, 이용하다
1771	**inseparable**	형 떼어 낼 수 없는, 분리할 수 없는
1772	**continent**	명 1. 대륙, 육지, 본토 2. (영국에서 본) 유럽 대륙
1773	**liberate**	동 해방시키다, 자유롭게 하다
1774	**internal**	형 1. 내부의 2. 내면의 3. 국내의
1775	**patch**	명 1. (덧댄) 조각 2. 좁은 땅 동 (헝겊 조각 등으로) 덧대다
1776	**orchard**	명 과수원
1777	**translate**	동 1. 번역하다, 통역하다 2. 바꾸다, 옮기다
1778	**pronounce**	동 1. 발음하다 2. 선언하다
1779	**vocation**	명 1. 직업, 천직 2. 소명 (의식), 사명감

1780	collective	형 집단의, 공동의 명 집단, 공동체
1781	recognize	동 1. 알아보다, 인지하다 2. 인정[승인]하다
1782	cite	동 1. (이유·예를) 들다 2. 인용하다
1783	shatter	동 1. 산산이 부수다 2. 엄청난 충격을 주다
1784	acknowledge	동 1. 인정하다, 승인하다 2. (물건의) 수령을 전하다
1785	barrel	명 통, 배럴
1786	mold	명 1. 틀, 거푸집 2. 곰팡이 동 1. (틀에 넣어) 만들다 2. (성격을) 형성하다
1787	solid	형 1. 고체의, 단단한 2. 견고한, 튼튼한 3. 확실한 명 고체
1788	flexible	형 1. 유연한, 구부리기 쉬운 2. 융통성 있는
1789	declare	동 1. 선언[포고]하다 2. (소득·과세품을) 신고하다
1790	essential	형 필수적인, 본질적인 명 필수적인 것, 핵심 사항
1791	adore	동 아주 좋아하다, 흠모하다
1792	tragedy	명 1. 비극 2. 비극 작품
1793	request	명 요청, 요구 동 요청[요구]하다
1794	bare	형 1. 벌거벗은, 맨- 2. 가까스로의
1795	ambiguous	형 애매한, 모호한
1796	ambitious	형 야심을 품은, 야심적인
1797	convince	동 1. 확신시키다, 납득시키다 2. 설득하다
1798	conviction	명 1. 신념, 확신 2. 유죄 선고[판결]
1799	fill out	작성하다, 기입하다
1800	give out	1. 나누어 주다 2. (빛·열을) 내다, 발산하다

DAY 46

1801	split	동 나뉘다, 분열시키다 명 틈, 분열
1802	dissent	명 반대 (의견) 동 반대하다
1803	committee	명 위원회
1804	presume	동 1. 추정하다 2. 여기다, 간주하다
1805	frontier	명 1. 국경, 접경 2. 한계 3. 미개척지[분야]
1806	illustrate	동 1. 설명하다, 예증하다 2. 삽화를 넣다
1807	stock	명 1. 재고(품) 2. 비축, 저장 3. 주식, 채권 4. 가축 동 들여놓다, 비축하다
1808	entangle	동 얽히게 하다, 걸려들게 하다
1809	accept	동 1. 받아들이다, 수락하다 2. 인정하다
1810	flavor	명 1. 맛, 풍미 2. 양념, 향신료 동 맛을 내다
1811	nuclear	형 원자력의, 핵의
1812	sanction	명 1. 제재 (조치) 2. 재가, 승인 동 허가하다
1813	destroy	동 파괴하다
1814	transcend	동 초월하다, 능가하다
1815	minimal	형 최소의, 아주 적은
1816	burrow	동 1. 굴을 파다 2. 파고들다, 몰두하다 명 1. 굴 2. 은신처
1817	experiment	명 실험 동 실험하다
1818	instance	명 사례, 경우
1819	condense	동 1. 응결하다, 농축하다 2. (글·정보를) 압축하다

1820	**realize**	동 1. 깨닫다 2. (꿈·목표 등을) 실현하다
1821	**personality**	명 성격, 개성
1822	**dynamic**	형 1. 역동적인 2. 활발한 명 1. 원동력 2. ((-s)) 역학, 동력학
1823	**apt**	형 1. ~하기 쉬운, ~하는 경향이 있는 2. 적절한
1824	**undermine**	동 약화시키다, 훼손하다
1825	**severe**	형 1. 심각한, 극심한 2. 엄한, 가혹한
1826	**commit**	동 1. 범하다, 저지르다 2. 전념하다, 헌신하다 3. 약속하다 4. 위탁하다, 맡기다
1827	**reckless**	형 무모한, 부주의한, 난폭한
1828	**rally**	명 1. 집회, 대회 2. 랠리, 자동차 경주 동 결집하다, 단결하다
1829	**decisive**	형 1. 결정적인 2. 결단력 있는, 단호한
1830	**offspring**	명 1. 자식, 자손 2. (동물의) 새끼
1831	**policy**	명 정책, 방침
1832	**visible**	형 1. 눈에 보이는 2. 뚜렷한, 명백한
1833	**enable**	동 ~할 수 있게 하다, 가능하게 하다
1834	**surmount**	동 1. 극복하다 2. 오르다, 타고 넘다
1835	**expire**	동 (기간이) 만료되다, 끝나다
1836	**inspire**	동 고무하다, 영감을 주다
1837	**aspire**	동 열망하다, 바라다
1838	**do away with**	~을 없애다, ~을 폐지하다
1839	**keep up with**	~에 뒤지지 않다
1840	**put up with**	~을 참다, ~을 견디다, ~을 인내하다

DAY 47

1841	**detract**	동 1. (주의를) 딴 데로 돌리다 2. (가치 등을) 떨어뜨리다
1842	**adverse**	형 1. 부정적인 2. 역[반대]의 3. 불리한
1843	**indicate**	동 1. 가리키다, 나타내다 2. 암시하다
1844	**revolt**	명 반란, 봉기, 저항 동 반란을 일으키다
1845	**lord**	명 1. 주인, 지배자 2. (봉건) 영주 3. 왕의 호칭
1846	**era**	명 시대, 시기
1847	**barren**	형 불모의, 메마른, 척박한
1848	**drift**	동 표류하다, 떠다니다 명 이동, 표류
1849	**transport**	동 수송하다, 운반하다 명 수송
1850	**urban**	형 도시의
1851	**hire**	동 고용하다
1852	**firsthand**	부 직접, 바로 형 직접의, 직접 얻은
1853	**dedicate**	동 1. 전념[헌신]하다 2. 헌정하다, 바치다
1854	**spin**	동 1. 돌리다, 회전하다 2. (실을) 잣다 명 회전
1855	**consensus**	명 합의, 의견 일치
1856	**respective**	형 각자의, 각각의
1857	**gourmet**	명 미식가
1858	**provoke**	동 불러일으키다, 유발하다
1859	**regard**	동 1. (~로) 여기다, 간주하다 2. 존중[중시]하다 명 1. 고려, 관심 2. 존경

1860	contrary	형 반대되는, 반대의 명 반대되는 것
1861	earthquake	명 지진
1862	doctrine	명 1. 교리, 신조 2. 주의, 정책
1863	enlarge	동 확대하다, 확장하다
1864	sympathy	명 1. 동정(심), 연민 2. 공감
1865	miserable	형 1. 비참한, 불행한 2. 초라한, 형편 없는
1866	bully	명 (약자를) 괴롭히는 사람 동 괴롭히다
1867	announce	동 발표하다, 알리다
1868	interpersonal	형 대인 관계에 관련된, 인간 사이에 일어나는
1869	patrol	명 순찰(대) 동 순찰을 돌다
1870	spear	명 창 동 창으로 찌르다
1871	maximize	동 최대화하다, 극대화하다
1872	weigh	동 1. 무게가 ~이다 2. 무게를 달다
1873	streamlined	형 1. 유선형의 2. 간결한, 간소화된
1874	outfit	명 복장, 장비 동 (복장·장비를) 갖추어 주다
1875	pasture	명 초원, 목초지
1876	posture	명 1. 자세 2. 태도
1877	contemplate	동 1. 고려하다, 생각하다 2. 심사숙고하다
1878	contempt	명 경멸, 멸시, 무시
1879	speak for	~을 대변[변호]하다
1880	stand for	~을 상징하다

DAY 48

1881	framework	명 1. 뼈대, 틀 2. 체제, 구조
1882	realm	명 1. 영역, 범위 2. 왕국
1883	liable	형 1. ~하기 쉬운, ~할 것 같은 2. 법적 책임이 있는
1884	intrude	동 1. 침입하다, 침해하다 2. 방해하다
1885	reduce	동 줄이다, 줄다
1886	amplify	동 1. 확대하다, 증폭시키다 2. 상술하다
1887	witness	명 목격자, 증인 동 1. 목격하다 2. 증언하다
1888	insomnia	명 불면증
1889	compromise	동 타협하다, 절충하다 명 타협, 절충
1890	deforestation	명 삼림 벌채
1891	mere	형 단순한, 순전한, 단지 ~에 불과한
1892	narrative	명 1. 이야기 2. 설화 문학 형 이야기(체)의
1893	international	형 국제의, 국제적인
1894	awe	명 경외감 동 경외심을 갖게 하다
1895	choke	동 1. 숨이 막히다, 질식시키다 2. 메우다, 막다 명 질식
1896	branch	명 1. 나뭇가지 2. 분점, 지사 동 나뉘다, 갈라지다
1897	stable	형 1. 안정적인 2. 차분한, 안정된 명 마구간
1898	casualty	명 사상자, 희생자
1899	patience	명 인내, 참을성, 끈기

1900	admire	동 1. 존경하다 2. 감탄하다
1901	prehistoric	형 선사 시대의
1902	outstanding	형 뛰어난, 두드러진
1903	disprove	동 틀렸음을 증명하다, 논박하다
1904	conspicuous	형 눈에 잘 띄는, 잘 보이는, 튀는
1905	gender	명 성, 성별
1906	subdue	동 1. 진압하다 2. (감정을) 가라앉히다
1907	slaughter	명 1. 도살 2. 대량 학살 동 1. 도살하다 2. 학살하다
1908	devote	동 (시간·노력 등을) 바치다, 쏟다
1909	stare	동 응시하다, 빤히 쳐다보다 명 응시
1910	righteous	형 1. (도덕적으로) 옳은, 바른 2. 당연한, 마땅한
1911	compound	명 화합물, 혼합물, 복합체 형 합성[복합]의 동 1. 악화시키다 2. 구성되다
1912	strip	동 1. (옷을) 벗다[벗기다] 2. 빼앗다, 박탈하다 명 가느다란 조각
1913	underlie	동 기저를 이루다, 기초가 되다
1914	pretend	동 ~인 척하다, 가장하다
1915	vain	형 1. 헛된, 소용없는 2. 허영심이 강한
1916	vein	명 1. 혈관, 정맥 2. 잎맥
1917	immoral	형 비도덕적인, 부도덕한
1918	immortal	형 불멸의, 죽지 않는
1919	for the sake of	~을 위해서, ~ 때문에
1920	get in the way of	방해되다

DAY 49

1921	**debris**	명 1. 잔해, 파편 2. 쓰레기
1922	**blur**	동 흐리게 만들다 명 흐림, 흐릿한 것
1923	**suburb**	명 교외, 근교
1924	**apply**	동 1. 신청[지원]하다 2. 적용[응용]하다 3. (화장품 등을) 바르다
1925	**border**	명 1. 국경, 경계 2. 가장자리 동 (국경·경계를) 접하다
1926	**expedition**	명 탐험(대), 원정(대)
1927	**consequence**	명 1. 결과 2. 중요성
1928	**wither**	동 1. 시들다, 말라 죽다 2. 약해지다, 쇠퇴하다
1929	**confine**	동 1. 제한[국한]하다 2. 가두다, 감금하다
1930	**typical**	형 1. 전형적인, 대표적인 2. 보통의, 일반적인
1931	**rubbish**	명 쓰레기, 폐물
1932	**stern**	형 1. 엄격한, 단호한 2. 심각한
1933	**outburst**	명 1. 분출, 폭발 2. 급격한 증가
1934	**notable**	형 주목할 만한, 유명한
1935	**scale**	명 1. 규모, 등급 2. 저울, 눈금 3. 축척, 비율
1936	**insist**	동 1. 주장하다 2. 고집하다
1937	**via**	전 1. ~을 경유해서 2. ~을 통해서[매개로]
1938	**consecutive**	형 연이은, 연속적인
1939	**fulfill**	동 1. 달성하다 2. 이행하다 3. 충족시키다

1940	**intricate**	형 복잡한, 뒤얽힌
1941	**decrease**	동 감소하다, 줄(이)다 명 감소
1942	**occur**	동 1. 발생하다, 일어나다 2. (생각이) 떠오르다
1943	**aggravate**	동 1. 악화시키다 2. 짜증나게 하다
1944	**organic**	형 1. 유기농의 2. 유기체[물]의
1945	**polish**	동 닦다, 광을 내다 명 광택(제)
1946	**freshwater**	형 민물[담수]의
1947	**personnel**	명 1. 인원, 직원 2. 인사과
1948	**literally**	부 1. 문자[말] 그대로 2. 실제로
1949	**refer**	동 1. 언급하다 2. 지칭하다 3. 참조하다
1950	**disregard**	동 무시하다, 경시하다 명 무시, 경시
1951	**sway**	동 1. 흔들리다[흔들다] 2. 동요시키다 명 흔들림, 진동
1952	**plausible**	형 타당한 것 같은, 그럴듯한
1953	**affair**	명 문제, 일, 사건
1954	**maternal**	형 어머니의, 모성의
1955	**famine**	명 기근, 굶주림
1956	**feminine**	형 여성의, 여성스러운
1957	**subject**	명 1. 주제 2. 과목, 학과 3. 피실험자 4. 국민, 신하 형 (영향을) 받는 동 지배하다
1958	**subjective**	형 주관적인, 주관의
1959	**come down to**	1. 요약되다 2. 결국 ~에 이르다
1960	**come up to**	~까지 달하다[이르다]

DAY 50

1961	**pollute**	동 오염시키다, 더럽히다
1962	**damp**	형 축축한, 습기찬 명 습기, 축축함
1963	**gear**	명 1. 도구, 장비 2. 톱니바퀴, 기어 3. 복장
1964	**chore**	명 허드렛일, (집안)일
1965	**symmetry**	명 1. 대칭 2. 균형
1966	**endow**	동 1. 기부하다 2. (재능 등을) 부여하다
1967	**arctic**	형 북극의 명 북극 (지방)
1968	**support**	동 1. 지지[지원]하다 2. 부양하다 3. 뒷받침하다 명 1. 지지, 후원 2. 부양
1969	**inhale**	동 (숨을) 들이쉬다, 들이마시다
1970	**legal**	형 1. 법률의, 법률상의 2. 합법적인
1971	**overall**	형 전체의, 전반적인 부 전반적으로, 대체로
1972	**distress**	명 1. 고통, 괴로움 2. 곤경 동 고통스럽게 하다
1973	**trek**	명 오지 여행, 트레킹[도보 여행]
1974	**scratch**	동 1. 긁다, 할퀴다 2. 근근이 살다 명 긁힘, 찰과상
1975	**cure**	동 치료하다, 해결하다 명 치료(법), 해결(책)
1976	**recommend**	동 1. 추천하다 2. 권장하다
1977	**biosphere**	명 생물권
1978	**stunned**	형 크게 놀란
1979	**radioactive**	형 방사능의, 방사성의

1980	**align**	동 1. (나란히) 정렬시키다 2. 조정[조절]하다
1981	**myth**	명 1. 신화 2. 근거 없는 믿음, 통념
1982	**decode**	동 1. (암호 등을) 해독하다 2. 이해하다, 알아듣다
1983	**fluid**	명 유체, 유동체 형 1. 유동체의 2. 유동적인
1984	**consent**	명 동의, 합의 동 동의하다, 합의하다
1985	**capable**	형 할 수 있는, 유능한
1986	**itch**	명 가려움 동 1. 가렵다 2. (~하고 싶어) 못 견디다
1987	**undo**	동 1. 원상태로 돌리다 2. 풀다, 열다
1988	**pitfall**	명 위험, 덫
1989	**acquire**	동 습득하다, 획득하다, 얻다
1990	**falsify**	동 위조하다, (사실을) 속이다
1991	**spare**	형 남는, 여분의 명 여분, 예비품 동 1. (시간·돈 등을) 할애하다 2. 아끼다
1992	**layout**	명 배치, 설계, 구획
1993	**refund**	명 환불, 반환 동 환불하다, 반환하다
1994	**march**	동 행진하다, 행군하다 명 행진, 행군
1995	**virtual**	형 1. 가상의 2. 사실상의
1996	**virtue**	명 1. 미덕, 선 2. 장점
1997	**vice**	명 1. 악, 악덕 2. 악덕 행위 형 대리의
1998	**all but**	거의, 사실상
1999	**anything but**	~이 결코 아닌
2000	**nothing but**	오직, 그저[단지] ~일 뿐인

Memo

Memo

Memo

수능편

미니 단어장

수능편